Poczet królów i książąt polskich

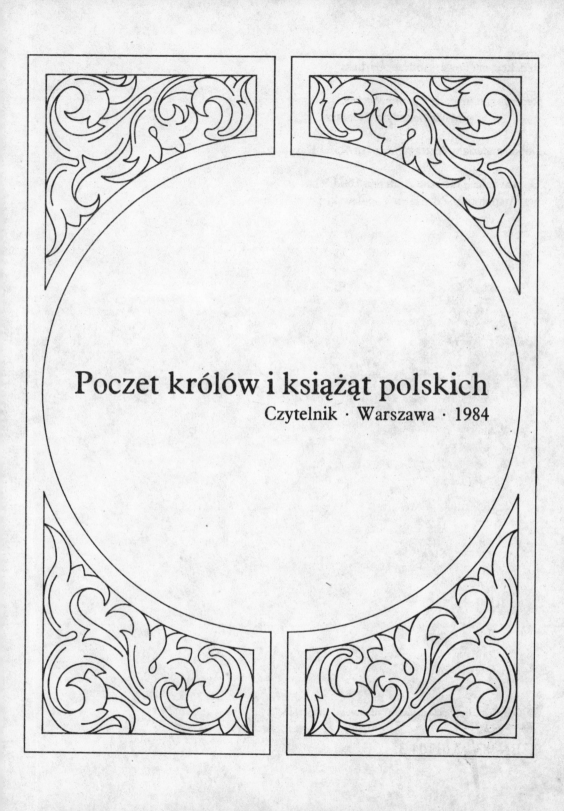

Poczet królów i książąt polskich

Czytelnik · Warszawa · 1984

Redakcja naukowa: Andrzej Garlicki

Recenzenci: prof. dr Antoni Mączak
            prof. dr Benedykt Zientara

Dobór materiału ilustracyjnego: dr Rafał Karpiński

Opracowanie graficzne Andrzeja Heidricha
przy współpracy Zdzisława Topolewskiego

ISBN 83-07-01104-3

Wstęp

Teksty składające się na tę książkę publikowane były uprzednio w tygodniku „Kultura". Przez blisko dwa lata sylwetki królów i książąt polskich towarzyszyły czytelnikom „Kultury" wywołując zainteresowanie przekraczające najśmielsze nawet przewidywania. Sięgnęła do tego pomysłu i telewizja zapraszając przed kamery historyków, by dyskutowali o dawnych władcach Polski. A równocześnie historia nauczana w szkole nie należy – łagodnie mówiąc – do przedmiotów lubianych przez uczniów, szkolne podręczniki historii nie stanowią lektur, które młodzież czyta z wypiekami na twarzy, a publicyści co pewien czas głoszą zmierzch społecznych zainteresowań odległą przeszłością i bardzo przekonywająco uzasadniają tego przyczyny. A przecież – pozornie wbrew logice – mylą się.

Okazuje się bowiem, że zainteresowanie przeszłością – i to zarówno tą bliską, jak i tą nader odległą – jest bardzo duże. Rzeczą socjologa jest wyjaśnienie tego fenomenu. Historyk może jedynie sugerować obszary, na których szukać by należało odpowiedzi. A więc tradycja dwóch prawie stuleci, gdy historia – wraz z literaturą – spełniała rolę czynnika formującego nowoczesny naród polski. Dotyczyło to zarówno okresu zaborów, jak również – choć w inny oczywiście sposób – i lat hitlerowskiej okupacji. Poszukiwano w przeszłości odpowiedzi na pytania, że z najtragiczniejszych doświadczeń potrafiliśmy przecież podnieść się do dalszej egzystencji. Z jednej więc strony rozdrapywanie ran, by nie zarosły błoną podłości, z drugiej poszukiwanie tego, co świeciło jasnym światłem w przeszłości, co poniżonym i prześladowanym pozwalało na dumę i nadzieję. Nie było to przypadkiem, że dwie te postawy – charakterystyczne zarówno dla historyków, jak i odbiorców ich prac – współistniały ze sobą. I choć we wzajemnych polemikach niejedno ostre, a często nawet i krzywdzące, padało zdanie, to przecież owa różnorodność myśli była w sumie zjawiskiem niewątpliwie pożytecznym.

Ktoś kiedyś powiedział, że każde pokolenie musi dokonać własnego rozrachunku z historią, że musi wytworzyć sobie własny sposób oglądu przeszłości. Jeśli sąd ten jest prawdziwy – a dotychczasowe doświadczenia wydają się go potwierdzać – to znaczy, że historia w sensie społecznym nie stanie się nigdy zespołem prawd raz i na zawsze ustalonych, że pozostanie żywa i kontrowersyjna. Zarówno w badaniach, jak i w społecznej ich recepcji.

Laikowi może wydać się dziwne i pozbawione sensu, że historycy powracają w swych badaniach do zagadnień już dawniej naukowo opracowanych i opisanych. I to nawet wówczas, gdy nie usprawiedliwiają tego nowe odkrycia źródłowe. Prace w ten sposób powstałe często są nie mniej interesujące i wartościowe niż te dotyczące spraw dotąd nie znanych. Historyk bowiem odkrywa przeszłość również drogą interpretacji faktów znanych, poprzez sformułowanie nowych pytań, poprzez odmienny sposób szukania na nie odpowiedzi. Historyk tym różni się od kronikarza, że nie tylko ustala fakty, ale stara się wyjaśnić ich przyczyny i skutki. O ile fakty z reguły – choć i tu bywają wyjątki – nie budzą dyskusji, to owe rekonstrukcje przyczyn i skutków, czyli to właśnie, co jest rozumieniem przeszłości, budzą i budzić muszą spory i kontrowersje. Widać to wyraźnie i w tej książce, gdy autorzy sąsiadujących ze sobą tekstów często dość znacznie różnią się w interpretacji, czyli ocenie tych samych faktów. Widzę w tym jedną z zalet tej książki. Pokazuje ona bowiem

względność ocen historycznych, zachęca do intelektualnej refleksji. Owe sprzeczności ocen można było oczywiście usunąć w toku prac redakcyjnych, ale byłaby to zła przysługa oddana czytelnikowi. To, że historia nie należy do przedmiotów popularnych w szkole, wynika – jak się wydaje – przede wszystkim z tego, że w szkolnym wydaniu pozbawiona została wszelkiej dyskusyjności, że składa się z sumy dat i autorytatywnych ocen. Nie ma w niej miejsca na intelektualną przygodę, na emocję własnych prób stawiania pytań i własnych na nie odpowiedzi. Być może jest to wobec przeładowania programów szkolnych nieuniknione, ale tym bardziej potrzebna jest literatura historyczna nie związana szkolnymi rygorami.

Ta książka ma te właśnie ambicje. Nie może ona zastąpić podręcznika szkolnego, mimo że obejmuje ponad osiem stuleci naszej historii. W wielu sformułowaniach różni się od szkolnych podręczników. Czasami wynika to z tego, że autorzy starali się prezentować najnowsze wyniki badań, czasami zaś z tego, że po prostu różnią się w swych interpretacjach od autorów podręczników. Nie tylko szkolnych – również i uniwersyteckich.

Był czas, gdy pisanie o królach i książętach było metodologicznie podejrzane. W owej pierwszej dekadzie Polski Ludowej historiografia nasza podlegała wielkim procesom przeobrażeń w metodzie badania i rozumienia przeszłości. Rozpoczynano wówczas studia nad dziejami klas i grup społecznych, nad procesami ekonomicznymi i przejawami aktywności mas pracujących. Mimo uproszczeń i pomyłek był to przecież okres owocny. Może nie tyle przez konkretne dzieła, co przez znaczne rozszerzenie problematyki badawczej, a przede wszystkim przez upowszechnienie metodologii marksistowskiej.

Lata następne przyniosły zarówno pogłębienie refleksji metodologicznej, jak i znaczną ilość monografii, które zdobyły sobie trwałe miejsce w kanonie podstawowych lektur historyka. Biografistyka była jednak wśród nich najsłabiej reprezentowana. Może i dlatego, że jest to – wbrew pozorom – dziedzina bardzo trudna. Uprawianie jej wymaga przede wszystkim odpowiedzi na pytanie, jaką rolę odgrywa jednostka w procesie dziejowym. Odpowiedź teoretyczna, ogólna nie nastręcza większych trudności. Rozwój społeczny przebiega według pewnych ogólnych prawidłowości. Ale potwierdzają się one w długich ciągach czasowych. Dlatego też bieg procesów historycznych może być opóźniony lub przyspieszony przez wiele czynników. Również przez działanie wybitnych postaci wyciskających swe piętno na historii. W sensie pozytywnym lub negatywnym.

Trudności poczynają się piętrzyć wówczas, gdy owe ogólne zasady usiłujemy zastosować w praktyce. Gdy staramy się ustalić, co w działaniach danej postaci wynikało z jej uwarunkowań, z jej określenia przez możliwości i konieczności, co zaś było rezultatem własnej decyzji, własnego wpływu na bieg wydarzeń. Innymi słowy, gdy szukamy proporcji pomiędzy tym, co obiektywne, i tym, co subiektywne.

Zrozumienie motywacji działań wymaga zrozumienia psychiki podejmującego działania. Nie jest to łatwe nawet dla psychologa badającego żywego człowieka. Cóż dopiero, gdy od naszego bohatera dzielą nas setki lat. Jakże łatwo wówczas o modernizację, o przydawanie opisywanej postaci nieco zarchaizo-

wanej dzisiejszej mentalności. Modna ostatnio psychologia historyczna wciąż jeszcze raczej uzmysławia skalę trudności, niż proponuje zadowalające rozwiązania.

Teksty zawarte w tej książce są dobrą ilustracją wielorakich kłopotów, które rodzi biografistyka. Różnie rozwiązywali je autorzy. Owa różnorodność wynikała i z odmienności temperamentów badawczych, i z odmienności materii, którą poszczególni autorzy się zajmowali. Inne problemy rodził brak źródeł, konieczność rekonstrukcji mozaiki, gdy zachowały się jedynie jej fragmenty, inne – selekcja tego, co ważne, ze źródeł obfitości. Stąd też niektóre z tych tekstów ukazują przede wszystkim warsztat historyka, sposób analizy i krytyki źródeł, gdy inne starają się przedstawić pełny portret bohatera.

Wszystkie jednakże starają się poprzez pryzmat opisywanej postaci ukazać epokę. Choć oczywiście i w tym wypadku sposób prezentacji jest różny w różnych tekstach.

Wybór postaci zgodny jest w zasadzie z ,,Pocztem królów i książąt polskich" Jana Matejki. Matejkowski poczet rozszerzony został o tych książąt, których dokonania w jakiś sposób charakterystyczne były dla epoki. Wydawało się bowiem, że rygorystyczne przestrzeganie zasady, że interesują nas tylko królowie i ci z książąt, którzy pretendowali do zwierzchnictwa nad więcej niż własną dzielnicą, stanowić będzie zbędne ograniczenie. Jest to więc założenie dość dowolne, ale w zbiorze esejów – a tym przecież jest w rezultacie ta książka – usprawiedliwione.

Andrzej Garlicki

Grodzisko w Proboszczewicach

Benedykt Zientara

SIEMOWIT LESTEK SIEMOMYSŁ

A więc jednak byli!

Zmartwychwstali nieomal po długim, zawziętym unicestwianiu przez sceptycznie i hiperkrytycznie nastawioną część historiografii. Od czasu powstania seminariów historycznych na polskich od 1870/71 roku uniwersytetach w Krakowie i Lwowie jedna za drugą upadały legendy, uwiecznione przez średniowiecznych kronikarzy. Wykształceni na niemieckich uniwersytetach przedstawiciele polskiej mediewistyki skrupulatnie analizowali zawarte w naszych kronikach wiadomości i zestawiali je z obcymi źródłami; badali możliwości dotarcia do prawdy przez naszych kronikarzy i ich chęć lub niechęć do pełnego tej prawdy przekazania. Niewiele przekazów Galla i Kadłubka mogło się ostać takiemu śledztwu. W szczególności zaś za ,,bajeczne" uznano wszystko, co Gall napisał o przodkach Mieszka I. Mieszko jest – zdaniem owych badaczy – postacią autentyczną, bo imię jego zapisały kroniki niemieckie i czeskie. O żadnym z jego przodków nie wspominały, a więc nie są to postacie historyczne. W dodatku Gall splątał je z bajką o Popielu zjedzonym przez myszy – a więc opowiadanie jego warte jest tyle samo, co opowiadania Kadłubka o walkach kolejnych Leszków z Aleksandrem Wielkim czy Cezarem.

W 1925 roku Aleksander Brückner, podsumowując swe dawniejsze prace, pisał: ,,U nas tradycji (historycznej na dworze książęcym –

9

przyp. B.Z.) żadnej nie było [...]. Nikt nie wiedział, czyim synem był pierwszy książę-chrześcijanin (Mieszko – przyp. B.Z.), bo «historia» dopiero od niego zaczynała; gdzie na koniec nie tubylec-patriota, lecz obcy przybłęda, acz na podstawie informacji krajowej, dawne dzieje spisywał".

Zadziwia tu przekonanie wielkiego polihistora, że na dworze polskim nie było żadnej tradycji historycznej, zwłaszcza że tuż obok pisze, iż Gall „przybłęda" spisywał swe dzieło „na podstawie informacji krajowej". Dlaczego informacja ta nie mogłaby obejmować wiadomości o przodkach Mieszka?

Podobne stanowisko zajmował znakomity mediewista Kazimierz Tymieniecki, który w 1928 roku pisał: „Nie uzasadnione metodycznie jest traktowanie imion od Piasta aż do Siemomysła jako osób historycznych. Ażeby na ·miano takie nie zasługiwali, wystarcza ta okoliczność, że żadne źródło o nich nie wspomina. Historia państwa polskiego rozpoczyna się dopiero z Mieszkiem".

Ale jeżeli tak, jeżeli Mieszko jest pierwszym przedstawicielem dynastii, panującym jednak na wielkim terytorium, to jak doszło do nagłego powstania tego państwa? I tu w lukę, stworzoną przez wyrugowanie przodków Mieszka, wcisnęła się „hipoteza najazdu", ciesząca się w pewnych okresach i kręgach niemałym powodzeniem, chociaż nie była właściwie oparta na żadnych podstawach źródłowych.

Hipoteza o powstaniu państwa polskiego drogą najazdu obcych plemion i podboju przez nie miejscowej ludności pojawiała się w Polsce dość często od końca XVIII wieku. W ten sposób usiłowali historycy (m. in. W.A. Maciejowski, A. Bielowski,· K. Szajnocha, F. Piekosiński) wyjaśnić pochodzenie różnic stanowych w Polsce i genezę poddaństwa chłopów. Dwaj historycy niemieccy, O. Lambert

Schulte (1915) i Robert Holtzmann (1918), wykorzystali odrzucenie historyczności przodków Mieszka I przez znaczną część historiografii jako argument za powstaniem państwa polskiego w drodze podboju. Mieszko nie miał polskich przodków – ponieważ sam był przybyszem. Był to mianowicie Normanin imieniem Dago lub Dagr, który ze swą drużyną, podobnie jak Ruryk na Rusi, dokonał podboju plemion między Odrą a Wisłą i założył tam państwo. „Prawdziwe" imię Mieszka wyprowadzili wspomniani uczeni z zaginionego (a zachowanego w streszczeniu w regestrach papieskich) dokumentu, w którym Mieszko oddawał pod koniec swego życia państwo swe pod opiekę Stolicy Apostolskiej: w dokumencie tym Mieszko występuje pod imieniem Dagome. Jest to zapewne, jak sądzi Henryk Łowmiański, imię chrzestne Mieszka (Dagobert?), którego książę użył w korespondencji z papieżem zamiast potocznie używanego imienia, aby zamanifestować swą chrześcijańskość; natomiast nie ma powodu przypuszczać, aby książę, znany w Europie pod słowiańskim, pogańskim imieniem Mieszka, miał w stosunkach z papiestwem używać równie pogańskiego imienia skandynawskiego. Co prawda wśród zwolenników hipotezy najazdu pojawili się i tacy, którzy nawet imię Mieszko uważali za tłumaczenie nordyjskiego imienia Björn (niedźwiedź), ponieważ Mieszko – to zniekształcenie przezwiska Miśko, pochodzącego od poczciwego misia-niedźwiedzia.

Hipoteza Holtzmanna i Schultego, poparta autorytetem jednego z najbardziej wpływowych mediewistów niemieckich okresu międzywojennego, Alberta Brackmanna, zyskała sobie wielkie powodzenie w kręgach hitlerowskich, opierających m. in. na niej twierdzenie o braku państwowotwórczych zdolności wśród Słowian oraz o specjalnych w tym względzie

Fragment relacji tzw. Geografa Bawarskiego

talentach Germanów. Ukazało się sporo książek i moc artykułów, w których liczni niemieccy historycy i archeologowie gorliwie zbierali materiały, mające z hipotezy stworzyć pewnik naukowy. Tym bardziej trzeba podkreślić trzeźwe podejście takich uczonych, jak Adolf Hofmeister i Herbert Ludat, którzy sceptycznie oceniając te wysiłki, odrzucali hipotezę o normańskiej genezie państwa polskiego jako nieuzasadnioną.

Hipoteza ta upadła razem z lansującym ją reżimem hitlerowskim. Już w czasie polemiki z nią, prowadzonej energicznie w latach trzydziestych XX wieku przez polskich mediewistów i archeologów, zaczęto ponownie przypatrywać się wymienionym przez Galla przodkom Mieszka I: istnienie ich było przecież koronnym argumentem przeciwko hipotezie najazdu. Jeżeli Mieszko był synem Siemomysła, to nie musiał przekształcać się w skandynawskiego Dagona ani Björna, aby stworzyć państwo polskie: on odziedziczył to państwo, zbudowane wysiłkiem trzech pokoleń przodków.

Wśród historyków polskich zawsze byli i tacy, którzy wierzyli w historyczność relacji Galla. Jedni jakby nieśmiało napomykali, że jednak tradycja dworska mogła zachować pamięć o imionach pierwszych książąt, drudzy głosili otwarcie, że ,,Polska nie mogła wyskoczyć jak Minerwa z głowy Jowisza", i szukali w obcych źródłach imion, przypominających pierwszych, rzekomo legendarnych, Piastów. Od Michała Bobrzyńskiego i Stanisława Smol-

11

ki przez Stanisława Zakrzewskiego i Romana Grodeckiego aż po Zygmunta Wojciechowskiego i Henryka Łowmiańskiego trwała tradycja obrony historyczności Siemowita, Lestka i Siemomysła. A jednak nawet ostateczne odrzucenie hipotezy najazdu nie przyniosło triumfu zagubionym twórcom państwa polskiego. Obchodziliśmy hucznie tysiąclecie tego państwa w tysiączną rocznicę pierwszych wystąpień Mieszka I zapominając, że Joachim Lelewel już sto lat wcześniej organizował jedno milenium, choć obchody nie udały się z powodu szykan władz pruskich.

Z ostatnim atakiem na wymykających się unicestwieniu przodków Mieszka ruszył Jerzy Dowiat (1968). Z właściwą sobie pomysłowością usunął ich spośród śmiertelników, rezerwując im zaszczytną emeryturę... wśród bogów. Uznał mianowicie, że piastowska lista dynastyczna wywodzi książąt od bóstw, których chrześcijański kronikarz sprowadził na ziemię (czyli, wyrażając się naukowo, zeuhemeryzował). Podobnie skandynawskie listy królewskie wywodzą się od boga Odina (a wykorzystujący je duński kronikarz Saxo Grammaticus zrobił z Odina ubóstwionego przez ludzi bohatera). Tylko że listy skandynawskie zawierają długi wykaz pokoleń, a piastowska – tylko trzy imiona.

Z wolna sceptycy tracą argumenty. Szeroko zakrojone wykopaliska archeologiczne w najstarszych ośrodkach państwa polskiego – Gnieźnie i Poznaniu – wykazały ciągłość rozwojową od IX a nawet VIII wieku aż po wiek XI. Nie ma tu miejsca na żaden przełom w połowie X wieku. Mieszko musiał mieć poprzedników, bez względu na to, jak się nazywali.

Ale dlaczego właściwie nie mieliby się nazywać tak, jak to przekazał nam Gall Anonim? Dlaczego nie mieliby nosić imion Siemowit,

Lestek, Siemomysł? Przeciwko autentyczności listy dynastycznej wysunięto dwa główne argumenty: pierwszym jest splecenie tej listy z legendarnymi wątkami o Popielu zjedzonym przez myszy i o Piaście nagrodzonym za gościnność przez aniołów; są one niewątpliwie obcego pochodzenia; pierwszy wywodzi się z Nadrenii (legenda o arcybiskupie Hattonie, zjedzonym przez myszy), drugi zaś z francuskiej legendy o św. Germanie (szczodrobliwość nagrodzona). Drugi argument, już przeze mnie wspomniany, stanowi rzekoma niemożność przetrwania ustnej tradycji o pierwszych Piastach na dworze ich potomków w okresie od IX do początku XII wieku.

Rozpatrując pierwszy argument, stwierdzimy od razu, że Gall wyraźnie oddziela opowieść o Popielu i Piaście od relacji o panowaniu Siemowita, Lestka i Siemomysła. Nie tu miejsce na analizę samej opowieści o upadku poprzedniej dynastii; warto tylko przypomnieć, że według Galla Piast nigdy nie był sam księciem; pierwszym księciem nowej dynastii jest jego syn Siemowit. Dodajmy też dla pikanterii, że i Mieszko I (w przeciwieństwie do swego ojca, dziada i pradziada) jest u Galla bohaterem legendy: wszak miał być od urodzenia niewidomy i przejrzał dopiero w siódmym roku życia przy okazji postrzyżyn!

Przeczytajmy, co pisze Gall o przodkach Mieszka:

,,Siemowit tedy, osiągnąwszy godność książęcą, młodość swą spędzał nie na rozkoszach i płochych rozrywkach, lecz oddając się wytrwałej pracy i służbie rycerskiej zdobył sobie rozgłos zacności i zaszczytną sławę, a granice swego księstwa rozszerzył dalej, niż ktokolwiek przed nim. Po jego zgonie na jego miejsce wstąpił syn jego Lestek, który czynami rycerskimi dorównał ojcu w zacności i odwadze. Po śmierci Lestka nastąpił Siemomysł, jego syn, który pamięć przodków potroił zarówno urodzeniem, jak godnością". (Tłumaczenie R. Grodeckiego).

Nie ma tu żadnych legend ani fantazji, poza amplifikacjami, jakimi chętnie posługiwali się nie tylko średniowieczni dziejopisowie, gdy brakło im konkretów; wszak i dzisiaj niejeden autor, gdy trudno mu napisać coś o sytuacji chłopów w danym okresie, bąka o „dokręcaniu śruby ucisku feudalnego". Państwo się rozszerzało – rozumował Gall – a więc książęta, znani mu z listy, musieli być energiczni i wojowniczy. Przeto z dobrą wiarą przypisał im dopiero co wspomniane cechy.

Jak nietrudno dostrzec, staram się nie wyczytać w tej liście dynastycznej zbyt wiele. Największy z żyjących mediewistów polskich, Henryk Łowmiański, rozpatrując w piątym tomie swego dzieła „Początki Polski" czasy pierwszych Piastów, uznał za możliwe bardziej intensywne wykorzystanie przekazu Galla. Zrozumiał on z niego, że decydujące fakty w zakresie terytorialnego rozszerzania państwa Polan na inne ziemie późniejszej Polski zaszły za Siemowita i Lestka. Za czasów Lestka państwo Piastów było już tak potężne, że wiedziano o nim za granicą. Siemomysł wprawdzie „potroił" pamięć przodków „zarówno urodzeniem (rzeczywiście miał trzech synów – przyp. B.Z.) jak godnością", ale terytorium w zasadzie nie rozszerzył: zadanie to miało spaść na jego dziedzica Mieszka.

Czytelnik zdziwi się – o ile nie zna dzieła Łowmiańskiego – wiadomością, że państwo polskie było znane w Europie przed Mieszkiem. Było znane – odpowiada Łowmiański – ale oczywiście nie jako Polska: nazwa ta jako określenie całości państwa ustaliła się właściwie dopiero w XI wieku. Poprzednio rozmaicie ją określano: raz jako Sclavinię, czyli Słowiańszczyznę, raz jako „państwo gnieźnień-

Głowa drewnianego posągu z Jankowa koło Mogilna

skie"; czasem Mieszko I nosił w relacjach tytuł „króla Północy". Otóż w połowie X wieku poddanych Piastów określano zdaniem Łowmiańskiego najczęściej jako „ludzi Lestka": Lestków lub Lestkowiców. Tak można interpretować mieszkający nad Wisłą lud Litzike, wymieniony przez bizantyjskiego cesarza-literata Konstantyna Porfirogenetę, tak też najprościej wytłumaczyć zwrot niemieckiego kronikarza Widukinda, który podaje, że Mieszkowi podlegali „Słowianie, zwani Licikaviki" Lestek Siemowitowic musiał być wobec tego wielką indywidualnością, skoro niewiele brakowało, abyśmy wszyscy zostali do dziś Lestkowicami.

Ale nawet gdybyśmy nie ulegli tej frapującej argumentacji i pozostali przy bardziej oszczędnej interpretacji tekstu Galla, to same imiona książąt w nim występujące możemy już dziś z całym spokojem uznawać za autentyczne. Co więcej, ciężar dowodu należy – w obecnym stanie rzeczy – przerzucić na tych, którzy kwestionują listę. Nie tylko imiona przodków Mieszka znał Gall z tradycji dworskiej: z tejże tradycji pochodziło też wszystko, co wiedział o Mieszku I, i prawie wszystko, co wiedział o Chrobrym, dla rządów którego miał bodaj tylko jedno źródło pisane: zaginiony później „Żywot św. Wojciecha”. Gdybyśmy nic nie wiedzieli o Mieszku ze źródeł obcych, można by kwestionować także i jego istnienie.

Już od dawna wskazywano na przechowywanie w ustnej tradycji ludów pierwotnych Afryki i Polinezji długich list, wywodzących genealogię naczelników plemiennych. Co prawda, Kazimierz Tymieniecki żartował

z szermujących tym argumentem zwolenników autentyczności listy piastowskiej, że jest to miecz obosieczny, „gdyż zawierzając ślepo tej pamięci musielibyśmy się pogodzić z pochodzeniem np. od wieloryba”. Ale sytuacja się zmieniła, gdy zamiast tradycji prymitywnych plemion zaczęto analizować dawne afrykańskie organizmy państwowe, zorganizowane stosunkowo wysoko, choć nie posiadające spisanej tradycji.

Rozwinięte po ostatniej wojnie badania nad dawnymi państwami Czarnej Afryki pozwoliły historykom zmienić zdanie na temat autentyczności list dynastycznych. Tradycja ustna przechowała tam imiona nie trzech (jak w Polsce) czy ośmiu (jak w Czechach), ale kilkudziesięciu kolejno po sobie panujących władców. Afrykańskie listy dynastyczne zgadzają się na ogół ze wzmiankami, pochodzącymi ze źródeł europejskich: brakuje w nich jedynie władców, uważanych za uzurpatorów, których celowo postanowiono wymazać z ustnie przekazywanej historii. Co najważniejsze – zapamiętywaniem tradycji dynastycznej i jej przekazy-

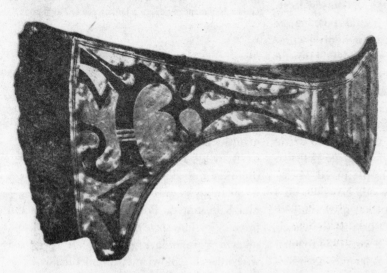

Inkrustowany topór wczesnośredniowieczny z Gubina

14

waniem zajmowali się w Afryce specjalnie do tego wyznaczeni funkcjonariusze, których badacze europejscy niezbyt zgrabnie nazywają „tradycjonalistami".

Specjalizacja i poczucie ważności sprawowanej funkcji przyczyniły się do udoskonalenia przez nich sposobów zapamiętywania i przechowywania w pamięci tekstów, układanych zazwyczaj w rytmiczny wiersz.

Jak w Afryce, tak i w Europie środkowej dbająca o swój prestiż dynastia musiała kultywować pamięć o przodkach i zapewnić sposób jej przekazywania. Badacze czescy na przykład skłonni są widzieć w układzie imion przekazanej przez kronikarza Kosmasa listy dynastii Przemyślidów właśnie wiersz rytmiczny. Na pewnym etapie doszło do utrwalenia listy przodków na piśmie – z tą chwilą „specjaliści od zapamiętywania" nie byli już potrzebni. Może już Gall korzystał z zapisu listy dynastycznej? W każdym razie listę tę należy dziś uważać za pełnoprawne źródło historyczne. Nie można bez dowodów uznawać za bóstwo Siemowita tylko dlatego, że autentyczni bogowie (jak np. znany Świętowit) mieli taką samą końcówkę imienia. Nic dziwnego, że nawet Tymieniecki w ostatnich pracach bardziej ostrożnie formułował swe zdanie na temat pierwszych Piastów. Dziś w licznych monografiach oraz wydawnictwach podręcznikowych i słownikowych Siemowit, Lestek i Siemomysł wymieniani są już jako postacie historyczne.

Gdzieś w drugiej połowie IX wieku, zapewne nie bez wpływu potężnego wówczas państwa wielkomorawskiego, doszło w Gnieźnie do obalenia panującej nad Polanami dynastii, której ostatnim przedstawicielem był Popiel. Tron objął Siemowit, po nim Lestek i Siemomysł; rządy ich przypadają na drugą połowę IX i pierwszą X wieku. W tym czasie państwo Polan, obejmujące dzisiejszą Wielkopolskę i Kujawy, rozszerzyło się na późniejsze ziemie sieradzką i łęczycką, Mazowsze, ziemię Lędzian (Sandomierszczyzna), a może pod koniec rządów Siemomysła także na Ziemię Lubuską. Ta ostatnia zdobycz naruszała już strefę interesów państwa niemieckiego, rozszerzającego swe zabory na ziemie między Łabą a Odrą. Syn Siemomysła stanął więc wobec decyzji o znaczeniu przełomowym. To, że potrafił je podjąć i zdołał stawić czoło wszystkim przeciwnościom losu, to, że przez opanowanie Śląska, Pomorza, a może również Małopolski zbliżył obszar swego państwa do terytorium, które dziś nazywamy Polską, zawdzięczał nie tylko swym talentom, ale w dużej mierze organizacji stworzonej przez ojca, dziada i pradziada, którym należy się dobre miejsce w polskiej tradycji historycznej.

Grot z Łobówka wykładany brązem i srebrem

Aleksander Gieysztor

MIESZKO I

Liczebnik przy jego imieniu ma podwójną wymowę. Przyszli bowiem po nim następni Mieszkowie, wśród nich dwaj władcy całej Polski, a potem nieco drobiazgu dzielnicowego. Po wtóre, zaczyna on nie tylko ich serię, ale otwiera także poczet monarchów polskich. Jest pierwszym z tych, o którym wiemy dość dużo, potrafimy ocenić jego działania i rezultaty nieporównanie szerzej niż jego poprzedników i dojrzeć jego znaczenie jako władcy-zjednoczyciela bardzo znacznej połaci naszego kraju. Jak pisał o nim w roku 1813 Joachim Lelewel: ,,już między Słowianami przemożny, wokół Warty i Wisły, od Odry do najwschodniejszych Bugu zakołów, od Noteci do Pilicy, po części od morza koło ujścia Wisły, a może i w zachodnich Odry stronach obszerne posiadłości trzymający, a przez to sąsiad niemieckiej polityki, albo winien był jej dzielnie się zastawić, albo jej ulec''.

Imię dostał Mieszko wcale dla nas zagadkowe. Zauważono trafnie, że w jego rodzinie co drugi władca nosi imię rozwinięte, a co drugi jakby skrócone. Bo, w rzeczy samej, najpierw poczet imion właściwych, pełnych, dostojnych i wróżebnych: Siemowit (to najstarsza forma, nie Ziemowit), niby ten co panuje rodzinie; Siemomysł (podobnie nie Ziemomysł), ten co nad jej zastanawia się losem; wreszcie najstarszy syn Mieszka, Bolesław, powiększyciel sławy, który to imię wziął po swoim czeskim dziadzie macierzystym. Ale już Chościsko brzmi wyraźnie przezwiskowo, zapewne od miotły, podobnie jak Piast od piasta-tłuczka, a nie od piastuna, jak błyskotliwie wywodził

Tadeusz Wojciechowski. Imię zaś Lestka (zupełnie późno przemienione w Leszka) niesie sens lściwości, czyli przemyślności.

A Mieszko? Aby to imię rozpoznać, wysuwano wiele przypuszczeń, z których najlepsze było to, które upatrywało w nim postać zdrobniałą imion Mścisława lub Miesława czy nawet Mietsława. Powstaje jednak obiekcja: brak takich rozwiniętych imion i dla Piasta z Chościskiem, i dla Lestka. A może więc i Mieszko z nie znanych nam bliżej powodów, tkwiących w mentalności ówczesnej, otrzymał tylko przezwisko? Przezwisko zastępcze, np. od miecha, mieszka, czy, jak Aleksander Brückner zakładał, od niedźwiedzia, wówczas miedźwiedzia-miodojada, użyte po to, aby pokryć jakieś tabu, utajoną nazwę właściwą, którą co drugie pokolenie chowano w magiczny sposób przed niepomyślnym losem.

Mieszko nie był natomiast pierwszym Piastem na stolcu gnieźnieńskim. Pochodził z kilkupokoleniowej już dynastii książęcej, która skutecznie przechowywała świadomość swych początków. Rozkładają się one na bardzo długi, wydłużony wiek X. Jeśli panowanie Mieszka objęło lat bez mała czterdzieści w drugiej połowie tego stulecia, to rządy jego przodków cofają się aż do ostatniej ćwierci wieku IX. Z ich rodowodu opowiadanego współczesnym płynęła doniosła legitymizacja władzy zwierzchniej. Był więc ojciec Siemomysł, który według Galla-Anonima ,,pamięć przodków potroił zarówno urodzeniem jak godnością''; postać więc wybitna, acz przesłonięta grubą mgłą naszej niewiedzy szczegółu. Był dziad Lestko, książę tak znaczny, że to jego imieniem nazywano czas jakiś mieszkańców rozległego już kraju podległych jego mieczowi, Lestkowiców lub Lścikowiców. Był wreszcie pradziad Siemowit, który doszedł do rządów usunąwszy poprzednią dynastię. Dalej wstecz wspomnie-

Denar Mieszka I (awers i rewers)

nia ludzi żyjących w początku XII wieku gmatwały się. Za praszczura uznawano Piasta Chościkowica, rolnika osiadłego na podgrodziu gnieźnieńskim. Członków tej rodziny książęcej nigdy jednak w średniowieczu Piastami nie nazywano. To porządkujący pomysł historiografii nowożytnej, powstały najpierw na Śląsku, może nawet w końcu XVI w., upowszechniony w wieku XVII i przejęty przez Adama Naruszewicza. Jeśli dawniej odczuwano potrzebę nazwy zbiorowej, to wystarczało miano domu książąt polskich, „panów przyrodzonych", jak to zapisał ku nauce potomnych, a przestrodze żyjących wspomniany pisarz obcy, pouczony na dworze Bolesława Krzywoustego, co i jak należało z dziejów jego przodków przedstawić.

Jeśli los uśmiechał się do Mieszka Siemomysłowica, to potrafił on z niego w pełni korzystać, a chwile zasępione przeczekiwać lub im przeciwdziałać. Człowiek sukcesu? Na pewno nie ciągłego, czasem wahliwego, w ostatecznym rachunku sukcesu jednak nad podziw

trwałego. Trudniej o nim mówić niż o jego synu Bolesławie, którego ekstrawertyczne cechy charakteru są w tekstach i przekazanych przez nie czynach wcale czytelne, i to raczej w kontraście niż w zgodzie z indywidualnością jego ojca. Wspomniana tradycja dworska przekazała z dzieciństwa Mieszka szczegół niepochlebny, a więc wiarygodny, choć ex post postarano się go objaśniać jako zdarzenie cudowne i zapowiedź losu. Otóż Mieszko miał być przez lat siedem od swego urodzenia niewidomy, a przejrzeć dopiero w czasie uczty postrzyżynowej. Ta długotrwałość upośledzenia (powikłania jaglicze?), jak możliwe jego skutki w psychice, np. w mechanizmach kontroli i obrony, pozostaną dla nas tajemnicą. Zapisy, jakimi rozporządzamy do biografii Mieszka, dotyczą głównie wojny i polityki. To nie bogactwo tekstów późniejszego średniowiecza i nowożytności europejskiej ani też zdumiewająca kopalnia pamiętników japońskich z wieków X i XI, niekiedy o zakroju Saint-Simona. Naszą wiedzę o Mieszku budu-

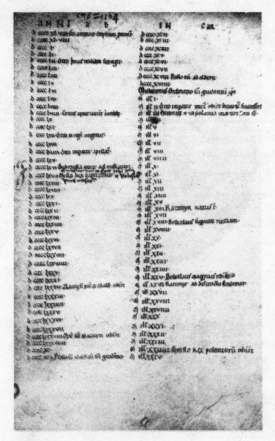

Fragment „Rocznika świętokrzyskiego starszego"

jemy z okruchów, z nierównym powodzeniem, które czasem staje się nawet większym udziałem powieściopisarza niż nauki historycznej.

Nie oddamy jednak i tego Piasta we władanie fikcji literackiej ani ikonograficznej, ale też nie poprzestaniemy na traktowaniu go wyłącznie jako wyznacznika grupy możnowładczej lub tylko jako rzecznika jej zamierzeń i interesów. Rzecz jasna, że pełnił tę rolę społeczną jak każdy monarcha ówczesny, ale grał ją żywy człowiek, którego charakter modelował owe zadania, który miał swój własny los ludzki.

Kiedy się urodził? Umierając w roku 992 uchodził za człowieka starego. Termin *senex* w ówczesnej klasyfikacji wieku, gdy jego przeciętna wynosiła, jak dziś w Trzecim Świecie, niewiele wyżej niż lat 25, mógł obejmować zarówno mężczyznę po pięćdziesiątce, jak starca. W latach sześćdziesiątych X wieku Mieszko był już władcą samodzielnym z podporządkowanymi sobie dorosłymi braćmi, miał więc zapewne lat około trzydziestu. Urodzić się mógł przeto w okolicy roku 930, ale mimo innych pomysłów niewiele tylko wcześniej, najpewniej zaś w Gnieźnie, jako że w stolicy książę ówczesny trzymał zazwyczaj swe skarby i rodzinę.

Ówczesne Gniezno – bardzo warowny, jak wiemy z wykopalisk, gród główny – było dla synów Siemomysła szkołą polityczną, której nie sposób rozpatrywać w kategoriach jakiegoś prymitywizmu pojęć, zachowań, celów i środków działania. Od trzech co najmniej pokoleń gromadził się tu zasób informacji wykraczających poza horyzont plemienny w stronę potrzeb wczesnego państwa i takich metod pomnażania autorytetu władzy, jakie kronikarz przypisał Siemowitowi: „pracą i wojną" – to polityczne i zbrojne oblicze monarchy. Od ostatniej tercji IX wieku napływały do Gniezna bliskie, bo rodzime zachodniosłowiańskie wzory tworzenia organizacji politycznej wysokiego rzędu, mianowicie z Moraw, których sława przeżyła ich załamanie pod uderzeniem węgierskim około roku 905, skoro jednemu ze swych synów nadał Mieszko znakomite morawskie imię dynastyczne Świętopełka. Doszły wkrótce wzory czeskie, ruskie i niemieckie obejmując szeroką gamę działań: jak zdobywać obszary sąsiednie, jak podporządkowywać ich starszyznę, jak wzbudzać zainteresowanie góry społecznej pożytkami, które płynęły nie tylko z ekspansji, ale i z udziału we władzy nad ludźmi, z jej agend skarbowych, sądowych i kościelnych.

Jakoż dokoła Gniezna i jego władców skupiali się ci, których źródła słowiańskie – właśnie z Moraw wieku IX – nazywają bogatymi, wielmożymi gospodzinami, władykami ziemi. Inicjatywa należała zapewne do Polan, ale już rozległość obszarów poddanych panowaniu ich książąt poucza, że potrafili oni dogadywać się z miejscowymi przywódcami, uzależniać ich choćby tak jak władcy czescy czynili ze swymi dependencjami politycznymi tak dalekimi od Pragi jak kraj nad górną Wisłą.

Mieszko dziedziczył więc władzę gotową i skupioną w ręku monarchy. Objął też terytorium rozległe, około 200 tys. kilometrów kwadratowych, nierównego, rzecz jasna, zaludnienia i zagospodarowania. Spośród wielkich plemion tej części Słowiańszczyzny należały do niego ziemie Polan nad dolną Wartą, Goplan nad górnym jej biegiem i nad Gopłem, Mazowszan nad dolną Bzurą i na prawym brzegu Wisły, a także Lędzian sandomiersko-lubelsko-przemyskich. Nadto – może za Siemomysła – rozciągnięto zwierzchnictwo na Pomorze, choć bez Wolina. Zapewne u progu swego panowania pozyskał Mieszko także Lubusz stając w ten sposób na lewym brzegu Odry. Ta pierwsza Polska była więc Polską nizinną oraz nadmorską, z wyjściem na wyżyny południowo-wschodnie. Śląsk i Kraków, a także to, co leżało za Odrą, pozostawały jeszcze poza moż-

Ruiny palatium i rotundy na Ostrowie Lednickim

19

liwościami podboju, choć nie horyzontem politycznym tych, co uczyli Mieszka rzemiosła monarszego.

Widnokrąg ten obejmował sąsiadów różnym stopniem aktywności. Jeśli małe, rozdrobnione plemiona pruskie na północy nie stanowiły ani poważnego zagrożenia, ani godnego uwagi celu ekspansji, to inaczej od połowy X wieku rysowało się sąsiedztwo z potężniejącym państwem ruskim. Za łukiem karpackim siedzieli Węgrzy, którzy pierwszą połowę stulecia spędzili na zdumiewająco dalekich wyprawach łupieżczych, prowadzonych tylko w stronę południowo-zachodnią i zachodniej Europy, a drugą – na budowie państwa, które niejedno zawdzięczało wzorcom słowiańskim. Poważnym współzawodnikiem w jednoczeniu plemion zachodniosłowiańskich było państwo czeskie, które w połowie X wieku sięgnęło z Czech i Moraw na Śląsk

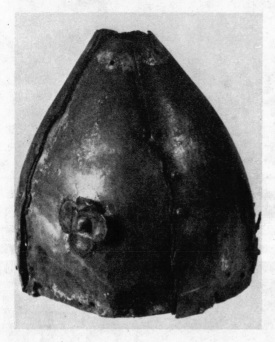

Hełm z Giecza

i po Kraków, tracąc, zapewne w sporze z dziadem Mieszka, ziemie po Bug i Styr. Natomiast Słowiańszczyzna połabska nie zdobyła się na modernizację ustroju, a raczej weszła na tę drogę napotykając na nieprzezwyciężone przeszkody, wśród których nacisk sąsiadów niemieckich, przede wszystkim saskich, okazał się najważniejszy. Panowie sascy podjęli też i realizowali ekspansję państwa niemieckiego na wschodzie, osłabioną szczęśliwie dla zorganizowanych już państw słowiańskich ekspansją na Włochy i wchłanianiem Połabia. Na tle znanych podróżnikowi z Hiszpanii arabskiej państw słowiańskich, tzn. obodrzyckiego, czeskiego i bułgarskiego, państwo polskie wydało mu się około roku 965 największe; dostarczył nam też szczegółów o jego organizacji fiskalnej i wojskowej.

Jak jego książę miał się zachować na ówczesnej scenie międzynarodowej, decydowały zarówno owo wyzwanie historii bieżącej i geografii politycznej, jak i uzdolnienia władcy.

Pierwszy kierunek działań wynikał z konieczności kontynuowania polityki zachodniopomorskiej, gdzie interesy polskie ścierały się z oporem Wolina, znacznego grodu portowego, i jego sprzymierzeńców. Musiały też liczyć się z aktywną kontrolą całej tej części Połabia, sprawowaną przez niemieckiego margrabiego Gerona. Z jego zapewne ramienia wystąpił w roku 964 przeciw Mieszkowi graf Wichman wydzierając mu ,,wielki łup" pobrany zapewne za Odrą, i zadając siłom polskim dowodzonym przez brata Mieszka jeszcze jedną porażkę. Konsekwencje wyciągnięte przez księcia polskiego zadziwiają giętkością środków dla osiągnięcia jednocześnie paru celów, nie tylko zaś celu pomorskiego. Decyzja, która zapadła wówczas w Gnieźnie, była podwójna: szukać *modus vivendi* z Cesarstwem i znaleźć sojusznika w Czechach.

eibi . cuidā marocie cōtisse ariminēsi . ꝛmaꝛ ei sibille.
sic legūꝛ ĩꝶ cartis armarij lataūsis palaarij . Itē
ialio thomo sub Johē . xv . ꝑp Dagone nidꝫ . ꝛote se
natꝛix ꝛfilij eoꝛ misica . ẑ Labert . legunꝶ beaꝶ petro
ꝯtulisse nnā ciuitatē ĩtꝛm . que ē schinesne depnum
cia polanoꝛ . cū oꝌꝫ suis ꝓtinētijs ista hos affines sic
icipiꝶ aꝓmo latē lōgū maꝛe . fine pruzze . usꝗ in
locū q̄ dr russe . ꝛfine russe ꝙtendente usꝗ ĩcraccoā .
ꝛusꝗ ad flum̄ oddere . recte ĩlocū q̄ dr alemure . ꝛab
ipā alemura usꝗ ĩtꝛā milze ꝛafine milze recte iꝶ
oddere . ꝛexin ducente iuxta flum̄ oddera usꝗ iꝓdic
tā ciuitatē schinesgne . Itē ialio tomulo carticio

Jeden z przekazów regestu dokumentu zwanego ,,Dagome iudex''

Układ zawarty tegoż roku z Ottonem I zobowiązywał księcia polskiego do płacenia trybutu, ale tylko ,,aż po Wartę'', co wywołuje sporo kłopotów interpretacyjnych. W każdym razie na pewno nie szło tu o zwierzchnictwo, lecz o zlikwidowanie jakichś roszczeń. Henryk Łowmiański ocenia je jako pretensje misyjne cesarza i Kościoła niemieckiego, które zaspokojono daniną z tak określonego obszaru, zapewne stanowiącego jedną trzecią państwa Mieszkowego, czyli trzecizną, powszechnie wtedy stosowanym podziałem dochodów. Drugi układ, bodaj dokładnie równoczesny, otworzył perspektywę pełnego włączenia się do Europy chrześcijańskiej z polityczną pomocą czeską, potrzebną także i w płaszczyźnie wojskowej.

Rok później ,,Dobrawa przybywa do Mieszka'', jak zapisał polski rocznik dworski, w roku kolejnym ,,Mieszko książę chrzci się'', a jeszcze w następnym posiłki czeskie umożliwiają zlikwidowanie Wichmana, uciążliwego awanturnika saskiego na usługach Wolinian. Utrwalenie się Mieszka u ujścia Odry nastąpiło w konflikcie zbrojnym z margrabią Hodonem, który próbował zahamować ekspansję polską, jednak w bitwie pod Cedynią 24 czerwca 972 roku poniósł klęskę z rąk Mieszka i jego brata

Czcibora. W czasie pertraktacji w Kwedlinburgu na Wielkanoc następnego roku, mimo zrozumiałego nacisku cesarskiego nie słychać, aby Mieszko miał zrezygnować z Wolina; zadowolono się ze strony niemieckiej wzięciem jako zakładnika siedmioletniego Bolesława Mieszkowica, zresztą na bardzo krótko. Inicjatywa polityczna, jak wynika z toku zdarzeń, pozostawała nadal w ręku księcia gnieźnieńskiego. Następny cesarz, Otto II, w roku 979 przedsięwziął wyprawę na Mieszka, aby go ukarać za poparcie udzielone przezeń opozycji bawarskiej i za wzięcie wielu jeńców z ziem cesarskich. Skończyło się na układzie pokojowym przypieczętowanym, następnym po śmierci Dobrawy, małżeństwem Mieszka z Odą, córką jednego z margrabiów, którą „dla zbawienia ojczyzny i utwierdzenia koniecznego pokoju" trzeba było zabrać z klasztoru, gdzie była zakonnicą. Mieszko zaś swój, jak widać, chwiejny dotąd sojusz z cesarzem, umocnił uznaniem się za wasala, choć Polska – w odróżnieniu od Czech – nie weszła w skład Cesarstwa. Po krótkim wahaniu, po której stronie stanąć w kolejnej walce o tron niemiecki, Mieszko wybrał drogę lojalizmu, udzielając pomocy regencji małoletniego Ottona III; roczniki saskie zapisały w 986 roku z uznaniem jego liczne dary dla królewskiego chłopca; znalazł się wśród nich wielbłąd powiększając zwierzyniec egzotyczny władcy, jako świadek kontaktów handlowych państwa polskiego. Jednocześnie Mieszko pomyślał o związaniu się z Erykiem królem szwedzkim wydając zań swoją córkę.

Dojrzewał w tym wszystkim drugi kierunek działania, dla którego stawało się niezbędne odwrócenie sojuszów. Wiemy, że Praga ubiegła Gniezno w jednoczeniu Polski południowej, z której tylko lędziańska część południowo-wschodnia przypadła książętom polskim.

A i tu nastąpiła w roku 981 poważna wyrwa: „szedł Włodzimierz ku Lachom i zajął grody ich Przemyśl, Czerwień i inne grody"; w istocie Rusi przypadły grody nad Bugiem, natomiast Przemyśl pozostawał jeszcze w XI wieku w państwie polskim. Istotniejsze były losy ziem śląskiej i krakowskiej podległych zwierzchnictwu czeskiemu i czeskiej organizacji kościelnej. Dokończenia budowy Polski można było dokonać tylko drogą usunięcia tej dominacji. W roku 990 wybuchła dotkliwa dla obu stron wojna, władca czeski, Bolesław II, utracił „królestwo (tzn. kraj – przyp. A. G.) mu zabrane", i wiele wskazuje na to, że był nim Śląsk. A co z Krakowem?

Wiele o to toczono w nauce sporów, i nie ma widoków, aby ucichły. Jak na wielu polach humanistyki, tak też w historii nie ma właściwie szans udowodnienia hipotezy, natomiast istnieją sposoby obalenia poprzedniej i wysunięcia nowej, która ostoi się do czasu podobnej udanej próby jej zastąpienia. Otóż w kontrowersjach na temat czeskiego Krakowa i polskiego w nim władztwa – oczywistego dopiero w roku 1000, gdy ustanowiono tam biskupstwo związane z Gnieznem – niedawno postawiono taką właśnie hipotezę, która jest wyraźnie lepsza od poprzednich, choć jej przesłanki i szczegóły rozwinięcia są różnej wagi.

Henryk Łowmiański wskazał imiennie na księcia krakowskiego pod władztwem czeskim sprzed przyłączenia całego naszego południa do państwa gnieźnieńskiego. Mógł nim być nie znany nam bliżej Dobromir, ojciec trzeciej żony Bolesława Chrobrego, Emnildy. Szukano dlań bez wiążącego rezultatu pochodzenia połabskiego. Domysł o Dobromirze w Krakowie tłumaczy wyłączenie tego grodu i Bolesława z opisu państwa gnieźnieńskiego powstałego tuż przed zgonem Mieszka I. Jest możliwe, że to właśnie Bolesław został jeszcze w roku

987 osadzony w Krakowie jako następca swego teścia na podobnych co on jeszcze warunkach zależności od Pragi. Uległy one zmianie albo w roku 990, albo dopiero wtedy, gdy po śmierci swego wuja, księcia czeskiego, Chrobry, już jako władca całej Polski, zerwał w roku 999 jakiekolwiek więzy obcej podległości swej południowej stolicy. Pisze Łowmiański: ,,Zasługuje na uwagę forma połączenia Krakowa z Gnieznem na zasadzie nie podporządkowania, lecz równorzędności, która uczyniła Piastów naturalnymi panami na Wawelu i zapewniła Krakowowi wyjątkowe stanowisko w hierarchii grodów piastowskich''.

Dorzućmy inny ślad owej więzi patrymonialnej przetrwały w sferze imionnictwa dynastii, które niosło wówczas treści ideowe potrzebne do samoutwierdzania się w prawach i roszczeniach sukcesyjnych. Władca, który ustalił stolicę całego kraju w Krakowie, Kazimierz Odnowiciel nosił imię dotąd Piastom nie znane. Jedyną drogą, którą mogło ono do nich dotrzeć, wydaje się właśnie tradycja babki ojczystej, Emnildy i jej ojca Dobromira. ,,Można zwrócić uwagę – wysunął już dawno Stanisław Kętrzyński – że forma imienia Kazimierz (Kazimir) jest zbliżona do formy imienia Dobromir''; istotnie wykorzystywano rdzenie imion dziedziczonych dla tworzenia nowych, w części podobnych. Gdy ojciec Kazimierza, Mieszko II, urodzony około roku 990, a więc najpewniej w Krakowie, dostał imię podkreślające jego prawa dziedziczne w Gnieźnie, to jego syn urodzony najpewniej tam właśnie, za życia jeszcze babki Emnildy, otrzymał imię-program innej tradycji stołecznej.

Trzeci kierunek aktywności Mieszka I to sprawy wewnętrzne, spośród których chrzest jego i kraju mu podległego wchodzi jednocześnie w strefę polityki międzynarodowej. Pisano już wiele o uchrześcijanieniu rozpoczętym w roku 966, a rozkładającym się na kilka generacji potomków ludzi, którzy tę decyzję podjęli i jej sprzyjali. Oświetlono wielostronnie okoliczności polityczne, pośród których na najwyższą uwagę zasługuje milczenie zainteresowanych skądinąd kronikarzy niemieckich o jakiejkolwiek presji zewnętrznej. Był to akt w pełni suwerenny, przemyślany przez księcia i jego możnych jako konsekwencja wspomnianego układu polsko-czesko-niemieckiego z roku 964. Ale nie ma powodu przypuszczać, aby miał być to tylko krok taktyczny. Wymagała go bowiem od dłuższego czasu strategia państwa gnieźnieńskiego, które nie mogło pozostawać poza Europą chrześcijańską. A to bez wysokiego ryzyka zarówno obcej interwencji misyjnej i politycznej, jak też coraz bardziej wyraźnego zacofania kulturalnego grupy rządzącej. Pełnoprawne i w pełni urządzone państwo ówczesne musiało mieć także swój Kościół, jeden ze składników swego ustroju. Przykładów tego ryzyka i zarazem przegranej dostarczają losy Słowiańszczyzny połabskiej. Napisano też wiele, czasem bardzo efektownie, o miejscu chrztu, o tym, kto go udzielił, wreszcie o imieniu chrzestnym Mieszka. Tu można powiedzieć, że kolejne hipotezy bynajmniej nie obaliły poglądu, który w swoim zrębie ustalił się u schyłku XIX wieku w kręgu tzw. szkoły krytycznej, doznając paru uzupełnień: najprawdopodobniej aktu chrztu dokonał biskup misyjny Jordan, w kraju, imię zaś Dagome, pod którym Mieszko wystąpi raz jeden w źródłach pod koniec życia, wydaje się Dagobertem, dostojnym imieniem świętego czczonego w zachodniej części Europy. Wiadomo też, że Jordan – duchowny włoski lub iryjski sprowadzony za zgodą cesarza – ,,wiele napocił się'' nad chrystianizacją księcia i jego ludu. Niemałe też były problemy organizacji kościelnej, kierowanej zrazu przez biskupa misyjnego, na pewno nie podległego arcybiskupstwu magdeburskiemu, a to dzięki przezornej polityce Mieszka, który rychło, bo w roku 968 doprowadził do egzempcji, czyli do bezpośredniej podległości swego Kościoła papiestwu. Był to sukces dyplomatyczny, którego miarę daje to, że Czechom tego rodzaju niezależność nie powiodła się, gdy w roku 973 uzyskali własne biskupstwo uzależnione jednak od jednej z metropolii niemieckich.

Z ostatnich lat życia Mieszka, najpewniej z roku 991 pochodzi dokument nazywany od pierwszych słów zachowanego streszczenia ,,Dagome iudex". Inny to temat-rzeka polskiej i obcej mediewistyki. Jest to akt ofiarowania św. Piotrowi grodu Gniezna z przynależnościami, przez owego Dagome, jego żonę

P w Krakowie

Odę i dwu ich synów. Mimo prób przypisywania temu nadaniu walorów politycznych wychodzących zresztą poza realne możliwości ówczesnego papiestwa, podporządkowanego ściśle cesarzowi, trzeba w nim widzieć sens głównie kościelny: zabezpieczenie raz jeszcze zdobyczy podstawowej, własnego biskupstwa, za cenę nadania, którego istota sprowadzała się do świętopietrza, a więc daniny z podstawowego trzonu państwa gnieźnieńskiego. W dokumencie nie ma wzmianki o Bolesławie Chrobrym. Czyżby to ,,wewnętrzny dramat w rodzinie Mieszka I, przybierający początkowo pomyślny obrót dla Ody w jej walce o wyłączne następstwo swych synów", jak przypuszcza Łowmiański, kazał starzejącemu się księciu odsunąć pierworodnego od uprzywilejowanego następstwa? Nie wydaje się, jeśli przestaniemy owemu aktowi z 991 roku przypisywać cokolwiek poza zamierzeniem kościelnym. W momencie spisywania Bolesław, jak wiemy, miał swe zaopatrzenie w Krakowie; trzon gnieźnieński pozostawał w rękach ojca, i tylko ten obszar obejmowała pierwsza polska diecezja. Jeśli nawet Mieszko I, jak sugeruje kronikarz niemiecki, pozostawił w dniu swej śmierci 25 maja 992 r. ,,swe państwo do podziału między kilku", to mogło to być jakieś zaopatrzenie terytorialne wdowy i nieletnich jej dzieci. Bolesław złamał bezwzględnie od razu jakiekolwiek próby rozbicia poparte przez dwu wielmożów, Odolana i Przybywoja, i państwo swoje ,,lisią chytrością złączył w jedno". W istocie zaś rzeczy dokończył dzieła ojca i jego poprzedników, kiedy stolica krakowska na tych samych prawach co gnieźnieńska znalazła się w jego państwie, któremu uznanie międzynarodowe miał niedługo potem zapewnić zjazd roku tysięcznego.

Mówiliśmy głównie o wielkiej polityce, bo ona nadaje Mieszkowi ów tytuł, którego nie

Okno wschodniej absydy rotundy NMP w Krakowie

poskąpił mu kronikarz dynastii, miano ,,wielkiego i godnego pamięci''. Zachowało się niewiele innych wiadomości: wielożeństwo przed przyjęciem chrztu, co było przywilejem możnych słowiańskich; z Dobrawy czeskiej doczekało wieku dojrzałego troje dzieci, Bolesław i zapewne dwie córki; z Ody saskiej miał trzech synów, jeden zmarł wcześnie. Ranny strzałą zatrutą jadem bojowym Mieszko ciężko chorował, po wyzdrowieniu posłał do grobu św. Udalryka w Augsburgu srebrne ramię. Był na pewno fundatorem okazałych kościołów w Gnieźnie i Poznaniu, którymi monarchia polska chciała pokazać swoje dotrzymywanie kroku podobnym inwestycjom krajów starszego chrześcijaństwa. Był także na pewno twórcą – w stopniu nam nie znanym i nie do wydzielenia z łącznego dzieła owej pierwszej monarchii – aparatu państwowego, jego zarządu, jego podstaw gospodarczych, organizacji terytorialnej i wojskowej, uzależniania ludności od księcia. Na pewno starannym modernizatorem fortyfikacji kraju, budowniczym całej sieci nowych, pod względem także technicznym, grodów obronnych. Wreszcie, to za jego czasów dojrzewała nazwa, która miała zastąpić inne, ogólne lub szczegółowe określenia etniczne ludzi poddanych tej organizacji państwowej, a to przez rozciągnięcie na nich wszystkich nazwy Polan i ich ziemi – Polski.

Benedykt Zientara

BOLESŁAW I CHROBRY

Może to nie miejsce na osobiste wynurzenia, ale mam osobisty stosunek do postaci, która od wczesnego dzieciństwa budziła mój podziw. Pamiętam, że na kartce sfatygowanej od częstego studiowania książki był z jednej strony potężny wąsacz z pyszną miną, siedzący na tronie i dzierżący w dłoni coś w rodzaju berła (jeszcze nie wiedziałem, że to włócznia św. Maurycego) – jednym słowem Matejkowski Chrobry; z drugiej – wierszyk autorki, której nazwiska nie pamiętam, ale wierszyk zapamiętałem na całe życie:

Bił on słupy w Dnieprze, Sali
Na państwa granicy,
W stalnych zbrojach za nim stali
Dzielni wojownicy.

Dla złych był on jak bicz boży,
A dla dobrych – dobry.
A potomne pokolenia
Nazwały go: Chrobry.

Z latami dochodziły coraz to nowe wiadomości o wielkich czynach Chrobrego, czerpane z różnych podręczników i żywotów sławnych Polaków. Nie zmienił się nawet obraz, gdy zamiast opracowań popularnych sięgnąłem po monografię Stanisława Zakrzewskiego: wszyscy autorzy nie mogli wyjść z podziwu dla pierwszego króla Polski. A w Wojskowym Instytucie Geograficznym można było na całościennym malowidle zobaczyć, jak wbijano owe słupy z wierszyka.

Nie dziwię się ani sobie, ani pedagogom, ani nawet uczonym, zafascynowanym postacią wielkiego Bolesława. Dopiero drugi w rzędzie chrześcijańskich władców Polski, a już postać na skalę europejską, już kontrahent cesarzy Wschodu i Zachodu, już *cooperator imperii*, koronowany posiadacz mistycznego symbolu – świętej włóczni. Dopiero wynurzył się z puszcz na europejską widownię, a już potrafił snuć intrygi na skalę kontynentu; wiedział o sympatiach i antypatiach książąt i biskupów niemieckich, potrafił zręcznie ich sobie pozyskiwać przeciw cesarzowi raz przyjaźnią, raz podarunkiem; przekupywał jednych relikwiami, innych klejnotami, jeszcze innych po prostu pieniędzmi. ,,Dziki" władca zagubionego na krańcach świata ludu potrafił tak rozma-

Grot włóczni św. Maurycego

Awersy denarów Bolesława Chrobrego

wiać z ludźmi, stanowiącymi elitę intelektualną, że uznali go za swego, bronili go i pomagali, służąc nieprzeczuwalnym dla nich, ale zaplanowanym przez niego celom. Czyż to nie niezwykłe?

A jakże intryguje owa niezbadana tajemnica celów Bolesława! O co walczył, do czego dążył? Czy do własnej, osobistej sławy rycerskiej i potęgi, czy też do umocnienia państwa, stworzonego przez jego przodków, utrzymania jego odrębności i indywidualności? Czy chciał, jak sądzą niektórzy, być współpracownikiem Ottona III w budowie Imperium Christianum, wspólnoty braterskiej wszystkich ludów chrześcijańskich, niosącej pokój wewnętrzny i ekspansję na kraje pogan i muzułmanów? Czy dążył do zjednoczenia pod swym berłem wszystkich Słowian zachodnich dla ocalenia ich przed grożącą ekspansją niemiecką – jak chcą inni, widząc w opanowaniu przez Chrobrego Miśni i Czech krok do tego celu? Nieprzypadkowo zataczali historycy tak szerokie horyzonty myślom Bolesława. Wielkie czyny domagają się uzasadnienia przez wielkie zamierzenia.

Łatwo wybaczono mu bezwzględność. Wygnał kolejno dwie żony, nie troszcząc się o kanoniczne prawo małżeńskie; skrzywdził pierworodnego syna, pozbawiając go dziedzictwa i każąc mu być eremitą we Włoszech. Haniebnie potraktował czeskiego brata wujecznego i imiennika Bolesława Rudego, który, niczego nie podejrzewając, przybył na spotkanie do Krakowa, aby „wymienić poglądy na problemy międzynarodowe, interesujące obie strony". Oślepiony, długie lata spędził czeski książę w więzieniu.

Można do tego dodać spustoszenie i rabunek, jakie szerzyli wojowie Chrobrego tam, dokąd ich posłano. Płonęły grody i wsie, grabiono mienie, nie szczędząc nawet kościołów, pędzono tłumy brańców. W Kijowie zwycięski Bolesław uczynił swoją nałożnicą siostrę księcia ruskiego, Przecławę, o której rękę poprzednio bezskutecznie się starał – a polski kronikarz, choć duchowny, uznał to za tytuł do chwały swego władcy.

Taka była epoka – powiedzą na to wszystko historycy – a Chrobry był jej nieodrodnym synem. Tak go nauczono i tak postępowali wszyscy współcześni władcy, nie wyłączając później wyniesionych na ołtarze: św. Stefana węgierskiego i św. Włodzimierza ruskiego. Brutalność raziła tylko pięknoduchów w rodzaju św. Wojciecha; nic też dziwnego, że czeski święty nigdzie nie mógł zagrzać miejsca, a dla współczesnych okazał się pożyteczniejszy po śmierci niż za życia.

Urodzony w 966 lub 967 roku syn Mieszka I i Dobrawki czeskiej przeszedł twardą szkołę. Ojcowskie zwycięstwo pod Cedynią odczuł jako mały chłopiec na własnej skórze: Mieszko musiał go dostarczyć na dwór cesarski jako zakładnika swej wierności. Ponieważ wierność ta nie była zbyt mocna, więc i los zakładnika stał pod znakiem zapytania: tuż po postrzyżynach wysłał więc ojciec do Rzymu włosy chłopca, oddając go tym samym pod opiekę papieża.

Nic nie wiemy o pobycie Bolesława na dworze cesarskim, a pobyt to bardzo ważny, bo tam nauczył się przyszły władca arkanów wielkiej polityki. Tam zetknął się z najwybitniejszymi przedstawicielami niemieckiej arystokracji i kleru; wśród bawiących na dworze rówieśników nawiązał przyjaźnie, które później owocowały. Miał możność rozmawiać z uczonymi, a fakt, że swemu następcy zapew-

Wykupienie zwłok św. Wojciecha przez Bolesława Chrobrego, scena z drzwi gnieźnieńskich

nił niemałe wykształcenie, świadczy, że potrafił docenić znaczenie wiedzy, a zwłaszcza nauki czytania i pisania. Utarł się pogląd, że Chrobry był analfabetą: ale właściwie dlaczego miałby być to pogląd słuszny?

Po powrocie do domu zastał sytuację zmienioną: matka nie żyła, ojciec w objęciach młodej żony, wyciągniętej z klasztoru eks--mniszki, zamyślał o zapewnieniu dziedzictwa jej potomstwu: niebawem doczekał się Bolesław aż trzech braci. W tym stanie spraw mogło dojść do konfliktu między ojcem a synem. Henryk Łowmiański domyśla się ostatnio, że Chrobry znalazł się wówczas na dworze praskim u wuja, Bolesława Pobożnego; książę czeski uważał go za instrument do szachowania wrogiej wówczas Czechom polityki Mieszka. Dwa pierwsze małżeństwa Bolesława z margrabianką miśnieńską i księżniczką węgierską miałyby więc związek z polityką Czech, a nie Polski.

Czy doszło do pogodzenia Bolesława z ojcem – nie wiadomo na pewno. Raczej jednak był on już z powrotem w kraju w chwili śmierci Mieszka w 992 roku. Był w nim wystarczająco długo, aby zjednać sobie wśród możnych silne stronnictwo, które poparło go przeciw młodszym braciom. Przesilenie trwało krótko: w tym samym roku księżna-wdowa Oda i jej małoletni synowie: Mieszko, Lambert i Świętopełk znaleźli się w Niemczech, a Bolesław, dzięki koneksjom na dworze cesarskim, zapobiegł jakimkolwiek interwencjom w interesie wygnańców. Przywódcy możnowładczej opozycji – Przybywój i Odolan, pierwsi znani Polacy nie książęta – zostali oślepieni.

Dalszy okres działalności Chrobrego upływa w kręgu Ottona III, którego nazywano ,,dziwem świata''. Egzaltowany młodzieniec o niezwykłym na owe czasy wykształceniu, pod wpływem otoczenia, w którym szczególną

rolę odgrywał uczony Gerbert z Aurillac, wyniesiony przez cesarza na tron papieski jako Sylwester II, zamierzał wskrzesić świetność ,,złotego Rzymu'', jako ośrodka uniwersalnego państwa chrześcijańskiego, złożonego z szeregu równoprawnych członów; jako syn Greczynki, zabiegający w dodatku o rękę księżniczki bizantyjskiej, Otton miał nadzieję wciągnąć do tego zespołu również ,,Nowy Rzym'' – Konstantynopol. Plany Ottona były skazane od początku na niepowodzenie: brak im było poparcia we Włoszech, gdzie cesarz trzymał się tylko dzięki rycerstwu niemieckiemu; to zaś sarkało na zepchnięcie Niemiec na dalszy plan w projektowanej monarchii uniwersalnej.

Nie wiemy, co Chrobry sądził o tych planach; w każdym razie Otton uważał go za jednego z najbliższych współpracowników, czego dowiódł na zjeździe w Gnieźnie w 1000 roku. Prawdopodobnie Bolesław towarzyszył mu w Akwizgranie, gdy Otton kazał otworzyć grób wielkiego poprzednika – Karola Wielkiego: osobisty kontakt z ciałem otaczanego czcią i legendą monarchy miał dać mistyczną moc jego kontynuatorowi. Nawet jeśli nie jest prawdą wzmianka o podarowaniu Bolesławowi tronu Karola (pochodząca z późnej interpolacji), to sam widok cesarskiego młodzieńca, przebierającego zbutwiały zewłok w czyste szaty i obcinającego mu paznokcie, musiał być niezapomniany. Coś z tych przeżyć musiało utkwić w duszy Bolesława, skoro wnuka swego Kazimierza ochrzci potem cesarskim imieniem Karola.

Na razie uzyskał zwolnienie z obowiązku płacenia trybutu, pełną władzę nad nowo utworzoną odrębną polską prowincją kościelną (z ośrodkiem w Gnieźnie), pięknie brzmiące rzymsko-bizantyjskie tytuły, a może i obietnicę korony królewskiej. Otton był ojcem chrzestnym trzeciego syna Bolesława (który też otrzymał imię cesarza), a siostrzenica Ottona miała poślubić dziedzica Bolesławowego – Mieszka. Tak Piastowie wchodzili w grono rodziny cesarskiej – a jeszcze ojciec Bolesława nie śmiał siedzieć w obecności niemieckiego margrafa!

Cokolwiek Chrobry sądził o planach Ottona, nie został zaskoczony jego katastrofą. Postępowanie jego w latach 1002–1003 dowodzi, że miał na tę ewentualność gotowy plan działania. Licząc na dłuższe konflikty wewnętrzne w Niemczech, postanowił wykorzystać je do rozszerzenia granic i podporządkowania nowych terenów. W roku 1002 opanował Miśnię, ale nie zdołał jej utrzymać, ponieważ nowy król niemiecki, Henryk II, niespodziewanie szybko uporał się z rywalami; zdołał jednak uzyskać odeń w lenno Milsko i Łużyce, a w Miśni osadzić zaprzyjaźnionego szwagra Guncelina.

Wkrótce potem, w 1003 roku, powziął Bolesław plan opanowania tronu czeskiego. Jego czeski imiennik, Bolesław Rudy, krwawo rozprawiający się z tamtejszą opozycją i z młodszymi braćmi, stracił wszelki autorytet; kiedy Chrobry zwabił go do Krakowa, by go oślepić i uwięzić, był już pewien poparcia znacznej grupy możnowładztwa czeskiego i morawskiego. Nie był w Czechach kimś obcym: był po kądzieli wnukiem znakomitego księcia czeskiego Bolesława Srogiego, a prawdopodobnie spędził w Pradze pewien czas na dworze wuja. Nie dziwi nas więc twierdzenie niemieckiego (niechętnego Chrobremu) kronikarza Thietmara, że gdy Bolesław pospieszył do Pragi, „jej mieszkańcy, radujący się zawsze z nowego panowania, wprowadzili go tutaj i obwołali jednomyślnie swoim władcą".

Był to ważny moment w karierze politycznej Chrobrego – właściwie jej punkt szczytowy: stawał się uznanym władcą dwu największych

Miniatura z ewangeliarza z Reichenau: Otton III przyjmuje hołd Romy, Galii, Germanii i Sclavinii

30

państw zachodniosłowiańskich, a nadto był panem Milska i Łużyc i miał silne wpływy w Miśni. Henryk II był gotów uznać istniejącą sytuację, żądając tylko uznania lennej podległości Czech królestwu niemieckiemu, a więc stanu, w jakim Czechy znajdowały się od pół wieku. A jednak Bolesław odmówił tym żądaniom, decydując się na wojnę.

Wiele farby drukarskiej poświęcono temu momentowi. Sławiono Bolesława, że dążył do pełnej „suwerenności" zarówno Czech, jak Polski, transponując na wiek XI dziewiętnastowieczne idee walki o niepodległość. Za Thietmarem przypuszczali inni, że powodzenie zawróciło mu w głowie. Rzeczywistość historyczna była inna, a decyzja wynikała z dokładnej analizy sytuacji. Chrobry nie żałowałby Henrykowi hołdu z Czech, tak jak nie wahał się go złożyć z Milska i Łużyc: formalna podległość cesarzowi go nie raziła. Ale wiedział, że dla władców Niemiec powstanie potężnego imperium słowiańskiego na jego wschodniej granicy jest nie do strawienia: z chwilą jego umocnienia cała władza Niemiec na wschód od Łaby i Soławy stawała pod znakiem zapytania. Chrobry wiedział, że ze strony Henryka jest to tylko chwilowe ustępstwo, mające mu dać nieco czasu na umocnienie się na tronie. Właśnie dlatego nie myślał czekać z założonymi rękoma i postanowił sprowokować wojnę. Liczył na to, że nowy król, chorowity, kulawy świętoszek, mający niewielką popularność wśród możnych nie tylko saskich czy lotaryńskich, ale nawet bawarskich, przegra w walce z opozycją, i postanowił włączyć się do tej walki, aby przyspieszyć katastrofę Henryka i współdecydować o tym, kto będzie jego następcą.

Bunt zaskoczył Henryka. Wybuchł w jego dawnym księstwie bawarskim, gdzie jego pozycja – zdawałoby się – powinna być silna; na

jego czele stali Henryk margrabia Schweinfurtu z braćmi i rodzony brat Henryka – Bruno; buntownicy otrzymali posiłki Bolesława. Ale słowiański władca zlekceważył pozornie słabego przeciwnika; Henryk rozgromił buntowników, którzy częścią uciekli do Bolesława, częścią skapitulowali; w następnym 1004 r. wkroczył do Czech, prowadząc ze sobą Jaromira i Oldrzycha, braci uwięzionego Bolesława Rudego. Rządy polskie w Czechach nie wzbudziły sympatii do Chrobrego: musiały być traktowane jako obca okupacja, skoro wkroczenie króla niemieckiego stało się sygnałem do powstania. Na dźwięk dzwonów z Wyszehradu mieszkańcy Pragi uderzyli na polską załogę i sam Bolesław ledwie uszedł z życiem. Tylko Morawianie, niechętnie znoszący podporządkowanie Pradze, pozostali mu wierni.

Katastrofa była pełna. Henryk opanował Milsko i Łużyce; w tym samym czasie zbuntowali się przeciw Bolesławowi mieszkańcy Pomorza Zachodniego; największe tamtejsze miasto – Wolin weszło w przymierze z Niemcami, a biskup kołobrzeski z ramienia Chrobrego Reinbern – musiał opuścić swą diecezję, w której zapanował kult pogański. W 1005 r. Henryk II, posiłkowany przez Czechów i Wieletów, stanął pod Poznaniem.

Pokój tam zawarty uważa się za sukces Polski. Bolesław nie dał się złamać, a Henryk nie wykorzystał swych zwycięstw, w niemałym stopniu skrępowany w swych poczynaniach przez przyjaciół Chrobrego w swym własnym otoczeniu. Był to chwilowy kompromis, bo i Bolesław nie chciał zrezygnować ze swych zdobyczy.

Zmagania trwały więc dalej. Bolesław wykorzystywał nadal swe wpływy wśród opozycji niemieckiej, próbował pozyskać księcia czeskiego Oldrzycha, szukał kontaktów z Arduinem, głównym przeciwnikiem Henryka we

Włoszech. Henryk natomiast, odkładając na bok skrupuły religijne, współdziałał ze zwalczającymi Polskę pogańskimi Wieletami; nawiązał też kontakty ze wschodnim sąsiadem Polski – Rusią Kijowską, po raz pierwszy montując zgubne dla Polski przymierze niemiecko-ruskie.

Mitem, stworzonym dopiero przez dziewiętnastowiecznych słowianofilów, jest istnienie we wczesnym średniowieczu poczucia słowiańskiej wspólnoty interesów. Przeciwnie, cała zachodnia Słowiańszczyzna znajdowała się w stadium rywalizacji różnych tworów politycznych, pogłębianej przez walkę nowych chrześcijańskich dynastii z opierającym się gwałtownie pogaństwem, znajdującym oparcie w silnym jeszcze Związku Wieletów. Rywalizacja Piastów i Przemyślidów, usiłujących wzajemnie zniszczyć rywala w walce o hegemonie na tym obszarze, była umiejętnie wygrywana zarówno przez Henryka II, jak i jego następców.

Intrygi dyplomatyczne przerywane były wyprawami wojennymi, które jednak nie doprowadziły do rozstrzygnięcia, pustoszyły tylko tereny Śląska, Miśni i Saksonii. Pokój merseburski z 1013 r., który miał doprowadzić do trwałego uspokojenia i przywracał Bolesławowi Milsko i Łużyce, nie przetrwał nawet roku. Wobec tego Henryk, od 1014 r. uwień-

Wczesnośredniowieczny skarb z Borucina

czony koroną cesarską, podjął jeszcze dwie wyprawy na Polskę (w 1015 i 1017 r.); żadna z nich nie zdołała przełamać oporu młodego państwa polskiego, obie przyniosły najeźdźcom wielkie straty. W znacznym jednak stopniu zadecydował o tym fakt, że książęta ruscy, zajęci sprawami wewnętrznymi, nie mogli w tym samym czasie uderzyć na Polskę. Los tej ostatniej wisiał nieomal na włosku.

Cesarz Henryk zrezygnował więc z pognębienia polskiego księcia: pokój w Budziszynie w początku 1018 r. zakończył serię wojen polsko-niemieckich, zostawiając przy Polsce Milsko i Łużyce. Zaraz potem zwrócił się Bolesław przeciw drugiemu przeciwnikowi, Jarosławowi ruskiemu. Zniechęcony do tego sprzymierzeńca cesarz udzielił nawet Chrobremu posiłków wojskowych w postaci trzystu rycerzy; pięciuset przysłał Stefan węgierski. Z ich pomocą odniósł Bolesław nad Bugiem swe najbardziej spektakularne zwycięstwo; pobity Jarosław nie oparł się aż w Nowogrodzie, a Kijów wpadł w ręce zwycięzcy. Na tronie kijowskim zasiadł Świętopełk, zięć Chrobrego.

Podobnie jak dawniej w Pradze, tak i teraz w Kijowie prowadził Bolesław krótkowzroczną politykę, opartą na zorganizowanej i żywiołowej grabieży. Niebawem musiał uchodzić przed rosnącą falą oporu miejscowej ludności, zostawiając swego poplecznika na łasce losu. Wyprawa kijowska i zajęcie Grodów Czerwieńskich pogłębiły błahe początkowo antagonizmy polsko-ruskie.

Ostatnie dwa lata rządów Chrobrego są mało znane. Opromienia je koronacja królewska 1025 roku, po raz pierwszy stawiająca władcę Polski w rzędzie głównych monarchów Europy. Dla jej dokonania musiał Bolesław wyczekiwać śmierci swego głównego przeciw-

Kaptorga na amulety z Borucina

nika – Henryka II i nowych wewnętrznych konfliktów w Niemczech. Koronacja musiała podrażnić nowego władcę Niemiec – Konrada II i nowy konflikt był tylko kwestią czasu. W kraju wyznaczenie Mieszka II, ulubionego syna Chrobrego, na przyszłego króla, władcę całego państwa, musiało wzbudzić buntownicze uczucia wśród braci następcy tronu.

Kraj z trudem dźwigał ogromny ciężar wojennych przedsięwzięć Bolesława, utrzymania wielkich stałych drużyn, rosnącego dworu, kosztów wielkiej polityki. Są ślady, że już za czasów Bolesława rozpoczęły się ludowe rozruchy, łączące się z hasłami nawrotu do starej religii. Bolesław twardą ręką narzucił chrześcijaństwo, chwalony za to piórami obcych biskupów, ale zapewne coraz bardziej nienawidzony przez swych poddanych. Za nieprzestrzeganie postu karał wybijaniem zębów, a okrutną i hańbiącą karę, jakiej podlegali cudzołożnicy, dokładnie opisał w swej kronice Thietmar. Wprowadzenie chrześcijaństwa w Polsce jest dokładnie czytelne w wykopaliskach archeologicznych: raptownie kończą się z X wiekiem groby ciałopalne, a zaczynają szkieletowe –

oczywisty dowód przestrzegania książęcego zakazu palenia zwłok.

Wyobraźmy sobie jednak stan umysłów ówczesnych przeciętnych Polaków, do których nie docierała dworska ideologia, którzy nie włączyli się jeszcze w życie społeczności chrześcijańskiej, a właściwie jej nie znali, skoro kościoły budowano dopiero po głównych grodach, zaś kadr polskiego duchowieństwa brakło. Zakaz jedzenia mięsa czy ograniczenia życia seksualnego były dla nich objawem bezmyślnego despotyzmu, zaś zakaz palenia zwłok stwarzał różne problemy, powodujące trwożne nastroje. Wszak spalenie ciała umożliwiało duszy przeniesienie się na tamten świat: zakopanie tego ciała natomiast mogło prowadzić do odrodzenia się nieboszczyka w formie „żywego trupa", upiora prześladującego żywych. Także sens dalekich wypraw i wojen, przynoszących korzyść jedynie możnym i drużynie, obcy był szerszym kręgom ludności Polski. Wystarczyło więc osłabienie aparatu państwowego i powstanie rozbieżności wśród grupy rządzącej, aby ta ludność otwarcie wystąpiła przeciw władzom.

Nie dziwmy się więc, że współcześni mogli mieć niejakie trudności w docenieniu wielkości postaci Bolesława Chrobrego i patrzyli na jego poczynania innymi oczyma niż późniejsi historycy, którym z kolei blask sławnych czynów wielkiego króla nie pozwalał dostrzec realiów życia w jego epoce. Jeżeli mamy lapidarnie ocenić Bolesława z perspektywy dziesięciu prawie wieków, to musimy stwierdzić, że jego wielka polityka, nie licząca się z możliwościami państwa i jego ludności, przyczyniła się, a nawet spowodowała, katastrofę lat trzydziestych XI w. Ale jednocześnie trzeba powiedzieć, że bez szerokich horyzontów i ambicji Bolesława uboższa i mniej dumna byłaby tradycja historyczna, formująca z wolna oblicze rodzącego się narodu polskiego; uboższe byłyby wzory, stawiane przez tę tradycję kolejnym pokoleniom Polaków, od rówieśników Galla Anonima poczynając.

Benedykt Zientara

MIESZKO II

„Od początku panowania [...] okazał się człowiekiem gnuśnego charakteru, tępego umysłu, niezgrabny, w radach nierozsądny, w działaniu słaby, mało zdatny do spraw większej wagi". Tak scharakteryzował Jan Długosz Mieszka II, drugiego koronowanego władcę Polski, dodając, że nieudolność króla była przyczyną klęsk kraju. „Nie tylko bowiem sam nie chciał zmądrzeć, ale i nie szanował ludzi rozumnych".

Opinię tę przejął Długosz od swych poprzedników, kronikarzy XIII wieku, którzy, szukając przyczyn upadku Polski po śmierci Bolesława Chrobrego, poszli najprostszą drogą i zrzucili odpowiedzialność na jego następcę. Tymczasem znacznie bliższy czasom Mieszka II Gall Anonim patrzył na tego króla przychylniej. „Ten zaś Mieszko był zacnym rycerzem, wiele też dokonał dzieł rycerskich, których wyliczanie za długo by trwało". Znający Mieszka osobiście kronikarz niemiecki Thietmar z Merseburga, opisując wojny polsko-niemieckie z czasów Bolesława Chrobrego, wkłada Mieszkowi w usta piękną odpowiedź na żądanie kapitulacji przyniesione przez posłów niemieckich: „Aż do przybycia mego ojca jestem zdecydowany bronić wedle sił moich ojczyzny, po którą wyciągacie rękę". Prawdziwy zaś panegiryk stanowi list księżnej lotaryńskiej Matyldy do Mieszka, z którego dowiadujemy się o nieprzeciętnym wykształceniu i zainteresowaniach tego króla.

Opinia historyków jest też podzielona. Od czasów Długosza nosił Mieszko II w historiografii przydomek „Gnuśny". W roku 1876 jednak Anatol Lewicki ogłosił monografię jego panowania, która walnie przyczyniła się do rehabilitacji nieszczęśliwego monarchy. Historyk przemyski zanalizował trudności zewnętrzne i wewnętrzne, w których przyszło działać Mieszkowi, i doszedł do wniosku, że w podobnej sytuacji nawet „wielki Bolesław" poniósłby klęskę. Lewicki podkreślił energię Mieszka i fakt, że do końca życia nie tylko nie pogodził się z klęską, ale zdołał odrobić znaczną część strat.

Argumenty Lewickiego na ogół zostały uznane przez badaczy za przekonywające, ale raz po raz padają, zwłaszcza w ostatnich latach, zdania, oskarżające Mieszka o przyczynienie się do katastrofy. Danuta Borawska zwróciła też uwagę na niesnaski w rodzinie królewskiej, których sam Mieszko w niemałym stopniu był przyczyną.

Księżna Matylda wręcza księgę liturgiczną Mieszkowi II. Miniatura dedykacyjna z rękopisu „Ordo Romanus"

Kiedy bliżej rozglądamy się w koneksjach rodzinnych Mieszka II, nasuwa się nam myśl, że w nich właśnie tkwi zarówno blask jego panowania, jak i zarodek katastrofy. Mieszko był synem Bolesława Chrobrego i wychowywał się pod jego bezwzględnym autorytetem, przyzwyczajony do posłuszeństwa wobec monarchy, który był dlań nie tylko ojcem, ale i niedościgłym wzorem. Takie podejście czyniło z Mieszka godnego zaufania wykonawcę ojcowskich poleceń, a więc niezwykle cennego współpracownika w powikłanych kolejach polityki Chrobrego. Spowodowało także jednak pewien brak samodzielności: za życia Chrobrego Mieszko nie przedsiębrał niczego bez wskazówek ojca, a po jego śmierci kontynuował ojcowską politykę, mimo iż zmienione warunki jej nie sprzyjały. Trzeba jednak dodać, że wydarzenia zmusiły go z czasem do znacznej elastyczności.

Mieszko był więc ukochanym synem Chrobrego, przeznaczonym do korony. Był też jednak ukochanym synem Emnildy, trzeciej żony Bolesława, w której Chrobry znalazł wreszcie właściwą towarzyszkę życia. Właśnie te szczególne fawory rodziców miały Mieszkowi przynieść nie tylko koronę i panowanie, lecz także katastrofę w perspektywie. Urodzony około roku 990 jako najstarszy syn z trzecie-

go małżeństwa Chrobrego, miał bowiem starszego brata, Bezpryma, syna drugiej żony Bolesława, nie znanej z imienia księżniczki węgierskiej. Bezprym miał być początkowo dziedzicem Chrobrego, ale wpływ Emnildy na męża usunął go z drogi ukochanego Mieszka: Bezprym, wysłany do Włoch, miał zostać mnichem, aby nic nie zagrażało sukcesji Mieszkowej.

Podejrzewano i samego Mieszka o śluby zakonne, a to ze względu na jego niezwykłe zamiłowanie do ksiąg, zainteresowanie liturgią, znajomość łaciny i greki. Nie ma jednak potrzeby takich wyjaśnień: trzeba ich się raczej domyślać w ambicjach ojca, któremu znajomość z Ottonem III i jego otoczeniem otworzyła szerokie horyzonty. Wykształcenie samego Ottona, jego historyczne i teologiczne zainteresowania znajdowały naśladownictwo w rodzinie cesarskiej, a Mieszko miał do niej wejść jako mąż siostrzenicy Ottona: odpowiednie porozumienie nastąpiło zapewne już na zjeździe gnieźnieńskim 1000 roku.

Zainteresowanie Bolesława i jego syna greką skłonni są niektórzy historycy wiązać z rywalizacją na terenie Polski obrządków łacińskiego i grecko-słowiańskiego. Nie ma jednak przekonywających śladów istnienia takiej rywalizacji, są natomiast świadectwa, że swe stosunki

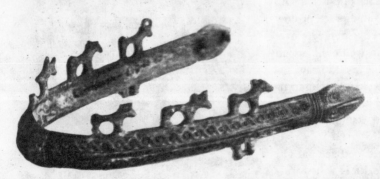

Okucie siodła z Lutomierska

36

polityczne z cesarstwem Zachodu, opanowanym przez władców Niemiec, pragnął Chrobry uzupełnić nawiązaniem bardziej ożywionych kontaktów z bizantyjskim cesarstwem Wschodu. W 1018 roku wysłał z Kijowa poselstwo do konstantynopolitańskiego cesarza Bazylego II. Gdyby te kontakty dalej się rozwijały, znajomość greki i różnic liturgicznych między Kościołem łacińskim a greckim nie byłaby bez znaczenia w grze politycznej.

Wejście Mieszka do rodziny cesarskiej uległo na razie odroczeniu. Po śmierci Ottona III wybuchła seria wojen polsko-niemieckich, podczas których Mieszko wprawiał się u boku ojca w arkanach polityki, dyplomacji i sztuki wojennej. W 1013 roku po raz pierwszy powierzono mu samodzielną misję: w lutym tego roku przeprowadził z królem Henrykiem II wstępne rokowania pokojowe w Magdeburgu, gdzie – jak ostatnio wyjaśnił Tadeusz Grudziński – przyjął w lenno Milsko i Łużyce, przekazane następnie księciu polskiemu. Podczas zjazdu Bolesława z Henrykiem w maju tegoż roku w Merseburgu doszły do skutku zapowiadane zaślubiny Mieszka z siostrzenicą Ottona III Rychezą, córką palatyna Renu Ezzona i siostry cesarskiej Matyldy. Pozwoliły one zacieśnić kontakty dworu polskiego z niechętnymi nowemu władcy Niemiec kołami arystokracji.

Dyplomatyczne misje, powierzone Mieszkowi przez ojca, kryły w sobie niemałe niebezpieczeństwa. W 1014 roku, kiedy Henryk II wyruszył do Włoch po cesarską koronę, Mieszko podążył do Pragi, by w tajemnicy przedłożyć czeskiemu księciu Udalrykowi (Oldrzychowi) propozycję sojuszu antyniemieckiego. Jednak książę czeski nie tylko odmówił, ale uwięził Mieszka, aby go potem wydać cesarzowi, zresztą po długich przetargach. Henryk radby zatrzymać młodego księ-

cia jako zakładnika wątpliwej lojalności ojca, ale nacisk przyjaciół Bolesława (czy też ludzi przezeń przekupionych, jak chce kronikarz Thietmar) na cesarza był tak silny, że Mieszko został uwolniony i odesłany ojcu.

Obawy cesarza były słuszne, bo w 1015 roku wybuchła nowa wojna. Mieszko osłaniał przed nieprzyjacielem przeprawę przez Odrę pod

Fragment kolumny w krypcie pierwszej katedry Św. Wacława na Wawelu

Krosnem, opór jego został jednak przełamany mimo poważnych strat, jakie przy tym poniosła armia niemiecka. Wkrótce jednak szala przechyliła się na korzyść Bolesława, który zniszczył znaczną część sił nieprzyjacielskich i zmusił cesarza do odwrotu. Mieszko dowodził pościgiem i dotarł wkrótce do Miśni, którą spustoszył. Przybór wody na Łabie zmusił go do zaniechania szturmu stolicy marchii miśnieńskiej.

W dwa lata później znowu widzimy Mieszka na czele samodzielnej grupy wojska: dowodził dywersyjnym najazdem na Czechy, który miał skłonić księcia czeskiego do opuszczenia podjętej wówczas generalnej wyprawy cesarskiej na Polskę.

17 czerwca 1025 roku zmarł Bolesław Chrobry. Mieszko II zasiadł wnet na tronie i wraz z żoną został ukoronowany. Wywołało to różne echa: kolejne koronacje Chrobrego i jego syna wiązały się z przesileniem w Niemczech, gdzie do władzy doszła właśnie nowa dynastia. Mimo pokrewieństwa z żoną Mieszka, nowy król niemiecki Konrad II wrogo przyjął polską manifestację niezależności, a związani z nim kronikarze pisali o ,,uzurpacji" ,,nadętego pychą" ,,buntownika". Mieszko liczył na opozycję przeciw Konradowi: i rzeczywiście kontakt został nawiązany. Wspomniany wyżej list Matyldy lotaryńskiej która była siostrą żony Konrada, ale jednocześnie matką jego rywala do tronu, jest co prawda tylko załącznikiem do przesłanej królowi polskiemu księgi liturgicznej, ale zawiera coś więcej niż zwykłą wymianę uprzejmości: pochwała ,,niezwyciężonego" króla Polski (którego Konrad uważał za uzurpatora) i życzenie ,,triumfu nad wrogiem" pozwalają bez trudności odczytać polityczny podtekst; Matylda nie miała wątpliwości, że to ,,łaska boża nadała [Mieszkowi] tytuł i godność królewską

i wyposażyła go hojnie w przymioty niezbędne do sztuki władania".

Nadzieje się nie spełniły: Konrad szybko uporał się ze swymi przeciwnikami w Niemczech i Włoszech, już w 1027 roku uzyskał koronę cesarską i zwrócił się ku wschodniemu sąsiadowi, wspomagany, podobnie jak jego poprzednik, przez czeskiego Udalryka. Tymczasem wielka budowla Piastów – Królestwo Polskie – zaczęła niebezpiecznie zarysowywać się, zanim doszło do starcia z wrogiem zewnętrznym.

Nie wiemy, czy bracia królewscy – starszy Bezprym i młodszy Otton – dostali jakieś zaopatrzenie w postaci dzielnic, ale jeżeli nawet, to nie byli z niego zadowoleni. Bezprym, jako najstarszy, rościł sobie pretensje do władzy i znajdował zwolenników wśród części możnowładztwa: poparł go Otton, który chętnie widziałby się władcą samodzielnego księstwa. Spisek ich odkrył Mieszko w porę i udaremnił; bracia zbiegli na Ruś i stamtąd przygotowywali akcję przeciw królowi.

W samej rodzinie królewskiej pojawiły się niesnaski. Rycheza, dumna z cesarskiego pochodzenia, starała się przelać na syna własne ambicje: urodzony w 1016 roku Kazimierz został ochrzczony cesarskim imieniem Karol i pamiętano, że był bliższym dziedzicem wygasłej po mieczu dynastii wielkich Ottonów, niż obecny cesarz Konrad. Rycheza rozwijała istniejące już żywe kontakty Polski z Nadrenią i Lotaryngią, starając się według tamtejszych wzorów kształtować chrześcijańską kulturę nowej ojczyzny, a wzory te mieściły się w kręgu najlepszych na łacińskim Zachodzie. Kazimierz został przekazany do klasztoru na naukę, aby dorównał kulturą ojcu i cesarskim przodkom.

Można się spodziewać, że dumna Rycheza nie była popularna w nowym kraju, którego

„barbarzyńskie" obyczaje raziły ją na każdym kroku. Tymczasem spotkała ją zniewaga: u boku Mieszka coraz częściej miejsce królowej zaczęła zajmować nie znana bliżej „nałożnica", co w Polsce zapewne niewielu raziło, ale dla wnuczki cesarskiej było nie do zniesienia. Para królewska poróżniła się na dobre, a zdaniem niektórych badaczy królowa opuściła kraj i wróciła z synem do Niemiec. Badacze ci, opierając się na późnej „Kronice wielkopolskiej" (XIII–XIV w.) sugerują, że miejsce Kazimierza jako następcy tronu zajął syn owej „nałożnicy" imieniem Bolesław (R. Grodecki, D. Borawska). Ten właśnie Bolesław, znany w kołach toczących spory mediewistów jako „Bolesław Zapomniany", miał ich zdaniem nawet objąć władzę po ojcu. Jednak nie ma potrzeby przyjmowania istnienia tej postaci, skoro starsze źródła nic o niej nie wiedzą.

Gorszące spory w najbliższym otoczeniu króla musiały przyczynić się do osłabienia jego autorytetu. Ale były głębsze przyczyny osłabienia państwa: powszechne niezadowolenie, jakie wywołał ucisk fiskalny, narastający za czasów Bolesława Chrobrego. Długotrwałe wojny zmuszały ludność do ogromnego wysiłku. Po to, aby władca mógł prowadzić swą „europejską" politykę, poddani jego musieli dostarczać coraz więcej danin i wzmóc zakres powinności. Wzrastał aparat władzy: każdy żupan grodowy otaczał się gromadą funkcjonariuszy, żyjących z danin i korzystających z posług ludności. Rosły nowe kościoły, a duchowieństwo, nie chcąc poprzestać na udzielonej z łaski księcia części danin, żądało wprowadzenia powszechnej dziesięciny. Nowa wiara coraz bardziej zaczęła się szarym mieszkańcom Polski kojarzyć ze wzmożonym wyzyskiem, a hasła jej obalenia i przywrócenia kultu dawnych bogów znajdowały coraz szerszej posłuch. Niektórzy historycy (D. Borawska) skłonni są,

chyba słusznie, upatrywać przejawy ruchu antychrześcijańskiego już za czasów Mieszka II, a nawet w schyłkowym okresie rządów Chrobrego.

Mieszko II przyczynił się w pewnym sensie do dodania otuchy elementom pogańskim, doprowadzając do swego rodzaju przewrotu przymierzy na granicy zachodniej. Za czasów Chrobrego pogańscy Wieleci-Lucice byli sprzymierzeńcami cesarza, co polska propaganda potrafiła wykorzystać, wskazując całemu światu niegodziwe związki świeckiej głowy chrześcijaństwa. Mieszko II nie wykorzystał momentu trudności Konrada II i nie interweniował w Niemczech w interesie opozycji, jak by to uczynił jego ojciec: może liczył na pokojowe ułożenie się stosunków, a może sam rozprawiał się wówczas z buntem braci.

Hełm z Gorzuch koło Kalisza

39

W każdym razie był osamotniony w chwili, gdy w 1029 roku Konrad podejmował wielką ekspedycję wojenną na Polskę. Wtedy nawiązał kontakty z Lucicami i przeciągnął ich na swoją stronę. Przyniosło mu to doraźny sukces: wyprawa Konrada II na Milsko została odparta pod Budziszynem; jak niegdyś Henryk II, tak teraz Konrad musiał zawrócić z niczym.

W styczniu 1030 roku Mieszko wraz z Lucicami podjął wyprawę na Saksonię, która pozornie przyniosła również sukces: według relacji ,,Roczników magdeburskich" zniszczono przeszło sto wsi i uprowadzono ponad dziesięć tysięcy brańców. W rzeczywistości jednak ta ,,zwycięska" wyprawa dała w efekcie niepowetowane straty: ze szczególną zaciekłością sprzymierzeńcy Mieszka, a zapewne i jego własni ludzie, niszczyli kościoły i profanowali przedmioty kultu chrześcijańskiego. Przyniosło to Mieszkowi w rocznikach niemieckich przydomek ,,fałszywego chrześcijanina" i pozbawiło dawnych niemieckich sprzymierzeńców.

Tymczasem nadciągało niebezpieczeństwo z drugiej strony: pozyskany przez Bezpryma książę ruski Jarosław Mądry obległ i zdobył Bełz. Zarysował się sojusz niemiecko-ruski – kombinacja polityczna, która mogła się skończyć dla Polski tylko katastrofą. Zwycięskie wypady Chrobrego na wschód i zachód, którym towarzyszyły gesty, mające upokorzyć pokonanych wrogów, owocowały teraz: książę ruski dobrze pamiętał pohańbienie siostry, złupienie Kijowa i uprowadzenie z Rusi licznych brańców: teraz nadeszła chwila odwetu. Bezprym i Otton pośredniczyli w synchronizacji działań wojennych.

We wrześniu 1031 roku Mieszko stawił zacięty opór cesarzowi, który ponownie zaatakował Milsko i Łużyce. Jednocześnie jednak nadeszły wieści, że od wschodu wkroczyli do Polski książęta ruscy – Jarosław i Mścisław, opanowali Grody Czerwieńskie i zagarniają tłumy ludzi do niewoli. W tych warunkach Mieszko zdecydował się na rokowania z Konradem. Nie wiadomo, dlaczego Konrad cofnął się przed ostatecznym zniszczeniem przeciwnika: czy zabrakło mu do tego siły, czy też przestraszył się widmem zwycięstwa pogaństwa w osłabionej Polsce, którym mógł szermować jego przeciwnik? Faktem jest, że cesarz zadowolił się odstąpieniem Milska i Łużyc oraz obietnicą zwrotu łupów i brańców z saskiej wyprawy Mieszka – w spełnienie tej ostatniej sam chyba nie wierzył.

Było już bowiem za późno. Z poparciem Rusinów Bezprym sięgnął w Polsce po tron i zyskiwał coraz szersze poparcie; w listopadzie Mieszko musiał szukać schronienia w Czechach, a Bezprym w okrutny sposób rozprawiał się z wszystkimi, którzy mu się narazili w okresie jego trudnej młodości.

Po raz drugi Udalryk dostał Mieszka w swe ręce; teraz nie pozwolił sobie zabrać okazji do słodkiej zemsty. Potężny niedawno król, któremu Matylda życzyła triumfu nad wrogami, poddany poniżającej operacji wykastrowania, siedział obecnie w więzieniu, czekając na ostateczną decyzję wroga. Udalryk zaproponował cesarzowi odstąpienie więźnia, ale ten odmówił wejścia w transakcję, którą uważał za niegodną swej osoby.

Był to szczyt poniżenia: to, czego potem dokonał Mieszko, zasługuje na podziw. Nic go nie złamało: ani cierpienia, ani hańba, ani klęski. Ze swego więzienia nawiązał kontakt z młodszym bratem Ottonem, który z rządów Bezpryma był równie niezadowolony jak z panowania Mieszka. W rezultacie tego porozumienia Bezprym został zamordowany ,,nie bez udziału swoich braci" – jak piszą ,,Roczniki hildesheimskie". „Pierwszy zdrajca polski" – tak określił Bezpryma Anatol Lewicki.

Śmierć Bezpryma umożliwiła Mieszkowi powrót. Nie wiadomo, za jaką cenę zgodził się go uwolnić Udalryk: starsza historiografia łączyła z tym momentem przekazanie Moraw Czechom, ale nowsi historycy skłonni są prze-sunąć utratę Moraw przez Polskę jeszcze na czasy Chrobrego. W każdym razie w 1032 roku Mieszko wrócił do Polski i za pośrednictwem cesarzowej Gizeli (uzyskanym z pomocą jej siostry Matyldy?) zaczął szukać porozumienia z cesarzem. Nie było to łatwe, bo Bezprym uczynił przed śmiercią krok bardzo istotny:

Inicjał litery „L" ze „Złotego kodeksu pułtuskiego"

odesłał cesarzowi insygnia koronacyjne, demonstracyjnie zrzekając się w ten sposób godności królewskiej.

W lipcu 1032 roku cesarz przyjął książąt polskich w Merseburgu. Obok Mieszka i Ottona pojawił się tam też ich brat stryjeczny Dytryk, potomek jednego z młodszych synów Mieszka I. Mieszko II nie tylko musiał zrezygnować z godności królewskiej, ale wydzielić braciom obszerne samodzielne dzielnice.

Ale i teraz nie stracił energii, zwłaszcza że szczęście zaczynało mu sprzyjać. W 1033 roku zmarł w tajemniczy sposób Otton; niektórzy historycy skłonni są zaliczyć tę śmierć na konto ,,zjednoczeniowej" działalności Mieszka, chociaż w całym jego postępowaniu z braćmi daje się zauważyć raczej wstręt do ostrych środków represji, tak chętnie używanych przez ,,wielkiego Bolesława". Natomiast Dytryk, który nie miał w Polsce żadnych zwolenników, został dość łatwo usunięty z kraju. W 1034 roku Polska znowu była zjednoczona pod berłem prawowitego władcy.

Nie była to już jednak wspaniała monarchia Chrobrego. Możnowładcy, nauczywszy się wygrywać spory dynastyczne, niechętnie widzieli powrót jedynowładztwa. Wojna domowa wprowadziła zamęt w funkcjonowanie aparatu państwowego, obcy najeźdźcy spustoszyli znaczne połacie kraju, ludność burzyła się i wracała tłumnie do kultu pogańskiego. Możliwe, że zaczynały odżywać tu i ówdzie partykularyzmy plemienne.

10 maja 1034 roku śmierć zaskoczyła Mieszka, zajętego odbudową państwa. Wszystko było jeszcze możliwe: król miał dopiero 44 lata, największa groźba – wojna na dwa fronty – została zażegnana, jedność państwa uratowana. Jeden z późniejszych kronikarzy (Gotfryd z Viterbo) wspomina o zamordowaniu Mieszka przez własnego miecznika; inne źródła piszą tylko o ,,przedwczesnej śmierci". Gdybyśmy przyjęli za dobrą monetę wiadomość, zapisaną przez Gotfryda, trzeba by przypuszczać, że wytworzyła się wśród możnych grupa, dążąca do całkowitego zlikwidowania dynastii i zajęcia jej miejsca. Rówieśnik Gotfryda, Wincenty Kadłubek, nazywał tych uzurpatorów ,,poronionymi książętami". Jednym z nich był Miecław, cześnik Mieszka II, który ulokował się na Mazowszu. Konkurowali z nim zapewne inni, którzy szukali oparcia na innych terenach; może był wśród nich i ów miecznik-królobójca.

Po śmierci Mieszka władzę usiłowała objąć Rycheza, jako opiekunka młodego księcia Kazimierza. Czy wróciła w godzinie nieszczęścia, by dzielić z mężem gorycze klęski, a jednocześnie walczyć o dziedzictwo syna? Dzieje tego małżeństwa są niezwykle zagmatwane. Rycheza znowu przegrała i musiała powtórnie opuścić Polskę; za nią podążył i Kazimierz.

Dzieje rządów Mieszka II zawierają wiele zagadek; historycy też niezbyt chętnie zajmują się tym mało pociągającym okresem. Ale to, co o nim wiemy, każe myśleć o drugim królu Polski mimo wszystko z szacunkiem: niezwykle silne poczucie obowiązku, które kazało mu bronić dzieła przodków nawet w beznadziejnej sytuacji; niemałe zdolności polityczne i wojskowe przy niezbyt wojowniczym usposobieniu budzą sympatię. Nawet pretensje niektórych historyków o to, że nie załatwił się z braćmi w porę przy pomocy noża lub trucizny, straciły siłę przekonywania: właściwie dobrze, że nie był aż tak przesiąknięty duchem ,,racji stanu". Może też rzeczywiście uważał, jak twierdziła Matylda, że ,,wybrany nie ludzkim, ale boskim zrządzeniem do władania ludem bożym" ma być ,,w sądzie przewidujący, z dobroci znany, szlachetnością obyczajów sławny".

Benedykt Zientara

KAZIMIERZ ODNOWICIEL

Daty życia Kazimierza Odnowiciela znane są lepiej niż daty jego poprzedników i następców. Jest to pierwszy z Piastów, którego data urodzenia została zapisana w rocznikach: urodził się 26 lipca 1016 roku, jako syn ówczesnego następcy tronu, późniejszego króla Mieszka II i jego żony Rychezy, wnuczki cesarza Ottona II; obok słowiańskiego imienia Kazimierz, które po raz pierwszy pojawia się wśród Piastów, otrzymał cesarskie imię Karol, świadczące o ówczesnych ambicjach rodziny. Podobnie jak rodzice, również Kazimierz otrzymał wykształcenie; ,,Rocznik krakowski" zanotował pod rokiem 1026 oddanie Kazimierza na naukę, a kronikarz Gall Anonim nazywa go *homo litteratus* oraz *vir eloquens*; epitety te świadczą nie tylko o znajomości pisma, ale także o uzyskaniu pewnej kultury literackiej. Zresztą i siostra Kazimierza, Gertruda, uzyskała wykształcenie: znamy ułożone przez nią i własnoręcznie wpisane modlitwy.

A jednak dokoła postaci Kazimierza osnuto legendy nie mniej fantastyczne niż wokół jego najdalszych przodków. Zwłaszcza skromna notatka o ,,oddaniu na naukę" stała się punktem wyjścia różnych domysłów średniowiecznych kronikarzy. W późniejszych stuleciach, zwłaszcza w okresie rozbicia dzielnicowego, kultura dworów książęcych spadła dość nisko: czytanie i pisanie uważano za domenę duchownych, a za wystarczającą edukację dla książąt uznawano naukę rzemiosła rycerskiego. Jeżeli Kazimierz został oddany na naukę – rozumowali kronikarze – to widocznie przeznaczony był do stanu duchownego. Tak powstały dwie legendy: o Kazimierzu Mnichu (przydomek ten na długo przylgnął do księcia) i o jego rzekomym bracie, który miał objąć rządy po śmierci ojca (tzw. Bolesław Zapomniany). No, bo jeżeli syn książęcy został oddany do stanu duchownego, to musiał istnieć inny syn, który odziedziczył tron.

Toteż kronikarze XIII wieku dodawali coraz więcej szczegółów na temat mnichostwa Kazimierza. Według jednych miał studiować w Paryżu (którego uniwersytet przyciągał w XIII w. żądną wiedzy młodzież z całej Europy), inni stwierdzali, że był benedyktynem w Cluny i tylko na prośby osieroconego narodu zgodził się z czasem zrzucić habit i objąć tron w Polsce. W tym celu jednak musiał uzyskać od papieża zwolnienie od ślubów zakonnych. Papież miał się jednak na to zgodzić pod licznymi warunkami, których konsekwencje obserwowano w XIII wieku. A więc za swego księcia wszyscy Polacy mieli płacić daninę – po denarze od głowy rocznie na rzecz papiestwa – zwaną świętopietrzem; mieli przestrzegać Wielkiego Postu w wymiarze o trzy tygodnie dłuższym niż w innych krajach, a także krótko strzyc głowy i nosić długie suknie. W ten sposób sprawa Kazimierza posłużyła uczonym mężom dla wyjaśnienia intrygującej ich sprawy pochodzenia odmiennych obyczajów kościelnych w Polsce i panującej tam w XIII wieku mody co do stroju i fryzury.

Wszystko to możliwe było dlatego, że początki rządów Kazimierza, przypadające na niezwykle burzliwy okres historyczny, pogrążone są w mroku; zarówno daty, jak fakty są sporne i rozmaicie interpretowane.

Pewne jest, że w 1034 roku umarł Mieszko II – ojciec Kazimierza. Niektórzy historycy (R. Grodecki, D. Borawska, ostatnio T. Wasilewski) twierdzą, że rządy wówczas miał objąć ów tajemniczy Bolesław Zapomniany, który pojawia się jednak dopiero w „Kronice wielkopolskiej" (XIII–XIV w.) jako rezultat rozumowania kronikarza, które przebiega analogicznymi drogami, jak legenda o mnichostwie Kazimierza. Legenda o Bolesławie Zapomnianym to osobny temat, którego nie możemy tu rozwinąć.

Najstarsza kronika polska stwierdza jednak, że po śmierci Mieszka tron objął Kazimierz pod opieką matki Rychezy. Nie ma powodu w to wątpić. Wiadomo, że między Mieszkiem a żoną istniały poważne nieporozumienia, może doszło nawet do opuszczenia kraju przez matkę Kazimierza. W każdym razie w chwili śmierci męża była w Polsce i starała się przejąć ster rządów. Gall Anonim przypuszczał, że ta czołowa rola Rycheży wynikała z faktu małoletności Kazimierza, ale nie był zorientowany w jego wieku: Kazimierz miał w chwili śmierci ojca 18 lat, więc w myśl ówczesnych pojęć był całkowicie zdolny do samodzielnych rządów. Ulegał jednak woli ambitnej matki.

Dumna Rycheza usiłowała zapewne przywrócić powagę osłabionej licznymi wstrząsami za Mieszka II władzy książęcej: jej syn, po kądzieli potomek cesarzy, miał być wielkim i wspaniałym władcą. Ale czasy nie były odpowiednie dla takiej polityki. Młody władca nie koronował się – nie pozwalały mu na to zarówno względy zewnętrzne (obawa przed sprzeciwem cesarza) jak wewnętrzne. Możni nie życzyli sobie koronacji: górę wśród dostojników brały elementy zmierzające do osłabienia dynastii i przechwycenia jej prerogatyw. Klęski

Opactwo benedyktyńskie w Tyńcu

polityczne, częste zmiany na tronie, w których możni grali decydującą rolę, osłabiły strukturę państwa. Obok dążenia możnych do przechwycenia władzy mogły odżyć dawne separatyzmy plemienne; wzmagał się ruch niższych warstw społecznych. przeciw obciążeniom na rzecz państwa i Kościoła. Pod wpływem wieleckim, pomorskim i pruskim zwolennicy likwidacji chrześcijaństwa i przywrócenia tradycyjnego kultu pogańskiego zaczęli zyskiwać coraz większą popularność; klęski, jakie spadły na Polskę, bez trudu mogły być uznane za skutek porzucenia starych bogów. Tęsknoty za kultem pogańskim łatwo łączyły się w umysłach chłopów z tęsknotą za dawną wolnością i z nienawiścią do ucisku ze strony państwa i Kościoła.

Czyż można było w takiej sytuacji myśleć o kontynuacji wielkiej polityki Chrobrego czy o przywróceniu dawnego prestiżu Piastów w środowisku książąt niemieckich – co zapewne miała na uwadze Rycheza, uważająca się za bliższą dziedziczkę tradycji Ottonów niż nowa dynastia cesarska? Mrzonki Rychezy szybko się skończyły: dostojnicy polscy uznali, że wywiera ona zły wpływ na księcia, i zmusili ją do opuszczenia kraju. Kiedy zaś pozostały w Polsce Kazimierz nie chciał być bezwolnym narzędziem w ręku własnych urzędników, pojawił się śmiały plan całkowitego obalenia dynastii piastowskiej. Poszczególni dostojnicy poczuli się godnymi do objęcia władzy bez Piastów, godnymi tronu książęcego. Kłopot polegał na tym, że tych uzurpatorów, „poronionych książąt", jak ich nazywa Kadłubek, było zbyt wielu.

Stanisław Kętrzyński, autor najgruntowniejszej dotychczas monografii Kazimierza Odnowiciela, zwrócił uwagę na fakt, że margrabia Otton ze Schweinfurtu, który zaręczył się z najmłodszą córką Chrobrego, Matyldą, zerwał w 1036 roku zaręczyny. Zdaniem historyka powodem tego był upadek znaczenia dynastii piastowskiej, związany z utratą tronu przez Kazimierza. W takiej sytuacji margrabia poszukał sobie innych koligacji.

Bunt zaskoczył Kazimierza zapewne w Małopolsce, skoro schronił się na Węgrzech. Nie znamy imion ludzi, którzy pozbawili go tronu (poza jednym wyjątkiem), nie znamy ani bezpośrednich motywów ich działania, ani haseł, pod którymi wystąpili. Janusz Bieniak, autor wnikliwej monografii tego zawikłanego okresu sądzi, że możnowładcy, którzy doprowadzili do detronizacji Piastów, nie zmierzali do rozbicia państwa i nie reprezentowali separatyzmów plemiennych; każdy z nich chciał objąć władzę w całej Polsce, tylko że żaden z nich nie miał po temu wystarczającej siły. Znamy jednego z nich, Miecława, byłego miecznika Mieszka II, który umocnił się na Mazowszu; zapewne w Małopolsce i Wielkopolsce uzyskali przewagę inni, nie znani nam, „poronieni książęta". Kiedy zaczęli zaś walczyć między sobą o władzę w reszcie kraju, osłabiony aparat państwowy załamał się na niektórych obszarach całkowicie. Naczelnicy grodów, nie wiedzący, kogo mają słuchać lub skąd wyglądać pomocy, znaleźli się oko w oko z rosnącą falą wzburzenia chłopów. „Niewolnicy powstali na panów – pisze Gall – wyzwoleńcy – przeciw szlachetnie urodzonym"; nie tylko zabijali panów i gwałcili ich żony, ale „podnieśli bunt przeciw biskupom i kapłanom bożym i niektórych z nich, jakoby w zaszczytniejszy sposób, mieczem zgładzili, a innych, jakoby rzekomo godnych lichszej śmierci, ukamienowali".

Nie należy sobie wyobrażać tego powstania ludowego jako rewolucji, która po wybuchu objęła cały kraj szybko szerzącym się płomieniem. Nie był to również jednolity ruch: na jednych terenach miał on charakter radykalnie pogański, na innych hasła religijne odgrywały mniejszą rolę. Na Mazowszu, jeżeli się w ogóle pojawił, to został szybko i radykalnie stłumiony przez Miecława; u niego chronili się duchowni i ,,szlachetnie urodzeni'' z innych, objętych buntem, terenów. W Wielkopolsce bunt nie sięgnął głównych grodów, choć strach paraliżował ich mieszkańców, uniemożliwiając im obronę przed zewnętrznym najazdem. Również Kraków nie został silniej dotknięty przez ludowe rozruchy. Natomiast pełny sukces odniosło pogaństwo w pozostałej dotąd przy Polsce wschodniej części Pomorza.

Ten właśnie moment wykorzystał książę czeski Brzetysław do podjęcia swej wielkiej wyprawy na Polskę, sławionej przez późniejszych czeskich kronikarzy. ,,Wtargnął do polskiej ziemi, owdowiałej po swoim księciu i nieprzyjacielsko ją napadł – pisał Kosmas – i jak niezmierna burza szaleję, sroży się, wszystko zwala – tak wsie rzeziami, rabunkami, pożarami pustoszył, obronne miejsca siłą dobywał''. Rychło jednak okazało się, że szerzenie postrachu było zupełnie zbędne, ponieważ nikt właściwie nie potrafił zorganizować oporu: Kraków i Wrocław zostały zdobyte, a Śląsk oraz Małopolska włączone do państwa Przemyślidów: książę czeski traktował te ziemie jako oderwaną przez Piastów część swego starego dziedzictwa. Inaczej potraktował Brzetysław Wielkopolskę, której nie zamierzał sobie podporządkować: zrabował i zniszczył Gniezno, Poznań, Giecz i Ostrów Lednicki, które dotychczas zostawały nie tknięte przez konflikty wewnętrzne, uprowadził brańców, a nadto wywiózł relikwie św. Wojciecha, fundament gnieźnieńskiej metropolii; miały one posłużyć do ustanowienia własnej czeskiej metropolii kościelnej w Pradze. Dla większej pewności wywieziono też szczątki brata św. Wojciecha, Radzima, pierwszego arcybiskupa gnieźnień-

skiego, oraz pięciu polskich eremitów-męczenników. ,,Wspomniane miasta (tj. Gniezno i Poznań – przyp. B.Z.) tak długo pozostały w opuszczeniu – twierdzi Gall – że w kościele Św. Wojciecha męczennika i Św. Piotra apostoła (tj. w obu katedrach – przyp. B.Z.) dzikie zwierzęta założyły swe legowiska''. Wstrząsający swój opis zadedykował Gall ku przestrodze ,,tym, którzy przyrodzonym panom nie dochowali wiary''. Klęski, jakie spadły na Polskę, uważano więc za karę bożą, którą poniósł naród za usunięcie z tronu własnej dynastii.

Kiedy kraj pogrążał się w anarchii, Kazimierz pozostawał bezczynny na Węgrzech, ponieważ król węgierski, św. Stefan, zatrzymał go pod strażą na życzenie Brzetysława. Dopiero zmiana na tronie węgierskim (1038) zwolniła Kazimierza z więzienia: nowy król Piotr Orseolo oświadczył Brzetysławowi, że nie chce być strażnikiem więziennym w jego służbie, wyposażył Kazimierza w środki na podróż i eskortę i umożliwił mu wyjazd do Niemiec.

Kazimierz dotarł w ten sposób do matki, która od pewnego czasu wykorzystywała wszystkie swe wpływy dla uzyskania pomocy dla syna. Sytuacja uległa poprawie z chwilą objęcia tronu niemieckiego przez Henryka III (1039), który zdecydował się podjąć akcję w interesie Kazimierza. Na decyzję jego wpłynęły niewątpliwie wiadomości o reakcji pogańskiej w Polsce i o zniszczeniu tamtejszej organizacji kościelnej: osobiście bardzo pobożny, Henryk mógł się obawiać również skutków rozszerzenia się powstania pogańskiego na sąsiednie tereny słowiańskie, znajdujące się pod władzą niemieckich margrabiów. Najważniejsza była jednak obawa przed rosnącą potęgą Brzetysława, który stał się obecnie najpotężniejszym władcą zachodniosłowiańskim, a starania o niezależną czeską metropolię kościelną dowodziły, że ambicje jego sięgają jeszcze dalej.

Nie wiadomo, kiedy ruszył Kazimierz do Polski, zaopatrzony przez Henryka III w oddział, złożony z 500 rycerzy. Stało się to – zdaniem J. Bieniaka – między 1039 a 1041 rokiem; jednocześnie Henryk zaatakował Czechy – po początkowych dotkliwych niepowodzeniach zdołał w 1041 roku upokorzyć Brzetysława.

Tymczasem Kazimierz z trudem zdobywał sobie grunt w Polsce. Gall pisze o jakimś nie określonym bliżej grodzie, który stanowił pieŕwsze oparcie księcia i punkt wyjścia dla stopniowego podporządkowania wyczerpanego walkami wewnętrznymi kraju. Zwolennicy przywrócenia danego porządku skupiali się przy Kazimierzu, uważając go za jedyny czynnik, zdolny do rozprawienia się z powstaniem ludowym i do zlikwidowania chaosu.

Dwa dodatkowe momenty sprzyjały Kazimierzowi. Układem w Ratyzbonie jesienią 1041 roku Henryk III zmusił Brzetysława do odstąpienia Kazimierzowi większości zdobyczy w Polsce, pozwalając mu tylko zatrzymać Śląsk. W odstąpionym terytorium J. Bieniak słusznie chyba domyśla się ziemi krakowskiej, która stała się odtąd główną bazą działalności Kazimierza. Więcej: nie zniszczony Kraków został główną siedzibą dworu książęcego i awansował do roli stolicy.

Drugim momentem było przymierze z potężnym księciem ruskim Jarosławem Mądrym, przypieczętowane małżeństwem Kazimierza z jego siostrą (czy też raczej córką?)

Kapitele z opactwa tynieckiego

Marią Dobroniegą. Data tego przymierza jest sporna: Bronisław Włodarski domyśla się tu pośrednictwa Henryka III, który pozostawał wówczas z Rusią w ożywionych kontaktach dyplomatycznych.

Dlaczego Jarosław poparł wnuka znienawidzonego na Rusi Bolesława Chrobrego w odbudowie państwa, które raz już zagroziło naddnieprzańskiej stolicy? Problem ten oświetlił również J. Bieniak, podnosząc ogólnopolski charakter państwa Miecława z ośrodkiem na Mazowszu i konflikt tego państwa z interesami Rusi. W 1041 roku Jarosław podjął swą pierwszą wyprawę na Mazowsze, zapewne jeszcze bez związku ze sprawą Kazimierza. Ten ostatni był dlań przede wszystkim śmiertelnym wrogiem uzurpatora Miecława; Miecława zaś uważał Jarosław wówczas za swego najgroźniejszego przeciwnika na zachodniej granicy, zwłaszcza ze względu na jego powiązania z Prusami, Jadźwingami i Litwinami. W ten sposób książę kijowski stał się drugim protektorem Kazimierza. Przymierze uległo zacieśnieniu: za małżeństwem księcia polskiego z Dobroniegą (któremu towarzyszył zwrot 800 brańców ruskich spośród porwanych przez Chrobrego w 1018 r.) poszło wydanie siostry Kazimierza, Gertrudy, za Izasława, syna Jarosławowego. Jednoczesny atak Kazimierza i Jarosława na Mazowsze w 1047 roku doprowadził do katastrofy Miecława: władca Mazowsza, nie doczekawszy posiłków Pomorzan, poległ w walce z Kazimierzem; ten ostatni zadał klęskę również jego pomorskim sprzymierzeńcom. W ślad za tym nastąpiło zapewne przywrócenie władzy Piastów nad wschodnią częścią Pomorza. Groźba rozbicia państwa piastowskiego i podważenia władzy dynastii została odwrócona: czterech synów, jakich Dobroniega urodziła małżonkowi, gwarantowało kontynuację rodu.

Znacznie trudniejsze były rewindykacje na zachodzie. Tu był Kazimierz całkowicie zależny od poparcia swego pierwszego protektora,

Relikty krypty św. Gereona w katedrze wawelskiej

Płyta z ornamentem plecionkowym z pierwszej katedry Św. Wacława na Wawelu

Henryka III. Uznawał więc jego zwierzchnictwo, pojawiał się na zjazdach książąt niemieckich, poddawał arbitrażowi cesarza swój spór z Brzetysławem. Ale Henryk nie popierał Kazimierza tak bezwzględnie, jak Jarosław: skoro Czechy zostały złamane, a Brzetysław upokorzony, nie leżało w interesie cesarza dalsze wzmacnianie Polski. Toteż pozostawił on w układzie ratyzbońskim Śląsk przy Czechach; w 1046 roku w Merseburgu Kazimierz, stale walczący o pełną rewindykację dziedzictwa, spotkał się w obliczu cesarza ze swymi przeciwnikami: Brzetysławem czeskim i Siemysłem (czy Siemiosiłem) księciem pomorskim, ale spotkało go rozczarowanie. Cesarz

nakazał zostać każdemu przy swym stanie posiadania.

Mimo pozornej uległości wobec cesarza Kazimierz nie zrezygnował z realizacji własnych celów politycznych. Trzeźwo oceniający swe możliwości, gotów zawsze pokornie przyjąć cesarskie upomnienia, pojawić się z darami na dworze Henryka, by zyskać przebaczenie, pilnie jednak wypatrywał możliwości wzmocnienia swego stanowiska. Ród jego matki awansował: wuj Kazimierza, Herman, był arcybiskupem kolońskim i arcykanclerzem Włoch; brat cioteczny Konrad został księciem bawarskim. Z ich pomocą Kazimierz ponownie tworzył w Niemczech grupę zaprzyjaźnionych książąt, gotowych interweniować na jego rzecz u cesarza.

Nie wiemy, co ułatwiło mu zdobycie Śląska w 1050 roku; zapewne jakiś bunt miejscowej ludności utrudnił Brzetysławowi obronę świeżej zdobyczy. Cesarz zawrzał gniewem na niedawnego pupila i zaczął gotować przeciw niemu wyprawę wojenną, ale choroba opóźniła tę akcję. Tymczasem Kazimierz postarał się osobistym stawiennictwem w Goslarze i oznakami posłuszeństwa ułatwić cesarzowi przychylne dla siebie załatwienie sprawy: wiedział, że Henryk, zawikłany w wojny na Węgrzech, nie może w pełni decydować o rozwoju wypadków. W roku 1051 Polacy nie tylko wspierali cesarza podczas nieszczęśliwej kampanii węgierskiej, ale przyczynili się do ocalenia jego wojska, osłaniając wraz z Sasami i Burgundczykami przeprawę.

W Quedlinburgu w 1054 roku Henryk rozstrzygnął po salomonowemu spór polsko-czeski: Śląsk pozostać miał przy Polsce, ale książęta czescy mieli zeń otrzymywać 500 grzywien srebra i 30 złota rocznie. Decyzja ta, nie zadowalająca żadnej ze stron, otwierała pole do stałego poswaśnienia obu krajów i do powtarzających się cesarskich interwencji. A jednak dzięki Kazimierzowi Śląsk został połączony z resztą Polski, co zadecydowało o jego obliczu etnicznym: w tym bowiem czasie kształtowały się już zasadnicze różnice między polskim a czeskim obszarem językowym, których granice pokrywały się z zasięgiem państw Piastów i Przemyślidów.

Najważniejszym chyba ciosem zadanym Polsce przez Brzetysława było złupienie Gniezna i wywiezienie relikwii św. Wojciecha. Duchowieństwo polskie interweniowało wprawdzie w Rzymie i zarzuty stawiane Czechom dopomogły do unicestwienia starań o metropolię w Pradze: zadecydowały jednak o tym wpływy cesarza, który nie chciał kościelnego usamodzielnienia Czech.

Jednocześnie niemieckie czynniki kościelne – nie bez przychylnego stanowiska Henryka III – utrudniały odbudowę Kościoła polskiego. Papież zatwierdził sfałszowany przywilej fundacyjny arcybiskupstwa magdeburskiego, w którym wśród podporządkowanych mu biskupstw wymieniono Poznań. Starania o restytucję arcybiskupstwa gnieźnieńskiego nie zostały za czasów Kazimierza uwieńczone powodzeniem. Jeżeli mimo to chrześcijaństwo w Polsce zaczęło podnosić się z gruzów i to nie pod egidą arcybiskupów magdeburskich, zawdzięcza to osobistym stosunkom Kazimierza i jego zręczności politycznej na tym polu. Niestrudzonym pomocnikiem księcia był tu wuj Herman z Kolonii; wdzięczność dlań Kazimierza znalazła wyraz w ochrzczeniu jego imieniem młodszego syna, Władysława.

Herman przysyłał do Polski nie tylko sprzęt liturgiczny, księgi i duchownych (także mnichów pochodzenia iryjskiego, którzy obsadzili kapitułę krakowską, a następnie stworzyli zaczątek konwentu klasztoru tynieckiego). Jak sądził Władysław Abraham, Herman wyświęcał również biskupów dla Polski: dzięki temu Kraków i Wrocław już w okresie Kazimierza Odnowiciela miały katedry z biskupami i kapitułą. Z pomocą wuja Kazimierz zrobił również pierwsze kroki do odbudowy metropolii drogą okrężną: zachowała się mianowicie wiadomość, że biskup krakowski Aaron otrzymał w Kolonii od papieża paliusz – oznakę godności arcybiskupiej. Nad tą zagadką do dziś głowią się historycy: być może było to osobiste wyróżnienie Aarona, być może Kazimierz chciał związać polską metropolię ze swą nową stolicą, Gniezno bez relikwii św. Wojciecha straciło bowiem dawne znaczenie.

Kazimierz miał też według Galla „mnożyć

zgromadzenia mnichów i świętych dziewic". Ostatnio Gerard Labuda skłonny jest jemu właśnie przypisać fundację klasztorów w Tyńcu, Mogilnie i Lubiniu, przez większość historyków wiązanych dopiero z Bolesławem Szczodrym. Ogólnikowe zdanie Galla nie może uchodzić tu oczywiście za przekonujący dowód. Warto przypomnieć natomiast, że tradycja lubiąska wiązała początki tamtejszego klasztoru benedyktyńskiego właśnie z Kazimierzem.

Jeszcze mniej niż o kościelnej działalności „odnowicielskiej" Kazimierza wiemy o jego rekonstrukcji struktury państwa. W zasadzie Kazimierz nawiązał do systemu, stworzonego przez pierwszych Piastów, odtwarzając sieć grodów – ośrodków administracji, przywracając wybieranie danin i powinności. Nie można wątpić, że bunt ludowy został krwawo stłumiony, a jego uczestnicy, o ile wyszli z życiem z akcji pacyfikacji, bywali często obracani w niewolnych. Wojny domowe na równi z najazdami sąsiadów i akcją represyjną spowodowały zniszczenia i wyludnienie kraju, na które narzekał jeszcze Gall Anonim. Do przeszłości należała potęga militarna: Kazimierz nie odbudował już drużyny w dawnych rozmiarach, jego wojsko opierało się już zapewne na obowiązku służby osadzonych na ziemi wojów, z których każdy sam się musiał wyekwipować.

System ten był znacznie zdrowszy ekonomicznie i nie zmuszał do ciągłego podejmowania wojen zaczepnych gwoli „pełnego wykorzystania" kosztownej drużyny.

Znaczna część dawnych możnych musiała wyginąć w walkach wewnętrznych: najpotężniejsi, skompromitowani buntem przeciw dynastii, zostali zapewne wytępieni. Toteż otoczenie Kazimierza musieli w znacznej mierze stanowić „nowi ludzie": część ich przybyła z nim z zagranicy, część awansowała spośród zwykłych wojów (jeden taki przykład zanotował Gall). Autorytet księcia, wspieranego przez ludzi, którzy mu wszystko zawdzięczali, mógł więc ponownie wzrosnąć i umocnić się na kilka dziesięcioleci.

Kazimierz umarł młodo: 28 listopada 1058 roku, przeżywszy 42 lata. Zasługi jego dla utrzymania państwa polskiego, jego całości i indywidualności są niepodważalne. Pod wieloma względami przypomina swego pradziada, Mieszka I: trzeźwą kalkulacją polityczną, dostosowaniem celów do aktualnych możliwości, wysuwaniem realnych osiągnięć przed spektakularne wyczyny i blask wspaniałych gestów. Na zbudowanym przez ojca mocnym fundamencie mógł się później Bolesław Szczodry pokusić o ponowne wkroczenie na arenę polityki europejskiej, a także o przywrócenie korony królewskiej.

Aleksander Gieysztor

BOLESŁAW II SZCZODRY

W przydomkach królewskich i książęcych zawiera się znaczna miarą oceny, swoista synteza poglądów na rządy i cechy osobiste władcy, który w opinii potomnych, a czasem już współczesnych nie powinien zadowalać się tylko liczbą porządkową stawianą przy jego imieniu, jeśli powtarzało się ono w dynastii. Króla Bolesława, drugiego z rzędu władcę polskiego tego imienia, już w następnym pokoleniu nazywano Szczodrym (*largus*), jak po łacinie przekazał to nam Gall Anonim. Wypowiedziano wprawdzie sugestię, że to nie przydomek, lecz drugie jego imię, jakoby od św. Largusa męczennika rzymskiego; domysł ten wykracza jednak poza prawdopodobieństwo i składnię zdania Gallowego. Drugie określenie spod pióra tego kronikarza: wojowniczy (*bellicosus*) i trzecie: śmiały (*audax*) prowadzą do cech wojennych. Dopiero w XIV wieku pojawił się przy imieniu Bolesława przydomek *efferus*, co odpowiada groźnemu czy wściekłemu. Widać w tym wszystkim różnice osądu pokoleń. Najbliższe przechowywały wcale przychylną opinię możnych i rycerzy, w których oczach szczodrobliwość, wielki gest pański, były przymiotem wzorowego władcy, podobnie jak dzielność bojowa. Znacznie później, po kanonizacji św. Stanisława, powstał, ale nie utrwalił się epitet ujemny; roczniki polskie wybrnęły przez dodanie Bolesławowi liczebnika *secundus*, tzn. drugi po Chrobrym, a przed trzecim, Krzywoustym.

Bolesław Kazimierzowic był, jak ci inni dwaj Bolesławowie, państwa polskiego żywym symbolem, ale też indywidualnością, o której stosunkowo dużo można dowiedzieć się z przekazów źródłowych. Czy istnieje więc szansa jego realistycznego portretu? Zapewne jak w każdym przedstawieniu plastycznym, zależy to zarówno od malarza jak od odbiorców, którzy różne już zgłaszali życzenia; król-tyran i król-szermierz idei państwowej, król-psychopata i król z narodowego dramatu walki o rząd polskich dusz – oto narysowane już wizerunki Szczodrego. Spróbujmy poznać składniki biograficzne istniejącego wyobrażenia, tak silnie skontrastowanego, że jak pisał jeden z monografistów króla, Tadeusz Grudziński, ,,historyk przystępować doń musi ostrożnie i nieomal nieufnie''.

Szczodry przyszedł na świat najwcześniej w roku 1040, po powrocie swego ojca Odnowiciela do kraju, z małżeństwa zawartego z politycznego rozsądku z Dobroniegą, ponoć córką Włodzimierza ruskiego. Ale byłoby to tak późne potomstwo, że przypuszczać raczej można, iż matka Bolesława była córką Jarosława syna Włodzimierza. Jeśli poszukiwać w rodowodzie Bolesława właściwości dziedzicznych, które miałyby się przyczynić do ukształtowania jego cech osobowych, to tak ze strony ojca, jak matki nie brakowało wśród jego przodków w linii prostej ludzi wybitnych i uzdolnionych: poczet władców polskich z Chrobrym i dwoma Mieszkami, rodzina Ezzonidów lotaryńskich, Przemyślidzi czescy, obaj Ottonowie I i II, Włodzimierz, Światosław, Igor, Olga. Ludzie to na świeczniku ówczesnego kręgu władców, polityków i dowódców, różni na pewno charakterem, a podobni wychowaniem i zaprawą do rządów osobistych, sposobem ich sprawowania, charyzmą dynastyczną stawiającą ich ponad społeczeństwem.

Dynastię polską obowiązywał w XI wieku

Denar królewski Bolesława Szczodrego (awers i rewers)

światły model kształcenia synów. Zarówno dziad Mieszko, jak ojciec Kazimierz i siostra ojca Gertruda znali pismo i łacinę, a matka Dobroniega na pewno szła za rusko-bizantyńskim wzorem oświaty. Nie wątpić, że i jej synowie otrzymali rudymenty piśmiennicze i biegłość w paru językach obcych, aczkolwiek dominowało ćwiczenie wojskowe i łowieckie, które w tej epoce trzeba łączyć w jedno, a także uczestniczenie od najwcześniejszej młodości w wiecu książęcym, w rokowaniach z obcymi, w podróżującym zarządzie rozległego kraju. Pod kierownictwem ojca starczyło na to lat niewiele, zmarł on w roku 1058, matka zaś przeżyła syna.

Na ostatnie lata rządów ojca przypadło odzyskanie przezeń Śląska dokonane mieczem i dyplomacją, a także kontynuowanie odbudowy władzy monarszej we wszystkich jej ówczesnych przejawach. ,,Następca nie pamięta, ile trudu kosztowało budowniczego gmachu jego wzniesienie; pragnie go używać, nieraz ponad możliwości. Tak było z Bolesławem

Chrobrym, tak również było z następcą Kazimierza, Bolesławem Śmiałym" – napisał Gerard Labuda. Sąd to surowy i nie we wszystkim da się utrzymać. Zapewne było tak jak z Chrobrym, który zresztą obejmował rządy w pełni dojrzałości, podczas gdy Szczodry kończył w podobnej chwili lat osiemnaście: swoisty bunt pokoleniowy przeciw indywidualności ojca i jego ludziom, chęć zmiany tonu lub jego natężenia, wykazanie przedsiębiorczości tam, gdzie doświadczenie poprzednika nakazywało kunktatorstwo i grę pozorów. Obu Bolesławów wiele różniło od osobowości ich rodzicieli, co owemu kompleksowi ojca mogło nadawać znamię przekory. Ale nie przesadzajmy w możliwościach radykalnych zmian w celach, a nawet środkach działania założonych niejako sytuacją geohistoryczną, stanem społeczeństwa i aparatu władzy. Poczynania Szczodrego, jak się okaże, były raczej ciągiem dalszym ojcowskiego dzieła restytucji obszaru państwowego i jego organizacji wewnętrznej, systemu żywotnych sojuszów i rangi Polski w Europie. Tyle że cięciwa napinana do granic możliwości za Chrobrego pękła dopiero za jego następcy, podczas gdy Szczodremu wypadło już za swego życia ponieść wszelkie konsekwencje życia zbyt pełną piersią.

Przypomnijmy, że obszar państwa w chwili zgonu Kazimierza Odnowiciela obejmował części podstawowe: krakowską i gnieźnieńską wraz z Mazowszem oraz Śląsk obciążony dotkliwym trybutem na rzecz Czech. Odpadły bezpowrotnie różne ,,marchie" Chrobrego, a raczej dependencje zewnętrzne. Zwierzchność polska nad Pomorzem, zapewne tylko gdańskim, nosiła charakter luźny zobowiązując je do daniny i pomocy wojskowej. Cenną zdobyczą dyplomatyczną po ojcu były alianse z Rusią i Węgrami, natomiast problemem

Krypta zachodnia kościoła benedyktyńskiego w Mogilnie

otwartym pozostawał stosunek do Czech i do Cesarstwa. O sprawach wewnętrznych mało wiadomo. Zapewne Odnowiciel podniósł z gruzów najważniejsze grody, przywrócił więzy zależności chłopów; opierał się na starym możnowładztwie, ale i wprowadzał do zarządu ludzi nowych, a dlań zasłużonych. Myślał o odbudowie sieci kościelnej, ale tylko ją rozpoczął. Następca i jego doradcy podjęli się przyspieszenia rozwojowego widząc główną swą szansę w aktywnej polityce zagranicznej, do której potrzebna była siła zbrojna i sprawny aparat władzy. Przez dwadzieścia lat powodzenia osiągnięto niemało, a ich dziedzictwem wewnętrznym będzie żyło jeszcze parę pokoleń piastowskich: twardym prawem książęcym regulującym ład publiczny i eksploatację ludności, organizacją kościelną uzupełniającą ówczesną państwowość, systemem monetarnym, który w miejsce poprzednich prestiżowych emisji od lat sześćdziesiątych XI wieku zapewnił rynkom lokalnym dość obfity, własny pieniądz srebrny.

Pierwszym manewrem zbrojno-dyplomatycznym Bolesława stało się oskrzydlenie Czech przy pomocy interwencji na rzecz pretendenta do tronu węgierskiego, wrogo widzianego przez Cesarstwo, i dywersji na Hradec, gdzie ,,nadmiar ambicji i próżności" oraz ,,lekkomyślny upór" księcia polskiego naraził go na porażkę i utratę posiłków pomorskich. Tak oceniano po latach debiut Bolesława, który ,,zdoła potem mądrością", jak pisze Gall, naprawić szkody. Istotnie wykazał giętkość przyjmując na swój dwór pretendenta czeskiego, potem wydając swoją siostrę za prawowitego księcia czeskiego Wratysława, co nie mogło zresztą ułożyć na stałe stosunków. Zaprzestanie opłaty daniny ze Śląska i grawitowanie Czech w orbicie cesarskiej stwarzały tu stałe zaognienie. Sprzyjało to umacnianiu więzów z Węgrami, gdzie Bolesław konsekwentnie wspierał kolejnych antyniemieckich pretendentów, gościł ich u siebie, domagał się ich zaopatrzenia na Węgrzech i dwukrotnie wspomógł ich w osiągnięciu tronu. Założenie tego rygla polsko-węgierskiego to na pewno świadectwo owej ,,mądrości''. Natomiast szkoda pomorska nie została zapewne całkiem naprawiona, acz horyzont bałtycki nie był Bolesławowi obcy, skoro w najeździe duńskim na Anglię w roku 1069 brały udział posiłki polskie (czyżby przez Pomorze?).

Wobec Rusi, gdzie po śmierci Jarosława rozpoczynał się okres dzielnicowy pełen zatargów wewnętrznych, starć i walk prowadzonych własnymi siłami książąt i przy pomocy posiłków z zewnątrz, polityka polska kontynuowała to, co można by nazwać sojuszami selekcyjnymi. Właśnie na Rusi poszukał sobie Bolesław żony. Dał u siebie schronienie pretendentowi do tronu kijowskiego, Izjasławowi żonatemu z córką Mieszka II, i wprowadził go do Kijowa w roku 1069. Przyjął go po paru latach jako ponownego wygnańca, ale uznał jego następcę Światosława za cenę nie tylko jego neutralności w konflikcie polsko-niemieckim, ale i posiłków zbrojnych, odsuwając widmo porozumienia, które za Jarosława i Konrada II tak zaważyło na losach państwa za Bolesławowego dziada. Warunkiem sojuszu było także, jak to pisze latopis, ,,pokazanie drogi od siebie'' Izjasławowi, któremu Bolesław zabrał skarby, acz nie wszystkie, skoro ,,niezmierzone bogactwa w naczyniach złotych i srebrnych i drogocennych szatach'' zaimponowały na dworze niemieckim, gdzie Izjasław poszukał pomocy. Nadaremnie, wobec uwikłania się Henryka IV w wojnę domową i konflikt z papiestwem. Książę ruski zwrócił się przeto o nią do Grzegorza VII, który zażądał od sprzymierzonego ze sobą Bolesława zwrotu skarbów

i wprowadzenia petenta na tron. Sprzeczność interesów polskich i papieskich była tak oczywista, że życzenie to pozostało przez dwa lata bez odpowiedzi. Alians ze Światosławem przynosił obopólne korzyści aż do śmierci sojusznika ruskiego. W nowej sytuacji, nie licząc z nie znanych nam względów na następcę, który objął Kijów, Bolesław zdecydował się wprowadzać tam latem 1077 roku Izjasława, co odbyło się bez przelewu krwi, wciągając jednak króla polskiego w złożone sprawy ruskie, którym musiał poświęcić wiele uwagi w czasie dłuższego tam pobytu, bodaj do drugiej połowy 1078 roku. Izjasław napotkał na opory; można domyślać się, że króla nęciła wysoka cena płacona mu za niezbędną pomoc. Ta co najmniej roczna nieobecność władcy w kraju w epoce, gdy

Rękojeść miecza z Czerska

55

osobiste sprawowanie zarządu i sądownictwa wiele ważyło na autorytecie monarszym, okazała się dla niego w skutkach prawdziwie fatalna.

Nadciągała burza tym bardziej niespodziewana, że lata siedemdziesiąte przyniosły Szczodremu kulminację sukcesu splecionego z nici zewnętrznych i krajowych. Główne zagadnienie stojące przed politykami polskimi między X a XII wiekiem, jak ułożyć stosunki polsko-niemieckie, zbliżyło się w korzystnych okolicznościach do rozwiązania w myśl koncepcji pełnej niezawisłości, idei ,,dawnej wolności Polski'', jak to widziały dzięki także Szczodremu następne po nim pokolenia. Z początku Bolesław szedł drogą wytkniętą przez doświadczenia ojca. Stąd paktowanie póki można z potęgą Cesarstwa, uznawanie jego roszczeń protokolarno-sojuszniczych, a więc lenniczych, jak to było przyjęte w europejskim układzie stosunków międzynarodowych, żeby wspomnieć tylko hołdowanie króla angielskiego jako księcia normandzkiego królowi francuskiemu i wieniec państw wokół Cesarstwa, które z różnym powodzeniem narzucało im nierówne przymierza. Na zjeździe w Miśni w roku 1071 król niemiecki Henryk IV rozsądzał jeszcze spory między książętami polskim i czeskim, ale w rok później Bolesław najechał znów zbrojnie Wratysława zrywając w ten sposób stosunki z Henrykiem, uwikłanym w kłopoty wewnątrz swego państwa. Wielka wyprawa karna króla niemieckiego w roku 1073 nie zebrała się, ponieważ panowie sascy przeszli do otwartego buntu, co nie tylko oddaliło groźbę wojny, ale pozwoliło Bolesławowi na podjęcie ofensywy dyplomatycznej.

W konflikcie potęg uniwersalnych interesy polskie związały się z papiestwem, którego włodarz od daty swego wstąpienia na Stolicę Apostolską umiejętnie wykuwał ogniwa koalicji, usiłując ją tworzyć z państw wciągniętych pod protektorat św. Piotra od Skandynawii po Sycylię.

Inicjatywę Grzegorza VII podjęto w Krakowie tym chętniej, że zbiegła się z otwartym konfliktem polsko-niemieckim i z poparciem papieskim dla polskiego sojusznika węgierskiego, co prawda rychło dwuznacznym, bo papież spróbował i karty jego przeciwnika. Ostateczne rozwiązanie przyszło z ręki Bolesława, który w roku 1077 wprowadził za zgodą panów węgierskich brata swego sprzymierzeńca. Ścisłe związki podległości połączyły z papiestwem Chorwację i czarnogórską Zetę, których władcy uzyskali od Grzegorza VII korony królewskie.

Następnym ogniwem miała być Ruś, z którą po raz pierwszy wtedy związano mrzonkę rzymską jej podporządkowania kościelnego, a to przez pomysł poparcia Izjasława na tron w Kijowie, z protekcją św. Piotra, a rękami Bolesława. Wspomniano wyżej koleje tego projektu, który urzeczywistnił się najpewniej już bez udziału papieskiego. Kolejne ogniwo, które brano w Rzymie pod uwagę, czeskie, pękło w konflikcie z Henrykiem IV; Wratysław pozostał jego wiernym sojusznikiem.

Mocnym członem systemu miała być Polska, której władca zachowywał w swej polityce samodzielność decyzji, żywiąc nadzieję wykorzystania dla spraw swego państwa przychylności papieskiej. Obok sprawy niemieckiej, która straciła na swej ostrości wobec kolejnych trudności króla niemieckiego, życzliwość Rzymu była Szczodremu potrzebna przede wszystkim do urządzenia spraw kościelnych.

Przybyli na wiosnę 1075 roku legaci papiescy odbudowali metropolię polską zachwianą po katastrofie lat trzydziestych ? częściowo tylko odnowioną przez Kazimierza. W szczególności wydaje się, że związek metropolitalny biskupów polskich uległ rozluźnieniu; wiemy z listu papieskiego, że polscy biskupi uzyskiwali ordynację gdzie indziej, co godziło w same podstawy niezależności polskiego kościoła państwowego. Już w roku 1064 Szczodry odbudował katedrę gnieźnieńską; niewiele lat później przystąpił do fundacji od nowa opactw benedyktyńskich, być może z zamierzeniem, aby utworzyć po jednym w każdej diecezji; tak powstały Mogilno, Tyniec i Lubin, opactwa na grodzie wrocławskim i może już płockim. Wreszcie w roku 1075 umocniono arcybiskupstwo w Gnieźnie z podległymi mu diecezjami: krakowską, wrocławską, poznańską i nowo założoną płocką, utrwalono zarówno ich fundament prawno-kanoniczny, jak uposażenie. Wbrew ponawianym domysłom o współistnieniu obrządku słowiańskiego był to kościół wyłącznie łaciński.

Na Boże Narodzenie 1076 roku Bolesław koronował się, zapewne w Gnieźnie, w obecności aż piętnastu polskich i obcych biskupów. Pomazał go na króla i włożył koronę arcybiskup, odnawiając rytuał zastosowany już do dziada i pradziada, a który czerpał swe formuły z porządku koronacyjnego wszystkich królów europejskich X i XI wieku dążących tą drogą do sakralizacji swej władzy. Gniewowi kronikarza niemieckiego, który ocenił to jako czyn dokonany „na hańbę państwa niemieckiego, wbrew prawu i sprawiedliwości", towarzyszyło w Polsce poczucie siły władcy i państwa w konfrontacji z Cesarstwem. Źródła milczą o przyzwoleniu papieskim; wynikać ono wydaje się z kontekstu zdarzeń i wielkiej polityki, choć nie musi płynąć z oblacji, czyli podporządkowania się opiece św. Piotra, jak to bywało z innymi królami z łaski Grzegorza VII, bo na to nie ma dowodów. Król Bolesław stanął u szczytu i gdyby, jak to zdarzyło się jego pradziadowi, na tym zamknął swe panowanie, przeszłoby ono do pamięci narodowej jako pochód triumfalny polityka i wodza.

Następne lata rządów, a potem wygnania wytworzyły krótki i pełen tragizmu drugi okres życia królewskiego. Kraj po koronacji wydawał się trzymany silną ręką. Zaopatrzenie o rok młodszego brata, Władysława Hermana, na Mazowszu pozostawało pod sprawną kontrolą królewską. Wspomniana interwencja na Węgrzech w roku 1077 wyniosła tam prawdziwie zaprzyjaźnionego i wychowanego w Polsce „prawie Polaka", jak pisze o nim Gall, Władysława, syna Beli I i królewny polskiej. Wyprawa tegoż roku na Ruś z Izjasławem zapowiadała się jako jeszcze jedno zwycięstwo, z którego prestiż i zyski miały opromienić Bolesława i jego drużynę. Aliści, jak napisało o tym moralistyczne pióro mistrza Wincentego, „odtąd oliwka zamienia się w dziczkę, a miód w piołun".

Analiza przebiegu katastrofy Bolesława wraz ze śmiercią biskupa krakowskiego Stanisława i zegnaniem władcy na Węgry oraz przyczyn i skutków tych zdarzeń aż do „dalszych losów zatraconej korony" zajmuje uwagę historyków od Galla Anonima i Kadłubka przez Tadeusza Czackiego i Joachima Lelewela do Tadeusza Wojciechowskiego i Gerarda Labudy, a rozbieżności ocen towarzyszy, rzecz jasna, różnorodność uruchamianej faktografii, źródłoznawstwa i wiedzy o zjawiskach społecznych czerpanej spoza źródeł. Pasjonujące to lektury. Jak napisał w swoim szkicu Antoni Gołubiew: „W świadomości i odczuciach społecznych pradawny konflikt sprzed dziewięciu wieków jest tak żywy, że rozstrzygnięcie go zostałoby powitane jako aktualna sensacja". Czy jest na to szansa inna niż ciągle wyczekiwane „nowe źródła"? Czy sprawa pozostanie nadal otwarta, tzn. wypełniona sprzecznymi sądami?

W socjologii poznania przywiązuje się duże znaczenie do zdania ekspertów, których intersubiektywna opinia moze objąć pewien zrąb spostrzeżeń podzielanych przez to grono, pozostawiając inne obserwacje jako subiektywną własność poszczególnych znawców. W sprawie króla Bolesława i biskupa Stanisława niełatwo jednak wydzielić *communis opinio* badaczy od indywidualnych lub grupowych poglądów, które przybierają charakter dużych konstrukcji historiograficznych. Na jedną z nich, Gerarda Labudy, od kilku lat czekamy znając jej zapowiedzi na spotkaniach naukowych i w zarysie ogłoszonym przezeń w zbiorze artykułów pt. ,,Piastowie w dziejach Polski'' (1975). Nowością prawie sensacyjną jest tu rehabilitacja opowieści Kadłubka, który pisząc w pięć ćwierci wieku po zdarzeniach przekazał w kwietnym gąszczu swej retoryki więcej bodaj faktów niż bliski wypadkom dyplomata w habicie, jakim był Gall. Okaże się przy uważnym przeczytaniu kroniki – ułatwionym dziś przez przekład Kazimierza Abgarowicza i Brygidy Kürbis (1974) – że mistrz Wincenty utrzymywał się na grani między tradycją kościelną, zapowiadającą już ujęcie hagiograficzne dramatu, a tradycją świecką, którą dopuścił do głosu. Częściowo w myśl zasady intelektualnej dialektyki, aby wysłuchać drugiej strony, częściowo zaś zgodnie ze swym zamiłowaniem do anegdoty ubarwiającej wykład moralny o Bolesławie, który ,,z początku położył cenny fundament cnoty, lecz ponieważ piaszczysta ziemia rozstąpiła się, całe dzieło częścią runęło w przepaść, częścią rozwiało się w powietrzu''.

Ziemia rozstąpiła się pod Bolesławem w czasie jego pobytu kijowskiego, i nie na Rusi, lecz w Polsce. Jeśli wierzyć Kadłubkowi, a jedyna to nasza w tym względzie informacja, pod nieobecność króla wybuchło powstanie ludowe. Na wieść o nim panowie opuścili Bolesława, aby stłumić je na własną rękę, co uznał on za obrazę majestatu i podjął represje wobec dostojników zarówno za dezercję jak samowolę, a także wobec tych, co powstaniu sprzyjali i w nim uczestniczyli. Tu Kadłubek wplata wątek wiarołomnych żon pańskich, które uległy niewolnym, a zostały teraz okrutnie przez króla ukarane. Wystąpienie biskupa Stanisła-

Fragment kroniki Galla Anonima z kodeksu Zamoyskich

wa w obronie prześladowanych z groźbą klątwy zostało uznane przez króla za przestępstwo (tu Gallowe słowo ,,zdrada").

W tym miejscu naszego wywodu można już posłużyć się bullą papieską z roku 1115 przypisaną sprawom polskim przez Mieczysława Gębarowicza, która zarzuca jednemu z arcybiskupów skazanie biskupa bez powiadomienia papieża. Nie ma powodu wątpić, że to aluzja do sądu nad Stanisławem, odprawionego zapewne na zwołanym przez króla synodzie z udziałem metropolity, który zgodził się na uznanie winy biskupa. Co to za winę, co to za występek (,,grzech" Gallowy) zarzucano biskupowi, można wyczytać u Kadłubka z obrony swej decyzji, jaką przeprowadzić miał Bolesław na Węgrzech po strąceniu z tronu: udział, a nawet przywództwo biskupa w sprzysiężeniu mającym na celu zagładę króla, ,,początek zdrady, korzeń wszelkiego zła". Nie poskąpił król oskarżeń zelżywych ,,odebrawszy komuś życie, nie mogąc odebrać mu sławy, usiłuje błotem ją obrzucić". Padły więc zarzuty ciemiężenia, chciwości, opilstwa i rozwiązłości. ,,Chociaż te kłamstwa w pojęciu ludzi nieświadomych przyniosły męczennikowi pewną ujmę, jednak nie mogły – zapewnia Kadłubek – pozbawić go powagi świętości". Tadeusz Wojciechowski, wrogi mistrzowi Wincentemu, nie powstrzymał się od zjadliwego zdania wobec kolegi sprzed siedmiu wieków: ,,Ale byłaby rzecz prawie śmieszna ze względu na Kadłubka, gdyby się kiedy okazało, że niechcący przechował tu prawdziwe szczegóły tamtego faktu". Przechował na pewno rozpaloną atmosferę walki politycznej tamtych ludzi. Skazanie ze strony metropolity było raczej tylko potępieniem, bo wyrok śmierci kwalifikowanej (obcięcie członków) wydał na pewno król, skoro Gall w sławnych trzech zdaniach stwierdził, że ,,sam będąc pomazańcem nie powinien

był pomazańca za żaden grzech karać cieleśnie. Wiele bowiem mu to zaszkodziło, gdy przeciw grzechowi grzech zastosował i za zdradę wydał biskupa na obcięcie członków. My zaś ani nie usprawiedliwiamy biskupa-zdrajcy, ani nie zalecamy króla, który tak szpetnie dochodził swoich praw..." Stało się to 11 kwietnia 1079 roku. Kadłubek napisał, że śmierć biskupowi zadał sam król. Czaszka w relikwiarzu św. Stanisława w katedrze wa-

Kościół benedyktyński w Mogilnie

59

welskiej zbadana w roku 1963 nosi ślad tępego uderzenia w tył głowy, które mogło skazańca ogłuszyć lub nawet pozbawić życia. Życia biologicznego, bo odtąd Stanisław zaczął przechodzić w żywą mitologię kościelną i polską, zrazu powolną drogą, znaczoną przeniesieniem zwłok zapisanym pod rokiem 1088, ale może późniejszym, namiętną obroną jego ,,powagi świętości" u Kadłubka, tzn. na przełomie XII i XIII wieku, wreszcie kanonizacją w roku 1253, wyposażoną w odpowiedni żywot i spis cudów. Zaraz potem powstała ikonografia, gdzie cud zrośnięcia członków pilnowanych przez orły otrzymał, tak jak w tekstach, pełną wymowę patriotycznego oczekiwania na zjednoczenie Polski.

A Bolesław? Jeśli nawet resztki wrzenia ludowego stłumił wespół z panami, to ich zaufania nie odzyskał. Sprzysiężenie przeciw Szczodremu było szersze niż najbliższe otoczenie biskupa Stanisława, a kryzys wiary w króla miał korzenie głębsze, choć wyśledzić je trudno. Przez wiele dziesięcioleci utrzymywała się hipoteza Tadeusza Wojciechowskiego wysnuta z fragmentu opisu Gallowego, jak to Władysław węgierski bolał, że brat Władysław, tzn. Herman, stał się jego wrogiem w wyniku katastrofy Bolesława. Odczytał w tym mistrz lwowski rewoltę juniora książęcego, który sprowadzić miał pomoc cesarską i w zamian za nią przejść do obozu cesarskiego na zgubę brata, w czym mu dopomógł biskup krakowski popełniając tym zdradę stanu. Hipoteza ta z czasem zwietrzała, bo wskazówek wyraźnych za nią nie ma. Rola Hermana przedstawia się raczej nie tyle jako inicjatora, ile korzystającego z sytuacji; śladem nawet urzeczenia świetną pamięcią brata może być to, że nadal synowi jego imię.

Natomiast szerszym kontekstem tych zdarzeń może służyć hipoteza spisku panów przeciw władcy na tle zawodu, jaki odczuwali w najżywotniejszych swoich interesach politycznych. Intensywna polityka zagraniczna wiązała siły militarne kraju, utrzymywała pod bronią drużynę i rycerstwo szeregowe, wzmagała ciężary prawa książęcego do granic, które okazały się kruche, skoro mogło wybuchnąć powstanie ludności zależnej. Jeśli nawet było ono tylko lokalne, np. w ziemi krakowskiej, to przecież zawsze groźne jako przypomnienie wypadków sprzed lat czterdziestu. Polityka wobec Czech, Węgier i Rusi, prowadzona ze stolicy krakowskiej, mogła mniej wiązać panów z Wielkopolski i Mazowsza. Poza tym, jeśli przynosiła jeńców, niezbędną siłę uruchamiającą większe gospodarstwa, to głównie szli oni do dóbr monarszych, a skarby czy dary także raczej szły do władcy i scentralizowanego aparatu monarszego niż do dość szerokiego już kręgu wielmożów chętnych łupu i niewolników. Wznowienie polityki pomorskiej, acz w skromnej skali, za rządów Hermana otworzyło inne w tym względzie perspektywy. Wymowa aktu koronacyjnego mogła być w niektórych kręgach dwojako a niechętnie rozumiana: jako niezwykłe wzmocnienie prestiżu władcy i zapowiedź utrzymania niepodzielnego państwa w sukcesji tylko syna Bolesława, i jako niebezpieczna prowokacja wobec Cesarstwa, zbyt duże ryzyko w grze międzynarodowej.

Tak rozumiejąc sprawę, wolno dopuścić myśl o wytworzeniu opozycji, która przeszła do jawnego oporu biorąc za rzecznika biskupa krakowskiego zimą 1078/79 roku, gdy gwałtowne represje za samowolne tłumienie rozruchów i opuszczenie wojska na Rusi spadły na część możnych i rycerzy. Śmierć biskupa Stanisława wykraczająca mimo wyroku poza normę obyczaju prawnego powiększyła grono bezpośrednio zagrożonych. Król, wydaje się, czas jakiś utrzymywał w swym ręku część aparatu władzy. Datę wygnania go z kraju trzeba bowiem obliczać wstecz od jego nagłego zgonu na Węgrzech – może to był wynik zamachu – 3 kwietnia roku zapewne 1081. Śmierć ta nastąpić miała niedługo po ucieczce, przęd jakąkolwiek próbą zbrojnego powrotu. Wnosić wolno, że król ustąpił po kilku lub nawet kilkunastomiesięcznym zmaganiu się z przeciwnościami, złamany nie tyle jednorazowym przewrotem, ile skutecznym rozmywaniem jego skruszałego autorytetu. W walce tej zwycięzcą wyszedł jednak nie Kościół – byłby to jeszcze anachronizm w tej części Europy – lecz możni, którzy rozpoczęli nowy rozdział historii społecznej i politycznej kraju. Powołanie na stolec książęcy Władysława Hermana musiało też w tych okolicznościach oznaczać zmianę sojuszu węgierskiego na czeski, powrót do obozu cesarskiego, a więc i rezygnację z korony. Zły los i złe ręce ludzkie, najprawdopodobniej kierowane przez wojewodę Sieciecha, zemściły się w roku 1089 na dwudziestoletnim synu Bolesława, Mieszku sprowadzonym z Węgier przez stryja; wrogowie ,,z obawy, aby krzywdy ojca nie pomścił, trucizną zgładzili tak pięknie zapowiadającego się chłopca".

O antagoniście królewskim mało wiemy, gdy nie brać pod uwagę pomówień rzucanych w czasie procesu o stawkę znacznie od nich wyższą, bo zdrady głównej, i gdy przyznać Stanisławowi trzeba nie lada miarę odwagi i zdecydowania, aby stać się rzecznikiem prawa oporu społecznego wobec autokratyzmu królewskiego. Natomiast obraz Bolesława przechował się w pamięci ludzi mu niedalekich czasem ich życia, ze szczegółami anegdotycznymi i rysami charakteru takimi jak hojność ponad ówczesną miarę; odwaga, porywczość i nieostrożność w walce, pycha i próżność ponad rozsądek. Z tej tkanki źródłowej wnoszono o człowieku pełnym sprzeczności, gwałtownym i namiętnym, ,,w którym cechy niewątpliwej genialności łączyły się z niezrównoważeniem psychicznym", nawet – ale to inny autor – z niedomaganiem psychopatycznym i ograniczoną poczytalnością. Nie ma do takich skrajności jakichkolwiek poważnych podstaw. Już bardziej można by zgodzić się na ,,nieustanną gorączkę czynu i życia", wynikającą z zagrożenia i napięcia, które były nieodłączne od energii politycznej władców owego czasu. Aktywność Bolesława przynosiła do czasu wyniki świetne i osiągane z konsekwencją, której nie sposób przecenić. Nosiła też w sobie element ryzyka wojennego, ale też ryzyka tkwiącego wewnątrz sił społecznych, które należało skłaniać do akceptacji celów, kosztów i stylu realizacji stawianych im zadań. Rozejście się przywódcy z własnym obozem politycznym, który cofnął mu zaufanie, byłoby najgłębszą przyczyną zegnania Szczodrego, a z tym załamania jego programu suwerenności i rządów monokratycznych.

Stanisław Trawkowski

WŁADYSŁAW I HERMAN

Młodszy syn Kazimierza Odnowiciela i Dobroniegi Marii nie cieszył się sympatią historyków. Przed stu laty pisał o nim Antoni Małecki: ,,człowiek dobrej, lecz wątłej woli, przyciśnięty i fizycznym jakimś kalectwem", ,,rządy tego księcia pożytku krajowi nie przynosiły". Przed półwieczem zaś Roman Grodecki stwierdzał, że w Sieciechowych ,,rękach stał się Herman bezwolnym narzędziem, dającym się użyć ostatecznie nawet przeciw własnym synom"; panowanie jego to ,,okres zamieszek wewnętrznych i znacznego upadku powagi monarchy", co miało być rezultatem ,,rządów objętych nieprawnie, drogą buntu i sprawowanych w bezprzykładnej zależności od przywódcy rokoszan przeciw legalnemu królowi". Tej tradycji potępień ostry akcent nadał Paweł Jasienica w literackim eseju o ,,Polsce Piastów". Czytamy tam, że Władysław Herman ,,to władca-popychadło w ręku swoich i obcych, człowiek pozbawiony zarówno talentu, jak i ambicji, skłonny tylko do intryg i podstępnych okrucieństw, ociężały i schorowany".

Nawet ci badacze, którzy występowali w obronie polityki Władysławowej, przypisywali zasługi wojewodzie Sieciechowi, a nie księciu. ,,Ws echwładny wojewoda i zarządca dworu [...] wywierał przemożny wpływ na Hermana", który ,,nie był rycerski, w dodatku cierpiał na podagrę i w polu musiał wyręczać się Sieciechem" – tak przed laty oceniał sytuację Stanisław Zakrzewski.

Z pasją i głębokim przekonaniem zaatakował obiegowe sądy o czasach Hermana Jerzy Dowiat, który uznał, że udziału księcia i jego palatyna w buncie przeciw Szczodremu ,,nie poświadcza żadne źródło, a nieliczne znane nam fakty późniejsze nie potwierdzają również opinii, by ich orientacja polityczna była przeciwstawna królewskiej [...]. W każdym razie nowa władza uratowała dziedzictwo przodków [...]. Jednocześnie energiczny palatyn – bo on, a nie schorowany książę, wydaje się faktycznym kierownikiem państwa – wiele wysiłku kładł w przebudowę aparatu władzy".

Pasjonująca rewizja obiegowych poglądów, ukształtowanych pod wpływem Tadeusza Wojciechowskiego i Romana Grodeckiego, zachowała w ujęciu Dowiata obraz niedołężnego księcia, zaczerpnięty bezpośrednio z tekstu najstarszej naszej kroniki. Oto Władysław Herman, zdaniem kronikarza, ,,ponieważ był człowiekiem ociężałym i chorym na nogi, a miał małego chłopczyka", ożenił się ponownie. Dziwne to uzasadnienie małżeństwa! W kilka lat później ,,książę Władysław obarczony dolegliwościami starości powierzał swe wojska komesowi pałacowemu Sieciechowi".

Słabość fizyczna nie przeszkodziła jednak Władysławowi Hermanowi sprawnie pokierować aparatem władzy wówczas, gdy przez zwycięskich buntowników pozbawiony został pomocy Sieciecha, wygnanego z kraju. Wtedy to książę ,,słaby skutkiem wieku i choroby" – jak pisał anonimowy panegirysta Bolesława Krzywoustego – ,,żadnego przecież nie ustanowił na dworze swoim palatyna lub innego zastępcy. Wszystko mianowicie już to sam osobiście roztropnie załatwiał, już to każdorazowo zlecał troskę o dwór i jego sprawy temu komesowi, którego ziemię odwiedzał. I tak to sam rządził krajem bez komesa pałacowego, aż duch jego cielesnego zbywszy się ciężaru odszedł na miejsce należnego mu pobytu, aby pozostać tam na wieki. Zmarł zatem książę

Władysław w podeszłym wieku i długą słabością złożony" 4 czerwca 1102 roku, licząc niespełna sześćdziesiąt lat. Do końca zaś działał roztropnie.

Dlaczego tej roztropności i sprawności odmawiać wcześniejszym poczynaniom Hermana? Dlaczego nie dostrzegać cienkiej ironii pisarza i chłodnego dystansu do własnych słów? Niekiedy zresztą ta ironia przemienia się w surową ocenę władzy monarchicznej. Dość tu przypomnieć sławną scenę cudownego rozmnożenia jadła i napoju w ubogiej chałupce Piasta, książęcego rataja. Na jego zaproszenie przybył do niego władca – książę Popiel, który „wcale nie uważał sobie za ujmę zajść do swojego wieśniaka. Jeszcze bowiem księstwo polskie nie było tak wielkie, ani też książę kraju nie wynosił się jeszcze taką pychą i dumą i nie występował tak okazale, otoczony tak licznym orszakiem wasali". Pychę więc – jeden z grzechów głównych – uznawał kronikarz za cechę istotną władzy. Przypisując potężnym monarchom trwanie w grzechu śmiertelnym, skazywał ich pisarz milcząco na potępienie wieczyste. Zarazem zwracał uwagę, że władcom wraz z umacnianiem się ich pozycji grozi zerwanie kontaktu ze społeczeństwem, w czym przejawiać się miała pycha, prowadząca także w doczesnym planie do klęski politycznej (w przedstawieniu kronikarskim ostateczny upadek Bolesława Szczodrego, a później jego bratanka, Zbigniewa, miał być następstwem ich „zgubnej pychy"). Pobrzmiewają tu echa ówczesnych zachodnioeuropejskich herezji

Wysocy dostojnicy kościelni, którzy sami mogli przeczytać kronikę, i wielcy możnowładcy świeccy, którym – być może – tłumaczyli ją ich kapelani, dobrze znali współczesną im historię państwa i dynastii. Ci potencjalni czytelnicy i słuchacze dzieła Gallowego sami brali udział w kształtowaniu tych dziejów.

W tej sytuacji ordynarne fałszowanie niedawnej przeszłości byłoby błędem nie do wybaczenia, podważałoby zaufanie do pisarza, przekreślałoby więc wartość jego zabiegów na rzecz Krzywoustego. Znakomity kunszt stylistyczny autora, od dawna chwalony przez historyków literatury średniowiecznej, służył natomiast do wprowadzenia takich interpretacji i aluzji, do takiego prześliznięcia się nad pomijanymi faktami, by nie powiedzieć wprost ani jednego grubego kłamstwa, a przecież pozbawić znaczenia argumenty przeciwników książęcych, którzy najwyraźniej także odwoływali się do niedawnej i dawniejszej historii ojczystej.

Trudno więc wątpić, że Władysław Herman był fizycznie słabowity. Ale pisarz podkreślał

Pieczęć Władysława Hermana

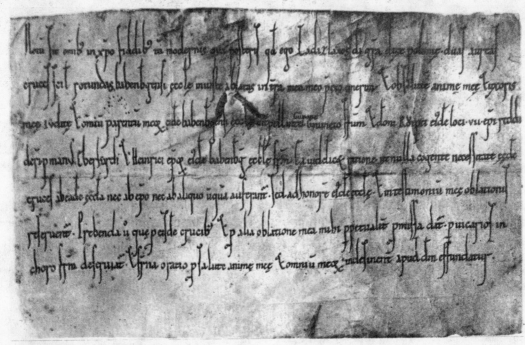

List Władysława Hermana do kanoników katedry w Bambergu

wzmianki o tym grubą krechą, gdyż słabość fizyczna była w odczuciu rycerstwa i ich świeckich, możnowładczych przywódców cechą dyskwalifikującą księcia. A na częściowej dyskwalifikacji Władysława Hermana mocodawcom pisarza zależało. Usprawiedliwiano w ten sposób pośrednio bunty Krzywoustego przeciw ojcu, podejmowane wspólnie ze starszym Zbigniewem.

Wyjaśniwszy przykładowo trudności właściwego odczytania najstarszej kroniki polskiej, dorzucić jeszcze trzeba, że nie znajdujemy w niej pełnej biografii Hermana, lecz nieco tylko wyrwanych z kontekstu faktów. Pisarz wybierał te, które były aktualnie politycznie w momencie pisania kroniki, które były potrzebne dla wywodu o zacności Krzywoustego, o przynależnej mu władzy „pana przyrodzonego" Polski.

Nie tylko przecież w kronice pozostał Władysław Herman całkowicie w cieniu starszego brata, Bolesława Szczodrego, aż do jego wygnania z Polski. Domyślać się wypada, że także w rzeczywistości młodszy, słabujący brat pozostawał na uboczu życia politycznego. Nie został przecież uwzględniony przy zawieraniu małżeństw dynastycznych, tego typowego dla średniowiecza sposobu działań międzynarodowych. Miał co prawda Władysław żonę, lecz Polkę (u schyłku średniowiecza ród Prawdziców szczycił się pochodzeniem od rodziny, do której należała ta pierwsza żona Władysława Hermana); nie było to małżeństwo zawarte w obliczu Kościoła, lecz tradycyjnym obyczajem słowiańskim, w którym przekazanie młodej panny przez ojca lub stryja przyszłemu mężowi było reminiscencją jej sprzedaży (w kręgach drużynniczych dowodnie stosowanej jeszcze w X w.), zaś uczta weselna i pokładziny stanowiły następne, znaczące etapy tej ceremonii; elementy jej złączone z obrzędami kościelnymi przetrwały w folklorze polskim prawie do połowy naszego stulecia.

Do polskiego małżeństwa księcia Władysława doszło niewątpliwie dopiero po śmierci jego ojca, Kazimierza Odnowiciela, oczywiście za chętną zgodą starszego brata; związek ten bowiem obniżał pozycję polityczną Władysława, ukazywał brak aspiracji władczych. Wyraźnie postawę tę zamanifestował młodszy Kazimierzowic nadając swemu synowi imię: Zbigniew, najprawdopodobniej wywodzące się z tradycji rodowej jego matki, na pewno zaś świadczące o tym, że Władysław Herman ani myślał walczyć o władzę, że nie widział dla pierworodnego syna miejsca wśród książąt, gdyż nie dał mu książęcego imienia.

Domyślano się, że Bolesław Szczodry wydzielił Władysławowi Mazowsze jako *sui generis* zaopatrzenie. Podstawy tego domysłu są nadzwyczaj kruche. Jeśli jednak uznać prawdopodobieństwo tej propozycji badawczej, to wypada od razu dorzucić, że Szczodry kontrolował całkowicie poczynania młodszego brata. Nie dość, że sam mianował biskupa płockiego i mazowieckich panów grodowych, lecz dysponował na Mazowszu dość licznym aparatem włodarzy klasztoru mogileńskiego, który ufundował i znakomicie uposażył w latach 1063–1065; jego początki zostały ostatnio skrupulatnie przebadane przez Brygidę Kürbis, a przede wszystkim przez Józefa Płochę. Benedyktyni mogileńscy otrzymali więc z nadania Szczodrego m. in. dziewięciny z określonych dochodów grodowych i targowych na Mazowszu płockim i w przyległym pasie na lewym brzegu Wisły, oraz w ziemi dobrzyńskiej i chełmińskiej, a także wszystkie przeprawy przez Wisłę począwszy od Kamienia, którego

ślad przetrwał do dziś w nazwie prawobrzeżnej dzielnicy warszawskiej: Kamionek, aż po morze, oraz przeprawy na Wkrze (w okolicy dzisiejszego Pomiechówka, jak przekonywająco wyjaśnił Płocha), a na Narwi – w Makowie i Wiźnie. Włodarze mogileńscy, pobierając te dochody, mogli dokładnie obserwować cały ruch na Mazowszu oraz nastroje reprezentantów władz lokalnych i społeczeństwa. Włodarzy zaś tych nowo fundowany klasztor, obsadzony benedyktynami sprowadzonymi z Niemiec i – być może – z Czech, sam nie zdążył jeszcze wynaleźć, otrzymał ich w darze od fundatora. Dziwny charakter nadania dochodów z Mazowsza dla klasztoru kujawskiego

Kościół w Inowłodzu pod wezwaniem Św. Idziego

świadczy wyraźnie o chęci monarszej specjalnego kontrolowania tej krainy, niezależnie od tego, czy istotnie Władysław Herman siedział na Mazowszu.

Od czasów wciąż wznawianych (po raz pierwszy przez Stanisława Zakrzewskiego, w Polsce Ludowej zaś już dwukrotnie przez Aleksandra Gieysztora) ,,Szkiców historycznych jedenastego wieku" Tadeusza Wojciechowskiego i uwag filologicznych nad najstarszą kroniką polską poczynionych przez Grzegorza Zengera, związek Władysława Hermana ze zwycięskimi buntownikami, przed którymi pierworodny Kazimierzowic wraz z rodziną ujść musiał na Węgry – ten związek nie może ulegać wątpliwości.

Władysław węgierski, cioteczny brat Bolesława Szczodrego i Władysława Hermana, długi czas wychowywany na dworze polskim, znalazł się w trudnej sytuacji, jeśli przyjaźń do Szczodrego zmuszała go do uznania Władysława Hermana za wroga. Tak mogło być tylko wówczas, jeśli Herman związał się z buntownikami, jeśli z ich woli objął władzę w Polsce.

Czy kronika świadczy jednak, że to Herman był organizatorem opozycji, a potem zbrojnego buntu? Czy istotnie ,,koronacja królewska Bolesława Śmiałego zamykała po prostu (młodszemu bratu – przyp. S.T.) drogę do tronu, bo przesądzała następstwo na tron niepodzielnego królestwa na rzecz syna Bolesława Śmiałego, Mieszka Bolesławowica? To pchnęło Władysława Hermana do buntu. Stronników znalazł wielu, choć trudno dociec, co ich przy nim skupiło".

Trudno jednak uwierzyć, by energiczny Bolesław nie zadbał o to, by syn jego, Mieszko, nie został szybko po urodzeniu uznany za jedynego następcę na tronie książęcym. Koronacja królewska najstarszego Kazimierzowica nie zmieniłaby więc sytuacji Władysława Hermana, który pozostawał na marginesie życia politycznego. Co więcej, Władysław nadał swemu młodszemu synowi imię stryja, zmarłego· tymczasem przedwcześnie na wygnaniu; nie mógł więc poczuwać się do większych uchybień w miłości braterskiej. Prawda, przyjął z rąk buntowników władzę, lecz nie wygnał brata ani z nim nie walczył.

Najważniejsze·są powody wystąpienia opozycji możnowładczej. Nie była to oczywiście walka·z charakterem władzy królewskiej, bo takiej walki nie mógłby podjąć biskup Stanisław, lecz ze sposobem sprawowania tej władzy. Występując przeciwko stosowanym środkom rządzenia stawał się Stanisław ,,zdrajcą". Jest zaś rzeczą oczywistą, że – poza gronem najbliższych współpracowników króla – możni nie mogli ścierpieć, by reprezentant ich pierwszego szeregu, biskup, mógł zostać skazany na okrutną kaźń obcięcia członków. ,,To wielce zaszkodziło królowi". Doprowadziło do zwycięskiego buntu możnych.

Ta hipoteza daleka jest od obrazu spisków i intryg, których głównymi twórcami mieli być duchowni pochodzenia niemieckiego. Jednak właśnie w niemieckich i czeskich klasztorach zapisano w nekrologach śmierć Bolesława Szczodrego, by modlić się za niego co roku. Były to klasztory związane z Mogilnem, ale zarazem z tymi kręgami reformy kościelnej w Niemczech, do·których należeli owi niemieccy duchowni działający w Polsce, którzy mieli ponoć obalić króla. Zapisano też datę śmierci króla w kalendarzu katedry krakowskiej. Najwidoczniej następcy Stanisława na tym biskupstwie nie potępiali króla. O modły zaś w jego intencji dbała niewątpliwie też jego matka, księżna-wdowa, Dobroniega, wielce poważana w krakowskim środowisku kościelnym. Dopiero po jej śmierci szczątki biskupa Stanisława przeniesione zostały do katedry.

Król Bolesław uszedł z Polski najprawdopodobniej na przełomie 1080/81 roku. Rychło po przybyciu na Węgry umarł 2 lub 3 kwietnia 1081 lub 1082 r., co wywołało nawet pogłoski, że go otruto. Miał bowiem obrazić gospodarza, czym – jak zanotował autor najstarszej kroniki polskiej – ,,wielką ściągnął na siebie Bolesław nienawiść u Węgrów i – jak mówią – przyspieszył tym swoją śmierć". Nie uwierzył w to Roman Grodecki, twierdził natomiast, że ,,najprawdopodobniej dosięgła Bolesława na obczyźnie ręka tego, w którego interesie leżało zupełne usunięcie go z widowni. Zbrodni dokonano więc zapewne w interesie Hermana i tego obozu, który go wysunął i za wszelką cenę chciał na tronie utrzymać". Takie przeinaczenie pogłoski wspomnianej przez dwunastowiecznego pisarza jest zupełnie dowolne, a wynikło z głębokiego uprzedzenia wobec Władysława Hermana.

W rzeczywistości w otoczeniu nowego władcy Polski zmarły jego brat cieszył się wielkim poważaniem. W oficjalnym roczniku monarszym, przechowywanym w katedrze krakowskiej, zanotowano śmierć ,,króla Bolesława", nie wspomniano natomiast ani słowem, że był on wygnany z kraju. Jak gdyby panował do śmierci w Polsce. Zgodnie z takim poglądem pisał w trzydzieści kilka lat później kronikarz: ,,Po zgonie zatem króla Bolesława, wobec śmierci innych braci, książę Władysław sam jeden panował". Jak gdyby przedtem uznawał Władysław królewską władzę brata wbrew woli tych, którzy przekazali mu władzę, do czego uprzednio uczynił pisarz aluzję.

Zwycięscy buntownicy w sposób zrozumiały i stale w tamtych stuleciach praktykowany wzmocnili swą pozycję sojuszami zagranicznymi. Ponieważ król uszedł na Węgry, więc pomocy poszukano w Czechach skłóconych w tym czasie z królestwem węgierskim. To odwrócenie przymierzy było ułatwione przez stosunki rodzinne: żoną księcia czeskiego Wratysława była Swatawa (Świętosława), siostra Bolesława i Władysława. Był to niejako nawrót do przyjaznych stosunków polsko-czeskich, które zerwał był Bolesław. Utwierdzeniem odnowionego sojuszu polsko-czeskiego stał się ślub Władysława Hermana z Judytą, córką władcy czeskiego z jego wcześniejszego małżeństwa.

Czy pierwsza żona polskiego księcia zmarła? Raczej odesłano ją do domu, uznając ją nie za żonę, lecz – nałożnicę. Syn bowiem książęcy z tego pierwszego małżeństwa, Zbigniew, traktowany był w kołach świeckich zawsze jako prawowity członek dynastii, tak w Polsce, jak i w Czechach. Natomiast duchowieństwo polskie i czeskie zgodnie uznawało Zbigniewa jako nieślubne dziecko, choć małżeństwa zawierane słowiańskim obyczajem uznawane były przez Kościół za ważne jeszcze w końcu XII wieku, a tolerowane i później – pomimo synodalnych zakazów. Natomiast już w połowie XI wieku obóz reformy kościelnej stanowczo sprzeciwiał się tradycyjnym rozwodom, wyrażającym się w odsyłaniu żony do rodziców. W początkach XII wieku nawet król francuski musiał się z tym pogodzić. Jeśli więc matka Zbigniewa żyła w momencie zawierania nowego małżeństwa, trzeba było ją uznać za nałożnicę. Syn jej natomiast kształcił się w szkole katedralnej w Krakowie pod okiem księżnej-wdowy Dobroniegi. Zbigniew był jednak zbyt młody, by mógł otrzymać wyższe święcenia. Mógł tedy w każdej chwili wrócić do życia świeckiego. Stąd zapewne rodził się niepokój nowej księżnej, Judyty czeskiej, gdy po dwóch latach wciąż jeszcze nie dała mężowi nowego dziedzica. Tradycyjnym zwyczajem w modłach i ofiarach szukali małżonkowie sposobu przewalczenia tego stanu. Za poradą poznań-

Denar Władysława Hermana (awers)

brze pamiętanej polityki Bolesława Śmiałego.

Co więcej, Władysław zadbał jednocześnie, by wdowa po bracie wraz z synem, Mieszkiem, który osiągnął właśnie wiek sprawny do małżeństwa i pełnienia władzy, przybyli do Polski i osiedli na dworze, jak wielu się domyśla, krakowskim.

Niezależnie od pozycji, którą przyznał stryj młodemu bratankowi, akt ten był manifestacją solidarności całej klasy panującej, skierowaną przeciwko ujawnionym przez Wratysława pretensjom do zwierzchnictwa lennego nad Polską, ku czemu okazją stało się przyznanie tytułu królewskiego władcy czeskiemu przez cesarza w 1085 roku. Władysław zresztą akcentował rolę bratanka; ożenił go w 1089 roku z nie znaną bliżej księżniczką ruską, co mogło się łączyć z próbami aktywizacji polityki polskiej na Rusi. Chwalił zaś Mieszka biograf Krzywoustego:

,,Żonaty więc młodzieniaszek, gołowąsy a piękny, tak właściwie i tak rozumnie postępował, tak przestrzegał starego obyczaju przodków, że cały kraj z niezwykłym uczuciem upodobał go sobie. Lecz wrogi pomyślności śmiertelnych los w boleść zamienił wesele i w kwiecie wieku przeciął nadzieję [pokładaną w] jego zacności. Powiadają mianowicie, że jacyś wrogowie z obawy, by krzywdy ojca nie pomścił, trucizną zgładzili tak pięknie zapowiadającego się chłopca, że niektórzy z tych, którzy z nim pili, zaledwie uszli niebezpieczeństwu śmierci".

Czy wierzyć temu oskarżeniu, w którym kronikarz odwołuje się do powszechnej opinii, nie wiadomo jednak kogo? Dopóki każda aluzja uznawana była za sposób podawania prawdy niemiłej księciu, u którego kronikarz służył, dopóty wiarygodność tego oskarżenia nie ulegała dla nikogo wątpliwości. Gdy jednak wraz z Franciszkiem Bujakiem uznajemy, że kroni-

skiego biskupa, Franka, wysłano też ofiary do St. Gilles nad Rodanem, głównego ośrodka kultu nadzwyczaj wówczas modnego i popularnego. Dary na rzecz St. Gilles nie stanowiły jednak zasłony dla poczynań politycznych, jak chciał się domyślać Stanisław Zakrzewski. Gdy kapelan księżnej wyruszał na Zachód, dobrze już w Polsce wiedziano, że w marcu 1084 roku król niemiecki Henryk IV został koronowany przez antypapieża Klemensa III na cesarza, zaś w maju odeszły z Rzymu wojska normańskie, a z nimi uszedł do państwa sycylijskiego Grzegorz VII, teń sam, z którego woli otrzymał koronę Bolesław Szczodry. O odbudowaniu dawnych układów politycznych nie było co marzyć.

Syn urodził się 25 sierpnia 1085 lub 1086 roku, matka jednak zachorowała i zmarła na Boże Narodzenie. Władysław nadał nowemu synowi imię Bolesław, które starczało za proklamację całego programu politycznego, odwoływało się bowiem do tradycji Bolesława Chrobrego, obrastającej w legendy, i do do-

ka ma ,,cechy pisma politycznego, odzwierciedlającego poglądy grupy osób kierowniczych w Polsce", to zapytać raczej należy, dlaczego tej grupie zależało na obarczeniu przywódców buntu przeciw Śmiałemu zarzutem otrucia jego syna. W świadomości rycerskiej bunt z bronią w ręku przeciw władcy jest rzeczą słuszną, bynajmniej nie sprzeczną z ideałem wierności, który obowiązuje, gdy władca walczy z obcymi. Użycie trucizny godne natomiast było pogardy. Takie oskarżenie było więc środkiem walki politycznej.

Warto zaś zwrócić uwagę, jak pisarz zaciera ślady. Nie wskazuje tych, którzy pili z Mieszkiem i o mało co nie umarli – on tylko stwierdza, że o tym się opowiada. Nikomu nic nie zarzuca, on tylko referuje obce opinie. Jeśli więc są to opinie fałszywe – to nie jego wina. Oczywiście, że matka Mieszka i jego przyjaciele mogli mieć żal do Władysława Hermana, że z jego inicjatywy młody Bolesławowic powrócił do ojczyzny, gdzie zaskoczyła go przedwczesna śmierć. Jakże jednak częste bywały takie śmierci wówczas, śmierci około dwudziestego roku życia!

Śmierć Judyty czeskiej i manifestacja polskiej solidarności nie zachwiały przyjaźni między Wratysławem i Władysławem. Polacy wspomagali króla czeskiego w walce z bratem. Czesi przysyłali swe hufce do walki z Pomorzanami. Władysław opłacał systematycznie trybut ze Śląska, ustanowiony na rzecz Czechów jeszcze za Kazimierza Odnowiciela. Wratysław zaś zrezygnował z pretensji do zwierzchnictwa nad Polską. Przyczyniło się do tego zapewne nawiązanie ściślejszych stosunków między władcą polskim i cesarzem, zamanifestowanych oddaniem cesarskiej siostry, wdowy po królu węgierskim Salomonie, Władysławowi za żonę (1088/89). Małżeństwo to wzmocnić musiało autorytet Władysława Hermana.

Co prawda nowa małżonka Judyta Maria nie cieszyła się w kręgach rygorystycznej reformy kościelnej dobrą opinią, pomawiano ją o życie swobodne i zdradzanie męża węgierskiego, co na ogół brali polscy historycy za dobrą monetę, a czemu sprzeciwił się znany i ceniony w kręgach kościelnych historyk Kościoła, ks. Józef Umiński, ukazując, że była to plotka, mająca zohydzić antypapieski dom cesarski. Zgoła zaś nieporozumieniem jest stwierdzenie, że cesarz jej się pozbył, bo nie mógł znieść jej swobody seksualnej. Hagiograf stwierdził bowiem, że cesarz ,,ponieważ nie mógł dostojnie jej usłużyć, postanowił złączyć ją dostojnym małżeństwem". Wojciechowski tłumaczy natomiast, że cesarz ,,nie mógł jej chować uczciwie", co wykładał jako niemożność utrzymania w kar-

Krypta św. Leonarda w katedrze wawelskiej

bach swobodnej pani, szło zaś jedynie o wydatki na dwór Judyty, cesarz bowiem był w wiecznych kłopotach finansowych!

Jeśli zaś Judyta Maria nie była – wbrew powtarzanym poglądom – ,,osobą o bujnym temperamencie i nader swobodnych poglądach na sprawę wierności małżeńskiej'' (jak za T. Wojciechowskim sądził Jasienica), to aluzje polskiego kronikarza, łączącego politykę centralizacyjną Sieciecha z wpływami trzeciej żony polskiego księcia, tracą na znaczeniu. Wpływowy palatyn był w rzeczywistości realizatorem polityki Władysława Hermana, który dążył do odbudowy autorytetu władzy monarszej – poniżonej wygnaniem króla i przyjęciem godności książęcej przez Hermana z rąk buntowników. Wymowną manifestacją tej postawy politycznej młodszego Kazimierzowica było umieszczenie na pieczęci monarszej i monetach wyobrażenia władcy siedzącego na tronie z gołym mieczem trzymanym na kolanach, co symbolizowało najwyższe, suwerenne prawa sądownicze władcy, w istocie rzeczy arbitralnego wyrokowania o życiu i śmierci. Wybór tego przedstawienia był w sferze ideologicznej przeciwstawieniem się tym znacznym kręgom arystokracji i rycerstwa, które przed kilku laty odpowiedziały na kaźń biskupa z wyroku monarchy wojną domową i wygnaniem go z kraju; było to ukazanie programu książęcego tym bardziej wymowne, że stylistycznie wzorowane na analogicznym przedstawieniu występującym na monetach Śmiałego.

Palatyn Hermana, ,,mąż wprawdzie rozumny, szlachetnego rodu i piękny – jak o nim pisał Anonim Gall – lecz zaślepiony chciwością, przez którą wiele popełniał czynów okrutnych i nie do zniesienia'', zajął miejsce wyjątkowe w Polsce w ostatnim dziesięcioleciu XI w. Pod Wawelem i w Płocku miał wielkie obronne dwory, w obrębie których ufundował

kościoły: Św. Andrzeja w Krakowie, do dziś zachwycający przemyślanym układem bryły, i Św. Benedykta w Płocku. Główny swój gród wzniósł na ostrowiu położonym między odnogami Wisły nieco poniżej ujścia do niej Wieprza; w grodzie tym, zwanym od imienia założyciela Sieciechowem, z jego lub jego syna fundacji powstał klasztor benedyktyński. Wśród gródków palatyna rozrzuconych po Polsce wyróżniał się zapewne inny Sieciechów na drodze z Łęczycy na Płock, na samej prawie granicy Mazowsza i Polski centralnej. Dzięki łasce książęcej ciągnął Sieciech niemałe korzyści z wybijania monety pod własnym imieniem. Były to jedyne emisje niemonarsze w całych dziejach mennictwa wczesnopiastowskiego, stąd domyślano się, że były wynikiem uzurpacji, że zapowiadały dążenia Sieciechowe do obalenia dynastii oraz zagarnięcia władzy książęcej, co przygotowywać miał ,,w najściślejszym – jak domyślał się R. Grodecki na podstawie aluzyjnych insynuacji Galla Anonima – porozumieniu z królową Judytą Marią (zwano ją w Polsce królową, gdyż była królową-wdową).

Małżeństwo Władysława Hermana z Judytą Marią wzmacniając międzynarodową pozycję polskiego władcy, ułatwiło zarazem intensyfikację wewnętrznej polityki centralizacyjnej, prowadzonej różnymi drogami, także otaczania wpływowych komesów prowincji zaufanymi przystawami, mianowanymi przez Sieciecha, co wielcy panowie musieli odczuwać jako obelgę. Nieco możnych uszło nawet z kraju, szukając pomocy w Czechach, gdzie po śmierci Wratysława i krótkotrwałym panowaniu jego brata władzę objął syn zmarłego króla czeskiego, Brzetysław, korzystając z poparcia tak niemieckiego, jak węgierskiego. Emigranci wykradli Zbigniewa z saskiego klasztoru i postawili go na czele buntu we Wrocławiu, zgodnie z sugestią czeskiego władcy. Polski kronikarz milczy natomiast, że zbiegło się to z uderzeniem Brzetysława na Śląsk i żądaniem uiszczenia zaległego trybutu.

Zwycięstwo Sieciecha nad rebelią za cenę dalszego płacenia trybutu Czechom pozwoliło na utrzymanie polityki centralistycznej, wobec której wzrastały coraz silniejsze opory. Zbigniew, powtórnie uwolniony z prawdziwego tym razem więzienia, i młody Bolesław Krzywousty stali się pionkami w tej grze rozgrywanej między władcą i opozycją możnych, która straszyła młodych książąt intrygami Sieciecha i macochy. Aluzja polskiego kronikarza o funkcji Judyty Marii odwołuje się wprost do ludowych stereotypów o pięknej a okrutnej macosze. Podziwiać wypada talent pisarza: ani słowa zarzutu wobec Judyty, tylko drobne określenie – macocha; a ileż skojarzeń zostaje uruchomione przez właściwe umiejscowienie tego słowa.

Tymczasem trwały cały czas inne prace księcia i jego wojewody. Rozbudowywano organizację kościelną, fundowano niewielkie prepozytury, które wraz z kościołami grodowymi stworzyły przedparafialną sieć obsługi kościelnej ludności, służyły pogłębieniu chrystianizacji, a zarazem adaptacji recypowanych wzorów do kultury polskiej w jej szerokim społecznie zakresie, a nie tylko w płaszczyźnie możnowładczej. Poszukiwał też Władysław Herman dróg do odbudowy kontaktów z papiestwem, by zdobyć większe pole gry wobec cesarstwa.

Wydaje się też, że właśnie w końcu XI wieku w dobrach monarszych i biskupich poczęto osadzać wolnych gości. Był to na razie ruch słaby, zalążek jednak późniejszych doniosłych przemian.

Te nowe poczynania kościelne i gospodarcze – które znamy nadzwyczaj fragmentarycz-

nie – łączył jednak Władysław Herman z dążnością do odbudowy tradycyjnego modelu scentralizowanej władzy, opartej na drużynie i grodach, w pełni podporządkowanych księciu. Ta niejako militarna centralizacja władzy traciła tymczasem rację bytu. Państwo nie było zagrożone przez zewnętrznych wrogów, brak zaś było atrakcyjnego a nieodpornego pola ekspansji. Tragedią Władysława Hermana i Sieciecha, a uprzednio Bolesława Szczodrego, było to, że nie potrafili znaleźć nowych sposobów integracji państwa i politycznie decydujących warstw społecznych. Stąd też, mimo pozorne sukcesy, polityka Władysława zakończyła się klęską. Musiał zgodzić się na banicję Sieciecha, na podział państwa między synów po swej śmierci, która też nastąpiła w niespełna dwa lata po tej klęsce. Do końca przecież – przypomnijmy – postępował ,,roztropnie'' – starał się zachować godność władcy.

,,Kronika polska'', powszechnie dostępna dzięki wspaniałemu tłumaczeniu Romana Grodeckiego i Mariana Plezi, pomaga zrozumieć dramat młodszego syna Kazimierza Odnowiciela. Postać jego pozostaje jednak wciąż w cieniu utartych uprzedzeń.

Sen św. Józefa, miniatura ze ,,Złotego kodeksu pułtuskiego''

Stanisław Trawkowski

ZBIGNIEW

Historia to jak z szekspirowskiego dramatu, wyjątkowa w dziejach piastowskiej dynastii, podobnie jak wyjątkowe było imię tego księcia, nie używane przez słowiańskich władców, związane najprawdopodobniej z tradycją rodzinną jego matki. Tragedia jego życia zaciążyła nad pośmiertną o nim pamięcią. Bowiem prawie całość informacji o poczynaniach i roli Zbigniewa zawarta jest w panegiryku na cześć jego zawziętego przeciwnika, a młodszego przyrodniego brata – Bolesława Krzywoustego. Historyk co prawda się pociesza, że walk Zbigniewa z bratem nie mógł autor tego utworu ,,pominąć całkowitym milczeniem, gdyż stanowiły one przecież główną treść młodzieńczych dziejów Bolesława i pierwszych lat jego panowania'' (Max Gumplowicz). Zawsze przecież pozostaje niepokojące poczucie przy interpretowaniu takich stronniczych wiadomości. Są one bowiem wyrwane z kontekstu historycznego: nie ukazują całości nawet najbardziej zasadniczych poczynań Zbigniewa, lecz tylko te, które bezpośrednio dotyczyły jego młodszego brata.

Najgorsze jednak źródło jest lepsze niż żadne; trop zasypany i zawikłany zaprowadzić może na manowce, lecz zawsze pozostaje nadzieja, że następcy właściwiej odczytają te ślady. Mało zaś brakowało, by nie zachowała się żadna informacja o Zbigniewie. Nieprzypadkowo bowiem biograf Bolesława powołał się na największy w owych czasach autorytet ,,Biblii'', nim wspomniał po raz pierwszy, że miał on starszego brata:

,,Niechaj nikt roztropny nie weźmie tego za niedorzeczność, jeśli w tej historii wprowadzony zostanie razem z prawym [synem] syn nałożnicy. Bo przecież w historii naczelnej wzmiankowani są dwaj synowie Abrahama, lecz z powodu niezgody zostali przez ojca od siebie rozdzieleni; obaj zrodzeni wprawdzie z nasienia patriarchy, lecz nie zrównani wcale w prawie do dziedzictwa po ojcu. A więc Zbigniew, zrodzony przez księcia Władysława z konkubiny, jako dojrzały już chłopiec oddany został na naukę w mieście Krakowie, a macocha odesłała go do Saksonii, do klasztoru mniszek, aby tam się kształcił''.

Koncepcja więc przemilczenia walk ze Zbigniewem, wymazania go z oficjalnej historii, musiała być wówczas, gdy powstawała biografia Krzywoustego, bardzo popularna na jego dworze. Ostatecznie też ta właśnie myśl ocenzurowania historii zwyciężyła. Przekonywający mamy tego dowód: w żadnym roczniku nie ma ani słowa o Zbigniewie. Wiele zaś w nich o Krzywoustym.

Dopóki Władysław Herman był juniorem, wyposażonym w jakieś włości, piastującym lokalny, lecz dostojny urząd, dopóty Zbigniew rósł szczęśliwie na jego dworze, ciesząc się niewątpliwie wszelkimi względami. Pierwsze zawęźlenie przyszłego dramatu dokonało się wraz z wyniesieniem Hermana na tron książęcy, po wygnaniu z Polski jego starszego brata, króla Bolesława Śmiałego. To wyniesienie oznaczało dla Zbigniewa zesłanie do szkoły katedralnej w Krakowie, rozłąkę z ojcem, któremu wypadało teraz poślubić czeską księżniczkę, a po jej śmierci – siostrę cesarza, rozstanie też z matką, odesłaną przez Hermana do jej rodziny. Rychło zaś macocha spowodowała wygnanie Zbigniewa do saskiego klasztoru mniszek; najprawdopodobniej wygolono tam wyrostkowi tonsurę i kazano brać udział w odprawianiu nabożeństw, których słuchały niemieckie zakonnice.

Co czuł młodzieńczy Zbigniew, gdy banici polscy uprowadzili go z klasztoru, gdy postawiono go we Wrocławiu na czele rokoszan? Był obiektem przetargu między dwiema grupami możnowładztwa: rokoszanami i stronnikami Sieciecha, który wspierał księcia panującego, Władysława Hermana. „Ponieważ jednak swoi przeciw swoim nie chcieli prowadzić wojny, ojciec wbrew własnej woli zawarł pokój z synem".

Po przejściowym pogodzeniu się i uznaniu uprawnień dynastycznych Zbigniewa, przekazaniu mu Śląska jako uposażenia, Sieciech powoli obietnicami, darami, intrygami przeciągnął na swą stronę większość panów śląskich. „Zbigniew zaś widząc, że wielmoże

w samym Wrocławiu i na zewnątrz opuścili go i rozumiejąc, że trudno jest wierzgać przeciw ościeniowi, niepewny wierności pospólstwa, życia, zbiegł w nocy, a uciekając wkroczył do grodu kruszwickiego, bogatego w rycerstwo, wpuszczony tam przez załogę". Czy to z własnej decyzji Zbigniew uciekł, czy otoczenie narzucało mu swą wolę? Czy to on, wychowanek krakowskiej szkoły katedralnej i księży osiadłych przy jakimś saskim klasztorze mniszek, potrafił porozumieć się z pogańskimi Pomorzanami i ściągnąć ich na pomoc, czy też to jego starsi i bardziej doświadczeni stronnicy prowadzili całą grę w jego imieniu? Tak czy inaczej w rozrachunku wewnątrz klasy panującej dynastyczni przywódcy odpowiadać mu-

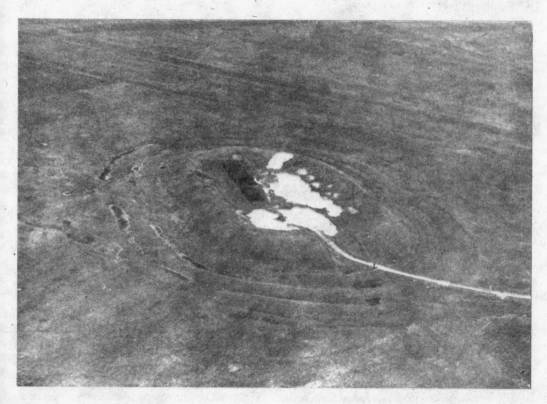

Grodzisko w Łęczycy

73

Denar palatyna Sieciecha (awers i rewers)

sieli za czyny swego otoczenia. Zbigniew więc winien był w odczuciu panów i rycerzy ,,tej wojnie gorzej niż domowej, gdzie syn przeciw ojcu, a brat przeciw bratu wzniósł zbrodniczy oręż. Tam to – dodaje od razu panegirysta Krzywoustego – jak sądzę, przeklęty przez ojca, zasłużył na to, co stać się miało". W tej zapowiedzi nie idzie oczywiście o klęskę wojsk Zbigniewowych pod Kruszwicą, lecz znacznie późniejszą jego śmierć w efekcie poczynań brata. Przekleństwo ojca – jak sądzili o tym współcześni – ciążyło na człowieku, aż wreszcie poprzez różne niepowodzenia dosięgała go zguba.

Po klęsce pod Kruszwicą trafił Zbigniew do prawdziwego więzienia w grodzie Sieciecha na Mazowszu.

Wśród badaczy tej epoki panuje dość powszechne przekonanie, że rokosz śląski i klęska kruszwicka miały miejsce w 1093 roku. Gdyby tak istotnie było, to Zbigniew przebywałby około 4 lat pod nadzorem Sieciecha i jego ludzi. Albowiem z okazji zakończenia

odbudowy katedry gnieźnieńskiej i uroczystej jej konsekracji w 1097 roku na wielkim ceremonialnym zjeździe całej hierarchii kościelnej i świeckiej Władysław Herman przywrał Zbigniewa do siebie i przywrócił go do łask.

,,Po poświęceniu więc bazyliki gnieźnieńskiej i po odzyskaniu przez Zbigniewa łaski ojcowskiej, książę Władysław powierzył obu synom swe wojsko i wysłał ich na wyprawę na Pomorze. Oni zaś, odszedłszy i powziąwszy nie znane mi bliżej postanowienie, zawrócili z drogi z niczym. Wobec tego ojciec, coś podejrzewając, natychmiast podzielił między nich królestwo, jednakże nie wypuścił ze swych rąk głównych stolic państwa".

Tu niedomówienia i przemilczenia Galla są aż nadto wymowne. Mały Bolesław miał wtedy niespełna dwanaście lat, Zbigniew dopiero co został zwolniony z więzienia; żaden z nich nie miał takiego autorytetu wobec rycerzy i wojskowych dowódców, mianowanych przez Władysława Hermana, by skierować ich przeciw własnemu władcy. W konwencji przedstawiania spraw monarchii przypada braciom rola wyjątkowa i decydująca; w rzeczywistości działali oni niewątpliwie pod presją przywódców armii, którą nominalnie dowodzili. Tym razem nie był to rokosz wielkich panów, lecz rebelia sprawnych dowódców, młodszego – jak się wydaje – pokolenia.

Przywódcy buntu godzili się chętnie na zagarnięcie znacznego uposażenia – formalnie dla swych protegowanych, młodych książąt – pozostawiając władzę zwierzchnią w rękach Władysława Hermana. Dla Zbigniewa po latach upokorzeń stwarzało to nową możliwość niezależności i włączenia się do rozgrywki o władzę. Krzywousty pozostawał w rękach buntowników, stanowiąc jakby zakład pokoju, nad jego bezpieczeństwem czuwać miał jednak piastun, wyznaczony przez Hermana. Został nim znakomity komes Wojsław, który jeden z swych głównych dworów miał blisko grodu książęcego w Płocku, a był przyjacielem lub krewniakiem Sieciecha.

Możnowładcy, widząc to poniżenie władzy monarszej, niedalecy byli od myśli o detronizacji księcia Władysława i wprowadzenia na tron jednego z jego synów. Księciu udało się temu zapobiec, uznał natomiast, że po jego śmierci możni wybiorą następcę: ,,To jedno pragnienie mego serca mogę wam odsłonić, iż życzę sobie, byście po mojej śmierci wszyscy jednomyślnie posłuszni byli roztropniejszemu i zacniejszemu w obronie kraju i gromieniu wrogów". Pozostanie wielką zasługą Jana Adamusa, że zwrócił uwagę na te słowa, włożone przez Galla w usta księcia, i że je tak trafnie wytłumaczył jako zgodę na elekcję.

Jeśli Herman i Sieciech żywili nadzieję, że tym przyznaniem wielkim panom prawa elekcji zabezpieczą pokój wewnętrzny, to szybko przekonać się mieli, że były to mylne rachuby. Hasło do buntu rzucono w otoczeniu Krzywo-

ustego. Istotne związki między ludźmi decydującymi w imieniu książęcego wyrostka i dworem Zbigniewa (i tu, i tam ton nadawali niewątpliwie przywódcy buntu z 1097 r.) zdecydowały o tym, że Zbigniew i jego wojowie wzięli udział w tej nowej walce, prowadzonej pod hasłem odsunięcia Sieciecha od władzy. Jakkolwiek Gall próbował eksponować rolę starszego brata w tej walce, nie ulega wątpliwości, że starał się on nie wysuwać na jej plan pierwszy. Czyżby pamiętał z własnego doświadczenia, że pierwsze powodzenia, spowodowane zaskoczeniem przeciwnika, nie przesądzają końcowego wyniku walki? ,,Ostatecznie jednak chłopcy zmusili starego ojca do tego, by przez wygnanie Sieciecha z Polski spełnił ich pragnienie. Jakim zaś sposobem do tego doszło i jak powrócił z wygnania, długo

Kolegiata Św. Piotra i Pawła w Kruszwicy

i nudno byłoby o tym mówić, niech więc wystarczy tyle, że nigdy później nie było mu danym sprawować żadnej władzy. Tyle niech wystarczy, ile [dotąd] powiedziano o Sieciechu i królowej". Judyta Maria mianowicie, trzecia żona Władysława Hermana, nazywana była powszechnie królową, gdyż przed poślubieniem polskiego władcy była wdową po królu węgierskim.

Gall Anonim w swym panegiryku nie miał oczywiście powodu, by wspomnieć, że w ostatnim etapie tych walk obóz zgrupowany wokół Krzywoustego znalazł poparcie Brzetysława, księcia czeskiego. Czytamy bowiem w ówczesnej kronice czeskiej: ,,Brzetysław na Boże Narodzenie [1099 r.] zaprosił Bolesława, swego siostrzeńca, na ucztę, która była przygotowana w grodzie Żatec, gdzie w samo święto, za zgodą wszystkich komesów, Bolesław został miecznikiem swego wuja. Odsyłając go po święcie do swoich, książę w darze dla niego ustanowił, aby za sprawowanie godności miecznika, z trybutu, który płacił ojciec jego Władysław, rocznie miał zawsze sto grzywien srebra i dziesięć talentów złota". Był to trybut ze Śląska, płacony od czasów odbudowy państwa przez Kazimierza Odnowiciela. Gdyby Zbigniew uczynił podobny krok, napiętnowany zostałby ostro przez panegirystę Krzywoustego. Tym razem więc milczenie zyskuje walor świadectwa pozytywnego.

Gdy tedy 4 czerwca 1102 roku ,,zmarł książę Władysław w podeszłym wieku i długą słabością złożony, a arcybiskup Marcin z kapelanami przez pięć dni w mieście Płocku odprawiał za niego egzekwie, nie śmiejąc go pogrzebać przed przybyciem synów", to między nimi panowały już stosunki bardzo napięte. ,,Zanim jeszcze pochowali ojca, doszło pomiędzy nimi do wielkiego sporu o podział skarbów i królestwa, lecz za natchnieniem łaski Bożej i za pośrednictwem wiernego starca, arcybiskupa, zastosowali się w obliczu zmarłego do zarządzeń wydanych przezeń za życia".

Wśród tych zarządzeń było też pragnienie, by jeden z synów objął władzę zwierzchnią. Tymczasem biograf Krzywoustego przedstawia sytuację tak, jakby Polska została podzielona na dwie połowy – północną Zbigniewa i południową Bolesława – całkowicie niezależne. Tak też wyglądało to pozornie na zewnątrz, gdyż każdy z braci na własną rękę układał stosunki z sąsiadami, zabiegał też o pomoc w walce z bratem. Energiczni dostojnicy młodego Bolesława zawarli natychmiast sojusz z wielkim księciem kijowskim, Świętopełkiem II, i jego synem, Jarosławem, rządzącym na Wołyniu. Umocnieniem tych układów był ślub Bolesława i Zbysławy, córki Świętopełka, w pięć miesięcy po pogrzebie Władysława Hermana, jeśli zaufać wiadomości ruskiej ,,Powieści lat minionych", która podała datę ślubu: 16 listopada 1102 roku. ,,Przez osiem dni przed ślubem i tyleż dni po oktawie zaślubin, razem więc trzy tygodnie (dodajmy, że następnego dnia rozpoczynał się post adwentowy – przyp. S.T.) bez przerwy rozdawał waleczny Bolesław podarunki, jednym – mianowicie książętom (jak nazywano największych możnowładców – przyp. S.T.) – szuby i futra, kryte suknem i obramowane złotą frędzlą, innym – szaty, naczynia srebrne i złote, innym – miasta i grody, innym wreszcie – wsie i włości". Warto przypomnieć ten tekst, gdyż według apriorycznego schematu, powtarzanego bez namysłu od lat pięćdziesiątych naszego stulecia, Bolesław miał znaleźć poparcie rycerstwa, a Zbigniew – możnowładztwa. A przecież to możnych pozyskiwał Bolesław takimi darami, a nie wojów. Rycerstwo samodzielną siłą polityczną stało się dopiero w drugiej połowie XV wieku. Wcześniej grupowało się zawsze wokół możnych i dostojników. O ich względy zabiegał tak Bolesław, jak Zbigniew.

Na sojusz Bolesława z Rusią Zbigniew odpowiedział pozyskaniem Czechów, którzy na początku następnego roku uderzyli na śląskie dzierżawy Bolesława. Skarbimir, pierwsza osoba na dworze Krzywoustego, przekupił jednak praskiego księcia Borzywoja. Świętopełka zaś morawskiego poczęli Bolesław i jego druhowie, Skarbimir i Żelisław, nękać ciągłymi najazdami. Mistrzostwo w intrydze i walce okazali jednak podejmując już od lata 1102 roku stałe wyprawy łupieskie na Pomorze, skrupulatnie jednak unikając naruszania nadodrzańskiej jego połaci. Od niej bowiem śląskie posiadłości Krzywoustego oddzielał jedynie wąski pas ziem Zbigniewowych. Uderzenie natomiast na środkowe Pomorze pozwalało Krzywoustemu zdobywać łupy, a narażało Zbigniewa na wyprawy odwetowe. Próby zaś naprawienia stosunków z Pomorzanami, podejmowane przez Zbigniewa, łatwo było napiętnować jako wchodzenie w sojusz z poganami.

Na ogół sytuację tych kilku lat przedstawia się tak, jakby z jednej strony był obóz Zbigniewa, z drugiej – Krzywoustego, jedynie zaś arcybiskup Marcin próbował utrzymać istniejący stan rzeczy. Niewątpliwie rzeczywistość była bardziej skomplikowana. Cóż bowiem na przykład działo się z królową Judytą Marią? Zofia Kozłowska-Budkowa dawno już wyjaśniła, że tylko ona jako już wdowa po Władysławie Hermanie wchodzi w grę jako nadawczyni opola chropskiego (obszar wokół dzisiejszych Pabianic pod Łodzią) dla kanoników katedry krakowskiej i Księżnic nad Śreniawą dla opactwa tynieckiego, najprawdopodobniej zaś też opola łagowskiego dla kościoła NP Marii w Zawichoście. Judyta miała więc w środkowej Polsce znaczną i rozległą oprawę wdowią.

W ziemiach najprawdopodobniej jej wyznaczonych leżał Sieciechów, główny gród Sieciecha, który przecież powrócił do Polski z wygnania, a o którego późniejszej roli Gall Anonim nie chciał już pisać. Trudno przypuszczać, by królowa i Sieciech wycofali się z działalności politycznej.

Jeśli zaś na zjazdach braci Bolesław groził wielkim rozłamem w królestwie polskim, to najwyraźniej wciąż jeszcze istniały instytucjonalne elementy jedności, o których utrzymanie zabiegał Zbigniew. Zresztą po badaniach Adamusa nie może ulęgać wątpliwości, że Zbigniew został wybrany przez możnych księciem zwierzchnim, zgodnie z zaleceniem Władysława Hermana. Układ sił musiał przesuwać się jednak coraz silniej na niekorzyść Zbigniewa, jeśli na jednym ze zjazdów zgodził się on na to, by politykę zagraniczną ustalać wspólnie z bratem. Tymczasem młodszy brat miał już wówczas zawarte przymierza z Rusią kijowską, Węgrami i księciem czeskim. Jakie były sojusze Zbigniewa? Gall oskarża go o nasyłanie Czechów i Pomorzan na dzielnicę Bolesława. Czesi jednak przekupieni przez Bolesława przestali go atakować, Morawianie zaś samodzielnie nie mogli podejmować większych akcji, raczej bronili dawniejszych swych zdobyczy na południu Śląska. Wojnę z Pomorzanami rozpoczął Bolesław. W gruncie więc rzeczy Zbigniew był osamotniony, stąd też wynikała zgoda na ustępstwa.

Nastąpił teraz drugi akt działań Bolesława i jego przyjaciół przeciw Zbigniewowi. Oskarżyli go oni, że zebrał całe swe wojsko, by napaść na brata, a równocześnie zjednał sobie Czechów i Pomorzan, celem wypędzenia go z Polski. Następnie najpierw możnym, a później na powszechnym wiecu przedstawili ,,przechwycone wraz z posłańcami listy Zbigniewa, z których okazały się liczne zdrady i knowania". Gdy jednak młodszy brat, tak przygotowawszy grunt, podniósł swe wojska i skierował na brata, okazało się, że ten nie był przygotowany do walki. Tylko garść jego wiernych stawiła Bolesławowi opór w Kaliszu, łatwo zajęto Gniezno. Pod Łęczycę przybyły do Bolesława posiłki ruskie i węgierskie. „Wówczas Zbigniew zupełnie upadł na duchu i za pośrednictwem księcia ruskiego Jarosława (szwagra Bolesławowego – przyp. S.T.) oraz biskupa krakowskiego Baldwina sprowadzony został przed brata, by dać [mu] zadośćuczynienie i oświadczyć posłuszeństwo [...] zatrzymał Mazowsze jako lennik, nie zaś jako władca udzielny".

Tę wojnę domową datuje się powszechnie na późną jesień lub początek zimy 1106 roku. Pod koniec zimy następnego roku Bolesław, pod pozorem nieposłuszeństwa Zbigniewa,

Św. Łukasz Ewangelista, miniatura z „Ewangeliarza emeramskiego"

powtórnie ściągnąwszy Rusinów i Węgrów, uderzył niespodziewanie na Mazowsze. Zbigniew musiał uchodzić z kraju na Ruś, a dalej do Czech, gdy te znalazły się w wojnie z Polską. Towarzyszyła Zbigniewowi dość znaczna drużyna.

Zazwyczaj pisze się, że Zbigniew miał postarać się o interwencję nowego króla niemieckiego, który w obronie wygnanego księcia uderzył na Polskę. W rzeczywistości uderzenie niemiecko-czeskie było odpowiedzią na wcześniejszy najazd Polski na Morawy, który był dywersją na rzecz węgierskiego sprzymierzeńca Krzywoustego, zaatakowanego właśnie przez Czechów i Niemców. Oczywiście, że król Henryk V wyzyskał sprawę Zbigniewa, ale nie ona była czynnikiem decydującym o poczynaniach niemieckich.

W wojnie szarpanej Bolesław stawił zacięty opór najeźdźcom. Nie wahał się przy tym własnym załogom grodowym grozić szubienicą, gdyby poddały się wrogowi. Postawił w ten sposób głogowian przed trudnym dylematem, cesarz bowiem kazał ich zakładników przywiązać do machin oblężniczych. „Lecz grodzianie wcale nie oszczędzali synów i krewnych więcej niż Czechów i Niemców", a Głogów obronili. Do tej pięknej sceny dorzuca się z reguły późną legendę o zwycięstwie polskim na Psim Polu, o którym u Galla głucho. Ta okrutna opowieść, czyniąca z Polaków barbarzyńców, łamiących kodeks rycerski, wynikła z błędnego tłumaczenia nazwy Psie Pole, które było zapewne polem przeznaczonym dla książęcej psiarni. W rzeczywistości w walkach tych trupów było mało, zaś cesarz opuścił Polskę, wynosząc żałobę zamiast wesela, „trupy poległych zamiast trybutu". Zbigniew zaś powrócił do Czech.

Ostatnie dwa akty dramatu Zbigniewowego pokrótce streszcza czeski kronikarz, wkładając w usta swego władcy takie oto zdanie: „Nigdy nie upodobnię się do księcia polskiego Bolesława, który swego brata Zbigniewa pod przysięgą wierności podstępnie przywołał, a trzeciego dnia pozbawił go oczu". Gall stara się usprawiedliwić Bolesława o tyle tylko, iż neguje działanie podstępne. Gorąco chce przekonać czytelnika i słuchacza, że to Zbigniew sprowokował młodszego brata: „przybył do Bolesława nie w pokornej, lecz w wyzywającej postawie, nie jak przystało na człowieka skruszonego długotrwałym wygnaniem, znużonego tylu trudami i niepowodzeniami, lecz owszem, jak pan, każąc miecz nieść przed sobą, z poprzedzającą go orkiestrą muzykantów, grających na bębnach i cytrach, okazując w ten sposób, że nie będzie służył, lecz panował". Skorzystali z tej sytuacji niektórzy doradcy i „podjudzili ludzkie uczucia", uczucia więc ułomne, strasząc Krzywoustego możliwością skrytobójstwa z poduszczenia Zbigniewa.

Powszechnie jednak wydarcie oczu Zbigniewowi i rychła potem jego śmierć musiała być interpretowana jako wynik podłego działania z zimnym rozmysłem, jak wskazuje na to przekaz czeski, a także rozpaczliwe wezwanie Galla: „Niech nikt nie wierzy, że był to grzech z wyrachowania, a nie z zapalczywości, że go spełniono z rozmysłu, a nie pod wpływem okoliczności". Oburzenie było tedy wielkie. Bolesław przerósł jednak swych przeciwników. Udał się dobrowolnie w pielgrzymkę na Węgry, zapobiegając wybuchowi rokoszu i wygnaniu. Na Węgrzech rozpoczął pokutę, i w pokutnym worku ruszył z Węgier przez Polskę do Gniezna. Stanął tam w Wielkim Tygodniu i zgodnie z obowiązującym rytuałem publicznie zażądał rozgrzeszenia. Pielgrzymującemu pokutnikowi nie można było zamknąć drogi do Gniezna, w Gnieźnie nie można było odmówić mu rozgrzeszenia;

udzielając go, episkopat nie mógł poprzeć ewentualnego rokoszu.

Gall wielokroć zaznaczał lekkomyślność Bolesława; jego pokuta natomiast stanowiła akt wielkiej mądrości i dojrzałości politycznej. Wątpić więc można, by i jego wcześniejsze działania były lekkomyślne. Zbigniew nie dorastał do walki z takim przeciwnikiem, jak bowiem Gall powiedział o Zbigniewie, był to człowiek „zgoła pokorny i prosty", daleki od intryg i podstępów.

Kościół Św. Andrzeja w Krakowie

Stanisław Trawkowski

BOLESŁAW III
KRZYWOUSTY

Ostatni z wielkich Bolesławów nie uwieńczył co prawda, jak jego poprzednicy: Chrobry i Śmiały, swych skroni koroną królewską, zyskał przecież nie mniejszą niż oni popularność w ocenie społecznej, ukształtowanej w ciągu ostatnich stu lat przez historyków, powieściopisarzy, publicystów. Obrona starodawnej wolności Polski – jak określa to Gall Anonim – w bohaterskich zmaganiach 1109 roku z najazdem króla niemieckiego Henryka V, wspomaganego przez księcia czeskiego Świętopełka, stawała się od schyłku XIX wieku coraz droższa uczuciom polskim, w dobie wzrastania nacjonalizmu niemieckiego, później nacisków germanizacyjnych, wreszcie barbarzyństwa hitlerowskiego. Opis obrony Głogowa wzbudzał zrozumiałe emocje w społeczeństwie przeżywającym na co dzień terror esesmanów, gestapo i wszelkich innych organizacji, służących masowej zbrodni. Niemiecki bowiem władca w 1109 roku zagroził głogowianom, że jeśli się nie poddadzą, to zakładników, których wydano mu uprzednio na czas rozejmu, w pień wytnie. Gdy zaś głogowianie przystąpili do obrony, król niemiecki sądząc, że ,,litość nad synami i krewniakami zmiękczy serca grodzian, polecił co znaczniejszych pochodzeniem spośród zakładników z miasta oraz syna komesa przywiązać do machin oblężniczych" w przekonaniu, że tak bez krwi rozlewu otworzy sobie bramy miasta. W powieściowych przekształceniach naszych czasów kazano tym zakładnikom krzyczeć, by obrońcy ich nie oszczędzali. Jakże to było

bliskie tym, którzy widzieli swych rodaków pędzonych przed hitlerowskimi czołgami, by je zasłonić przed ogniem z warszawskich barykad czasu powstania.

Przywrócił Krzywousty polskie panowanie nad Pomorzem Wschodnim i Ziemią Lubuską, podporządkował Polsce księstwo zachodniopomorskie, zamierzał podbić Rugię, gdy zaskoczyła go śmierć. W czasach uporczywego budzenia polskiej świadomości narodowej wśród Kaszubów i Mazurów od schyłku zeszłego stulecia, w czasach wytężonej budowy portu w Gdyni, jako okna na świat, jak głoszono w Polsce międzywojennej, w czasach integracji całego Pomorza do Polski po drugiej wojnie światowej odwoływano się do postaci Krzywoustego i jego pomorskich poczynań. Chętnie przypominano jedną z pieśni Gallowych w tłumaczeniu Romana Grodeckiego, którą kronikarz z czasów Krzywoustego włożył w usta jego wojów:

Naszym przodkom wystarczały ryby słone
*   i cuchnące,*
My po świeże przychodzimy, w oceanie
*   pluskające!*
Naszym przodkom wystarczało, jeśli grodów
*   dobywali,*
A nas burza nie odstrasza ni szum groźny
*   morskiej fali.*
Nasi ojce na jelenie urządzali polowanie,
A my skarby i potwory łowim, skryte
*   w oceanie!*

,,Zrozumienie kwestii pomorskiej, jako ostatecznej a nader naglącej kontynuacji usiłowań poprzedników celem zjednoczenia Polski w granicach etnograficznych, jest zasługą Krzywoustego niewątpliwą" – wyrokował w roku 1926 R. Grodecki.

Denar tzw. pokutny Bolesława Krzywoustego (awers i rewers)

Stał się więc Krzywousty symbolem historycznym, uosabiającym ważkie uczucia i dążenia polityczne kolejnych pokoleń Polaków od końca ubiegłego stulecia. Z tradycji historycznej bowiem żywe w szerokich kręgach społecznych jest to, co odczuwane jako odpowiedź przeszłości na aktualne potrzeby. Zadaniem natomiast historyka jest baczyć, by ta współczesna potrzeba nie prowadziła do zniekształcania wiedzy o przeszłości, by nie traktowano jej anachronicznie, rzutując wstecz sytuacje dnia dzisiejszego. Skłonność zaś do modernizowania dawnych spraw występuje zwłaszcza wówczas, gdy historię traktuje się jako ciąg wydarzeń politycznych, gdy następuje heroizacja ich bohaterów, gdy więc zapomina się o układach i strukturach gospodarczych, społecznych, kulturowych, w których człowiek rósł, w których kształtowała się jego psychika i mentalność, w których działał, powodując powolne, określane wysiłkiem zbiorowym zmiany tych struktur i układów. Także biogra-

fie władców nie mogą być oderwane od historii społecznej.

Istotne dla władcy europejskiego w pełnym średniowieczu sprawności fizyczne opanowywał Krzywousty od dzieciństwa, należało to bowiem do kanonu wychowania monarszego i rycerskiego. Służyła do tego w etapie wstępnym zabawa, następnie zaś zaprawa łowiecka, najpierw oczywiście z psami i sokołami. W panegiryku na cześć Bolesława chwalono go za to, że już jako pacholę szedł na łowy z oszczepem bijąc duże sztuki, a z konia także niedźwiedzie. Mając lat siedem wziął już Bolesław udział w łupieskiej wyprawie na Morawy, by „z imienia tylko walczyć" – jak wyjaśniał nadworny panegirysta. Zgodnie jednak z zasadą, że nawet „walczący z imienia" książę siedmioletni reprezentuje przecież swą osobą podległych mu wojów, napisał autor biografii Krzywoustego, że ten „chłopaczek" wraz z Sieciechem, który jako wojewoda reprezentował tu władzę księcia Władysława Hermana,

„spustoszyli przeważną część Moraw, przywiedli stamtąd obfity łup i jeńców i powrócili bez wypadku". Ta liczba mnoga, łącząca na jednakowym poziomie Sieciecha i Bolesława, ukazuje jeden z uroków poetyki dworskiej, przestrzega jednak zarazem przed wzięciem konwencji literackiej za rzeczywistość. Traktując bowiem tę stylistykę jako wyraz prozy realistycznej łatwo – robiąc przegląd aktorów sceny politycznej w Polsce 1097 roku – uznać, że należał do nich „najwybitniejszy z nich wszystkich dwunastoletni Bolesław, urodzony wódz i polityk, odważny jak mało kto, pobudliwy, dumny, okrutny i chytry" (Paweł Jasienica). Tymczasem ten chłopak, uwikłany w rozgrywki, których zrozumienie, a zwłaszcza zrozumienie ich bliższych i dalszych kon-

Kościół w Siewierzu

sekwencji, znacznie przerastało jego ówczesne doświadczenia, był raczej obiektem różnorodnych presji niż samodzielnym aktorem.

Ceremoniał przecież, zapewniający dorastającemu młodzieńcowi coraz więcej wyrazów uznania jego książęcej pozycji, ułatwiał mu wydobywanie się spod obcych nacisków. Czynił z Krzywoustego partnera nie dla Sieciecha jeszcze, lecz dla swego własnego otoczenia. Sprzyjało temu opanowanie młodzieńca, wyrobione dzięki ćwiczeniom łowieckim, oswojenie z porządkiem wojennym, lecz także rudymenty nauk szkolnych. W zakres dobrego wykształcenia monarchy tego czasu wchodziła także nauka języka sąsiadów (w Polsce w grę wchodziła znajomość niemieckiego i ruskiego, których poznanie ułatwione było po części pochodzeniem księżnych, żon Piastów, przeważnie z Niemiec i Rusi), a także nieco łaciny i pamięciowego opanowania podstawowych modlitw łacińskich. Człowiek dzisiejszy, przyzwyczajony do książek i czasopism, do radia i telewizji, prawie już zapomniał, co znaczy dla życia psychicznego opanowanie pamięciowe długich tekstów, a był to w dawnej kulturze ważny element formowania autodyscypliny intelektualnej. Trudno wątpić, że podstawy takiego wykształcenia uzyskał też Krzywousty, może zbyt szybko przerwane przez potraktowanie chłopca jako gwarancji dotrzymania przez Władysława Hermana i Sieciecha umów z buntownikami. Przecież w tym czasie odczuwano na polskich dworach możnowładczych potrzebę dania rudymentów nauki szkolnej dzieciom bynajmniej nie przeznaczonym do stanu duchownego. Kleryk Otto, późniejszy biskup bamberski, znacznie się w Polsce wzbogacił działając na pańskich dworach jako prywatny nauczyciel. Tenże zaś Otto był następnie silnie związany z dworem Władysława Hermana, nim powrócił do swej ojczyzny.

W najbliższym otoczeniu Krzywoustego znalazło się na przełomie XI/XII wieku grono ludzi o dość nieprzeciętnych ambicjach kulturalnych. Przywodził im Skarbimir, który nieco później został wojewodą Bolesława, w nieznanych zaś bliżej okolicznościach podniósł w 1117 roku bunt, za który zapłacił oczyma. Otóż ów Skarbimir ufundował w centrum swych włości małopolskich, w Skarbimierzu (dziś zwanym Skalbmierzem), znaczny kościół i osadził przy nim kanoników, naśladując niejako Sieciechowe fundacje: na Okole w Krakowie – Św. Andrzeja i w Płocku – Św. Benedykta. Jednym z komesów młodzieńczego księcia był Żelisław, który stracił rękę w wyprawie na Morawy w 1103 roku. Bolesław wynagrodził go, ofiarowując mu rękę ze złota. Rzadkie występowanie tego imienia pozwala sądzić, że rycerz ten jest identyczny z Żelisławem, który klasztorowi w Lubiniu przekazał złoty wieniec, jak uprawdopodobnił to Józef Płocha, zwracając zarazem uwagę na przynależność Żelisława do grona największego możnowładztwa. Takie wieńce i korony złote, zawieszane nad ołtarzami, przydawać miały blasku czynnościom liturgicznym, były darem niepowszednim i wskazującym na dobre obeznanie z rozbudowanymi formami służby bożej.

Nic więc dziwnego, że Bolesław i jego współpracownicy znaleźli łatwo w 1103 roku wspólny język z legatem papieskim, biskupem Beauvais, Gwalem. Stając zaś przed zarzutem zawarcia niewłaściwego małżeństwa (pierwsza żona Bolesława, Zbysława, była cioteczną wnuczką Kazimierza Odnowiciela), wysłał Krzywousty swego nominata na biskupstwo krakowskie, Baldwina, do Rzymu, by załatwił tę sprawę, a zarazem uzyskał święcenia.

Zbierając te rozproszone drobiazgi i poszlaki zyskujemy inny obraz młodzieńczego Bolesława niż ten, który został zarysowany przez jego kapelana i poetę. Gall bowiem przeciwstawiając przyrodnich braci, przeciwstawiał sobie dwa schematy: mężnego rycerza i spokojnego, nieco bojaźliwego kleryka, który mógłby być dobry do rządzenia Kościołem, lecz nie państwem. Tymczasem horyzonty kulturalne Krzywoustego nie były zawężone do wojaczki, zaś Zbigniew nie był tak bojaźliwy. Inaczej oceniając intelektualne umiejętności Bolesława, łatwiej zrozumiemy prowadzoną przez niego i jego otoczenie rozgrywkę o władzę.

Po zwycięstwie nad Zbigniewem nastąpiła doprawdy z dnia na dzień istotna zmiana

Król Dawid z Chrystusem w otoczeniu proroków, miniatura ze ,,Złotego kodeksu pułtuskiego''

w pomorskiej polityce Krzywoustego. Dalekie łupieskie wyprawy na Kołobrzeg czy Białogard, w których zdobywano znaczne łupy, zostały całkowicie poniechane. Cały wysiłek skierowany został na zdobycie lub poddanie polskiej władzy łańcucha pogranicznych grodów; szło więc teraz o otwarcie Pomorza dla wielkiego podboju. Jednocześnie zapewne skierowane zostało uderzenie na Ziemię Lubuską i podjęta penetracja polityczna na dalszych terenach wieleckich.

Przerwę w tej ekspansji wywołał najazd Henryka V, a potem wzburzenie społeczne wywołane zdradą wobec powracającego do kraju Zbigniewa i konieczność uspokojenia opozycji poprzez pokutę. ,,Książę upokorzył się, pokutował, dał kościołom bogate dary, poszedł słowem do polskiej Canossy... i uniknął losu stryja, króla Bolesława Śmiałego" (P. Jasienica). Grodecki sądził, że właściwie była to ,,niepotrzebna już zbrodnia na bezbronnym bracie". Jednocześnie jednak zauważył, że dzieje Zbigniewa i Bolesława ,,przywodzą na myśl owo zapomniane dziś już od dawna, niewinne w słowach, a okropne w treści polskie przysłowie, że książęta nie potrzebują krewnych. Istotnie: krewny to urodzony rywal do tronu, a rywala książę nie potrzebuje, więc go usuwa". Jakbyśmy nie oceniali tej zbrodni, to przecież publiczna pokuta Bolesława i rychłe pogodzenie się z Kościołem otworzyły możliwość przyciągnięcia do tronu dawnych zwolenników Zbigniewa, współpracowników Sieciecha, bliskich doradców zmarłego ojca i macochy.

W latach następnych pojawi się w otoczeniu Bolesława cześnik Sieciech, niewątpliwie syn lub bratanek starego Sieciecha, młodzieniec z wielkiego rodu, który w roku 1122 brał udział w oblężeniu Szczecina. Pociągnięci przykładem Sieciecha poszli na pewno inni na służbę Bolesława. Usunięcie Zbigniewa pɪo kreślało możliwość wyboru. W konsekwenc pozwalało to też Bolesławowi na uniezależnienie się od dawnych doradców, z którymi wiązało się wspomnienie chłopięcej zależności. W tym układzie osobistym, a nie w wielkiej polityce bardziej zrozumiała staje się wiadomość rocznikarska o buncie Skarbimira oraz o jego ukaraniu i odsunięciu od dworu w roku 1117. Zmiana bowiem polityki nastąpiła już w 1108 roku wraz ze zbrojnym zjednoczeniem obu części państwa. Także przyjazne ułożenie stosunków z królestwem niemieckim nie było wynikiem drugiego małżeństwa Krzywoustego z Salomeą, hrabianką Bergu, lecz ułatwiło to powiązanie dynastyczne.

Rozpatrując zwycięskie odparcie najazdu Henryka V, chętnie przypomina się, że władca niemiecki ,,trupy tylko wywiózł jako trybut. A ponieważ poprzednio pysznie domagał się wielkich sum pieniężnych, na koniec choć mało tylko chciał, nie dostał ani denara. A że nadęty pychą zamyślał podeptać starożytną wolność Polski, Sędzia sprawiedliwy wniwecz obrócił te jego zamiary". Zapomina się natomiast często, że w poemacie zapowiadającym treść księgi, w której Gall Anonim przedstawił wydarzenia lat 1109–1113, napomknął on mimochodem:

Wspomnijmy też i z cesarzem układy udałe
Jak zawarli pokój, przyjaźń i braterstwo
trwałe.

Najwyraźniej tedy już przed latem 1113 roku ułożone zostały przyjazne stosunki między królem niemieckim, koronowanym w 1111 roku na cesarza, a księciem polskim, Krzywoustym. *Pax et amicitia* – pokój i przyjaźń wymagały jednak ustępstw ze strony polskiego władcy. Czy nie tu należy szukać powodu powrotu Zbigniewa do Polski?

Denary Władysława Wygnańca (awers i rewers)

cy; około roku 1125 poślubił jedną z najbardziej skoligaconych księżniczek niemieckich, z pewnością nie bez celów politycznych. Małżeństwo to miało bowiem pozyskać Polsce kontakty z opozycją niemiecką, potrzebne w okresie konfliktu z cesarzem Lotarem. Być może już wtedy otrzymał Władysław własną dzielnicę na Śląsku; nie zapobiegł jednak spustoszeniu tej dzielnicy przez wyprawy odwetowe księcia czeskiego Sobiesława I w okresie wojen Krzywoustego na Węgrzech (1132–1134). Trudno powiedzieć, w jakiej mierze ponosił Władysław winę za te dotkliwe klęski, ale z późniejszych jego losów można wnioskować, że nie był szczęśliwym wojownikiem.

Jak wiadomo, nieszczęśliwa wojna Krzywoustego z koalicją czesko-węgierską skończyła się arbitrażem cesarza Lotara i hołdem Bolesława w Merseburgu w 1135 r. W ślad za tym nastąpiły bezpośrednie rokowania czesko-polskie, zakończone układem Krzywoustego z Sobiesławem w Kłodzku w 1137 r. Sprawy sporne zostały o tyle załagodzone, że mogło

dojść następnie do wizyty księcia czeskiego w Niemczy, gdzie Władysław trzymał do chrztu jego syna Wacława. Rokowania te zakończyły rzeczywiście na długie lata konflikty polsko-czeskie.

Tymczasem w kraju Władysław znajdował się w dwuznacznej sytuacji. Z jednej strony był wyróżniany przez ojca i traktowany jako następca tronu; poparcia udzielał mu też w Piotr Włostowic, jeden z najmożniejszych magnatów w Polsce, posiadacz znacznych dóbr Śląsku, a nawet właściciel śląskiej „świętej góry" – Ślęży. Z drugiej strony poślubiona przez Krzywoustego w 1115 roku Salomea dała mężowi szczęście małżeńskie i liczne potomstwo: genealogowie doliczają się co najmniej jedenaściorga dzieci z tego związku, w tym pięciu lub sześciu synów. Przyszłość tych synów była jej największą troską i naleganiu żony w niemałym stopniu wpłynęły na rozporządzenia Bolesława w sprawie sukcesji. Salomea znajdowała poparcie w otoczeniu księcia, w grupie niechętnych Władysławowi magnatów: obok palatyna Wszebora sprzyjał jej arcybiskup Jakub z rodu Pałuków.

„Testament Krzywoustego", czyli statut regulujący sukcesję tronu w Polsce, był kompromisem, mającym ochronić kraj przed wojną domową, zachować jednolitość władzy politycznej, zwłaszcza na zewnątrz, ale zarazem zabezpieczyć młodszych synów księcia przed wygnaniem lub jeszcze gorszym losem i co więcej – zapewnić im udział we władaniu i w dochodach państwa. Krzywousty znał zapewne negatywne rezultaty podobnych statutów sukcesyjnych Brzetysława czeskiego i Jarosława Mądrego ruskiego, poszedł jednak ich śladem, powierzając władzę nie najstarszej linii swych potomków, ale tworząc seniorat: system kolejnego przekazywania władzy każdorazowo najstarszemu członkowi dynastii. Zaprzysiężenie statutu przez biskupów i urzędników, zatwierdzenie go przez cesarza i papieża miały dostarczyć statutowi dodatkowych gwarancji. Były to jednak złudzenia: czyż Władysław, który miał już przynajmniej dwu synów, mógł się dobrowolnie zgodzić na przekazanie po swej śmierci władzy bratu, z pominięciem własnych potomków? Czyż magnaci, obojętnie po której stronie stojący, mogliby nie skorzystać z tarć w rodzinie monarszej dla osłabienia władzy książęcej? Sam Krzywousty nie uszanował w młodości ani ojcowskich rozporządzeń sukcesyjnych, ani układów z bratem, dopóki nie pozbył się go w okrutny sposób. Czyż mógł liczyć, że uczucia braterskie wśród jego synów będą bardziej serdeczne?

Nie miejsce tu na przypomnienie postanowień statutu Krzywoustego, o których dotąd informuje każdy podręcznik szkolny. Po śmierci Bolesława (28 października 1138 r., w Sochaczewie) Władysław, obok Śląska, który stał się jego dzielnicą dziedziczną, objął dzielnicę senioralną z Krakowem i Gnieznem, a także zwierzchnictwo nad lennikami, książętami pomorskimi. W ręku młodszych, ale już dorastających braci: Bolesława Kędzierzawego i Mieszka znalazły się Mazowsze i zachodnia Wielkopolska z Poznaniem; nieletni jeszcze Henryk nie otrzymał zapewne przyrzeczonego przez ojca Sandomierza, który senior zatrzymał w swym ręku aż do czasu jego pełnoletności; za to ziemię łęczycką musiał w myśl testamentu ojca przekazać macosze jako wiano wdowie. Zasięg dzielnic, a zwłaszcza dzielnicy senioralnej, budzi do dziś spory wśród historyków.

Władysław przeniósł się do Krakowa, zabierając ze sobą zaufanego biskupa Roberta, który (pierwszy to wypadek w Kościele polskim) zamienił katedrę wrocławską na krakowską. We Wrocławiu władał w imieniu seniora jego wuj Piotr Włostowic, który właśnie rozwijał swe wielkie fundacje klasztorne, sprowadzając kanoników regularnych na Ślężę, a benedyktynów na wrocławski Ołbin. Stanowisko nowego księcia umacniał sojusz z Czechami: jego czeski imiennik, Władysław II, był zarazem jego szwagrem, a obydwaj mogli liczyć na poparcie nowego władcy Niemiec, króla rzymskiego Konrada III, który był przyrodnim bratem żon obydwu Władysławów. Dalszych sojuszów poszukiwał krakowski Władysław na Rusi, co mu przychodziło o tyle łatwiej, że przez matkę sam był spokrewniony z Rurykowiczami.

Młodsi bracia objęli swe dzielnice bynajmniej nie jako udzielni władcy: zastępowali oni właściwie wojewodów, stojących dawniej na czele prowincji, z tą różnicą, że mieli dziedziczne prawa do dochodów książęcych z jej terenu. Władysław był zarówno na wewnątrz, jak na zewnątrz niekwestionowanym księciem Polski, całej Polski. Kontynuował też politykę ojca, zarówno wprowadzając na nowe pomorskie biskupstwo w Wolinie wyznaczonego już przez ojca biskupa Adalberta, jak kontynuując starania o pozyskanie Prus, gdzie skierował jako misjonarza biskupa ołomunieckiego Henryka Zdika. Ten ostatni miał mniej powodzenia niż Otton bamberski na Pomorzu – może i dlatego, że wojna domowa w Polsce udaremniła poparcie misji przez księcia.

Wdowa po Krzywoustym bowiem, nie ufając pasierbowi, snuła ze swej siedziby w Łęczycy sieć sojuszów, zabezpieczającą stan posiadania synów. Zdawać by się mogło, że zawarte za życia Krzywoustego małżeństwo Bolesława Kędzierzawego z Wierzchosławą, wnuczką księcia kijowskiego Mścisława Monomachowicza, jest znakomitą partią. Jednak w 1139

roku Monomachowicze utracili władzę w Kijowie na rzecz innej linii Rurykowiczów i jej przedstawiciel, Wszewołod Olegowicz, objął władzę w naczelnym księstwie Rusi. Wobec tego Salomea na naradzie z synami i sprzyjającymi im możnowładcami w Łęczycy (1141) postanowiła nie oddawać córki Agnieszki do klasztoru, jak to było poprzednio postanowione, lecz wydać ją za mąż za któregoś z synów Wszewołoda. W naradzie brali udział trzej mnisi z Zwiefalten, rodowego klasztoru hrabiów Bergu; możliwe, iż zlecono im jakieś misje polityczne do niechętnych obozowi królewskiemu książąt niemieckich.

Władysław jednak pokrzyżował starania macochy. Wszewołod, mając do wyboru koligacje z juniorami lub Władysławem, wybrał

Kolegiata NMP w Tumie pod Łęczycą

93

tego ostatniego i wydał (1142) swą córkę Zwienisławę za syna Władysławowego, Bolesława Wysokiego. Związek ten był tym ważniejszy, że w przeciwieństwie do sojuszu z czeskim i niemieckim szwagrem, miał być źródłem bardzo konkretnej pomocy militarnej.

W tymże roku 1142 doszło do pierwszych działań wojennych: trzej książęta ruscy (m.in. syn Wszewołoda Świętosław) spustoszyli dzielnicę mazowiecką, uprowadzając wielu brańców, i w Czersku spotkali się z wojskami Władysława; wydaje się, że juniorzy nie zorganizowali zbrojnego oporu, bo kronikarz ruski ironicznie stwierdził, że wzięto do niewoli więcej spokojnych ludzi niż wojowników. Może najazd ruski miał tylko zmusić młodszych braci do posłuszeństwa wobec seniora? W każdym razie nie słychać o dalszych skutkach najazdu.

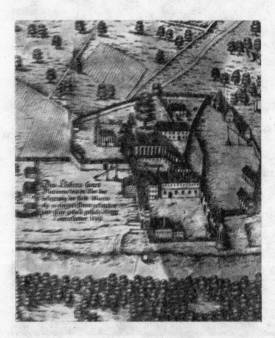

Opactwo Benedyktynów (potem Norbertanów) na Olbinie we Wrocławiu przed likwidacją w XVI w.

Okazję do nowej wojny domowej stworzyła śmierć Salomei (27 lipca 1144 r.). Władysław zgłosił pretensje do jej posiadłości, wydzielonych tylko okresowo z dzielnicy senioralnej, synowie Salomei zaś zajęli Łęczycę i inne posiadłości należące do wiana, uważając je za dziedzictwo po matce. Jest rzeczą charakterystyczną, że i tym razem musiał się Władysław uciec do posiłków ruskich, najwidoczniej nie ufając we własne siły. Latem 1145 roku Wszewołod znowu przysłał silne oddziały pod dowództwem syna Świętosława i braci. Według kroniki Kadłubka do bitwy doszło nad Pilicą i zwycięstwo odnieśli juniorzy; latopis ruski mówi o spotkaniu nad jakimś bagnem „pośrodku polskiej ziemi", gdzie juniorzy zostali zmuszeni do ustępstw. Zdania historyków są podzielone: czy mowa jest o jednym spotkaniu, a Kadłubek przeinaczył tylko jego wynik, czy też nad Pilicą podjął walkę sam Władysław i doznał porażki, a od klęski ocaliły go posiłki ruskie. Ta druga ewentualność wydaje się bardziej prawdopodobna.

Walka zakończyła się układem, niekorzystnym dla juniorów: musieli odstąpić Władysławowi cztery grody (identyfikacja ich jest oczywiście sporna, jednak była wśród nich zapewne Łęczyca), ale także – co groźniejsze – mazowiecki gród pograniczny, Wizna, został oddany Rusinom jako wynagrodzenie za pomoc.

Wypadki rozwijały się więc korzystnie dla seniora: młodsi bracia zostali zepchnięci do defensywy i oczekiwali następnego ciosu, który miał ich wyzuć z dzielnic i doprowadzić do przywrócenia jednolitości państwa. Syn Władysława, Bolesław Wysoki, udał się do kijowskiego teścia po pomoc w decydującym starciu, planowanym na rok następny.

Tymczasem doszło jednak do niespodziewanego przesunięcia sił na korzyść juniorów. Wierny dotychczas stronnik Władysława, jego wuj Piotr Włostowic, z nieznanych bliżej powodów zmienił stanowisko. Późniejsze źródła twierdzą, że jako jeden z tych, którzy zaprzysięgli statut Krzywoustego, sprzeciwił się planom wygnania juniorów. Doszło do gwałtownej reakcji ze strony Władysława: Piotr został pojmany, oślepiony i pozbawiony języka, a mienie jego uległo konfiskacie.

Wokół tej katastrofy rozwinęła się legenda, podchwycona przez kronikarzy, niechętnych Agnieszce Władysławowej, którą oczerniano na wszelkie sposoby w zadziwiająco uparty sposób. Podkreślano jej niemieckość (jak gdyby Salomea była innego pochodzenia), rzekomą pogardę dla polskich obyczajów, odzieży i nawet obuwia; jej przypisywano decydujący wpływ na politykę powolnego męża i szczególną zaciekłość wobec młodszych książąt. Agnieszce też przypisywano wpływ na straszny los Włostowica.

Późna, ale oparta na dwunastowiecznym źródle ,,Kronika o Piotrze Właście" przytacza anegdotę, opowiadającą o biwaku Władysława i Piotra, polujących wspólnie w okolicach Wrocławia. Z trudem ogrzewając skostniałe ciała przy ognisku (było to zimą) wuj z siostrzeńcem zabawiali się wzajemnym docinaniem. ,,Pewnie twoja żona, Piotrze, lepiej teraz ucztuje z twoim opatem" – powiedział Władysław, robiąc aluzję do faworyzowania mnichów przez ciotkę. ,,Moja żona z moim opatem, tak jak twoja, w twojej nieobecności, ze swoim kochankiem, rycerzem niemieckim" – odpowiedział Piotr. Książę śmiał się niby z żartu, ale w głębi duszy zaniepokojony, zażądał potem wyjaśnień od żony. Ta zaś podstępna kobieta potrafiła nie tylko przekabacić męża, ale zwróciła jego gniew przeciw rzekomemu oszczercy: ponieważ nie miała czystego sumienia, znienawidziła Piotra. Okrutna egzekucja była aktem jej zemsty".

Trudno jednak wiązać przełom polityczny 1145 roku z alkowianymi plotkami. Oślepienie i obcięcie języka było zwykłą karą za zdradę. Otóż są przesłanki, wskazujące, że Piotr przeszedł na stronę juniorów i działał potajemnie w ich interesie. W okresie Bożego Narodzenia 1144 roku bawił w Magdeburgu, zabiegając tam o relikwie św. Wincentego dla fundowanego przez siebie klasztoru ołbińskiego. Przy tej okazji doszło zapewne do jego kontaktów z książętami saskimi, którzy później występowali jako sojusznicy juniorów. Uroczyste wprowadzenie relikwii do kościoła na Olbinie w czerwcu roku 1145 było okazją do zgromadzenia możnowładców, związanych z Piotrem: być może przygotowywano wspólne wystąpienie przeciw Władysławowi, o którym ktoś następnie doniósł księciu.

Wszystko to działo się jeszcze chyba przed kampanią wojenną letnich miesięcy 1145 roku. Zapewne Piotr nie brał udziału w wojnie: może też wówczas wypowiedział się wobec księcia przeciw ściąganiu obcych wojsk na własnych jego braci.

Dopiero jednak w końcu roku zdecydował się Władysław rozprawić z wujem. Obawiając się, że podniesie on otwarty bunt, wysłał do Wrocławia komornika Dobka, który podstępem porwał Piotra: sam książę ruszył w ślad za nim do Wrocławia i wydał w tamtejszym grodzie wyrok na wuja: oślepienie, wyrwanie języka, konfiskata.

Pod eskortą książęcą Piotr z rodziną został wygnany na Ruś. Wieść o jego katastrofie szerzyła się błyskawicznie po kraju, szybciej, niżby tego sobie życzył książę. Nadworny rycerz Piotra Roger (po którym jest może pamiątką nazwa wsi Rożerowo pod Trzebnicą) stał się pośrednikiem między związanymi z Piotrem magnatami (Jaksa z Miechowa, zięć Piotra, komes Mikora, Jerzy kasztelan głogowski, Janik biskup wrocławski) a obozem juniorów. Szeregi stronników Władysława topniały z dnia na dzień.

Chronologia dalszych wypadków jest sporna, ale bardziej prawdopodobne jest odtworzenie ich przez Stanisława Smolkę, za którym wypowiedział się ostatnio również Karol Buczek. Władysław postanowił działać przez zaskoczenie i mimo zimowej pory uderzył na dzielnicę Mieszka. Właśnie wrócił z Rusi syn seniora, Bolesław Wysoki, wiodąc posiłki ruskie i połowieckie. Juniorzy, zaskoczeni, schronili się w Poznaniu, który został otoczony przez wojska Władysława. Zdawać by się mogło, że nadeszły ostatnie chwile oporu juniorów, że starania Władysława o jednowładztwo zostały uwieńczone sukcesem.

Jednak właśnie pod Poznaniem doszło w początkach 1146 roku do radykalnego zwrotu w sytuacji. Przede wszystkim Kościół zwrócił się przeciw księciu; arcybiskup Jakub, mimo iż złożony chorobą, kazał się osobiście zawieźć do obozu Władysława. ,,Siedząc na małym wózku – pisze «Kronika wielkopolska» – i karcąc upomniał go pod groźbą kary bożej, aby zaniechał prześladowania braci i litując się łaskawie z powodu przelewania krwi chrześcijańskiej, hańbienia dziewic i gwałcenia żon, czego bez ustanku dopuszcza się zbrodniczo barbarzyński lud jego wojska w narodzie, z którego sam również pochodzi – aby starał się przejednać braci i odszedł do swoich ziem. A gdy on jak faraon z sercem zatwardziałym wzgardził usłuchaniem napomnień czcigodnego arcybiskupa, ten wnet skrępował go tamże więzami klątwy jako pyszałka i wroga wiary chrześcijańskiej''.

Władysław spokojnie zniósł obelgi arcybiskupa i nie dał się wyprowadzić z równowagi nawet gdy wózek odjeżdżającego prałata zaczepił o słupek namiotu i spowodował niebez-

pieczny jego upadek. Oblężenie jednak przeciągało się, a coraz liczniejsi sprzyjający juniorom magnaci zorganizowali odsiecz. Współdziałanie ich z oblężonymi doprowadziło do zaskoczenia oddziałów Władysława i do całkowitej ich klęski.

Władysław czuł się coraz bardziej osamotniony; większość dygnitarzy świeckich i kościelnych zwróciła się przeciw niemu. Pozostawiwszy żonę i dzieci w Krakowie (rychło oblężonym przez juniorów) udał się w poszukiwaniu pomocy do Czech; czeski szwagier odesłał go do króla Konrada III, który spędzał święta wielkanocne w Kaynie pod Altenburgiem. Tam Władysław złożył Konradowi uroczysty hołd, prosząc go jako zwierzchnika o pomoc przeciw braciom.

I tu się kończy aktywna rola Władysława jako aktora na scenie politycznej. Agnieszka nie obroniła Krakowa i musiała szlakiem mężowskim uchodzić z dziećmi do Niemiec. Najwierniejszy sprzymierzeniec Władysława, Wszewołod kijowski, zmarł 1 sierpnia 1146 roku, a wkrótce potem rodzina jego utraciła tron kijowski, ponownie zajęty przez spowinowaconych z polskimi juniorami Monomachowiczów. Konrad wprawdzie już w sierpniu wyprawił się na Polskę, ale pod naciskiem związanych z juniorami panów saskich, od których posiłków zbrojnych zależała cała wyprawa, zadowolił się hołdem nowego zwierzchniego księcia Polski – Bolesława Kędzierzawego i obietnicą uznania królewskiego arbitrażu w sporze piastowskim.

Do arbitrażu nie doszło: książęta polscy nie stawili się na dwór Konrada; nowe problemy, zwłaszcza krucjata, zaprzątnęły uwagę władcy Niemiec. Przekazał więc szwagrowi i siostrze swą włość w Altenburgu jako rezydencję i źródło utrzymania i polecił czekać. Syna ich, Bolesława, zabrał zapewne ze sobą na wyprawę krzyżową. Czekanie przeciągało się, jedynym urozmaiceniem były coraz bliższe kontakty rodziny wygnańców z mnichami z sąsiedniego klasztoru cysterskiego w Pforcie i z niedalekiego benedyktyńskiego Pegau.

Nowe nadzieje pojawiły się ze wstąpieniem na tron niemiecki młodego energicznego cesarza Fryderyka Barbarossy – bratanka Agnieszki. W sierpniu 1157 roku doszło wreszcie do wyprawy zbrojnej na Polskę, ale Władysław, który w lipcu tegoż roku spotkał się z cesarzem w Bamberdze, najprawdopodobniej nie wziął w niej udziału. Może był już zbyt słaby na trudy wojenne; w każdym razie nieobecność jego zaważyła na wynikach rokowań. Mimo bezwzględnej przewagi militarnej cesarz nie nalegał w rokowaniach, prowadzonych w Krzyszkowie pod Poznaniem, na przywrócenie Władysława do władzy. Spór odłożono znowu do dalszych rozmów: może Władysław był już ciężko chory i obie strony milcząco zakładały, że jego śmierć ułatwi rozwiązanie sporu?

Nastąpiła ona 30 maja 1159 roku (choć co do daty rocznej są pewne niejasności). Śląska ,,Kronika polska" podaje Pegau jako miejsce jego pochowania. Rzeczywiście, śmierć Władysława pomogła jego synom w odzyskaniu dziedzicznej dzielnicy: Bolesław Kędzierzawy był teraz prawowitym seniorem w myśl statutu Krzywoustego, mógł więc bratankom zwrócić w 1163 roku, bez obawy o swe panowanie, dzielnicę ojcowską.

Krótkie rządy Władysława były istotnie przełomowe w dziejach Polski: po raz pierwszy nie udało się po podziale kraju przywrócić jednowładztwa. Może zabrakło Władysławowi do tego zdolności politycznych i umiejętności w rządzeniu? A może nacisk potężniejącego możnowładztwa, nie życzącego sobie dalej silnej władzy centralnej, był już zbyt silny? Nie miał Władysław wielu sympatyków w historiografii, choć nie robił nic innego niż jego ojciec, dziad i dalsi przodkowie, którzy równie surowo obchodzili się z rodzeństwem i podobnie bez skrupułów sięgali po obcą pomoc przeciw braciom. Ale on nie miał szczęścia w swej walce, przegrał, a w dodatku nie zginął tragicznie, tylko żył nadal i intrygował u obcych przeciw własnemu krajowi. Gorycz swą i pretensje przekazał synom, zapoczątkowując antagonizm między najstarszą a młodszymi liniami piastowskimi.

Portal z kościoła opackiego na Olbinie we Wrocławiu

Tadeusz Wasilewski

BOLESŁAW IV KĘDZIERZAWY

Gdy Bolesławowi III Krzywoustemu urodził się syn nazwany później od swych kręconych włosów Kędzierzawym, nikt nie przypuszczał, że los przeznaczył mu panowanie. Był dopiero czwartym synem Krzywoustego, a trzecim z jego drugiego małżeństwa z Niemką Salomeą, hrabianką Bergu. Jeśli nawet stronnictwo księżnej Salomei pragnęło zapewnić następstwo tronu jej synowi pomijając jej pasierba, urodzonego z Rusinki Władysława, to kandydatami byli dwaj starsi synowie Salomei: Leszek urodzony w 1115/1116 roku i Kazimierz Starszy urodzony w 1122 roku. Dopiero ich zgony poprzedzające postanowienia testamentowe Bolesława Krzywoustego skierowały uwagę opozycji możnowładczej na młodziutkiego, trzynastoletniego w roku śmierci ojca, Bolesława. Ojciec wyznaczył mu w testamencie Mazowsze z częścią Kujaw. Trzynastoletni książę, jak poucza przykład jego ojca, mógł być uznany za mającego lata sprawne, to jest pełnoletniego, zwłaszcza że już od roku przebywała z nim razem na dworze książęcym księżniczka Wierzchosława, córka Wsiewołoda Mścisławicza, księcia Wielkiego Nowogrodu, a prawnuczka słynnego Włodzimierza Monomacha. Przybyła ona do Polski mając zaledwie około dziesięciu lat, aby poślubić Bolesława po dojściu obojga do pełnoletności.

Uznanie go księciem pełnoletnim opóźniał jednak nowy władca Polski (od 1138 r.), starszy przyrodni brat Władysław II, pierwszy senior na mocy ,,testamentu" ojca. Władysław II, według kronikarza mistrza Wincentego Kadłubka, ulegał we wszystkim swej żonie Agnieszce, margrabiance austriackiej, przyrodniej siostrze króla Niemiec Konrada III Hohenstaufa, a ona usposabiała go wrogo do braci. Władysław ,,z okrutną zaciekłością prześladuje małoletnich jeszcze braciszków, a zająwszy ich miasta postanawia ich wydziedziczyć. Ci pokornymi prośbami starają się przejednać wolę nieubłaganej kobiety i więcej łzami niż wymową usiłują coś wskórać".

O losie młodszych braci Władysława zadecydowała postawa możnowładztwa polskiego, które wystąpiło w ich obronie. Na czele obozu juniorów stanęli arcybiskup gnieźnieński Jakub i komes Wszebor, były palatyn Bolesława Krzywoustego, pozbawiony tej godności przez Władysława. Został on palatynem u boku młodego Bolesława Kędzierzawego i głównym dowódcą armii juniorów.

Zimą 1141/1142 roku Wszebor i dwaj młodzi książęta, Bolesław i Mieszko, rozbili w krwawej bitwie nad Pilicą połączone oddziały księcia seniora Władysława II oraz jego ruskich i pruskich sprzymierzeńców, zmuszając tym brata do rezygnacji z jego planów zjednoczenia kraju. W lipcu 1144 roku zmarła matka juniorów, księżna Salomea, a Władysław II sięgnął po spadek po niej atakując ponownie w roku następnym obu juniorów. Tym razem pokonał ich oddziały nad dolnym Nerem lub pobliską Bzurą, zdobył cztery grody, a w roku 1146 wznowił działania wojenne i obległ ostatni poważniejszy punkt oporu juniorów w zachodniej części państwa – Poznań, stolicę dzielnicy wielkopolskiej Mieszka. Sędziwy arcybiskup Jakub polecił się wówczas zawieźć na wózku do obozu księcia-seniora wzywając go do zaprzestania wojny domowej prowadzonej przy pomocy pogańskich Prusów, a gdy napomnienia nie odniosły skutku, uroczyście wyklął Władysława.

Młodzi książęta przygotowywali w tym czasie odsiecz. Na polecenie popędliwego, bardziej porywczego od Bolesława, Mieszka, wierne im oddziały podjęły wojnę podjazdową przeciwko siłom seniora, a następnie napadły niespodzianie na jego obóz i przy pomocy oblężonych obrońców Poznania rozbiły wojsko Władysława II. Klęska pod Poznaniem była punktem zwrotnym wojny domowej. Władysław II udał się po pomoc do Niemiec, a juniorzy zdobywając gród po grodzie dotarli aż do Krakowa zmuszając księżnę Agnieszkę do kapitulacji i udania się w ślad za mężem, tym razem już na wieczyste wygnanie.

Tron seniora i zarząd dzielnicy śląskiej objął Bolesław Kędzierzawy, palatynem jego dworu został zwycięski Wszebor. Mistrz Wincenty Kadłubek wysławiał w swej kronice niesłychaną łaskawość zwycięskiego Bolesława, który obdarzył Mieszka i Henryka ,,także tymi dzielnicami, które im się nie należały", a Kazimierza ,,wychowywał w swoim domu jak syna". Nie wiemy niestety, na czym polegała ta niezwykła szczodrobliwość nowego seniora. Mieszko, być może, dostał jakieś ziemie na pograniczu Wielkopolski i Kujaw, a Henryk całą późniejszą Sandomierszczyznę, może nawet z grodami należącymi wcześniej do prowincji łęczyckiej.

Wydzieleniu nowych dzielnic towarzyszyła ogólna reorganizacja zarządu krajem, który pokryła gęstsza niż uprzednio sieć grodów kasztelańskich. W związku z tą działalnością Wszebor wzniósł w 1151 roku w Koninie słup wyznaczający połowę drogi między dwoma grodami kasztelańskimi należącymi do Bolesława – kujawską Kruszwicą i wielkopolskim Kaliszem.

Wojna zakończona wewnątrz kraju przeniosła się na arenę dyplomatyczną. Wypędzony Władysław II nie ustawał w zabiegach o powrót na tron ojcowski, a posiadał poparcie króla Konrada III i księcia Czech Władysława. Zgodę Konrada III na wyprawę do Polski uzyskał już w kwietniu 1146 roku na zjeździe w Kainie. Na wyprawę wyruszył król niemiecki w sierpniu 1146 roku, powstrzymała go jednak rzeka Odra broniąca skutecznie zachodnich granic Polski. Nie mogąc przebyć jej brodów, umiejętnie bronionych przez Polaków, król Konrad III nawiązał z nimi rokowania, po czym wycofał się z Polski za cenę okupu pieniężnego i obietnicy stawiania się na jego dworze na wezwanie. W następnym roku wyruszył król Konrad III na wyprawę krzyżową, nie mógł przeto przyjść szwagrowi i siostrze z pomocą.

Również nowy senior nie zaniedbywał prowadzenia akcji propagandowej na zachodzie

Tzw. kielich Dąbrówki z Trzemeszna

Europy w obronie swej sprawy. Episkopat polski uzyskał od papieża Eugeniusza III potwierdzenie klątwy rzuconej na Władysława II, a przybyły do Polski jego legat, kardynał Humbold, potwierdził 31 maja 1147 roku nadania młodych książąt dla klasztoru benedyktyńskiego w Trzemesznie, legalizując tym samym świeżą zmianę na tronie senioralnym. W celu pozyskania margrabiów niemieckich wysłał Bolesław Kędzierzawy brata swego Mieszka, podobno na czele aż 20 tys. krzyżowców, na krucjatę organizowaną przez margrabiów: Albrechta Niedźwiedzia i Konrada miś-

Słup drogowy Wszebora w Koninie

nieńskiego przeciwko Słowianom, która dotarła aż do Szczecina. Sam Bolesław wyprawił się w tym czasie przeciwko pogańskim Prusom, niedawnym sprzymierzeńcom Władysława Wygnańca. Sojusz z Albrechtem Niedźwiedziem umocnił Bolesław w rok później w czasie uroczystego zjazdu w Kruszwicy w styczniu 1148 roku, na którym syn Albrechta Otto poślubił siostrę Bolesława Judytę. Utrwalił w ten sposób nowy senior swe stanowisko międzynarodowe kosztem niekorzystnych ustępstw na rzecz Niemców na Pomorzu Zachodnim i w ziemi Wieletów, podbijanej przez Albrechta Niedźwiedzia. Wprawdzie około 1157 roku poparł zbrojnie wraz z bratem Mieszkiem księcia Jaksę z Kopaniku, który walczył z margrabią Albrechtem Niedźwiedziem o gród Brennę, lecz była to pomoc słaba i trwająca krótko, gdyż 11 czerwca 1157 roku margrabia zdobył gród tworząc na zdobytych ziemiach Marchię Brandenburską, w przyszłości groźnego wroga Polski.

Akcje dyplomatyczne Bolesława skutecznie paraliżowała w Niemczech jego bratowa, księżna Agnieszka. Na jej prośby wysłał papież do Polski nowego legata, swego kanclerza Gwidona, który na przełomie 1148/1149 roku zażądał restytucji Władysława, po odmowie rzucił na juniorów klątwę, a na cały kraj interdykt, po czym zaapelował do króla Niemiec, Konrada III, o przywrócenie siłą tronu Władysławowi. Papież Eugeniusz III zatwierdził wszystkie posunięcia swego legata.

Konrad III, powstrzymywany przez margrabiów Albrechta Niedźwiedzia i Konrada, na interwencję w Polsce nie zdobył się, a w lutym 1152 roku zmarł nie przeprowadziwszy nawet swej koronacji na cesarza.

Interwencję podjął dopiero jego następca, cesarz Fryderyk I Barbarossa, aby ugruntować rzeczywistą władzę cesarską nad Polską, trak-

Denar Bolesława Kędzierzawego (awers i rewers)

towaną jako kraj trybutarny lub lenny. Przebieg jej opisał w liście do opata Wibalda.

Gdy Bolesław Kędzierzawy odmówił restytucji brata Władysława na tronie, wyruszył cesarz w początku sierpnia 1157 roku na Polskę wspólnie z czeskim księciem Władysławem II, który według mistrza Wincentego ,,podżegał nienawiść Rudego Smoka (tj. cesarza Rudobrodego – przyp. T.W.) do Bolesława''. Tym razem zastosowali książęta-juniorzy odmienną od tradycyjnej taktykę obrony. Być może zabrakło im doświadczonego dowódcy, gdyż palatyn Wszebor zmarł przed 1153 rokiem, a Bolesław Kędzierzawy nie próbował, wbrew dawnej tradycji, bronić grodów położonych nad Odrą: Głogowa, Bytomia i innych, lecz polecił je spalić. Zastanawiano się już nieraz nad przyczynami, które wywołały ów desperacki krok, wymieniając moment zaskoczenia lub wieloletni brak dbałości o obronność grodów położonych na Śląsku. Były to jednak tylko względy uboczne, gdyż zasadniczym powodem załamania się linii obrony na Odrze był szybki na owe czasy postęp techniki wojskowej. Stare, nizinne, drewniano-ziemne grody przestały już spełniać swe zadania obronne i w następnych dziesięcioleciach zastępowano je coraz powszechniej, również w Polsce, murowanymi zamkami wznoszonymi na innych, przeważnie wyżej położonych miejscach.

Nie powstrzymywane przez załogi grodów wojska cesarskie przekroczyły nie bronioną po raz pierwszy Odrę 22 sierpnia 1157 roku i paląc i niszcząc kraj dotarły bez przeszkód aż w okolice Poznania. Przerażony Bolesław zwrócił się do księcia Czech Władysława o pośrednictwo i przy jego pomocy uzyskał upokarzające wprawdzie, lecz dość dogodne dla siebie warunki ugody. Przybywszy do obozu cesarskiego przysiągł w imieniu swoim i narodu, że wypędzając starszego brata Władysława nie zamierzano obrazić majestatu cesarskiego. Obiecał zapłacić cesarzowi 2000 grzywien srebra, książętom Rzeszy niemieckiej 1000, dworzanom 200, a ponadto 20 grzywien złota cesarzowej jako karę za niestawiennictwo przed obliczem cesarza na wezwanie i niezłożenie hołdu lennego. Zaprzysiągł ponadto stawić się w Magdeburgu na sejm Rzeszy na Boże Narodzenie 1157 roku, aby odpowiedzieć tam na zarzuty stawiane mu w sprawie brata, a następnie wziąć udział w wyprawie włoskiej cesarza. Dla zabezpieczenia tych warunków ugody wydał księciu czeskiemu zakładników, wśród których znalazł się jego najmłodszy brat Kazimierz.

Złożył następnie cesarzowi w Krzyszkowie pod Poznaniem, upadłszy mu do nóg, hołd lenny. Wystąpił wówczas, według kroniki cze-

Kościół Kanoników Regularnych w Czerwińsku

skiej, boso, z mieczem uwiązanym na szyi. Zaprzysiągł wierność, po czym, przywrócony do łaski, odebrał od Fryderyka I pocałunek pokoju. Polska stawała się lennem cesarskim za cenę uznania Bolesława jej władcą. Władysław II Wygnaniec i jego synowie mogli odtąd oczekiwać co najwyżej zwrotu swego dziedzicznego Śląska.

Władysław nie doczekał jednak powrotu nawet na Śląsk; zmarł w 1159 roku. Śmierć jego utorowała drogę do kraju jego trzem synom: Bolesławowi Wysokiemu, Mieszkowi Plątonogiemu i Konradowi; nie mogli oni jednak, jako młodsi od Bolesława i Mieszka przedstawiciele dynastii piastowskiej, pretendować do tronu seniora w Krakowie. W zamian za oddanie Śląska uzyskał Bolesław Kędzierzawy zwrot zakładników przebywających w Niemczech od 1157 roku.

Bolesław Kędzierzawy nie zwrócił Władysławowicom całej dzielnicy śląskiej; nie oddał im mianowicie kilku najważniejszych grodów, w których trzymał nadal swe załogi. Pokrzywdzeni bratankowie wystąpili w 1166 roku z bronią w ręku i przy pomocy rycerstwa niemieckiego zdobyli zatrzymane przez seniora grody i toczyli z nim ze zmiennym szczęściem dalsze walki. Mistrz Wincenty porównał ich z powodu wojowniczości i zdolności wojskowych do ,,lwich szczeniąt, obezwładniających zaciekłość tygrysów''. Seniorowi udało się wygnać Bolesława Wysokiego przy pomocy skłóconego z nim Mieszka dopiero w 1172 roku. Bolesław Wysoki zwrócił się wówczas o pomoc do cesarza Fryderyka I, który w 1173 roku podjął drugą wielką wyprawę do Polski. Pamiętający dobrze lekcję krzyszkowską Bolesław natychmiast powtórzył zapewnienia wierności, zwrócił cały Śląsk wraz z Ziemią Lubuską bratankom i zapłacił cesarzowi, łagodząc jego gniew, karę w wysokości 8000 grzywien srebra, poniżając raz jeszcze godność księcia Polski. Była to ostatnia wyprawa cesarska przeciw Polsce, odtąd walczyli z nią jedynie niemieccy władcy pogranicznych marchii.

Podobnie jak większość władców piastowskich również Bolesław uposażał fundacje kościelne swych przodków i swych dygnitarzy. Benedyktynom w Trzemesznie nadał wspólnie z bratem Mieszkiem kaplicę Panny Marii w Górze pod Łęczycą, a w 1143 roku z okazji konsekracji kościoła nadał klasztorowi Panny Marii i św. Wincentego we Wrocławiu dwie kaplice, prawo odbywania ośmiodniowego targu, karczmę we Wrocławiu i targ w Kostomłotach. W okresie jego panowania i przy jego czynnym poparciu biskup płocki Aleksander z Malonne ufundował, zapewne w 1151 roku, klasztor kanoników regularnych w Czerwińsku nad Wisłą. Wspaniałą trójnawową bazylikę romańską wzniesioną z kamienia wyświęcono około 1160 roku, a 21 maja 1161 roku na wiecu w Łęczycy książę nadał nowemu klasztorowi cztery wsie i ludzi niewolnych. Wiec łęczycki odbył się z okazji konsekrowania wspaniałej kolegiaty romańskiej pod wezwaniem Panny Marii i św. Aleksego (dziś w Tumie pod Łęczycą). Zatwierdzał również Bolesław na wiecach w obecności licznych świadków i nadawał jako książę zwierzchni zwolnienia immunitetowe licznym fundacjom swych braci Mieszka i Henryka i najwybitniejszych możnowładców: arcybiskupa Janika Gryfity w Brzeźnicy, późniejszym Jędrzejowie, dla cystersów sprowadzonych wówczas do Polski, Zbyluta „obywatela polskiego" z rodu Pałuków, założyciela opactwa cysterskiego w Łeknie, i wreszcie księcia Jaksy, niefortunnego kandydata do tronu w Brennie i słynnego krzyżowca, który sprowadził w 1163 roku do podkrakowskiego Miechowa kanoników regularnych Stróży Grobu Chrystusowego w Jero-

Głowica ościeża portalu głównego kościoła w Czerwińsku

zolimie (tzw. bożogrobców). Mimo wojen domowych i ponoszonych klęsk panowanie Bolesława Kędzierzawego zaznaczyło się w dziejach niezwykle ożywioną działalnością fundacyjną i budowlaną, której rezultaty przetrwały do dnia dzisiejszego budząc podziw swym rozmachem i monumentalnością.

Bolesław walczył nie tylko o tron seniora i Śląsk, lecz organizował również w interesie własnej dzielnicy kujawsko-mazowieckiej zbrojne wyprawy przeciwko pogańskim Prusom. Główna wyprawa podjęta w roku 1166 zakończyła się całkowitym rozbiciem rycerstwa polskiego, które Prusowie wciągnęli do zasadzki unieruchamiając je między bagnami i jeziorami. Sam Bolesław jedynie z niedobitkami zbiegł z pola bitwy, na którym poległ książę Henryk (chociaż według innych przekazów zmarł on w tymże samym roku śmiercią naturalną). Wbrew temu, co pisze mistrz Wincenty o niezwykłej wprost szczodrobliwości Bolesława wobec braci, postępek jego w stosunku do Kazimierza świadczy o czymś wręcz przeciwnym, gdyż senior krakowski odebrał Kazimierzowi większą część zapisanej mu w testamencie przez Henryka dzielnicy sandomierskiej. Rządy jego i stałe niepowodzenia militarne wywołały w końcu tak żywe niezadowolenie, że znaczna część możnowładztwa i rycerstwa postanowiła zrzucić go w 1172 roku z tronu. Do wybuchu buntu nie doszło jedynie dlatego, że upatrzony przez spiskowców na następcę książę Kazimierz odmówił im swego poparcia.

Umierając jesienią 1173 roku, w czterdziestym dziewiątym roku życia, pozostawił Bolesław swemu następcy Mieszkowi państwo jeszcze silne i podporządkowane zwierzchniemu władcy. Nie pozostawił natomiast dziedzica zdolnego objąć w przyszłości tron polski, gdyż jego syn starszy Bolesław zmarł w 1172 roku, licząc zaledwie szesnaście lat życia, a młodszy małoletni syn Leszek urodzony po 1160 roku z drugiej żony Marii, znanej nam jedynie z imienia, był słabego zdrowia i nie wróżono mu długiego życia. Ojciec osadził go na dzielnicy kujawsko-mazowieckiej i wyznaczył jako opiekuna brata Kazimierza.

Bolesława Kędzierzawego przedstawił nam mistrz Wincenty Kadłubek jako władcę niezbyt energicznego, a czasem nawet bezwolnego. Podobną ocenę przekazują nam obcy kronikarze, a także rocznikarze polscy, czescy i niemieccy opisujący najważniejsze wydarzenia jego panowania, a wśród nich także klęski ponoszone w wojnach z Niemcami, Prusami, a nawet własnymi bratankami. Być może na jego negatywną ocenę wpłynęło porównanie tego przeciętnego władcy z wybitnym następcą Mieszkiem Starym. Wbrew rozpowszechnionej opinii Polska w okresie panowania Bolesława Kędzierzawego, nawet pod rządami miernego księcia seniora, była państwem jednolitym, a nie rozbitym, mimo że na jej czele stało aż trzech książąt piastowskich – obok seniora także Mieszko i Henryk, a później Kazimierz. Wszyscy trzej nosili tytuły książąt jednej tylko Polski, a nie tytuły utworzone od ich dzielnic. Jedynie Śląsk pod rządami Władysławowiców utworzył odrębne księstwo dzielnicowe. Utrzymała również Polska w okresie panowania Bolesława Kędzierzawego, mimo hańby krzyszkowskiej, swą faktyczną niezależność od Niemiec.

Michał Tymowski

HENRYK SANDOMIERSKI

Henryk Sandomierski nie został nigdy zwierzchnim władcą całej Polski, nie walczył nawet o tytuł i władzę princepsa. Jeżeli więc pamięć o nim funkcjonuje w polskiej świadomości historycznej, a postać jego budzi zainteresowanie, to przede wszystkim dzięki wyprawie tego księcia do Jerozolimy. Czyn ten wyróżnia go wśród innych wczesnośredniowiecznych Piastów. Co skłoniło go do dalekiej wyprawy? Jaki był ten książę, który wybrał sobie inną od pozostałych braci drogę życia? Tajemnicze koleje losu Henryka i nieznane motywy jego działania pobudzały wyobraźnię, wywoływały chęć wypełnienia luk pozostawionych przez szczątkowy materiał źródłowy artystyczną wizją przeszłości i literacką rekonstrukcją zamierzeń, dokonań oraz psychiki Henryka. Tak właśnie przedstawił nam postać księcia Jarosław Iwaszkiewicz w ,,Czerwonych tarczach''.

Także historyk odtwarzać musi dzieje Henryka z drobnych faktów, zanotowanych wyrywkowo przez nieliczne źródła XII wieku. Nic więc dziwnego, że obok paru tylko wniosków i wiadomości pewnych obracać się będziemy wśród hipotez i domysłów.

Kiedy w roku 1138 zmarł Bolesław Krzywousty, jego syn Henryk był jeszcze małym chłopcem. Ale nawet data urodzin Henryka nie jest pewna. Dopiero w XV wieku zanotował ją Długosz, podając rok 1132. Dziś nie wiadomo, czy kronikarz opierał się przy tym na tekście zaginionego obecnie rocznika, czy też odtworzył tę datę na podstawie informacji pośrednich. Musimy więc i my rozważyć okoliczności życia rodziny Bolesława Krzywoustego i późniejsze koleje losu Henryka, aby ustalić, przynajmniej hipotetycznie, rok urodzenia księcia.

Matką Henryka była księżna Salomea, córka Henryka hrabiego Bergu, po którym zresztą nasz książę nosił imię. Salomea była drugą żoną Bolesława Krzywoustego, poślubioną zapewne w 1115 roku. Małżeństwo układało się szczęśliwie; mamy wzmianki o jedenaściorgu dzieciach tej pary. Nie wszystkie one przeżyły wiek dziecięcy; nawet w rodzinie książęcej śmiertelność niemowląt i małych dzieci była duża. Wśród synów Salomei, przyszłych książąt polskich, najstarszy był Bolesław, urodzony w 1125 roku, po nim szedł Mieszko (1126), wreszcie Henryk i najmłodszy Kazimierz (1138). Ponieważ córka Salomei, Agnieszka, urodziła się w 1137 roku, Henryk musiał ujrzeć światło dzienne pomiędzy rokiem 1127 a 1136. Oswald Balzer w swej ,,Genealogii Piastów'' zacieśnia ten okres do lat 1127–1131. Gerard Labuda przyjmuje za prawdopodobną datę Długosza (1132), zaś ostatnio Karol Buczek lata 1130–1132.

W każdym razie w chwili śmierci ojca Henryk był jeszcze nieletni. Wiek sprawny rozpoczynał się bowiem w średniowieczu najwcześniej w dwunastym roku życia, z tym że przekazanie władzy następowało po osiągnięciu tego wieku stopniowo i, jak twierdzi historyk prawa Władysław Sobociński, zależnie od rzeczywistej zdolności młodego księcia do sprawowania trudnych obowiązków panującego. Nie ulega więc wątpliwości, że w roku 1138 Henryk nie mógł przejąć osobiście władzy w księstwie sandomierskim (wraz z Lublinem i Wiślicą). W związku z taką sytuacją zastępowała go chyba w rządach księżna Salomea, która ponadto władała wyznaczoną jej w dożywocie, wyłączoną z dzielnicy senioralnej, Łęczycą wraz z okręgiem.

Inaczej interpretuje niejasny okres małoletności Henryka Gerard Labuda. Uważa on, że Salomea otrzymała księstwo łęczycko-sieradzkie nie tylko jako wdowie dożywocie (na wydzielenie Łęczycy z dzielnicy senioralnej zgadzają się wszyscy), ale jako przyszłe uposażenie młodocianych jeszcze Henryka i Kazimierza. Sandomierszczyzna znajdowałaby się więc pod władzą seniora jako część Małopolski i dopiero po wygnaniu Władysława (1146) zwycięscy bracia dokonaliby zupełnie nowego podziału, wyznaczając Henrykowi jego dzielnicę.

Spór ten rozstrzygnąć może sam Henryk Sandomierski, który w dokumencie wystawionym u schyłku życia rozkazał napisać: ,,Ja, Henryk, z Bożej łaski syn Bolesława księcia Polski, z majątku, który z woli i łaski ojca za życia posiadałem [...] daję...'' Nie jest tam powiedziane, że ojciec przekazał mu księstwo sandomierskie, ale nadanie Henryka obejmuje wsie leżące właśnie na terenie tego dziedzictwa. Wyznaczenie więc Henrykowi dzielnicy sandomierskiej już w roku 1138 wydaje się najbardziej prawdopodobne. Inna sprawa, że władzę nad księstwem przejął on późno, nawet nie w chwili śmierci matki (1144), pod której opieką się wychowywał, gdyż walka o władzę, jaka toczyła się między seniorem Władysławem a dorosłymi Bolesławem i Mieszkiem, narażałaby niedoświadczonego Henryka na zbyt wiele niebezpieczeństw.

Zapewne więc dopiero po wygnaniu Władysława zwycięski Bolesław zezwolił Henrykowi na samodzielne rządy. Czy nastąpiło to już w 1146 roku, czy przez pewien jeszcze czas Kędzierzawy opiekował się Henrykiem i jego dzielnicą – nie wiemy z całą pewnością. W każdym razie jeszcze w dokumencie legata papieskiego kardynała Humbalda, datowanym na 2 marca 1146 roku, tytuły książęce noszą tylko Bolesław i Mieszko, zaś młodsi, Henryk i Kazimierz, określeni są jako bracia książęcy.

Henryk nie odznaczył się niczym szczególnym, gdy w sierpniu 1146 roku król Konrad III zorganizował wyprawę na Polskę i próbował przywrócić władzę seniora Władysławowi Wygnańcowi. Natomiast w 1149 roku Henryk Sandomierski wraz z bratem Bolesławem wziął udział w wyprawie zbrojnej na Włodzimierz Wołyński i Łuck. Oddziały polskie udzieliły wtedy pomocy sojusznikowi, księciu Izasławo-

Posadzka krypty kościoła w Wiślicy

Fragment dokumentu Henryka Sandomierskiego dla joannitów w Zagości

wi, który walczył z innymi pretendentami do tronu kijowskiego.

O kilku następnych latach życia Henryka nie wiemy nic. Pojawia się dopiero wraz ze starszymi braćmi jako jeden ze świadków w dokumencie wystawionym pomiędzy 25 marca 1152 a 24 marca 1153 roku uwierzytelnionym przez arcybiskupa gnieźnieńskiego Jana, a zatwierdzającym fundację klasztoru cystersów w Łeknie, dokonaną przez możnowładcę Zbyluta. Mówi się tam nadal o Henryku jako o rodzonym bracie (*frater germanus*) książęcym.

Tytulatura używana przez księcia Henryka jest bardzo skromna. Nawet wtedy, gdy osiągnął już godność książęcą, zadowalał się określeniem ,,syn księcia Bolesława", ,,brat". Jest to oczywiście wyraz zależności od Bolesława Kędzierzawego, sprawującego zwierzchnictwo princepsa, lecz zapewne i wyraz osobistych zapatrywań Henryka na własną władzę i uprawnienia. Mieszko Stary, także młodszy od Bolesława, używał tytulatury książęcej. Henryk natomiast nie pragnął wybić się ponad braci, na co wskazuje owa skromna tytulatura.

W roku 1154 Henryk wyruszył jako krzyżowiec w pielgrzymkę do Jerozolimy. Wiadomość o jego wyprawie i pobycie w Ziemi Świętej zanotowały polskie roczniki: *Henricus dux Sandomiriensis ivit Ierusalem.* O pobycie księcia na dworze króla jerozolimskiego Baldwina III i o walkach z niewiernymi nie wiemy wprawdzie nic konkretnego, ale słowa Długosza brzmią prawdopodobnie: ,,Spędziwszy tam cały rok, kiedy padła część jego żołnierzy, częściowo w tych walkach, częściowo wskutek niedogodnego klimatu, wrócił zdrowy do kraju. Zarówno jego bracia Bolesław i Mieczysław jak i wszyscy panowie polscy przyjęli go z ogromną czcią i szczególną radością".

Trzeba sobie zdać sprawę z tego, jak trudnym przedsięwzięciem była taka wyprawa dla człowieka żyjącego w warunkach kulturowych i klimatycznych dwunastowiecznej Polski. W podjęciu jej pomagała zapewne księciu jego silna wiara. Był to zarazem czyn wyjątkowy. Rezerwa, z jaką w Polsce odnoszono się do krucjat, związana była z wewnętrzną sytuacją kraju, zasadniczo odmienną od sytuacji państw Europy zachodniej. W Polsce XII wieku wzrost gospodarczy i brak rąk do pracy przyciągały raczej ludzi z zewnątrz, niż skłaniały kogokolwiek do wyjazdu. Henryk, a później w 1162 roku możnowładca Jaksa są więc w Polsce nielicznymi znanymi krzyżowcami, w okresie gdy większość polskich władców i możnych pragnęła pozostać i działać na miejscu.

Po powrocie z Ziemi Świętej Henryk, człowiek dotąd niedoświadczony, zdany na opiekę braci, stał się księciem otoczonym szacunkiem i uznaniem za dokonane czyny. A jednak w 1161 roku, gdy wraz z bratem Bolesławem Kędzierzawym czynił dary klasztorowi w Czerwińsku, użył znanej nam już, skromnej tytulatury „Ego [...] Henricus eiusdem Boleslai frater germanus...". Czuł się więc nadal jedynie bratem princepsa i brak żądzy władzy uznać możemy za stałą cechę charakteru Henryka. Dla porównania dodajmy, że w tymże dokumencie wymieniony jest wśród świadków jako książę Polski najmłodszy z braci, Kazimierz Sprawiedliwy.

O działalności Henryka w czasie najazdu cesarza Fryderyka Barbarossy na Polskę (1157) i podczas rokowań oraz hołdu Bolesława Kędzierzawego w Krzyszkowie nie mamy żadnych wiadomości.

Wśród wszystkich czynów Henryka Sandomierskiego najlepiej znana jest fundacja klasztoru i szpitala joannitów w Zagości. Dokument wystawiony przez księcia, zawierający obszerny opis majątku, wraz z późniejszymi dokumentami Kazimierza Sprawiedliwego i Bolesława Wstydliwego, stał się podstawą znakomitej, klasycznej dziś pracy Kazimierza Tymienieckiego o tamtejszej majętności książęcej.

Dokument Henryka nie ma daty. Ale książę wspomina w nim, że już dawno obiecał wybudować szpitalnikom kościół, lecz zwiedziony marnościami tego świata, nie uczynił tego, czego mógł dokonać. Jest więc najbardziej prawdopodobne, że Henryk sprowadził joannitów do Polski, gdy wracał z Ziemi Świętej, i obiecał im sowite uposażenie, lecz z wykonaniem obietnicy zwlekał długo, aż do chwili, gdy przystąpił do organizowania niebezpiecznej wyprawy zbrojnej na pogańskich Prusów. Nie wiedząc, czy wróci z tej wyprawy, która nastąpiła jesienią 1166 roku, Henryk dokonał odwlekanej długo fundacji.

Joannici otrzymali dwie duże włości: Zagość i Boreszowice, leżące w dolinie Nidy, na północ od Wiślicy. W majątku, przed nadaniem, dominowała gospodarka hodowlana. Ale w chwili przekazywania włości joannitom Henryk sprowadził do Zagości dziesiętników, którzy mieszkali niegdyś w pobliskim Chrobrzu, potem przeniesieni byli przez Bolesława Kędzierzawego na Kujawy, a przed reorganizacją włości ponownie osadzeni zostali przez Henryka nad Nidą. Co zaś najważniejsze, zarówno tym niewolnym wieśniakom, jak niektórym służebnikom przyznał książę prawa specjalne, postanawiające, że: „Chrobrzanie zaś i złotnicy [pozostają tam] zwyczajem wolnych gości, z tym tylko, że nigdy nie będą mogli opuścić wymienionego majątku".

Książę okazał się dobrym gospodarzem. W Polsce XII wieku postęp gospodarczy związany był z feudalizacją systemu, ukształtowaniem się wielkiej własności feudalnej z jednej strony i z określeniem powinności chłopów poddanych z drugiej. Poza różnymi grupami chłopów zależnych istniała także w Polsce XII wieku ludność chłopska wolna osobiście, lecz nie mająca ziemi. Tych wolnych przybyszów, zwanych liberi hospites, czyli wolni goście, osadzano w majątkach ziemskich, a ich powinności ustalano w umowie. Po wypełnieniu obowiązków, mogli odejść z majątku feudała.

Szybko okazało się, że system ten i osadzanie ludzi na prawie wolnych gości (*more liberorum hospitum*) jest korzystne, gdyż ludzie ci, znając granice swych obowiązków i wiedząc, ile wyniosą dla siebie ze swej pracy, pracują lepiej niż wieśniacy niewolni. Dlatego właśnie, ze względu na dobrze pojęty własny interes, warto było feudałowi również niewolnych rolników osadzać na prawie wolnych gości, z tym tylko zastrzeżeniem, że nie mogą oni porzucić włości, w której mieszkają. Tak właśnie uczynił książę Henryk Sandomierski z dziesiętnikami z Chrobrza i złotnikami osadzonymi we włości zagojskiej ofiarowanej joannitom. Rycerski krzyżowiec objawił się tutaj jako nowoczesny zarządca i organizator dóbr ziemskich.

Dzięki fundacji Henryka Sandomierskiego w Zagości, w XII wieku, ale zapewne już po śmierci księcia, powstał jeden z najbardziej oryginalnych polskich kościołów romańskich. Dziś jest to budowla wielokrotnie przebudowana – w czasach gotyku oraz na przełomie XIX i XX wieku. Zachowały się jednak i odkryte zostały w 1962 roku fragmenty kościoła romańskiego, które pozwalają odtworzyć zarówno jego bryłę, jak i niezwykły w Polsce wystrój architektoniczny i rzeźbiarski. Historycy sztuki widzą związki tej budowli z architekturą Lombardii. Jest to więc wymowne świadectwo zasług Henryka Sandomierskiego w przenoszeniu do Polski najlepszych wzorów architektury średniowiecznej Europy.

Z osobą i otoczeniem Henryka wiąże się także fundację romańskiego kościoła w Wiślicy, którego fundamenty odkryte zostały w czasie powojennych badań archeologicznych. Niestety brak jakichkolwiek źródeł wskazujących bezpośrednio na Henryka jako fundatora powoduje, że domysł ten nie może być poparty żadnym dowodem. Jeszcze bardziej tajemni-cze jest powstanie w Opatowie wspaniałej romańskiej bazyliki, dziś jednej z najbardziej okazałych budowli romańskich w Polsce. Powstała ona około połowy XII wieku, na terenie księstwa sandomierskiego, lecz o tym, jaki był związek tej fundacji z polityką księcia, nie wiemy zupełnie nic, choć przecież tak wielkie przedsięwzięcie nie mogło być obojętne dla tego władcy.

Dorobek środowiska skupionego wokół Henryka Sandomierskiego w innych dziedzinach kultury wydaje się także istotny, chociaż znany nam zbyt mało. Zdani tu jesteśmy tylko na przypuszczenia i żadna z hipotez nie może stać się pewnikiem. Długosz kończąc rozdział o pielgrzymce Henryka napisał: ,,Dzięki jego opowiadaniom zaczęły się szerzyć i rozpowszechniać wiadomości o stanie, położeniu i organizacji Ziemi Świętej oraz o zawziętych i krwawych walkach prowadzonych z barbarzyńcami w jej obronie''. Bez wątpienia podróż Henryka była dla kultury polskiej doświadczeniem nowym.

W czasie swojego pobytu w Jerozolimie Henryk zetknąć się mógł z rycerstwem nadciągającym tam z najróżniejszych stron Europy. W specyficznej atmosferze krzyżowej cechy kultury rycerskiej ulegały wzmocnieniu, objawiały się z większym napięciem. Stawały się one wyraźniejsze i bardziej czytelne dla obserwatora, gdy widział je na tle kultury muzułmańskich przeciwników krzyżowców, a nawet na tle kultury bizantyjskiej. Dlatego właśnie pielgrzymka Henryka stała się okazją do poznania i przyswojenia w kraju elementów europejskiej kultury śródziemnomorskiej. Dotyczyło to nie tyko architektury, ale także twórczości literackiej. Mamy wskazówki, które pozwalają przypuszczać, że Henryk i jego otoczenie okazję tę starali się wykorzystać. Oto w spisanej na przełomie XIII i XIV wieku ,,Kronice wielko-

Fryz kościoła w Zagości

polskiej" znalazła się opowieść o Walterze z Tyńca i Wisławie z Wiślicy. Są to właściwie dwa odrębne wątki literackie, związane z dziejami dwu bohaterów, połączone jednak dzięki postaci Helgundy – żony Waltera i kochanki Wisława. Rycerski charakter opowieści o Walterze przywodzi na myśl obyczajowość panów zachodnioeuropejskich. Zakochany w Helgundzie, córce króla Franków i narzeczonej księcia Alemanów „Walter [...] pewnej nocy wspiął się na mury grodu [...] i tak słodko i głośno śpiewał, że na miły dźwięk jego głosu, zbudzona ze snu królewna, wyskoczywszy z łoża [...] zasłuchana w przemiły śpiew czekała, dopóki śpiewak zawodził dźwięcznym głosem [...]. Gdy strażnik wyznał, że to Walter śpiewał, ona pałając gorącą miłością do niego, przychyliła się zupełnie do jego pragnień, całkiem wzgardziwszy królewiczem alemańskim". Później Walter porywa swą wybrankę, zwycięża w pojedynku ścigającego zakochaną

parę księcia Alemanów i uwozi Helgundę do swego zamku w Tyńcu.

Późniejsze losy Helgundy, latami oczekującej na męża wojującego w dalekich krajach, jej zdrada z Wisławem Pięknym księciem Wiślicy, zemsta Waltera, składają się na opowieść o typowo rycerskim kolorycie. Długa wyprawa zbrojna i tęsknota za ukochaną osobą były przecież w okresie wypraw krzyżowych charakterystycznym motywem literackim. Dla porównania przytoczymy tu prowansalskiego poetę:

O, daleka Ukochana!
Serce moje ściska żal.
Inny balsam, driakiew inna
Twoich nie zastąpią słów,
Lecz alkowy twej firana
Albo gaj, niech nam gościny
Udzielą gwoli kochania.

Jak dowiodły badania Gerarda Labudy, różne wersje eposu o Walterze i Helgundzie znane były w wielu krajach Europy zachodniej. Do Polski utwór ten przeniesiony mógł być w XII lub w XIII wieku. Zwraca jednak uwagę to, że akcja osadzona została w Tyńcu i w Wiślicy i że koleje losu Waltera i Helgundy zespolone zostały z miejscową opowieścią o Wisławie ,,księciu Wiślicy", a całość akcji w wersji polskiej przeniesiona została w odległe czasy pogańskie. Nie wiemy, czy odezwały się w tej opowieści echa tradycji ustnych z okresu plemiennego, mówiących o rodzie panującym w Wiślicy. Przedstawicielem tego rodu byłby Wisław.

Gerard Labuda zwrócił uwagę na to, że dworsko-rycerski, zabarwiony erotyzmem utwór, nie mógłby powstać i być rozpowszechniany w klasztorze tynieckim. Środowisko wiślickie byłoby zaś zdolne do dokonania takiej recepcji i przebudowy utworu tylko w czasach ,,stołeczności" Wiślicy – czyli w okresie, gdy jedną ze swych siedzib miał tam Henryk Sandomierski, oraz gdy po jego śmierci rezydował w Wiślicy Kazimierz Sprawiedliwy, zanim w 1177 roku został księciem krakowskim. Wiślica pozostała do śmierci Kazimierza (1194) jednym z głównych grodów dzielnicy tego księcia, lecz później stała się grodem prowincjonalnym.

Recepcja i przekształcenie opowieści o Walterze, Helgundzie oraz o Wisławie musiały nastąpić w drugiej połowie XII wieku. Biorąc pod uwagę wiadomość o pielgrzymce Henryka Sandomierskiego, obecność u jego boku zakonników-rycerzy oraz późną wprawdzie, lecz prawdopodobną uwagę Długosza o opowiadaniach rozpowszechnianych w otoczeniu księcia, mamy prawo wypowiedzieć się za dworem Henryka, jako ośrodkiem, w którym mogła ukształtować się wersja zapisana później w ,,Kronice wielkopolskiej". Brygida Kürbis zwraca uwagę, że ,,jest to w Polsce bodaj pierwszy przykład utworu pisanego, którego funkcją nie była informacja i propaganda dziejopisarska czy hagiograficzna, ale literackie opowiadanie gwoli rozrywki". Tkwi w tym zupełnie nowy pierwiastek wprowadzony – być może dzięki Henrykowi Sandomierskiemu – do polskiej kultury.

W 1166 roku Henryk Sandomierski wziął udział w zorganizowanej wspólnie z Bolesła-

Fragment drzwi gnieźnieńskich przedstawiający Prusów

111

wem Kędzierzawym wyprawie na Prusów. Wojna wybuchła, gdy pomimo starań Bolesława, zachęt do przyjęcia chrześcijaństwa i okrutnych kar za odstąpienie od wiary ,,religia [Prusów] była jak zwiewny dym, i to tym bardziej krótkotrwała, im bardziej wymuszona. Wkrótce bowiem ci obłudnicy jak śliskie żaby wskoczyli w odmęt odszczepieństwa i jeszcze wstrętniej zanurzyli się w błocie głęboko zakorzenionego bałwochwalstwa".

W tak przez Wincentego Kadłubka odmalowanej atmosferze, organizowano tę wyprawę jako skierowaną na pogan krucjatę. Nie dziwi więc udział w niej Henryka; przecież całe przedsięwzięcie odpowiadało jego życiowym ideałom. Wyprawa zakończyła się zupełną klęską. Opisał ją w swej kronice mistrz Wincenty: ,,Zwiadowcy i przewodnicy wojsk zapewniają, że znaleźli niezawodną, krótszą drogę przez knieje; byli bowiem i nieprzyjaciół podarkami przekupieni, i o zasadzce na swoich powiadomieni. Tedy po wąskiej ścieżce pędzą na wyścigi pierwsze szeregi doborowego wojska, gdy [nagle] z zasadzki wyskakują z obu stron nieprzyjaciele; i nie tylko z dala rażą pociskami, jak to kiedy indziej czynić zwykli, lecz jak gdyby w tłoczni ściśniętych, walcząc wręcz przeszywają, podczas gdy ci samorzutnie jak dziki rzucają się na zjeżone dzidy, jedni z żądzą zemsty, drudzy z chęci śpieszenia na pomoc; i większa część pada pod ciężarem własnego natłoku niż od ciosów oręża. Niektórych zbroją obciążonych pochłonęła głębia rozwartej otchłani; inni ponoszą śmierć zaplątawszy się w zarośla i krzaki ciernistie, [a] wszystkich ogarnia mrok szybko zapadającej nocy. Tak przez zdradziecki podstęp przepadło bitne wojsko!"

Kronikarz ani słowem nie wspomniał o śmierci księcia Henryka. Dowiadujemy się o niej z innych źródeł. W rocznikach polskich zanotowano bowiem, tyle że błędnie, pod rokiem 1167: *Dux Henricus interfectus est cum exercitu suo in bello in Prussia* (,,Książę Henryk został zabity wraz ze swym wojskiem w wojnie w Prusach"). Natomiast zapiska sporządzona na polecenie biskupa krakowskiego Gedki w końcu 1167 roku podaje już datę prawidłową – rok 1166, a nawet pozwala ustalić dzień śmierci księcia; nastąpiła ona 18 października. Przyjmuje się więc dziś, że Henryk Sandomierski poległ 18 października 1166 roku w boju, podczas wojny z Prusami, wbrew odosobnionemu poglądowi Maksymiliana Kanteckiego, przedstawionemu przed dziewięćdziesięciu laty. Z milczenia Kadłubka oraz sformułowania wspomnianej zapiski, w której mówi się o księciu, który zmarł, a nie poległ, wyciągnął on wniosek o późniejszej śmierci Henryka, już na terenie Polski.

Nie mający potomków Henryk pragnął przekazać swe księstwo Kazimierzowi Sprawiedliwemu. Ale wbrew woli Henryka księstwo jego zostało podzielone. Największą część z Sandomierzem zajął Bolesław Kędzierzawy. Kazimierz Sprawiedliwy zasiadł tylko w Wiślicy. Nieznana nam część spadku przypadła Mieszkowi Staremu.

W latach 1959–1960 w Wiślicy, na terenie kolegiaty, wśród pozostałości romańskiego kościoła z XII wieku, w jego krypcie, odkryto jeden z najpiękniejszych zabytków polskiej sztuki romańskiej – posadzkę z zaprawy gipsowej z rytami przedstawiającymi dwie grupy postaci, otoczone bogatą bordiurą z plecionki roślinnej, urozmaiconej wyobrażeniami smoków, gryfa, lwa i centaura. Jest to dzieło o najwyższej wartości, unikalne w skali europejskiej.

Sześć postaci ukazanych jest w czasie modlitwy. W górnym polu, pośrodku stoi kapłan, z prawej strony mężczyzna z wąsami i brodą, z lewej chłopiec. Dolna grupa przedstawia zaś pośrodku dorosłego mężczyznę, przed nim, z prawej strony kobietę, a z tyłu, z lewej strony młodzieńca. Nad górnym polem wyryty został, częściowo tylko zachowany, napis: *Hi conculcari querunt ut ad astra levari possint...* („Ci oto pragną podeptania, aby mogli wznieść się ku gwiazdom..."). Historycy sztuki datują tę posadzkę na lata siedemdziesiąte XII wieku i wiążą jej fundację z osobą Kazimierza Sprawiedliwego. Podkreślają oni, że jedną z intencji nieznanego twórcy dzieła było uwypuklenie rodzinnej więzi łączącej przedstawione postacie. Lech Kalinowski przypuszcza, że mężczyzną z pola górnego może być właśnie Henryk Sandomierski, na co wskazywałby między innymi brak żony. Centralną postacią z dolnej części posadzki byłby więc sam Kazimierz Sprawiedliwy, w towarzystwie żony i syna Bolesława. W górnej części, postać dziecka identyfikuje się ze zmarłym wcześnie synem Sprawiedliwego – także Kazimierzem.

Są to oczywiście tylko przypuszczenia i tylko jedna z kilku hipotez dotyczących identyfikacji postaci. Trudno jednak założyć, by w Wiślicy, będącej siedzibą Kazimierza Sprawiedliwego, kto inny niż książę był fundatorem tej posadzki i aby przedstawiała ona inną niż książęcą rodzinę. Mógł się wśród tych postaci znaleźć duchowny, wątpliwe jednak – gdy zważymy na symbolikę sztuki romańskiej – by umieszczono tam osobę świecką spoza rodu panującego, i to ponad Kazimierzem Sprawiedliwym. Domysły te wydają się więc prawdopodobne, a skoro tak, płyta przedstawiałaby Henryka już po śmierci, podobnie jak małego Kazimierza Kazimierzowica. Wyjaśnia to intencję napisu okalającego płaszczyznę z tymi właśnie postaciami.

Czy w krypcie tego romańskiego kościoła spoczęło także ciało Henryka – nie możemy wiedzieć na pewno, chociaż znaleziono tam grób mogący kryć szczątki księcia.

Był to człowiek, który życie swe przebył inaczej niż jego bracia. Wszyscy inni synowie Krzywoustego sięgnęli bowiem kolejno po zwierzchnią władzę nad krajem, walczyli o dzielnicę krakowską i związane z jej opanowaniem przywództwo. Jedynie Henryk nie osiągnął nigdy tej godności i nic nie wskazuje na to, aby do niej zmierzał. Może stało się tak dlatego, że zmarł wcześnie, kiedy jeszcze wszyscy młodsi bracia akceptowali pryncypat Bolesława Kędzierzawego. W każdym razie Henryk pozostał księciem sandomierskim, a w stosowanej w dokumentach tytulaturze nie eksponował jakichkolwiek pretensji do dodatkowej władzy. Czy mamy jednak prawo powiedzieć, że był władcą pozbawionym ambicji? Czy do historii przechodzą tylko ci, których celem jest zdobycie, powiększenie i utrzymanie władzy? Henryk znalazł sobie inne pola działalności, które uznał za równie ważne i dla siebie zaszczytne. Był krzyżowcem, obrońcą wiary, fundatorem klasztoru, znawcą kultury rycerskiej i dobrym gospodarzem. Natomiast jako władca otwierał listę książąt dzielnicowych, którym nie przyświecała myśl zawładnięcia całym krajem. Zrezygnował wcześniej niż inni władcy z wielkich zamierzeń ogólnokrajowych. Zwykliśmy w historiografii eksponować czyny książąt-jednoczycieli. Ale przecież za życia Henryka procesy historyczne prowadziły ku dalszemu, pogłębionemu rozbiciu dzielnicowemu, a kto się im przeciwstawiał, pokonany być musiał przez potężne siły społeczne wspierające owo rozdrobnienie.

Benedykt Zientara

MIESZKO III STARY

"Zachwycały się nim kraje ościenne, sprzyjała mu zewsząd świetność władców, nawet najodleglejszych, rosła wszelka chwała zaszczytów, uśmiechał się cały wdzięk fortuny. Nigdy mu nie brakło ani spełnienia się życzeń, ani wojennych triumfów".

Tak pisał o Mieszku przedstawiciel wrogiego mu obozu politycznego, kronikarz mistrz Wincenty, zwany Kadłubkiem. Specjalnie podnosił ocenę okresu jego sukcesów, wymieniał licznych synów i córki, znakomite koligacje, aby uczynić zeń duplikat słynnego w starożytnej Grecji ze złudnego szczęścia Polikratesa. Jak Polikrates runął ze szczytu chwały i w tragiczny sposób dokonał żywota, tak i Mieszko miał doznać podobnej katastrofy.

Oczywiście kronikarz przesadzał: szczęśliwy traf nie więcej ważył w życiu Mieszka, niż wytrwałość, zdolności polityczne, umiejętność przewidywania. Urodził się zapewne około roku 1126 jako czwarty z rzędu syn Bolesława Krzywoustego i Salomei: nie był więc ani predestynowany do panowania z racji starszeństwa, ani naturalnym przywódcą przeciwnych najstarszemu przyrodniemu bratu Władysławowi synów Salomei. Mimo to od początku zajmował stanowisko równorzędne z Bolesławem Kędzierzawym, wysuwając się na czoło opozycji. Około 1040 roku poślubił Elżbietę węgierską, siostrę króla Beli II, który prawie od lat dziesięciu wojował z Polską, zadając jej dotkliwe porażki; miało to dać przeciwwagę ruskim sojuszom seniora – Władysława II.

Umierając w 1138 roku, Bolesław Krzywousty wyznaczył Mieszkowi dzielnicę w zachodniej Wielkopolsce, pozostawiając w rękach seniora z jednej strony Gniezno, z drugiej – Ziemię Lubuską. Ośrodkiem dzielnicy stał się więc Poznań, który od tej pory coraz bardziej wysuwał się na stołeczną w Wielkopolsce pozycję. W Poznaniu też bronił się Mieszko w roku 1146, oblężony przez seniora, który zmierzał do całkowitego usunięcia młodszych braci. Dzięki przejściu większości możnych na stronę juniora i dobrze zorganizowanej odsieczy groźna sytuacja zmieniła się w triumf. Pobity Władysław podążył do Czech i Niemiec szukać pomocy u krewniaków żony, a juniorzy oblegli z kolei Kraków, gdzie broniła się jeszcze Agnieszka Władysławowa. Niebawem i ona musiała udać się na wygnanie, a rządy senioralne objął Bolesław Kędzierzawy.

Zastanawiające jest, że nie doszło do dalszego pogłębienia konfliktów rodzinnych, mimo iż Bolesław połączył z własną obszerną dzielnicą dzielnicę senioralną i Śląsk, uzyskując druzgocącą przewagę nad braćmi: Mieszkiem i dorastającym Henrykiem Sandomierskim, nie widać objawów niezadowolenia. Może to stałe zagrożenie przez wygnanego seniora, poruszającego przeciw braciom wszelkie sprężyny, z papieżem i królem rzymskim na czele, zmuszało ich do trwania w solidarności, a może faktyczny system ·współrządów, w którym Mieszko odgrywał rolę równą starszemu bratu przy jego przyzwoleniu, ułatwiał zachowanie jedności.

Król rzymski Konrad III podjął wprawdzie wyprawę na Polskę, ale musiał z niej zawrócić bez sukcesu z różnych powodów: po pierwsze nie miał wystarczających sił, po drugie – spieszył się do innych zadań, wśród których czekała go też wyprawa krzyżowa; po trzecie – i bodaj że najważniejsze – wysiłki jego udaremniała sympatyzująca z polskimi juniorami grupa możnych saskich. Z ich pomocą udało się Bolesławowi i Mieszkowi nakłonić Konrada do odwrotu złożeniem hołdu i zapłatą trybutu; król rzymski miał rozstrzygnąć spór między Władysławem a braćmi na najbliższym zjeździe książąt niemieckich, na który obie strony miały się stawić.

W rzeczywistości do tego sądu rozjemczego nie doszło z tej prostej przyczyny, że Bolesław i Mieszko do Niemiec nie przyjechali; słusznie liczyli na to, że przygotowania do krucjaty całkowicie zaabsorbują króla Konrada.

Tym ściślej związali się ze swymi saskimi sprzymierzeńcami: byli nimi książęta, którzy zapisali się trwale w historii podbojami na ziemiach zachodniosłowiańskich, likwidującymi resztki tamtejszych samodzielnych organizmów politycznych. Jeden z nich – Konrad, margrabia Miśni, był twórcą potęgi rodu Wetinów, panujących później w Saksonii aż do 1918 roku; drugi – słynny Albrecht Niedźwiedź – stworzył Marchię Brandenburską.

Hasła wojny świętej, które w 1147 roku pchnęły króla Konrada na daleką wyprawę do Palestyny, zaciążyły również nad niezależnymi jeszcze poganami zachodniosłowiańskimi: przeciwko nim skierowana została wyprawa krzyżowa rycerstwa niemieckiego. Książęta sascy z pewnym wahaniem (płacących im daniny Słowian uważali bowiem za ,,swoich" ludzi i obawiali się, że zniszczenia wojenne zagrożą tym zyskom) podjęli również hasło krucjaty, starając się ją skierować przeciwko ważnym strategicznie obiektom, którymi chcieli przy tej okazji zawładnąć. Co zaś dziwniejsze, w krucjacie na słowiańskich pobratymców wziął udział Mieszko, bohater niniejszego szkicu.

Wielu historyków biedziło się nad pytaniem, co skłoniło Mieszka do wzięcia udziału w tym problematycznym przedsięwzięciu. Jedni potępiali go za ,,wysługiwanie się interesom niemieckim" w zamian za poparcie książąt saskich przeciw wygnanemu seniorowi; inni próbowali odkryć głębszy interes polityczny, który skłonił Mieszka do udziału w krucjacie. Przypuszczano, że Mieszko wykorzystał pomoc krzyżowców dla przywrócenia zachwianego zwierzchnictwa Polski nad Pomorzem Zachodnim (krzyżowcy dotarli bowiem pod sam Szczecin, którego mieszkańcy musieli ich przez swego biskupa przekonywać, że nie potrzebują ,,nawracania"); ostatnio wysunięto (K. Myśliński) dość prawdopodobną tezę, że Mieszko operował wraz ze swymi wojskami niezależnie od krzyżowców niemieckich nad środkową Szprewą, umacniając tam wpływy polskie. Rządził tam mianowicie w Kopaniku, dzisiejszym przedmieściu Berlina, zależny od Polski książę Jaksa, który szykował się do opanowania Brenny (Brandenburga) nad Hawelą, ośrodka istniejącego jeszcze słowiańskie-

Pieczęć Mieszka Starego

115

Patena Mieszka Starego z kościoła opackiego w Lądzie (awers)

go księstwa Stodoran, co mu się później (przejściowo) z pomocą polską udało.

Działalność Mieszka wzbudziła zaniepokojenie saskich krzyżowców, skoro Albrecht Niedźwiedź wraz z arcybiskupem magdeburskim Fryderykiem z rodu Wettinów podążył w styczniu 1148 roku, a więc w okresie wówczas do podróży bardzo niedogodnym, do Kruszwicy na spotkanie z Mieszkiem i Bolesławem. Doszło wówczas do ugody, a nawet przymierza, umocnionego małżeństwem Ottona, syna Albrechtowego, z siostrą polskich książąt. Jakie były warunki porozumienia – trudno się domyślić.

Konrad III, pierwszy od Ottona I władca Niemiec, który nie zdążył odbyć koronacji cesarskiej w Rzymie, nie zdążył też spełnić udzielonych Władysławowi obietnic interwencji w Polsce. Jego następca za to, energiczny Fryderyk, zwany przez Włochów Rudobrodym (Barbarossa), załatwił obydwa problemy. W 1157 roku wyprawił się na Polskę i dotarł aż pod Poznań, a pod Krzyszkowem Bolesław

Kędzierzawy złożył mu hołd w upokarzającej formie. Za tę cenę pozostawił go cesarz na tronie, odkładając sprawę Władysława do dalszych rokowań. Zwłoka przyniosła rezultat: w 1159 roku Władysław umarł i drażliwy problem senioratu przestał sprawiać kłopot cesarzowi i spędzać sen z powiek polskich książąt. Synowie Władysława otrzymali w wyniku interwencji cesarskiej Śląsk (1163) – dziedziczną dzielnicę ojcowską. Nie obyło się oczywiście bez zatargów z „repatriantami", a stryjowie starali się podsycać niesnaski wśród Władysławowiców. W 1172 roku doszło nawet do ponownej interwencji cesarskiej w obronie wygnanego starszego Władysławowica, Bolesława Wysokiego. Mieszko zabiegł drogę cesarzowi i za cenę 8 tys. grzywien przywrócił pokój: Bolesław Wysoki odzyskał dzielnicę wrocławską.

W tym czasie senior – Bolesław Kędzierzawy – był już ciężko chory. W 1173 roku zmarł opróżniając senioracki tron krakowski, który objął teraz – zgodnie z testamentem Krzywoustego – Mieszko, jako najstarszy przedstawiciel rodu piastowskiego. Z braci żył już tylko najmłodszy Kazimierz, zwany później Sprawiedliwym, posiadający dotychczas małą dzielnicę w Wiślicy: Mieszko oddał mu osieroconą przez bezpotomnego Henryka i nieprawnie przetrzymywaną dotąd przez seniora dzielnicę sandomierską. Mazowsze i Kujawy objął małoletni syn Kędzierzawego, Leszek. Niezadowolonego Bolesława Wysokiego pilnował jego brat Mieszko Plątonogi, książę raciborski, który zbliżył się politycznie do stryja--imiennika.

Mieszko władał nie tylko we własnej dzielnicy i w posiadłościach senioralnych, ale miał decydujący głos w całej Polsce. Jako *dux maximus*, a na hebrajskich legendach monet nawet „król Polski", wymagał, aby darowizny dokonywane przez książąt dzielnicowych były przez niego zatwierdzane: ślady takich interwencji „wielkiego księcia" zachowały się w dokumentach śląskich.

Przywróciwszy w ten sposób władzy centralnej zasięg, przypominający okres przed 1138 rokiem, szedł Mieszko w ślady ojca również w polityce zagranicznej. Odnowił kwestionowane zwierzchnictwo Polski nad Pomorzem Zachodnim, wiążąc ze sobą ściśle księcia pomorskiego Bogusława I, za którego wydał córkę Anastazję. Obiecywał też Bogusławowi pomoc w walce z najazdami saskimi i duńskimi; w 1177 roku Bogusław wziął udział w zjeździe książąt i dygnitarzy polskich w Gnieźnie.

Z ożywieniem polityki bałtyckiej wiąże się zapewne propagowanie przez księcia (oraz związanego z nim arcybiskupa Zdzisława) kultu św. Wojciecha: wtedy, w latach siedemdziesiątych, ufundowano zapewne słynne brązowe drzwi gnieźnieńskie, jeden z najcenniejszych zabytków sztuki romańskiej w Polsce.

Inne córki powydawał Mieszko za mąż również w taki sposób, aby przynosiło mu to korzyści polityczne; w ten sposób zięciami jego byli: książę czeski, saski i lotaryński, sam poślubił po śmierci pierwszej żony Eudoksję, córkę księcia kijowskiego, jednego syna ożenił na Rusi (z księżniczką halicką?), drugiego aż na Rugii.

Wewnątrz kraju starał się Mieszko przywrócić zachwiany autorytet monarszy. W młodości współdziałał z kościelnymi i świeckimi możnowładcami w osłabieniu władzy centralnej – teraz usiłował nadrobić straty, poddając swej kontroli biskupów, hamując przechwytywanie państwowych źródeł dochodów przez magnatów. Rozporządzał skąpymi środkami finansowymi, uszczuplonymi przez emancypację książąt dzielnicowych. Starał się więc je pomnożyć, zwiększając emisję pieniądza i wymieniając kursujące monety na zawierające coraz mniej srebra. Mennice przekazał żydowskim mincerzom, którzy wprowadzili na monetach napisy hebrajskie. Sędziowie książęcy zaczęli ostro występować przeciw nadużyciom możnowładców, ścigając zwłaszcza wypadki podporządkowywania sobie przez nich wolnych chłopów i naruszania regaliów.

Ta polityka, prowadzona przy użyciu gwałtownych metod, powodowała wzrost niezadowolenia, dzięki czemu wrogowie Mieszka, z biskupem krakowskim Gedką na czele, mogli skupić wokół siebie znaczne grono niezadowolonych. Wciągnęli także książąt-malkontentów: obok Bolesława Wysokiego znalazł się

Postać Mieszka Starego z pateny lądzkiej (rewers)

117

na ich liście i najstarszy syn Mieszka – Odon, niezadowolony z faworyzowania przez ojca synów z drugiego małżeństwa. Z pewnym wahaniem przystał też do buntu Kazimierz Sprawiedliwy.

I wówczas nastąpiła owa polikratesowa katastrofa, którą z udanym współczuciem opisał Kadłubek. W tym samym 1177 roku, w którym zjazd książąt i dostojników w Gnieźnie tak dobitnie zaświadczył o potędze stanowiska Mieszka, spiskowcy przystąpili do działania. Wśród obecnych w Gnieźnie biskupów brakło Gedki krakowskiego, który zapewne już podkopywał władzę seniora w Krakowie. Wezwany przezeń Kazimierz bez walki niemal opanował Wawel. Wkrótce potem wystąpili inni spiskowcy: Odon zaskoczył ojca buntem w samej Wielkopolsce, co spowodowało, że Mieszko musiał szukać schronienia u swego śląskiego imiennika. Mieszko Plątonogi był najprzezorniejszy, uprzedził bowiem atak swego brata Bolesława Wysokiego i opanował jego dzielnicę, korzystając z pomocy jego własnego syna; na Śląsku powtórzyła się na mniejszą skalę sytuacja ogólnopolska, tylko w odwrotnej konfiguracji.

W ten sposób Bolesław Wysoki, choć po Mieszku najstarszy z Piastów, postradał możliwość objęcia senioratu. Kraków opanował zwycięski Kazimierz, u którego Bolesław zabiegał teraz o pomoc w odzyskaniu dzielnicy. Mieszko Plątonogi nie trwał uparcie przy wygnańcu i okazał się skłonny do zgody, za co uzyskał od Kazimierza wydzielone (wbrew postanowieniom Krzywoustego) z dzielnicy senioralnej kasztelanie bytomską i oświęcimską.

,,Do wygnania Mieszka – pisał Kadłubek – przyczynił się nie tyle oręż brata, ile wiarołomstwo przyjaciół". Po opuszczeniu go przez Mieszka raciborskiego skierował się do Czech, ale jego tamtejszy zięć, książę Sobiesław II stracił właśnie również tron. Rozpoczęła się pielgrzymka po Niemczech, śladami brata Władysława, i zabiegi o pomoc cesarską w odzyskaniu władzy; ale przecież Mieszko wiedział z własnej praktyki, jak taka pomoc wygląda. Mimo obietnicy 10 tys. grzywien cesarz zwlekał z decyzją, a w końcu przekazał sprawę synowi Henrykowi, noszącemu już tytuł króla rzymskiego. Ten jednak dogadał się w 1184 roku w Halle z posłami Kazimierza, który zapewne ofiarował więcej, a ponadto bez zbrojnej interwencji zgadzał się uznać nad sobą władzę cesarza.

Doświadczony Mieszko (zwany Starym dla odróżnienia od jednoimiennego syna) nie czekał jednak z założonymi rękami na pomoc niemiecką, lecz podążył do swych zięciów na Pomorze (nowsze badania widzą tam obok Bogusława szczecińskiego jeszcze tegoż imienia księcia na Sławnie, również pozyskanego przez Mieszka na zięcia) i z ich pomocą nawiązał kontakty ze swymi stronnikami w Wielkopolsce. Wśród nich wybitną rolę odgrywał dawny współpracownik Mieszka, arcybiskup Zdzisław, niechętnie spoglądający na coraz bardziej wysuwających się na czoło Kościoła polskiego biskupów krakowskich. Z pomocą Pomorzan i przy współdziałaniu Zdzisława zdołał Mieszko w 1181 roku wrócić do Gniezna przy milczącej tolerancji Kazimierza, który liczył na to, że Mieszko zadowoli się północną częścią dzielnicy senioralnej.

Mieszko zresztą nie zastygał w oczekiwaniu interwencji cesarskiej w swej sprawie: nawiązał rokowania ze skłonnym do kompromisu Kazimierzem, starając się go namówić do wspólnego wystąpienia przeciw panoszącym się możnowładcom, którzy coraz częściej powiadali, że ,,władcy nie rządzą państwem na własną rękę, ale za pośrednictwem urzędników", i przypisywali sobie prawo do orzekania, który książę jest wystarczająco „zacny", aby panować.

Starania te wywołały zaniepokojenie wśród małopolskich możnowładców, ale nie doprowadziły do trwałego porozumienia braci. Mimo że interwencja cesarska nie przyniosła Mieszkowi przywrócenia władzy w Krakowie, uważał się on nadal za legalnego seniora – zwierzchniego księcia Polski i potrafił uzależnić od siebie przynajmniej dwóch książąt dzielnicowych: syna Odona, z którym doprowadził do poprawy stosunków, i Leszka mazowieckiego, który uwolnił się z kurateli księcia krakowskiego i podporządkował Mieszkowi; ten przysłał chorowitemu młodzieńcowi jako opiekuna (z nadzieją sukcesji) swego ulubionego syna, Mieszka Młodszego. Samowola tego ostatniego wzbudziła jednak niedługo niezadowolenie na Mazowszu, co zmusiło niefortunnego opiekuna do opuszczenia tej dzielnicy; oburzony nań Leszek pozostawił ostatecznie swą dzielnicę Kazimierzowi.

W czasie tych wszystkich zabiegów doszło zapewne do przeniesienia rezydencji Mieszka do Kalisza, który coraz bardziej nabierał cech stołecznych: fundacja kolegiaty Św. Pawła, która miała stać się miejscem pochówku księcia i jego rodziny, i szczególnie ożywiona działalność mennicy kaliskiej świadczą o randze miasta. W czasie wykopalisk przed prawie dwudziestu laty odkryto w kolegiacie na grodzie kaliskim grobowce Mieszka i jego syna, Mieszka Młodszego.

Rokowania z Kazimierzem Sprawiedliwym nie przeszkadzały Mieszkowi szukać jednocześnie sprzymierzeńców wśród przeciwników brata. W szczególności wyprawy wojenne Kazimierza na Ruś i jego konflikt z Węgrami zwróciły przeciw niemu dość silną grupę prowęgiersko nastrojonych możnych. Wykorzys-

tał to Mieszko w 1191 roku i (podczas nieobecności Kazimierza i jego głównego doradcy, wojewody Mikołaja) opanował Kraków z pomocą tamtejszego kasztelana Henryka Kietlicza. W imieniu ojca objął rządy w Krakowie Mieszko Młodszy. Nie wiadomo, co zaprzątało w tym czasie jego ojca: w każdym razie nie mógł przybyć z odsieczą, kiedy Kazimierz z Mikołajem i krakowsko-sandomierskim pospolitym ruszeniem pojawił się pod Wawelem. Po krótkim oblężeniu, zagrożeni pożarem obrońcy skapitulowali. Kazimierz wspaniałomyślnie odesłał Mieszkowi wziętego do niewoli syna.

Drugie panowanie Mieszka Starego w Krakowie było więc krótkie, ale uparty książę nie rezygnował ze swych pretensji. Odumierali go kolejno synowie: Stefan, Mieszko, któremu po powrocie z Krakowa nadał dzielnicę w Kaliszu (1193), Odon poznański (1194). Miejsce ich przy ojcu zajęli młodsi: Bolesław i Władysław, zwany Laskonogim.

Na koniec śmierć Kazimierza Sprawiedliwego (1194) stworzyła nowe możliwości. Bolesław Mieszkowic opanował Kujawy, może w wyniku jakiegoś układu ojca z Kazimierzem; sam Mieszko prowadził agitację wśród tych możnych krakowskich, którzy przeciwni byli przejściu władzy na małoletnich synów Kazimierza, co z miejsca położyłoby kres pretensjom Krakowa do zwierzchnictwa nad pozostałymi ziemiami Polski. Zwyciężyli jednak zwolennicy małoletniego Leszka Białego, którzy też (wojewoda Mikołaj i biskup krakowski Pełka) objęli w jego imieniu rządy w Krakowie. Tym razem Mieszko postanowił zbrojnie dochodzić swych pretensji. Ściągnąwszy syna Bolesława i wezwawszy na pomoc książąt śląskich – Mieszka Plątonogiego i Jarosława opolskiego – nad Mozgawą zetknął się z wojskami Małopolan, którzy z kolei czekali na posiłki ruskie. 13 września 1195 roku stoczono jedną z najkrwawszych bitwe okresu Polski dzielnicowej: bratobójcza walka nie przyniosła rezultatu: ranny, opłakujący poległego syna Bolesława, Mieszko wycofał się, nie czekając na posiłki śląskie, które mogły przechylić szalę zwycięstwa na jego stronę.

Ale i teraz otrząsnął się Mieszko z rozpaczy i inną drogą zaczął starać się o tron krakowski: wszedł mianowicie w porozumienie z wdową po Kazimierzu Sprawiedliwym Heleną, która niechętnie przyglądała się samowoli krakowskich możnowładców, sprowadzających rolę księcia do czystej reprezentacji. Za cenę zwro-

tu Kujaw jej synom Helena zgodziła się w 1198 roku ustąpić Mieszkowi Kraków. Okazało się jednak, że księżna nie ma w Krakowie wiele do powiedzenia. Już w następnym roku biskup Pełka i wojewoda Mikołaj ponownie zdetronizowali Mieszka.

A jednak Mieszko uwieńczył zabiegi całego swego życia powodzeniem, wrócił wkrótce do Krakowa i panował tam aż do śmierci. Zgodnym zdaniem historyków jednak ten ostatni powrót równy był kapitulacji. Mieszko obejmował bowiem (zapewne jeszcze w 1199 r.) panowanie w Krakowie na podstawie ugody z Pełką i Mikołajem, zostawiając im decydują-

Zwornik sklepienia kapitularza w opactwie jędrzejowskim

cy wpływ na rządy. Helena przeniosła się z synami do Sandomierza, Mieszko przebywał zapewne głównie w Kaliszu, w Krakowie zaś rządzili dwaj przywódcy oligarchii. Nie wiadomo, czy kapitulacja Mieszka przed możnowładcami nosiła charakter ostateczny; wiadomo, że traktował poważnie swe stanowisko zwierzchniego księcia Polski, wykonując opiekę nad księstwem sandomierskim i obsadzając tam niektóre grody swą załogą. Ale wiek nie pozwalał mu już na szersze plany. Umarł 13 marca 1202 roku i został pochowany w Kaliszu, a o tronie krakowskim nadal mieli decydować tamtejsi możnowładcy.

Ocena tego niewątpliwie wybitnego władcy jest w historiografii sprzeczna. Od epitetów w rodzaju ,,króla-szachraja", głoszonych pod wpływem stronniczej relacji Kadłubka, po ,,szermierza idei nie uszczuplonej monarchicznej władzy" (Roman Grodecki) rozwijał się wachlarz poglądów na jego działalność. Stanisław Smolka, który przed blisko stu laty poświęcił mu najbardziej wnikliwą i do dziś zachowującą wartość monografię, docenił jego zdolności i świadomość zadań monarszych, ale widział sprzeczność między bronionymi przezeń uparcie starymi metodami rządzenia i całym anachronicznym systemem ,,praw książęcych" a potrzebami nowych czasów i rozwijającego się społeczeństwa, które w osobach przedstawicieli najwyższych swych warstw domagało się współodpowiedzialności za losy państwa.

Podobnie oceniał Mieszka także zwolennik silnej władzy – Michał Bobrzyński: ,,Trudno na tę nieugiętą, niezmordowaną postać Mieszka Starego patrzyć bez głębokiego współczucia, trudno jednak nie widzieć, że zasada bezwzględnej, patriarchalnej władzy książęcej, którą reprezentował, już się w narodzie przeżyła".

Warto do tego dodać, że polityka zagraniczna Mieszka i jego przeciwników, mobilizująca obce czynniki polityczne do interwencji w spory wewnętrzne, mogła przynieść nieobliczalne szkody i tylko brak bliższego zainteresowania Polską ze strony cesarstwa oraz rozbicie polityczne Rusi i Czech sprawiły, że nie doszło w tym czasie do wykorzystania polskich konfliktów wewnętrznych przez sąsiadów.

Z tym wszystkim nie sposób nie podziwiać Mieszka, który – jak to ostatnio podsumował Aleksander Gieysztor – swoje rządy ,,wypełnił nieustępliwą walką o prestiż własny i władzy zwierzchniej", działając niewątpliwie w kierunku utrzymania jedności i siły państwa polskiego.

Płyta nagrobna z kościoła Św. Pawła lub Św. Wojciecha w Kaliszu

Tadeusz Wasilewski

KAZIMIERZ II SPRAWIEDLIWY

Zagadkowe są młode lata tego władcy. Pominięty w „testamencie" ojca, Bolesława Krzywoustego, był zapewne pogrobowcem, gdyż jeden z najstarszych roczników polskich prowadzony w katedrze krakowskiej zanotował najpierw zgon Bolesława Krzywoustego w dniu 28 października 1138 roku, a dopiero niżej urodziny jego syna Kazimierza. Tadeusz Wojciechowski w swych „Szkicach historycznych jedenastego wieku" wyraził pogląd, że Kazimierz urodził się po zatwierdzeniu przez papieża „testamentu" Krzywoustego i że ojciec przeznaczył syna do stanu duchownego.

Nic jednak nie wiadomo nam o kształceniu klasztornym Kazimierza. Gdy w 1144/45 roku w wieku sześciu lat utracił matkę Salomeę, hrabiankę Bergu, znalazł się pod opieką swych dwóch starszych braci: Bolesława Kędzierzawego i Mieszka, zwanego później Starym. Gdy dorósł, nie wyznaczyli mu oni własnej dzielnicy, a w 1157 roku oddali osiemnasto–dziewiętnastoletniego młodzieńca, na mocy układu hołdowniczego zawartego w tym roku w Krzyszkowie pod Poznaniem z cesarzem Fryderykiem Barbarossą, jako zakładnika do Niemiec.

Po powrocie z Niemiec, zapewne w 1163 roku, pozostawał nadal Kazimierz księciem bez ziemi. Bracia–opiekunowie skojarzyli natomiast jego związek małżeński z księżniczką Heleną. Od czasów Jana Długosza uważamy, że była ona Rusinką, głównie na podstawie jej imienia popularnego w Kościele wschodnim.

Na kartach kroniki Wincentego Kadłubka występuje jednak jako brat małżonki księcia Kazimierza – Konrad III Otto, książę Brna i Ołomuńca, a następnie, w latach 1189–1191, zwierzchni książę Czech. Ojcem jego i Heleny był Konrad II dzielnicowy książę znojemski, a matką – Maria, córka wielkiego żupana serbskiego Urosza, siostra rodzona Heleny, królowej węgierskiej, żony króla Beli II Ślepego. Księżna Helena przeniosła zatem na dwór męża Kazimierza tradycje i zwyczaje czeskich dworów książęcych i królewskiego dworu Węgier, na którym niezwykle silne były wpływy dworskiej kultury rycerskiej promieniującej z Francji.

Pierwsze dziecko Kazimierza i Heleny, córka nieznanego imienia, przyszło na świat w 1164 lub 1165 roku. W roku 1178 ojciec, już jako zwierzchni władca Polski, wydał ją za Wsiewołoda Czermnego późniejszego wielkiego księcia kijowskiego. Wkrótce po niej urodziło się dwóch synów: Kazimierz, zmarły jako kilkuletnie dziecko, i Bolesław, który zginął przygnieciony drzewem jako kilkunastoletni chłopiec.

Własną dzielnicę otrzymał Kazimierz dopiero dzięki testamentowi brata Henryka księcia sandomierskiego zmarłego bezpotomnie w 1166/67 roku. Starsi bracia: senior krakowski Bolesław Kędzierzawy i Mieszko Stary przekazali mu tylko część spadku, dzieląc księstwo sandomierskie na trzy działy. Kazimierz objął zachodnią część dzielnicy z głównym ośrodkiem w Wiślicy. Jego rządy to okres świetności zarówno grodu jak i dworu książęcego, który stał się ośrodkiem skupiającym poetów i artystów.

Gród w Wiślicy odbudował na wyspie nad Nidą i otoczył murami obronnymi Bolesław Krzywousty. Po spaleniu Wiślicy w 1136 roku przez Kumanów, zwanych przez Polaków

Płowcami, rozbudowali jej mury obronne Henryk, książę sandomierski, a następnie, w krótkim okresie stołecznej świetności Wiślicy, Kazimierz rezydujący w niej w latach 1167–1177 jako dzielnicowy książę wiślicki.

Henryk Sandomierski założył w Zagości pod Wiślicą klasztor joannitów, dla których wspaniały kościół wzniósł ich drugi fundator Kazimierz Sprawiedliwy. O rozmachu prac budowlanych podejmowanych przez niego świadczy również wzniesienie na terenie osady podgrodziowej kościoła pod wezwaniem Panny Marii. Na miejscu tego kościoła wzniesiono w drugiej ćwierci XIII wieku kościół późnoromański, a następnie kolegiatę gotycką. Z dawnej budowli Kazimierza Sprawiedliwego za-

chowały się jedynie fundamenty i częściowo krypta z piękną posadzką podzieloną na kwatery wypełnione rysunkami powstałymi w ostatniej ćwierci XII wieku. Rysunek umieszczony w kwaterze wschodniej bliżej ołtarza położonego nad kryptą w kościele przedstawia, pod motywem Drzewa Życia między parą lwów, trzy postacie modlące się – duchownego, starca i chłopca, a rysunek zajmujący kwaterę zachodnią wyobraża mężczyznę w towarzystwie kobiety i chłopca. Nad rysunkami wyryto pismem kapitalnym napis ułożony w heksametrze leonijskim dający wyraz wielkiej pokory przedstawionych osób: „Wyobrażeni na posadzce pragną być deptani, aby móc się wznieść kiedyś do gwiazd…" W kwaterze

Tympanon portalu głównego kolegiaty NMP w Tumie pod Łęczycą

zachodniej wyobrażano zapewne rodzinę fundatora Kazimierza Sprawiedliwego z żoną Heleną i synem Bolesławem, który jako kilkunastoletni chłopak zginął w 1182 roku w wypadku, a w kwaterze wschodniej być może biskupa krakowskiego Gedkę, jego ojca i młodego Leszka Bolesławowica, księcia mazowieckiego zmarłego w 1186 roku.

Na dworze w Wiślicy wychowywali się od najmłodszych lat krewniacy Kazimierza – jego siostrzeniec Roman, potężny później książę wołyński i halicki, i zapewne także dwaj młodsi bracia Romana – Wsiewołod i Włodzimierz. Sam Kazimierz, według słów jego nadwornego kronikarza mistrza Wincentego Kadłubka,

Absyda transeptu kolegiaty Św. Marcina w Opatowie

grywał w kości i lubował się w wystawnych ucztach. Urządzał je z wielu powodów. Pragnął m.in. z odurzonych umysłów upojonych swych gości dowiedzieć się, jakich zalet brakuje jemu samemu, i sądów obcych o sobie. Wydostawał również w ten sposób od spojonych biesiadników pilnie zazwyczaj strzeżone tajemnice przede wszystkim o knowanych przeciwko sobie spiskach. Nadworny kronikarz wychwalający nawet zamiłowanie do biesiad swego księcia nie omieszkał zaznaczyć przy tym, że książę nigdy nie pozwalał pijaństwu brać nad sobą górę, gdyż nigdy nie opuszczała go trzeźwość umysłu. W opisie tym doszukujemy się cech indywidualnych osobowości Kazimierza, choć, być może, przyszłe badania wykażą, że uczony biskup Wincenty przepisał po prostu informację o książęcych biesiadach z jakiegoś znanego sobie dzieła. Z powyższą sylwetką Kazimierza niezbyt zgodna jest rzekoma jego łatwowierność i ufność w stosunku do brata Mieszka, którą stwierdza w innym miejscu tenże kronikarz.

Dobra znajomość sytuacji, którą Kazimierz zawdzięczał podobnym rozmowom i wywiadom prowadzonym w czasie uczt, kazała mu odrzucić w 1172 roku wysuniętą przez możnowładców krakowskich propozycję zbrojnego wystąpienia przeciwko rządom seniora Bolesława Kędzierzawego. Zachował do końca życia brata lojalność wobec niego, a po śmierci Bolesława w 1173 roku objął w spadku następną część dzielnicy sandomierskiej wraz z Sandomierzem. W 1176 roku zajmował się fundowaniem klasztoru cysterskiego w Sulejowie.

Zdecydował się wystąpić dopiero przeciwko nowemu seniorowi krakowskiemu Mieszkowi Staremu, gdyż tym razem mógł liczyć na poparcie nie tylko możnych, lecz także niemal całego rycerstwa krakowskiego zrażonego do księcia Mieszka jego nieugiętą postawą jako obrońcy wszystkich tradycyjnych prerogatyw zwierzchniego księcia Polski wobec ludności wiejskiej, którą Kościół i rycerstwo zagarniały do swych szybko rosnących posiadłości. Nawet najzaufańszy wykonawca poleceń Mieszka Starego, Henryk Kietlicz, przeszedł na stronę Kazimierza, skoro w 1191 roku zajmował stanowisko kasztelana krakowskiego. Zajęcie Krakowa w 1177 roku odbyło się szybko i bez oporu, a pochód Kazimierza do stolicy przypominał, według Wincentego Kadłubka, bardziej marsz triumfalny niż zbrojną wyprawę. Nawet załoga, którą Mieszko pozostawił na straży Krakowa, dobrowolnie opuściła gród wawelski witając nowego władcę. Mógł zatem twierdzić później Kazimierz, że na tron krakowski wyniosła go wbrew zasadzie senioratu zgodna wola całego rycerstwa, które posiadało zawsze prawo obierania sobie władców spośród członków dynastii piastowskiej.

Wypadki krakowskie dały początek ogólnopolskiemu powstaniu przeciwko Mieszkowi, do którego przyłączył się jego najstarszy syn Odon. Senior rodu Piastów utracił nawet własną dzielnicę – Wielkopolskę i znalazł schronienie dopiero na granicy państwa, zapewne w Raciborzu na Śląsku, w którym oczekiwał na pomoc czeską. Kazimierz skupił w swym ręku prawie wszystkie ziemie polskie wraz z Gnieznem i Kaliszem. Podporządkowali mu się książęta: Odon poznański, Bolesław Wysoki wrocławski i Konrad głogowski, a nawet brat ich Mieszko Plątonogi sprzyjający początkowo wygnanemu Mieszkowi Staremu. Sprawował także Kazimierz opiekę nad małoletnim Leszkiem Bolesławowicem, księciem Mazowsza i Kujaw.

Pierwszym wielkim dziełem Kazimierza po objęciu tronu było zwołanie w 1180 roku zjazdu do Łęczycy. Skład jego uczestników świadczy najlepiej o tym, że utrzymywała się jeszcze mimo podziału na dzielnice jedność państwa pod zwierzchnią władzą księcia rezydującego w Krakowie, tytułowanego zarówno w kraju jak i w pobliskich księstwach ruskich wielkim księciem. Do Łęczycy przybyli arcybiskup gnieźnieński Zdzisław i wszyscy biskupi, łącznie z biskupem kamieńskim z Pomorza Zachodniego, trzej książęta piastowscy – Odon poznański, Bolesław wrocławski i Leszek mazowiecki oraz liczni dostojnicy.

Zasadniczym przedmiotem obrad łęczyckich toczących się we wspaniałej kolegiacie romańskiej nie była jednak, jak powszechnie uważano, zmiana statutu z 1138 roku polegająca na zlikwidowaniu zasady senioratu i przyznaniu praw dziedzicznych do dzielnicy senioralnej Kazimierzowi i jego potomstwu, lecz reformy polityczno–ustrojowe określane często mianem przywilejów immunitetowych. Uchwały zjazdu zatwierdził następnie papież Aleksander III. Nie oznacza to jednak, że Kazimierz nie szukał u dwóch najwyższych autorytetów ówczesnego świata, papieża i cesarza, potwierdzenia swych praw do tronu krakowskiego wynikających z elekcji, gdyż według Wincentego Kadłubka uzyskał od nich pożądane dokumenty (od papieża 1181, a od cesarza 1184). Kazimierz wysłał do papieża pismo z prośbą o potwierdzenie postanowień zjazdu łęczyckiego i uzyskał od niego bullę wystawioną w Tusculum (Frascati) 28 marca 1181 roku. Papież zatwierdził w niej uchwały zjazdu, który zakazał zagarniania dóbr zmarłego biskupa i dochodów w okresie wakansu, gdyż w ten sposób pustoszono skarbiec kościelny, a także zabraniające książętom ziemi (polskiej) zabierania zboża ze stodół ubogiej ludności i koni na podwody. Nie bardzo wiemy, kto kryje się pod określeniem ,,książąt ziemi", czy także dzielnicowi książęta piastowscy lub może potomkowie dawnych dynastów plemiennych, względnie ogół możnowładców i urzędników. W każdym razie wydaje się nie ulegać wątpliwości, że sam książę zwierzchni nie zrzekł się swych uprawnień, odebrał tylko możnowładcom i urzędnikom prawo zagarniania dóbr i dochodów Kościoła w okresie wakansu i ograniczał, usuwając nadużycia, prawo egzekwowania powinności stanu i podwody.

Obrał zatem Kazimierz całkowicie inną drogę postępowania wobec możnowładców duchownych i świeckich niż ta, którą kroczył jego rywal do tronu Mieszko Stary. Zapoczątkowując uchwałami łęczyckimi uprzywilejowanie ekonomiczne Kościoła, otwierał drogę do masowego w następnych dziesięcioleciach wydawania dla Kościoła i rycerstwa przywilejów immunitetowych osłabiających władzę księcia zwierzchniego i pogłębiających rozdrobnienie kraju. Okazał się jednak władcą na swoje czasy ,,nowoczesnym'', nie dążył do wskrzeszenia Polski z czasów pierwszych Piastów, lecz potrafił przystosować się do nowych warunków.

Posłowie polscy, po powrocie z Włoch z bullą papieską zatwierdzającą uchwały zjazdu łęczyckiego, zastali w kraju zupełnie odmienną sytuację od tej, jaka istniała w czasie samego zjazdu. W Polsce, już zapewne w 1181 roku, wybuchła wojna domowa między Kazimierzem i wygnanym z kraju Mieszkiem Starym, który w 1182 roku wczesnym rankiem napadłszy na senne straże odzyskał swą dawną stolicę wielkopolską – Gniezno. Naoczny świadek tych wydarzeń przebywający stale w Krakowie przy dworze książęcym Wincenty Kadłubek twierdzi nawet, że Kazimierz gotów był dobrowolnie zwrócić Mieszkowi jego ziemie dziedziczne, a powstrzymywało go od tego oburzenie możnych krakowskich, którzy mieli wówczas wykrzyknąć, że ,,rzadko kruk kru-

kowi oko wydziobuje, rzadko brat brata doszczętnie niszczy'' i grozić wystąpieniem przeciwko całej dynastii piastowskiej. Mieszko Stary odzyskał swą dzielnicę wielkopolską i zwrócił się o interwencję w swej sprawie do cesarza Fryderyka Barbarossy, której Kazimierz zapobiegł w 1184 roku za cenę uznania zwierzchnika cesarskiego. Pozycję jego umocniło przyłączenie do swych ziem Mazowsza i Kujaw po śmierci młodego Leszka (1186). Odtąd jednak posiadała Polska faktycznie aż dwóch książąt zwierzchnich skłóconych ze sobą i kilku książąt dzielnicowych.

Państwo Kazimierza obejmowało wschodnią część Polski, stąd też sprawy ruskie zajmowały w jego polityce czołowe miejsce. W swej polityce ruskiej przystosował się Kazimierz do nowej sytuacji u wschodnich sąsiadów i nie próbował, tak jak to czynili jeszcze jego starsi bracia, związać się sojuszem ze zwierzchnim księciem kijowskim lub wprowadzić swego sojusznika na tron kijowski.

Początkowo jednak Kazimierz zdawał się kontynuować linię postępowania swych poprzedników na tronie krakowskim, gdyż w 1178 roku wydał swą córkę za Wsiewołoda Czermnego, średniego syna Światosława Wsiewołodowicza z linii czernihowskiej Olegowiczów, wielkiego księcia kijowskiego w latach 1176–1180. W kilka lat później, około 1180 roku, interweniował na Rusi wspomagając Wasylka Jaropełkowicza, księcia drohiczyńsko–brzeskiego, w walkach o Brześć toczonych z Włodzimierzem Wołodarowiczem, księciem mińskim. W krwawej bitwie nad Bugiem książę Wasylko pokonał z polską pomocą swego przeciwnika i zajął Brześć, utracił jednak gród powtórnie i utrzymał się dzięki polskiej pomocy jedynie na Podlasiu drohiczyńskim, które po swej śmierci miał podobno przekazać Leszkowi księciu mazowieckiemu, swemu szwagrowi. W 1192 roku księstwem tym władał jednak nielojalny wobec Kazimierza książę ruski sprzymierzony z Jadźwingami, którego pokonał Kazimierz i wcielił jego księstwo do swego państwa. Sąsiednim księstwem brzeskim władał po Kazimierzu mińskim Światosław Mścisławicz wypędzony ze swego księstwa przez samych brześcian, wspomaganych przez jego przyrodnich braci. Kazimierz wyruszył na Brześć wraz ze swym wojewodą Mikołajem, aby osadzić w nim wygnanego księcia. Oblężonemu miastu przybyli jednak z odsieczą przyrodni bracia Światosława – Roman i Wsiewołod siostrzeńcy Kazimierza – skłóceni ze swym wujem. Bitwę stoczoną wówczas opisał szczegółowo i barwnie Wincenty Kadłubek. Według jego słów nad szeregami polskimi, które pod wodzą samego księcia rozbiły linię bojową przeciwników, widział znak zwycięstwa orła. Byłaby to pierwsza wzmianka o orle jako znaku piastowskim, gdybyśmy byli pewni, że nie jest to tylko literackie przyrównanie armii polskiej do rzymskich legionów, które umieszczały wyobrażenia orłów na swych znakach bojowych.

Po zwycięstwie osadził Kazimierz w Brześciu Światosława, a gdy ten został w następnym roku otruty, przekazał księstwo swemu siostrzeńcowi Romanowi, księciu Włodzimierza Wołyńskiego.

Sojusz z Romanem włodzimierskim ułatwił Kazimierzowi podjęcie nowej interwencji, tym razem w księstwie halickim. Kazimierz poparł jako kandydata na tron w Haliczu księcia Olega, a gdy został on otruty przez bojarów, zwolenników jego starszego brata Włodzimierza, osadził w Haliczu księcia Romana. Walki te wykorzystali Węgrzy, aby zagarnąć dla siebie oba księstwa Romana. Król Bela III dodał do swej tytulatury również godność ,,króla Galicji i Lodomerii". Ostatni żyjący przedstawiciel halickiej dynastii Rościsławiczów Włodzimierz zbiegł jednak z więzienia węgierskiego i uzyskał następnie poparcie cesarza Fryderyka Barbarossy, który polecił Kazimierzowi udzielić mu pomocy. Kazimierz chętnie wystąpił przeciwko panowaniu węgierskiemu i wyprawił na Halicz wojewodę Mikołaja, który 6 sierpnia 1189 roku wprowadził uroczyście księcia Włodzimierza do jego stolicy.

Wpływy polskie objęły odtąd cały pas księstw ruskich od Narwii i Biebrzy na północy po Karpaty na południu. Kazimierz zajął się obecnie obroną północnych granic swego państwa przed najazdami Prusów i Jadźwingów.

Nieobecność księcia wykorzystała w 1191 roku grupa możnych należąca do ukrytych zwolenników księcia Mieszka. Głową spisku został dawny zaufany sługa Mieszka Henryk Kietlicz, kasztelan krakowski, który oczekując na wybuch buntu, wcześniej już udał się do Mieszka rzekomo wypędzony z Krakowa. Na wieść o podjętych przygotowaniach do przewrotu wyruszył na Wawel biskup Pełka z garstką najwierniejszych przyjaciół, buntownicy zmusili go jednak po bezskutecznej próbie stawiania zbrojnego oporu do poddania grodu. Do Krakowa przybył na krótko, po czternastu latach wygnania, Mieszko, lecz wkrótce opuścił miasto pozostawiając w nim swą załogę pod dowództwem syna Bolesława i kasztelana krakowskiego Henryka Kietlicza. Na wieść o przewrocie Kazimierz wyruszył natychmiast na Kraków posiłkowany przez swych ruskich sojuszników. Po krótkim oblężeniu Kraków poddał się, gdyż obrońców przeraziła wieść o podpaleniu miasta jarzącą się żagwią, którą sługa obozowy Kazimierza przerzucił na wały zapalając drewniane fragmenty fortyfikacji. Przywódcę spisku, schwytanego w katedrze wawelskiej Henryka Kietlicza, wygnał Kazimierz na Ruś. Natomiast bratanka swego Bolesława Mieszkowica uwolnił wraz z jego ludźmi i odesłał do Mieszka, z którym za pośrednictwem arcybiskupa Piotra Łabędzia zawarł układ pokojowy, odzyskując utracone grody. Do łaskawości wobec jeńców skłonił Kazimierza, według jego kronikarza, arcybiskup Piotr.

Stłumienie buntu utrwaliło przewagę Kazimierza nad możnowładztwem krakowskim. Po raz pierwszy od lat kilkudziesięciu princepsowi krakowskiemu udało się pokonać dumnych panów krakowskich osadzających dotąd kandydatów do tronu według własnego wyboru. Nikt nie mógł spodziewać się w 1191 roku, że Kazimierzowi pozostały tylko trzy lata życia. Poświęcił je na walki z Jadźwingami nękającymi stałymi napadami północno-wschodnie granice Polski. Głównym przeciwnikiem księcia byli Połekszanie, plemię jadźwieskie osiadłe w dolinie rzeki Łek (Ełk), od której wzięło swą nazwę. Z powodu tej nazwy nazywano ich mylnie Podlasianami i umieszczano siedziby ich w ziemi drohiczyńskiej. Jadźwingowie–Połekszanie byli sojusznikami księcia drohiczyńskiego, który znosił się z nimi potajemnie, pragnąc zapewne przy ich pomocy zrzucić zwierzchnictwo polskie. Obrażony Kazimierz zdobył Drohiczyn i schwytał zdradzieckiego księcia, a następnie sforsował graniczną puszczę i spustoszył ziemię Połekszan zmuszając ich do zapłaty daniny i wydania zakładników. Połekszanie złamali jednak układ i próbowali zatrzymać przy pomocy zasieków powracające do kraju wojsko Kazimierza. Wyprawa została wznowiona i dopiero po całkowitym złamaniu oporu książę wjechał triumfalnie do Krakowa. Spędzał teraz czas na uroczystych dziękczynnych nabożeństwach zapewne w ufundowanej przez siebie kolegiacie Św. Floriana. Święty Florian został głównym patronem Krakowa w 1184 roku, gdyż w tym roku biskup Gedko sprowadził z Włoch jego relikwie. Nazajutrz po tym święcie wyprawił Kazimierz uroczystą ucztę dla książąt, biskupów i możnych. Gdy wszyscy się weselili, książę, gdy zadawał pytania biskupom o zbawienie duszy, wychyliwszy maleńki kubek osunął się na ziemię i zaraz zmarł. „Nie wiadomo czy zgasł [dotknięty] chorobą czy trucizną" zaznaczył krótko nadworny kronikarz, bez wątpienia świadek tej sceny, Wincenty Kadłubek. Oskarżono o spowodowanie śmierci księcia pewną kobietę z Krakowa, która miała mu podać napój miłosny, żeby rozpalić jego uczucia i zmysły ku sobie. Pochowany został u schyłku czwartego dnia od śmierci w katedrze wawelskiej, a rycerze własnoręcznie złożyli jego ciało w grobowcu zbudowanym z boku prezbiterium. Płytę nagrobną tam umieszczoną oglądał zapewne jeszcze Jan Długosz w XV wieku. Pozostawił Kazimierz wdowę Helenę i dwóch małoletnich synów: siedmioletniego Leszka i sześcioletniego Konrada, gdyż ich starsi bracia zmarli jeszcze przed ich urodzeniem.

Kazimierz zmarł jako książę potężny. Liczono się z jego wpływami nie tylko w Polsce, lecz także w sąsiednich księstwach ruskich. Dzięki jego aktywności politycznej i militarnej szybko rozwijało się w czasie jego panowania osadnictwo w Sandomierskiem, a zwłaszcza w pogranicznej Lubelszczyźnie. Na uwagę zasługuje także rozległa działalność fundacyjna księcia i jego mecenat artystyczny. Wincenty Kadłubek otrzymał od niego polecenie spisania dziejów ojczystych, a pracę tę kontynuował również po jego śmierci. Niedokończona księga czwarta jest w znacznej mierze panegirykiem na cześć Kazimierza powstałym bezpośrednio po jego śmierci. Ten charakter panegiryku pośmiertnego jak i sposób pisania kroniki powtarzającej wiernie swe wzory literackie i ideowe powodują naszą niepewność, czy przedstawiona w niej sylwetka Kazimierza odpowiada rzeczywistości. Kadłubek zarysował postać księcia jako ideał władcy rozważnego, liczącego się z radami biskupów i dostojników świeckich, pobożnego i oświeconego.

Kazimierz odznaczał się według swego panegirysty zgrabną postacią, równowagą ducha, pogodą, dowcipem i rozsądkiem, umiejętnością zbliżania ludzi niskiego stanu, wielką szczodrobliwością, pracowitością przy jednoczesnym zamiłowaniu do życia dworskiego, zwłaszcza zaś do uczt. Umiał sprytnie, a nawet podstępnie wydobywać sekrety od upojonych gości biesiadnych, lecz skłonny był także do zbytniej łatwowierności. Cechowała go prostota życia przy jednoczesnym zamiłowaniu do muzyki i rozmów o teologii i filozofii, a także wielka pokora, łagodność, cierpliwość i tro-

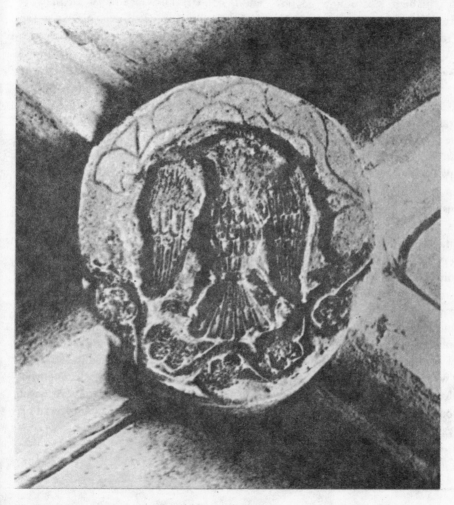

Zwornik sklepienia w kościele cysterskim w Koprzywnicy

skliwość. W tym długim wyliczaniu zabrakło wymienienia jako cechy szczególnej – zamiłowania do sprawiedliwości. Mistrz Wincenty nie nazwał go w swej kronice ani razu władcą sprawiedliwym.

Przy tak skomplikowanym portrecie władcy niełatwo jest wyróżnić jego rzeczywiste cechy, eliminując literackie i retoryczne epitety, których nie szczędził mu uczony kronikarz. Wszyscy dawniejsi historycy uznawali dotąd autentyczność i realizm Kadłubkowego portretu. Dopiero najnowsze badania przyniosły rewizję tych tradycyjnych osądów. Okazało się, że mistrz Wincenty po prostu przeniósł na swego bohatera cechy przypisywane chrześcijańskiemu ideałowi jego epoki – świętemu Bernardowi z Clairvaux, któremu zakon cysterski zawdzięczał swe znaczenie i rozgłos. Stąd też owe wielkie nagromadzenie w osobie Kazimierza cnót starożytnych i chrześcijańskich, a zwłaszcza tak zadziwiająca u władcy świeckiego i rycerza pokora i łagodność. Również opis piękna postaci zewnętrznej księcia został zapożyczony z żywotów świętego Bernarda. Nawet anegdota o spoliczkowaniu księcia Kazimierza przez rycerza Jana w czasie gry w kości i wybaczeniu mu tego występku została przejęta z żywotu tego świętego. W Polsce nawet dzielnicowego księcia wiślickiego rycerz nie mógł bezkarnie policzkować. Święty Bernard został spoliczkowany przez kleryka, któremu odmówił przyjęcia do swego domu zakonnego, lecz wybaczył mu zabraniając uwięzienia zuchwalca. Anegdotę tę powtórzył Długosz dodając od siebie, że rycerzem tym był Jan z Konar, czyli Konarski.

Przy tak daleko sięgających analogiach stajemy bezradni pred ,,portretem'' księcia Kazimierza. Charakterystykę jego należy w tej sytuacji odtwarzać studiując dzieje jego panowania. W ich świetle rysuje się on nam jako władca zdolny i umiejący panować nad społeczeństwem, a jednocześnie opiekun Kościoła i miłośnik sztuki i literatury – fundator wielu wspaniałych budowli sakralnych, mecenas Wincentego Kadłubka i anonimowego poety – autora opowieści o Walgierzu Wdałym.

Przydomku Sprawiedliwego nie daje mu ani Kadłubek, ani żadne inne źródło bliskie czasowo okresowi życia Kazimierza. Po prawie trzystu latach po jego zgonie Jan Długosz nazwał go, wymieniając zalety zmarłego, sędzią sprawiedliwym, nie traktował jednak tego określenia jako przydomku. Przydomek ten nadał mu dopiero historiograf króla Zygmunta Starego Bernard Wapowski w swej rękopiśmiennej historii Polski, a powtórzyli i spopularyzowali w swych kronikach wydanych drukiem Marcin Bielski (1564), a następnie Maciej Stryjkowski i Joachim Bielski. Joachim Bielski, powtarzając zapewne za Wapowskim, twierdził, że Kazimierza ,,Sprawiedliwym stąd nazwano, że Konarskiego nie dał ściąć o pogębek, gdy w kostki z nim grywał''. Przydomek Sprawiedliwy, z którym Kazimierz wszedł do pocztu królów polskich, zawdzięczał zatem Kazimierz nie usunięciu na zjeździe łęczyckim niesprawiedliwości popełnionych wobec duchowieństwa, lecz opowieści osnutej na motywie zapożyczonym z żywota świętego Bernarda o porywczym rycerzu i łagodnym i wyrozumiałym księciu.

Benedykt Zientara

MIESZKO PLĄTONOGI

Przydomki monarchów cechuje pewna ciekawa prawidłowość. W starożytności były one wyłącznie pochlebne: monarchowie hellenistyczni nosili określenia – Zbawiciel, Zwycięzca, Burzyciel Miast lub łagodniejsze – Miłujący Ojca, Siostrę; cesarze rzymscy określali się od podbitych lub pokonanych ludów przydomkami – Germański, Brytański, Gocki itd. W czasach nowożytnych też trudno znaleźć na oficjalnych listach inne przydomki jak Wielki, Oswobodziciel czy Zjednoczyciel. Tylko z nieoficjalnych źródeł wiemy, że Ptolomeusz VII, oficjalnie zwany Dobroczyńcą, wśród szerokich rzesz nazywany był Brzuchaczem, a Mikołaj I rosyjski nosił wśród ludu przydomek Pałkin, nabyty przez zamiłowanie do tego środka karcenia poddanych.

Średniowiecze było bardziej bezpośrednie w tej sprawie: kronikarze nie krępowali się notować za współczesnymi określenia, charakteryzujące dosadnie fizyczne lub umysłowe cechy władców i pomniejszych książąt. Stąd obok Pięknych, Walecznych, Śmiałych i Szczodrych spotykamy na kartach kronik Krótkoudych, Kulawych, Grubych, Zezowatych, Krzywoustych i Łokietków, a także: Kłótliwych, Szalonych, Leniwych i Prostaków. Był Jan bez Trwogi, ale i Jan bez Ziemi; był Ryszard Lwie Serce, ale był też Fryderyk z Pustą Kieszenią.

Tak było i w Polsce, toteż młodszy syn Władysława Wygnańca i Agnieszki austriackiej, Mieszko, dotknięty kalectwem nóg, miał nosić za życia i po śmierci dokuczliwy przydomek Plątonogiego.

Nie jest to postać pierwszoplanowa w historii Polski; Matejko nie uwzględnił go w swym „Poczcie królów", ponieważ nie wiedział jeszcze, że ten górnośląski książę dzielnicowy na krótko przywrócił przewidziany przez Krzywoustego seniorat i został zwierzchnim księciem na krakowskiej stolicy. Dopiero w samym końcu XIX wieku znakomity historyk Oswald Balzer dostrzegł znaczenie wzmianek rocznikarskich o opanowaniu przezeń Krakowa i zestawił je z dość tajemniczą bullą papieża Innocentego III. Ale zanim do tego dojdziemy, prześledźmy koleje życia kulawego księcia.

Nie wiemy, kiedy się urodził. Gerard Labuda przypuszcza, że podana przez Długosza błędna data urodzenia Mieszka Starego (rzekomo w 1131 r.) odnosi się rzeczywiście do naszego bohatera, ale Kazimierz Jasiński wątpi w to, że jakikolwiek rocznik (z którego Długosz mógłby zaczerpnąć wiadomość) zanotował datę urodzin księcia, który nie tylko nie był pierworodnym synem władcy, ale którego ułomności wykluczały pozornie z udziału w życiu politycznym.

Podczas gdy starszy brat Mieszka, Bolesław Wysoki, pomagał już ojcu w działalności politycznej i zawarł ważne polityczne małżeństwo, Mieszko pozostawał przy matce bezczynny: ułomność fizyczna uniemożliwiała mu także karierę duchowną. W 1146 roku matka, po katastrofie rządów Władysława Wygnańca, wywiozła go do Niemiec, gdzie odtąd Mieszko żył przy niej w Altenburgu, pędząc nudne i smutne życie wygnańca–kaleki. Brat Bolesław jeździł po świecie u boku cesarskich krewniaków, brał udział w krucjacie 1147 roku i we włoskich wojnach Fryderyka Barbarossy, a Mieszko niewiele zapewne widział poza bliską okolicą Altenburga. Już wówczas zapewne zazdrościł bratu, już wtedy mogła zarysować się niechęć, rozwinięta później w konflikt polityczny. Czy przymusowa bezczynność nie wzbudziła w Mieszku zainteresowań intelektualnych? Czy nie nauczył się przez te długie lata pisać, czytać i korzystać z lektur? Nic o tym, niestety, nie wiemy.

Kiedy wskutek interwencji cesarskiej stryj Bolesław Kędzierzawy zgodził się w 1163 roku oddać synom Władysława ojcowską dzielnicę – Śląsk, Mieszko wystąpił jako pełnoprawny partner Bolesława Wysokiego. I rychło miało okazać się, że rozumem politycznym i przebiegłością przewyższa brata.

Dopóki trwały zatargi ze stryjami i niebezpieczeństwo powtórnego wygnania obydwu

Kapitularz cysterski w Wąchocku

Władysławowiców, zachowywali oni solidarność. Tak zapewne w 1166 roku, korzystając z niepowodzeń polityczno–militarnych Kędzierzawego, opanowali trzymane dotychczas przez niego główne ośrodki Śląska z Wrocławiem na czele. Ale niebawem Mieszko, który dawno już przekroczył trzydziestkę, zaczął domagać się od brata większego udziału w rządach, a nawet osobnej dzielnicy. Na próżno.

Znalazł się jednak drugi malkontent. Dorastający najstarszy syn Wysokiego, Jarosław, poczuł się zagrożony w swych prawach przez intrygi macochy, która chciała, aby ojciec popchnął go w stronę kariery duchownej, a władzę przekazał synowi z drugiego małżeństwa, Bolesławowi. Wbrew swej woli został Jarosław wyświęcony na księdza i wprowadzony do kapituły wrocławskiej jako kanonik. Pozornie się z tym pogodził, ale potajemnie rozpoczął knowania przeciw ojcu wraz ze stryjem: obaj porozumieli się zapewne z zadowolonym z takiego obrotu spraw seniorem – Bolesławem Kędzierzawym.

W 1172 roku doszło do przewrotu, w wyniku którego Bolesław z żoną i młodszymi dziećmi musiał znowu uciekać do Niemiec. Interwencja cesarska ponownie pomogła mu wrócić na Śląsk, ale tym razem musiał zgodzić się na kompromisowe rozwiązanie sporu rodzinnego. Południowa część dzielnicy została oddzielona: w Opolu objął rządy Jarosław, Racibórz stał się ośrodkiem własnej dzielnicy Mieszka Plątonogiego.

Ugoda była jednak nieszczera i nietrwała. Obaj bracia znaleźli się w przeciwnych obozach politycznych, kiedy nowy senior, Mieszko Stary, zaczął zmierzać do umocnienia ogólnopolskiego charakteru swej władzy. Plątonogi poparł swego imiennika i zapewne za jego pośrednictwem poślubił przedstawicielkę jednej z linii czeskich Przemyślidów, Ludmiłę.

Tympanon fundacyjny opactwa na Olbinie we Wrocławiu

Natomiast Wysoki znalazł się wśród grupy książąt i magnatów przygotowującej obalenie Mieszka Starego.

Doszło do tego, jak wiadomo, w 1177 roku. Spisek udał się świetnie: Mieszko Stary stracił nie tylko Kraków, ale i Wielkopolskę, z której wypędził go własny syn Odon. Ale Bolesław Wysoki żadnej z tego korzyści nie osiągnął. Nie tylko nie uzyskał upragnionego Krakowa, w którym umocnił się Kazimierz Sprawiedliwy (władający dotychczas w Sandomierzu), ale ponownie stracił Wrocław, znowu wygnany zeń przez brata i syna. Z pretendenta do władzy nad całą Polską stał się znowu petentem, błagającym Kazimierza Sprawiedliwego o interwencję.

Jednak Mieszko Plątonogi, który przez małżeństwo z Ludmiłą założył właśnie odrębną linię piastowską (przetrwała do XVII w.), nie miał chęci ustąpić z Wrocławia bez korzyści dla siebie. Kazimierz był więc zmuszony ustąpić mu dwie znaczne kasztelanie, należące dotychczas do dzielnicy krakowskiej: Bytom (z Siewierzem) i Oświęcim; od tego czasu dzieliły one losy Górnego Śląska.

Rządy Mieszka w jego dzielnicy są mało znane: nie zachował się ani jeden wystawiony przezeń dokument. Wiadomo, że dzielnica jego stała znacznie w tyle za szybciej rozwijającą się wrocławską (do której wówczas ograniczano coraz bardziej nazwę Śląska); nie spotykamy tam też ani niemieckich kolonistów, ani

133

rycerzy. Mieszko założył własną mennicę; przypisuje mu się monety z polskim napisem „Milost", co jest zresztą sporne.

Do atrybutów szanującego się księcia dzielnicowego należała własna bogato uposażona fundacja klasztorna; nie tylko książęta, jak Mieszko Stary, Kazimierz Sprawiedliwy i Bolesław Wysoki, ale i rody możnowładcze, jak Gryfici, Łabędzie, Bogoriowie czy Pałukowie mieli swoje klasztory rodowe. Krypta kościoła klasztornego służyła też jako godne miejsce pochówku rodziny fundatora. Tak więc Mieszko Plątonogi wraz z żoną Ludmiłą również założyli własny klasztor: żeński konwent premonstrantek, czyli norbertanek w Rybniku (przeniesiony później przez ich syna Kazimierza do Czarnowąsu).

Figurka wojownika na szpili z Opola

Mimo zbliżania się podeszłego wieku i mimo kalectwa aktywność polityczna Mieszka Plątonogiego nie malała. Z latami coraz bardziej interesował się sprawą przywrócenia senioratu, obalonego przez Kazimierza Sprawiedliwego; po Mieszku Starym i po bracie Bolesławie był już najstarszym z Piastów, więc jego starania o przywrócenie tronu obalonemu imiennikowi służyły pośrednio jemu samemu. Śmierć Kazimierza Sprawiedliwego (1194) otworzyła nowe nadzieje: podczas elekcji również Plątonogi miał w Krakowie swoich zwolenników. Zwyciężyli jednak stronnicy małoletniego Leszka Białego, który był tylko figurantem w rękach małopolskiego możnowładztwa.

Wtedy Mieszko Stary zdecydował się raz jeszcze na zbrojne dochodzenie tronu krakowskiego. W krwawej bitwie nad Mozgawą (1195) nie odniósł sukcesu, m.in. dlatego, że nie doczekał nadejścia posiłków, które z dzielnic opolskiej i raciborskiej prowadził książę Jarosław. Wojowie górnośląscy odnieśli zbyteczne już zwycięstwo nad sandomierzanami i wspierającymi ich Rusinami.

Ze swego Raciborza Mieszko Plątonogi bacznie śledził dalszy rozwój wypadków. Mieszko Stary osiągnął wreszcie w drodze kompromisu tron krakowski. Jarosław opolski zmarł w marcu 1201 roku, może zapisując tron stryjowi. Plątonogi nie mógł zapobiec jednak opanowaniu Opola przez Bolesława Wysokiego. Nie na długo jednak: w grudniu tegoż roku Wysoki umarł, zostawiając dziedzictwo pozostałemu przy życiu synowi, Henrykowi Brodatemu.

Plątonogi wykorzystał trudności nowego księcia wrocławskiego: zapewne z pomocą niezadowolonego ze zmian rycerstwa opolskiego opanował dawną dzielnicę Jarosława. Może zająłby i więcej, gdyby go nie powstrzymywała interwencja stojących w obronie Henryka biskupów.

O ile z Bolesławem Wysokim Mieszko właściwie nigdy nie doszedł do porozumienia, o tyle z jego następcą wkrótce się zbliżył, i to w sprawie senioratu. Na tronie krakowskim po śmierci Mieszka Starego i wygnaniu jego syna Władysława znowu zasiadł młody Leszek Biały, co specjalnie drażniło Plątonogiego, niekwestionowanego seniora dynastii.

Sojusz Leszka z biskupami, a nawet uzyskana przezeń protekcja papieska nie zrażały Brodatego, który miał w Rzymie swoje wpływy. Z ich pomocą uzyskał ową przedziwną bullę Innocentego III, który lubił demonstrować swe prawo do wynoszenia i obalania władców. Na prośbę nie wymienionego z imienia księcia śląskiego (niewątpliwie Henryka Brodatego, bo tylko on nosił taki tytuł) papież przypomniał, że w myśl obowiązującego, a przez Stolicę Apostolską ongiś zatwierdzonego statutu Krzywoustego Kraków ma należeć do każdorazowego najstarszego członka polskiej dynastii, po którego śmierci lub dobrowolnym ustąpieniu ma objąć władzę następny według wieku. Wykroczenia przeciw statutowi obłożone są ekskomuniką i papież wezwał biskupów, aby karali nią wszystkich gwałcących jego postanowienia.

Wprawdzie jeden z papieży istotnie zatwierdził postanowienia Krzywoustego, ale za to inny w czterdzieści lat później potwierdził ich zniesienie. Nie zmieniało to faktu, że ogłoszenie bulli Innocentego III (z datą 9 czerwca 1210 r.) wywołało w Polsce konsternację. Arcybiskup Henryk Kietlicz zwołał w lipcu synod w Borzykowej, na który oprócz biskupów przybyli i książęta (m.in. Leszek Biały i Henryk Brodaty). Tymczasem Plątonogi zamiast do Borzykowej, podążył z wojskiem do Krakowa i korzystając z zamieszania objął tam władzę. Być może postanowienia bulli o możliwości przekazania władzy przez seniora następnemu w starszeństwie było pomyślane w interesie Henryka Brodatego? W każdym razie do tego nie doszło i rządy Mieszka w Krakowie były krótkim epizodem. Syt chwały, ostatni prawowity senior zmarł jako władca Krakowa 16 maja 1211 roku i podobno tam też został pochowany.

Tymczasem Kietliczowi udało się ,,odkręcić" sprawę w Rzymie i Brodaty nie objął sukcesji. Leszek Biały wrócił na tron, a Henryk musiał wyczekiwać na lepszą okazję. Racibórz i Opole po Mieszku odziedziczył syn Kazimierz. A o ostatnim tryumfie wytrwałego i obrotnego starca–kaleki zapomnieli dziejopisowie na długie stulecia.

Henryk Samsonowicz

LESZEK BIAŁY

W 1194 roku zmarł, być może otruty, naj-młodszy syn Bolesława Krzywoustego Kazi-mierz zwany Sprawiedliwym. Śmierć jego raz jeszcze postawiła pod znakiem zapytania po-stanowienia tzw. testamentu Bolesława Krzy-'woustego.

Sprzeczności między interesami całego pań-stwa a poszczególnych dzielnic wystąpiły wy-raźnie niemal natychmiast po zgonie Krzywo-ustego, przy czym nie dotyczyły one jedynie ambicji różnych Piastowiczów. Zmieniała się struktura społeczna i gospodarcza Polski, zmieniały się podstawy, na których opierała swój byt monarchia, na których wyrastała nowa elita władzy, coraz większą rolę zaczęły odgrywać wielkie rody opierające swoją potęgę na rozległych posiadłościach ziemskich: Gryfi-ci, Awdańcy, Lisowie, Starżowie, Rawicze, Łabędzie – w ciągu XII wieku zbudowali swoje majętności na wzór dóbr feudalnych Europy zachodniej. Organizacja wielkich włości umożliwiła uzyskiwanie dochodów, które dawały możnym ważną pozycję nie tylko w gospodarce, lecz także w polityce. Wielkie inwestycje – kościoły, klasztory, dwory – stwa-rzały prestiż społeczny, umożliwiały zgroma-dzenie środków niezbędnych do działalności kulturalnej. Przedstawiciele polskiego możno-władztwa stawali się ludźmi wykształconymi, ,,doktorami dekretów'', mecenasami nauki i sztuki. W XII wieku romanse rycerskie zostały zaszczepione na grunt polski, adapto-wane do potrzeb miejscowych i oparte – jak legenda Piotra Włostowica – na rodzimych

wątkach. Stara monarchia działała jak wielka, samowystarczalna włość książęca. Kontakty międzynarodowe i rozwój wielkich fortun zie-mskich system ten skutecznie rozbijały. W dziele tym ważką rolę odgrywała także organizacja kościelna. Kościół był – po księciu – największym właścicielem ziemskim, zapew-niał możliwość awansu politycznego i kultural-nego, dostarczał wzorów sztuki i kultury. W dobie walki o uniwersalne państwo chrześ-cijańskie w Europie zdecydowanie wzmocnił się w Polsce i dołączył do programu realizowa-nego przez papiestwo na przełomie XII i XIII wieku. Ideologia kościelna stanowiła nowy czynnik polityczny, z którym należało się li-czyć. Kościół był przeciw dotychczasowym atrybutom państwa; był też za utrzymaniem

Pieczęcie Leszka Białego według przerysów z XIX w.

jedności politycznej w ramach rozległej archidiecezji gnieźnieńskiej.

Rozdrobnienie feudalne nie było zatem efektem niesnasek w rodzinie panującej, lecz odpowiadało społecznym potrzebom przede wszystkim możnowładztwa, a następnie tych wszystkich, którzy poszukiwali nowych, odmiennych od prawa książęcego, wygodniejszych dla siebie form życia. Sprawa nie była jednak prosta. Rozdrobnienie prowadziło do upadku państwa, jego osłabienia politycznego, strat terytorialnych, niepokojów i walk wewnętrznych, braku silnej władzy centralnej. Taki stan rzeczy nie był w interesie ani chłopów, ani drobniejszych posiadaczy ziemskich, ani możnych, ani organizacji kościelnej. Istniało też – trudno stwierdzić jak szerokie – poczucie więzi ogólnopolskiej, wspólnoty narodowej opartej o język, tradycje, obyczaje.

W tym stanie rzeczy nie zawsze można jednoznacznie oceniać obie tendencje polityczne istniejące w Polsce na schyłku XII wieku. Szczególnie jest to trudne dlatego, że z jedną i drugą wiązały się najróżniejsze dodatkowe czynniki. Walka książąt Pomorza Gdańskiego o oderwanie się od zwierzchnictwa Krakowa prowadziła do ujemnych następstw w polityce pruskiej czy ogólnie – bałtyckiej. Autokratyzm Mieszka Starego zrażał do siebie wielu przekonanych do idei jednolitego państwa.

Śmierć Kazimierza Sprawiedliwego skomplikowała istniejącą sytuację. Żył i działał najstarszy wiekiem przedstawiciel dynastii – Mieszko Stary, dwukrotnie już z Krakowa wypędzony, pozostający w ostrym konflikcie z potężnymi rodami małopolskimi. Alternatywą byli spadkobiercy Kazimierza, dwaj synowie – Leszek i Konrad – którzy jednak byli wówczas

nieletnimi dziećmi. Starszy urodził się w 1186 lub 1187 roku, młodszy o rok później. Matką ich była Helena, córka księcia znoimskiego, według mistrza Wincentego, znakomitego naszego kronikarza, „kobieta mądra ponad mądrość kobiecą". Wiec możnych i rycerzy w Krakowie, który zadecydował o następcy zmarłego księcia, toczył się pod wpływem biskupa Pełki i pierwszego dostojnika dworu zmarłego Kazimierza – wojewody Mikołaja, zapewne z rodu Lisów. Po burzliwych obradach i sporach między zwolennikami Mieszka i starszego Kazimierzowica zwyciężyła koncepcja powołania Leszka na tron krakowski,

broniona przede wszystkim przez Pełkę. Jeśli wierzyć Wincentemu Kadłubkowi, argumenty wysuwane przez biskupa dotyczyły prawa do sukcesji na zasadzie primogenitury. Ale ważniejszym wydaje się motyw potrzeby wyrażenia zgody przez możnych. „Władcy – pisze Kadłubek – nie zarządzają bowiem państwem na własną rękę, ale przy pomocy urzędników. I dlatego byłoby nader niegodziwe i nader niesłuszne lekceważenie, a cóż dopiero udaremnienie tego, co rozum doradza, czego wymaga pożytek, czego żąda uczciwość..." – jednym słowem: woli i pożytku wyborców. Trudno powiedzieć, jak dalece był to pogląd

Kościół cysterski w Sulejowie

powszechny, ale właśnie elekcja Leszka, sprzeczna ze statutem Krzywoustego, została na podstawie tej zasady prawnie usankcjonowana.

Oczywistą jest rzeczą, biorąc pod uwagę wiek Leszka liczącego około siedmiu lat, że faktyczna i prawna rola możnych opiekunów stała się znacznie większa, niż mogła być w wypadku powrotu na tron Mieszka Starego. Walka, jaka wówczas wybuchła, dotyczyła m.in. kształtu państwa. Mordercza bitwa nad Mozgawą (1195) nie zadecydowała jedynie o tym, czy na tronie polskim zasiądzie Mieszko, czy Leszek, ale przede wszystkim, kto będzie właściwym dysponentem władzy – książę czy możni. Bitwa, mimo wielkich strat poniesionych przez obie strony, nie została rozstrzygnięta, podobnie jak nie rozwiązana została walka o przyszły model państwa. Na zasadzie stanu tymczasowego w Krakowie pełnili rządy *palatinae comes excellentiae*, znakomity wojewoda – jak go nazywa Kadłubek – Mikołaj oraz biskup Pełka – *primi Cracoviensium* (pierwsi z krakowian), przy czym w początkowym zwłaszcza okresie starała się odgrywać istotną rolę księżna Helena. Ona też około 1198 roku weszła w porozumienie z Mieszkiem Starym, który zasiadł ponownie w Krakowie, zapewne pod warunkiem uczynienia Leszka swym następcą. Tarcia i spory doprowadziły do kolejnego usunięcia Mieszka z Krakowa. Stolica Polski pozostawała w dyspozycji krakowskich możnych, natomiast około 1200 roku nastąpił podział ojcowizny między obu braci Kazimierzowiców. Leszek otrzymał ziemię sandomierską, Konrad – Mazowsze i Kujawy.

W 1202 roku zmarł Mieszko Stary, w trakcie czwartego już rezydowania w wielkoksiążęcym Krakowie. Wówczas to miał miejsce epizod, który utrwalony został w legendzie i literaturze pięknej jako przykład prawości młode-

Fragment dokumentu Leszka Białego dla cystersów w Sulejowie

go księcia, ale który w rzeczywistości miał znaczenie dużo poważniejsze. Fakt, który został określony przez Romana Grodeckiego jako pierwsze w naszych dziejach *Pacta conventa*, próba umowy między władcą – elektem a przedstawicielami społeczeństwa – elektorami. Leszek rezydował w tym czasie w Sandomierzu. Możni krakowscy wysłali do niego poselstwo, z prośbą o objęcie tronu, na który zresztą został już wcześniej wybrany, ale pod warunkiem usunięcia ze stanowiska wojewody sandomierskiego Goworka. Zapewne chodziło tu o antagonistyczne interesy możnowładztwa obu dzielnic. Być może też Goworek bliższy był Mieszkowi Staremu niż nieprzejednany (do czasu) Mikołaj. Tak czy owak – jak formułuje to Grodecki – za ciasno było tym dwóm politykom przy jednym księciu. Goworek zapewne przyczynił się do niepowodzenia, które spotkało Mikołaja w 1200 roku przy kolejnym objęciu Krakowa przez Mieszka Starego.

Niezależnie od motywów stawianego warunku Goworek, okazując postawę godną męża stanu oświadczył, że gotów jest udać się na wygnanie. Z kolei Leszek, uniesiony szlachetnością, odrzucił żądanie krakowian. ,,Z dala niech będzie od księcia wszelkiego rodzaju frymarczenie. Z dala niech będzie nieuczciwe kupczenie uczciwymi" – jak miał się wyrazić wchodząc tym samym do legendy narodowej, sławiony za ten czyn przez następnych dziejopisów – od Długosza po czasy współczesne, opiewany w Niemcewiczowskich ,,Śpiewach historycznych" i opowiadaniach szkolnych. Niezależnie jednak od motywów tego pięknego postępku przebieg wydarzeń świadczy o tym, że uznawanymi przez niego dysponentami władzy byli możni krakowscy. Objęcie tronu wymagało zatwierdzenia przez część społeczeństwa, które w zamian mogło elektorowi stawiać swoje żądania. Czy Leszek mógł zapobiec takiemu biegowi wydarzeń? Nie było to możliwe w jego warunkach, a o względy wojewody Mikołaja ubiegał się i szermierz silnej władzy – Mieszko Stary, który ostatni swój pobyt na tronie krakowskim (1202) tłumaczył zgodą możnowładcy. Mikołaj wprędce umarł i wówczas okazało się, że inne rody krakowskie są skłonne bez wstępnych warunków przyjąć Leszka, sprzeciwiając się władzy wielkopolanina – Władysława Laskonogiego, syna Mieszka. Awdańcy, Odrowąże i Gryfici wymogli zapewne obsadzenie przez krakowian tylko niektórych urzędów. Sandomierski Goworek został przy księciu kasztelanem krakowskim.

W czasie swych pierwszych samodzielnych rządów Leszek miał sytuację trudną. Możno-

władztwo było zbyt silne dla księcia dzielnicowego, pretensje do wielkoksiążęcego tronu krakowskiego zgłaszali inni pretendenci, głównie Władysław Laskonogi i śląski Mieszko Plątonogi, wówczas senior dynastii. W tym stanie rzeczy jedyną wewnętrzną siłą polityczną, na której Leszek mógł się oprzeć, był Kościół, wspierany przez jednego z najwybitniejszych papieży średniowiecza – Innocentego III. Zapewne w latach 1206–1207 Leszek poparł reformy wprowadzane przez arcybiskupa Henryka Kietlicza i uzyskał bullę protekcyjną papieża nazywającego go księciem krakowskim. Leszka popierał nadal biskup Pełka, panegiryk na jego cześć napisał jego uczony następca Wincenty Kadłubek, a człowiekiem prowadzącym politykę polską w ostatnim dziesięcioleciu jego rządów był jeden z najwybitniejszych statystów epoki – biskup Iwo Odrowąż. Działalność Leszka na tym polu zyskiwała różne oceny historiografii. Trzynastowieczna Europa triumfujących papieży szukała jednak już nowszych form wzmocnienia aparatu państwowego. Ale, co trzeba sobie uświadomić, Polska nie była wówczas krajem rozwiniętym. Walka o sprawniejszy, jednolity aparat władzy w oparciu o Kościół była tradycyjną bronią monarchów we wcześniejszym okresie. Nie sposób również nie dostrzec korzystnej roli, jaką w XIII wieku odegrała silna polska organizacja kościelna w procesie utrzymania jedności ziem całego kraju.

Polityka wewnętrzna Leszka początkowo nie rozwijała się bez przeszkód. Tenże sam Innocenty III w 1210 roku na skutek działania śląskich Piastów zatwierdził zasady statutu Krzywoustego. Do Krakowa na okres paru miesięcy wkroczył senior dynastii – Mieszko Plątonogi, książę Raciborza. Jego śmierć pozwoliła na przejście do porządku dziennego nad decyzją papieską. Leszek raz jeszcze, tym razem już do śmierci, zasiadł na tronie krakowskim, konsekwentnie wzmacniając pozycję Kościoła. Nie budzi wątpliwości udział – chyba dominujący – Leszka w wystawieniu przywilejów w Borzykowej (1210) i w Wolborzu (1215). W ich wyniku Kościół uzyskał przywileje dotyczące jego gospodarczej i prawnej samodzielności (immunitety) oraz potwierdzenie wieczystej własności swych dóbr (zniesienie tzw. *ius spolii*). Leszek zyskiwał ważkie oparcie, ale ograniczał – szczególnie na przyszłość – skarb państwowy. Tym bardziej że w następnych latach nadał Kościołowi prawo korzystania z eksploatacji kopalń.

Rzecz interesująca. Swe działania wewnętrzne prowadził wraz z całą koalicją młodszych książąt piastowskich. Wiernym sprzymierzeńcem był mu zawsze brat Konrad, związany był z nim opolski Kazimierz i poznański Władysław Odonic. Wszyscy ci książęta byli zainteresowani w istnieniu dziedzicznych władztw terytorialnych, a nie w utrzymywaniu zasady senioratu. Nie wszyscy natomiast sięgali wzrokiem dalej, ponad interesy dzielnicowe, na kształt przyszłej Polski. Potrafiło to czynić dwóch najwybitniejszych – śląski Henryk Brodaty, trzymający się nieco na uboczu koalicji młodszych książąt, i Leszek Biały. Stopniowe zbliżanie się obu książąt rokowało pomyślnie dla całego kraju, także na polu międzynarodowym. Szczególnie ważne wydają się dwa kierunki polityki zagranicznej Leszka: ruski i bałtycki.

Ekspansja Małopolan na obszary Rusi należała do tradycji sięgającej przynajmniej XI wieku. Sporne obszary przygraniczne, ziemie przemyska i sanocka, częściowo włodzimierska, drohicka, były przedmiotem walk prowadzonych przez Kazimierza Sprawiedliwego. Już jako młodzik, w roku 1199 Leszek wyprawił się z rycerstwem małopolskim wprowadzając na tron włodzimiersko-halicki księcia Romana. W niewyjaśnionych okolicznościach doszło jednak później do zerwania z nim przymierza. Wielki najazd Romana na Polskę zakończył się jego zupełną klęską poniesioną w 1205 roku pod Zawichostem. Sukces Polaków zwiększony był zniszczeniem przypartej do wysokiego brzegu Wisły armii ruskiej i śmiercią jej wodza. Leszek brał udział w tej bitwie razem z bratem Konradem; faktycznym jednak wodzem był wojewoda mazowiecki Krystyn. Śmierć Romana, wobec małoletności jego synów, umożliwiała ekspansję na osłabione, ale bogate Księstwo Halicko-Włodzimierskie. Rozbicie dzielnicowe Rusi Kijowskiej, nieustanne walki z pretendentami do tronu wielkoksiążęcego, najazdy koczowniczych Połowców, a od początku trzeciego dziesięciolecia XIII wieku ekspansja mongolska coraz bardziej osłabiały państwo Rurykowiczów. Jednocześnie jednak Ruś Halicka przeżywała okres dużej pomyślności gospodarczej leżąc na uczęszczanym szlaku wiodącym na wybrzeża Morza Czarnego. Walka o Ruś była walką nie tylko o ziemię, lecz także o udział w handlu wschodnim, o kontakty z Lewantem i bogatymi krajami azjatyckimi. Do walki tej wystąpili obok Polaków i pretendentów z innych księstw ruskich także Węgrzy.

Paroletnie walki toczone ze zmiennym szczęściem nie doprowadziły Leszka do władania w Haliczu i Włodzimierzu. Natomiast pozwoliły mu na umocnienie się w przygranicznej ziemi przemyskiej, a od 1221 roku na poprawne ułożenie swych stosunków z Danielem, synem Romana, który ostatecznie objął ojcowską schedę. Wydaje się jednak, że istotne były też skutki walk o Ruś. Położone zostały pierwsze zręby polityki wschodniej, która później, w XIV wieku, miała święcić triumfy. W wyniku jednego z kolejnych aliansów polsko-węgierskich pojawiło się pojęcie Królestwa Halickiego, na którego tron przeznaczona zostać miała młoda para małżeńska: Koloman, królewicz węgierski, i Salomea, córka Leszka z jego małżeństwa z Grzymisławą księżniczką łucką. Ten twór polityczny, acz nie przetrwał dłużej niż trzy lata, przecież stał się podstawą dla wszystkich późniejszych spekulacji i koncepcji dotyczących Królestwa Halicza i Włodzimierza, tj. Galicji i Lodomerii. Stał się też jednym z argumentów politycznych żywych w myśli państwowej Polski, Węgier, a później nowożytnej Austrii. Polityka ruska, acz ukazująca sprzeczności istniejące między obydwiema stronami Karpat, umożliwiła też bliższe kontakty polsko-węgierskie, kontakty, które stały się jednym z głównych fundamentów polityki zagranicznej Krakowa w XIII–XIV wieku.

Mniej skuteczną na dłuższą metę, lecz zakrojoną na szerszą skalę politykę prowadził Leszek w sprawach nadbałtyckich. W grę wchodziły tu, jak sądzę, cele, wytyczenie których dobrze świadczy o księciu krakowskim i jego doradcach. Pierwszy – dotyczył utrzymania podległości księcia gdańskiego od władcy Krakowa, jako zwierzchnika całej Polski. Drugi – wskazywał kolejny kraj stanowiący możliwy obszar ekspansji polskiej – pogańskie Prusy. I pierwszy, i drugi cel interesował głównie możnych i rycerzy z północnych dzielnic naszego kraju. Fakt, że książę krakowski nie tylko aktywnie włączył się do realizacji tych zamierzeń, stawiał go w sytuacji rzecznika interesów całego kraju. Stawiał też, wobec równoczesnej ekspansji Danii na pobrzeża Bałtyku, ponownie sprawę Polski na forum międzynarodowym. Zorganizowany w 1212 roku synod w Mąkolnie z udziałem Leszka, jego brata Konrada i Mściwoja I, lennego wobec księcia zwierzchniego władcy Gdańska,

obradował nad organizacją misji pruskiej. W 1216 roku rozpoczął swoją działalność Chrystian, cysters z Łekna, powołany na stanowisko biskupa pruskiego. Skutki tego były na razie niewielkie, niemniej wydarzenia roku 1217 świadczyły o sukcesach północnej polityki Leszka. Do ważnych posunięć księcia należało wówczas zawarcie przymierza z Henrykiem Brodatym na wiecu w Dankowie, zobowiązanie się do udziału w przygotowywanej piątej krucjacie, wyprawa do Gdańska i umiejętne doprowadzenie do przegrupowania sił rządzącej w Krakowie oligarchii.

Trudno stwierdzić, kto był autorem koncepcji nowego przymierza. Nie ulega jednak wątpliwości, że obaj główni partnerzy wykazali posiadanie szerokich perspektyw politycznych. Henryk – książę śląski, Władysław Laskonogi – książę wielkopolski, Konrad – książę mazowiecki w tym i następnym roku „czyniąc pokój" w całym kraju zawarli przymierza wraz z baronami królestwa. Być może niewątpliwe kompromisy miały być zrekompensowane przez ewentualne korzyści uzyskiwane ze wspólnej polityki północnej, dotyczącej Pomorza Gdańskiego i Prus. Sytuacja na tym odcinku była skomplikowana. W grę wchodziły: niebezpieczeństwo grożące Mazowszu, najeżdżanemu i niszczonemu przez plemiona bałtyjskie, możliwość ekspansji terytorialnej rycerstwa poszukującego w XIII wieku nowych ziem pod zasiedlenie i zagospodarowanie, utrzymanie podległości Gdańska, który coraz bardziej zrywał kontakt z Piastami. Nie bez znaczenia zapewne były korzyści dotarcia do bałtyckiego szlaku, który rozpoczynał okres drugiej wielkiej koniunktury w swojej karierze. Nie jest może rzeczą przypadku, że Leszek, jako pierwszy z książąt, prowadził politykę dobrze znaną z późniejszych stuleci, a zmierzającą do opanowania dróg przebiega-

jących przez międzymorze znad zatoki Gdańskiej po wybrzeża czarnomorskie.

„Uczynienie pokoju" zbiegło się ze zmianą
garnituru rodów rządzących w Krakowie. Po
ustąpieniu z katedry krakowskiej biskupa
Wincentego, stronnika arcybiskupa Henryka
Kietlicza, infułę otrzymał Iwo z rodu Odrowążów, długoletni kanclerz Leszka. Człowiek
wykształcony, o szerokich horyzontach politycznych, konsekwentnie tytułujący się kanclerzem „polskim", a nie „krakowskim". Jego
władca, może i pod jego wpływem, tytułować
się też zaczął księciem Polski. W czasach gdy
określenie geograficzne „Polska" kojarzyło się
z ziemią gnieźnieńską i poznańską, polityczna
wymowa tej tytulatury nie mogła budzić żadnej wątpliwości. Leszek świadomie dążył ja-

ko pan Krakowa do zwierzchnictwa nad całym
dziedzictwem piastowskim. Ugoda Odrowążów ze Świebodzicami-Gryfitami (Marek Gryfita został wojewodą) zawarta przeciw Awdań-
com pozwoliła księciu na swobodniejsze manewry polityczne.

W tymże 1217 roku wyprawił się Leszek na
Pomorze, gdzie zapewne po śmierci Mszczuja
I intronizował nowego władcę – Świętopełka.
Trybut ściągnięty z Gdańska był widocznym
znakiem wzrostu aktywności polskiej nad Bałtykiem. Być może pozostawało to w ścisłym
związku z planami pruskimi. Wcześniej, bo
w 1216 roku Leszek złożył akt obediencyjny
nowo wybranemu papieżowi Honoriuszowi
III, deklarując mu swą gotowość do wszelkiej
pomocy. Wówczas też, lub niewiele później

Kapitularz opactwa cystersów w Koprzywnicy

złożył Leszek ślub, że weźmie udział w przygotowywanej wówczas wyprawie krzyżowej. W 1218 roku rozpoczął jednak starania o zwolnienie z obowiązku jazdy do Syrii, proponując papieżowi inne rozwiązanie. Zamiast do Ziemi Świętej, gdzie trudno mu będzie jechać, bo nie znają tam piwa, stałego składnika jego stołu, jak tłumaczył papieżowi – zorganizować miał wyprawę do pogańskich Prus. Tu następuje najciekawsza i najoryginalniejsza propozycja: należy zorganizować handel między Polską a Prusami poprzez reglamentację wywozu najbardziej poszukiwanych produktów – żelaza, soli i broni. W tym celu należy założyć – już na zdobytym terytorium pruskim – miasto, które będzie głównym dystrybutorem tych towarów. Przybywający po nie Prusowie będą mogli stopniowo nauczyć się wiary chrześcijań-

Pieczęcie Grzymisławy i Pakosława według przerysów z XIX w

skiej. Trudno ocenić obecnie stopień realności tego planu, wydaje się jednak, że pomysł pokojowej, gospodarczej i kulturalnej ekspansji zasługuje na uwagę i że jego realizacja mogła przynieść efekty odmienne od tych, które miały miejsce w wyniku późniejszych wypraw krzyżackich.

Ułożenie stosunków między książętami i podjęcie wspólnych akcji przeciw Prusom potraktowane zostało przez znękane walkami wewnętrznymi społeczeństwo polskie jako nadejście nowej ery szczęśliwości. ,,Ucichło na kilka lat królestwo – pisze kronika wielkopolska – używając błogiego, tak upragnionego pokoju". To, że pokój ten trwał krótko, wynikło z kilku przyczyn. Należały do nich niepowodzenia, jakich doznały dwie kolejne wyprawy ogólnopolskie na Prusów – w 1222 i 1223 roku. W pierwszej z nich dowództwo spoczywało w rękach Henryka Brodatego, w drugiej Leszek brał już udział osobiście. Niepowodzenia militarne zrazu nie przekreśliły współdziałania książąt. Zostały utworzone garnizony przygraniczne składające się z rycerzy pochodzących ze wszystkich dzielnic. Małopolanie padli zresztą ofiarą masakry w 1224 roku, kiedy to hańbą okryli się ich tchórzliwi wodzowie z rodu Gryfitów. Niepowodzenia te naruszyły układ sił między rodami i – co gorsze – doprowadziły w efekcie do walki między Leszkiem i Henrykiem. Zapewne Gryfici po wpadnięciu w niełaskę zaprosili księcia wrocławskiego w 1225 roku na tron krakowski. Rzeczywiście, Brodaty pojawił się pod Wawelem, ale wobec trudności, jakie miał na zachodnich granicach swego państwa (zagrożenie Lubusza), rozpoczął odwrót. Nad Dłubnią dopadł go jednak Leszek. Do bitwy nie doszło, krewniacy pogodzili się, Gryfici zostali z Krakowa wygnani, ale na czas jakiś ogólnopolska współpraca Piastów została zahamowana.

Podjął ją Leszek ponownie w dwa lata później w nowych warunkach. W Wielkopolsce wybuchła nowa wojna i Władysław Laskonogi został pokonany przez swego bratanka Władysława Odonica. Dania pod Bornhöved poniosła klęskę, która rozpoczęła okres wielkiej ekspansji niemieckiej w krajach nadbałtyckich. Świętopełk gdański domagał się tytułu książęcego, równego innym władcom dzielnicowym. Wiec w Gąsawie zgromadził nowe grono zjednoczonych książąt: Leszka, Henryka, Władysława Laskonogiego. Obrady zmierzały do podjęcia ważnych uchwał: Odonic i Świętopełk mieli zostać odsunięci od władzy. Idea jedności i współpracy książąt miała zatriumfować. Obaj zagrożeni przez plany Leszka prawdopodobnie doszli między sobą do ugody. Niespodziewanie, 14 listopada rankiem, kiedy Leszek i Henryk zażywali łaźni, napadły na uczestników wiecu wojska pomorskie. Henryk, ciężko ranny, uratowany został dzięki poświęceniu jednego ze swoich rycerzy. Leszek dopadł konia i zaczął uciekać. Dogoniony przez Pomorzan zamordowany został we wsi Marcinkowo. Ciało Leszka zostało przewiezione do Krakowa i ,,ze czcią pochowane w kościele katedralnym".

Wielkie ogólnopolskie plany upadły. Pomorze oderwało się na ponad sześćdziesiąt lat od Piastów, następował chyba najcięższy okres walk między książętami. Jednocześnie rozpoczynał się okres podboju Prus przez Krzyżaków, niszczenie Rusi przez Tatarów, napływ kolonistów niemieckich. W tych przełomowych czasach rola Krakowa została ograniczona.

Rzecz dziwna, mimo tragicznych losów księcia i jego szerokich planów – nie budził on nadmiernej sympatii wśród historyków. Stanisław Zachorowski wręcz pomawiał go o brak talentów, słabość woli, gnuśność. Niektórzy badacze traktowali go pobłażliwiej, ale też surowo: sybaryta, poczciwy, ale bezwolny, otyły miłośnik piwa – takie określenia można znaleźć dość często. Wydaje się, że zaważyło na tym załamanie się wszystkich planów. Co prawda zamierzenia Henryków śląskich też rozwiały się na pobojowisku legnickim, ale kuzyn Leszka – Henryk Pobożny – zginął tam, według legendy, z mieczem w ręku, walcząc z poganami. Leszek zginął w trakcie ucieczki, z rąk wiarołomnych lenników. Pamiętano mu wykręcanie się od dalekiej, w Polsce niepopularnej wyprawy krzyżowej, uleganie możnym, zamiłowanie do kielicha. Zapomniano o tym, że współcześni oceniali go jako ,,rwącego się do boju rycerza" (Kadłubek), że odnosił duże sukcesy militarne, że panowanie jego było wstępem do licznych reform wewnętrznych. Organizował osobne gminy miejskie (sołtys Krakowa znany jest z roku 1228). Za jego czasów rozwijały się ośrodki handlowo-rzemieślnicze, o czym świadczy dzieło fundacji miejskich klasztorów dominikańskich w Krakowie, w Sandomierzu. Popierał akcję ściągania do Polski górników; prowadził politykę, która w efekcie poważnie zwiększyła rolę księcia. Za jego panowania powstał w Krakowie ośrodek kultury – przy Wincentym Kadłubku, Iwo Odrowążu, ośrodek, który nie tylko wiązać należy ze szkołą katedralną, ale który stworzył dzieło na miarę wielkich osiągnięć Europy owego czasu – pierwszą kronikę spisaną przez wykształconego Polaka.

Oczywiście, trudno coś pewniejszego pisać o charakterze Leszka, ale wydaje się, że można znaleźć w nim więcej dobrych niż złych cech. Sprawa z Goworkiem świadczy o szlachetnym sercu, młodzieńczy udział w wyprawach wojennych – o odwadze, otoczenie się ludźmi wykształconymi – o rozsądku. Horyzontami na pewno przewyższał wielu późniejszych władców, widząc najważniejsze problemy polityki ogólnopolskiej: Prusy, Pomorze, Ruś. Fundament przyszłej polityki książąt krakowskich – przymierze z Węgrami – został ostatecznie położony za jego panowania. Był władcą, któremu nie udało się zrealizować swych planów, władcą, który zginął za wcześnie. Panował w trudnych czasach, musiał przystosować się do nowych warunków, w jakich znalazły się ziemie polskie. Sądzę, że udało mu się to zrobić. Był też prawdopodobnie pierwszym twórcą polskiego antywojennego planu ekspansji na ziemie pruskie. Utopijnego? Jeśli nawet, to przecież świadczącego o Leszku jako o człowieku, który szukał wielkiej koncepcji politycznej, potrafił sformułować jej zasady lub je przynajmniej zaakceptować, polityku patrzącym nie tylko na dzień dzisiejszy, ale i na jutro.

Benedykt Zientara

WŁADYSŁAW LASKONOGI

Był to nieodrodny syn Mieszka Starego i kontynuator jego koncepcji politycznych. O ile u schyłku panowania Mieszka można mówić o przestarzałości tej polityki w stosunku do potrzeb zmieniającego się czasu, to kontynuacja tej polityki w ciągu XIII wieku była już działalnością epigona. Trudno było bronić prerogatyw władzy książęcej, gdy możnowładztwo jawnie już decydowało o obsadzaniu tronów dzielnicowych; nawet w obrębie jednej dzielnicy konsekwentna polityka utrzymywania w pełni uprawnień prawa książęcego była niemożliwa ze względu na współzależność dzielnic (np. w ich polityce wobec Kościoła); była też niemożliwa wskutek wykorzystywania przez opozycję książąt-malkontentów, dobijających się – z pomocą Kościoła i możnych – udziału we władzy.

Władysław Laskonogi był najmłodszym synem Mieszka Starego i jego drugiej żony, Rusinki Eudoksji. Urodził się między 1161 a 1166 rokiem i wcześnie doznał skutków politycznych niepowodzeń ojca: w 1177 roku zapewne musiał wraz z nim uchodzić za granicę. W roku 1186 pojawił się Władysław na dworze swego szwagra Bogusława I pomorskiego, podtrzymując bałtyckie zainteresowania polityczne ojca; jest prawdopodobne, że z tą podróżą wiąże się poślubienie przezeń Łucji, córki księcia rugijskiego Jaromira, lennika Danii. Sprawy pomorsko-bałtyckie będą i w przyszłości absorbowały uwagę Władysława w stopniu znacznie większym niż któregokolwiek z Piastów. Prawdopodobne są jego

bliskie kontakty z siostrą Anastazją i jej małoletnimi synami, panującymi na Pomorzu Zachodnim po śmierci Bogusława I (1187); jeszcze w 1220 roku wdowa po jednym z nich obdarowuje pewnego z możnych pomorskich na prośbę Władysława.

Młody książę musiał w ostatnim okresie życia ojca, co najmniej od śmierci brata Bolesława, pełnić aktywną rolę wykonawcy jego polityki, która doprowadziła, nie bez bolesnych kompromisów, do przywrócenia Mieszkowi tronu krakowskiego. Być może Władysław zastępował nieraz ojca w rozmowach z krakowskimi wielmożami. Czynił to chyba zręcznie, ponieważ zjednał sobie ich sympatię. Kronikarz Wincenty zwany Kadłubkiem, który znał doskonale wszystkie te przetargi, napisał o Laskonogim, że ,,okazywał wszystkim tak przystępną, tak ujmującą, tak łaskawą, tak słodką i miłą, ufną życzliwość, że [...] wyróżniał się uprzejmością dla wszystkich".

Toteż kiedy 13 marca 1202 roku Mieszko zmarł, nie zabrakło w Krakowie zwolenników powołania na tron jego syna, który objął właśnie rządy w Wielkopolsce. Wprawdzie wielu popierało jego konkurenta, Leszka Białego sandomierskiego, ale lęk przed jego nowymi faworytami, którzy mogliby zagrozić dotychczasowym panom sytuacji w Krakowie: wojewodzie Mikołajowi i biskupowi Pełce, przeważył szalę na rzecz Władysława, którego też wybrano i okrzyknięto księciem.

Wkrótce jednak okazało się, że uprzejmość księcia wobec dostojników nie wiąże się z ustępliwością we wszystkich sprawach. Władysław próbował bronić prerogatyw książęcych w różnych dziedzinach, a zwłaszcza w sprawie nominacji biskupów, która zaczynała być coraz bardziej drażliwa. Papież Innocenty III wzywał biskupów polskich do ostrego przeciwstawienia się ingerencji władz świeckich w obsa-

Denar przypisywany Władysławowi Laskonogiemu

dzanie stanowisk kościelnych i do walki o pełną autonomię Kościoła. Laskonogi miał stać się zaporą, usiłującą powstrzymać coraz silniejszy nurt, przełamujący dotychczasowe stosunki kościelno-polityczne. Przywódcą tego nurtu został arcybiskup Henryk Kietlicz, który wprawdzie objął swój urząd jako faworyt Mieszka Starego, ale przejął się celem walki o niezależność Kościoła.

Inną trudnością, z jaką spotkał się Laskonogi, była działalność jego bratanka Władysława, syna Odona, który coraz natarczywiej domagał się ojcowskiej dzielnicy, chętnie przy tym szukając poparcia dostojników kościelnych. Bezdzietny Laskonogi obiecywał mu zapewne całość dziedzictwa Mieszkowego po swej śmierci, ale młody Odonic nie chciał tak długo czekać. Był więc dogodnym narzędziem dla wszystkich wrogów stryja.

Władysław Laskonogi nadal interesował się Pomorzem, gdzie rozgrywki między Danią a Brandenburgią stwarzały możliwość wzięcia pod opiekę księstwa jego siostrzeńców. Utrzymujące się zwierzchnictwo Piastów nad księstwem sławieńskim i gdańskim wymagało stałej konfrontacji z rosnącą potęgą duńską. W 1205 roku roczniki duńskie zanotowały wiadomość o spotkaniu króla Waldemara II z Władysławem, zapiska została jednak tak ułożona, że historycy do dziś nie są zgodni, czy było to przyjazne, a przynajmniej pokojowe spotkanie dla omówienia spraw spornych, czy też zbrojna rozprawa. Z tą polityką pomorską Laskonogiego wiąże się zapewne nabycie Ziemi Lubuskiej, którą uzyskał od Henryka Brodatego zdaje się w zamian za ziemię kaliską. Lubusz był głównym polskim przyczółkiem na lewym brzegu Odry i stanowił dogodny punkt wyjścia dla wspierania książąt zachodniopomorskich w ich obronie przed Brandenburgią.

Panowanie Laskonogiego w Krakowie trwało krótko. Śmierć wojewody Mikołaja pozwoliła uzyskać przewagę zwolennikom Leszka z Pełką na czele i książę sandomierski osiadł triumfalnie na tronie krakowskim. Zdaniem Oswalda Balzera nastąpiło to jeszcze w 1202 roku; w ostatnim czasie Gerard Labuda chce przywrócić wiarygodność dacie 1206, przyjętej przez Długosza, wiążąc utratę Krakowa z wybuchem konfliktu kościelnego. W każdym razie przekazanie Kalisza Brodatemu musiało nastąpić już po utracie Krakowa, gdyż w innym wypadku byłby to krok pozbawiony wszelkiego sensu.

W 1206 roku doszło do otwartego konfliktu księcia z arcybiskupem. Kietlicz rzucił klątwę na Władysława, ten zaś wygnał arcybiskupa z kraju. Zyskał w tym poparcie części kleru: m. in. biskupa poznańskiego Arnolda i swego kanclerza Wincentego; również bunt, jaki podniósł Odonic, niewątpliwie w porozumieniu z Kietliczem, nie udał się: młody książę musiał pójść w ślady arcybiskupa.

Jednak papież, do którego odwołał się Laskonogi, zajął stanowisko po stronie arcybiskupa, polecając polskim książętom i biskupom stanąć w jego obronie. Szczególnie gorliwy Leszek Biały nie tylko zezwolił na pierwszą elekcję biskupa przez kapitułę w Krakowie (został nim w 1207 r. Wincenty Kadłubek), ale oddał się wraz z księstwem pod protekcję Stolicy Apostolskiej. Henryk Brodaty udzielił zbiegom gościny na Śląsku, a nawet odstąpił Odonicowi Kalisz pod warunkiem zwrotu w wypadku odzyskania dzielnicy ojcowskiej (tj. zapewne Poznania).

Na Boże Narodzenie 1208 roku doszło do kompromisu za sprawą Henryka i jego żony Jadwigi: w Głogowie spotkali się z okazji chrzcin ich syna obydwaj książęta wielkopolscy, a także biskupi: poznański, lubuski, wrocławski i arcybiskup Kietlicz. Żadna ze stron nie dała za wygraną, ale doszło do zdjęcia cenzur kościelnych z księcia i wynagrodzenia strat arcybiskupowi. Ten ostatni na synodzie w Borzykowej (1210) uzyskał poparcie grupy książąt, przeważnie młodszych; poza tą grupą, skłonną uznać autonomię Kościoła i udzielić mu immunitetu w jego dobrach, pozostali w końcu tylko Laskonogi i Brodaty, broniący starych prerogatyw książęcych. Mimo dzielących ich różnic, fakt ten zapoczątkował ich zbliżenie, mające doniosłe znaczenie politycz-

Kościół i klasztor Dominikanów w Sandomierzu

ne. Przykładem tego zbliżenia jest elekcja biskupa w Poznaniu (1211), po śmierci Arnolda: wybór został dokonany wprawdzie zgodnie z przepisami kanonicznymi, ale – wobec przewagi ludzi Laskonogiego w kapitule – padł na jego kandydata, Pawła, człowieka blisko związanego z dworem śląskim. Paweł był odtąd przez dłuższy czas pośrednikiem politycznym między Laskonogim a Brodatym.

Sobór laterański (1215) był nie tylko największym triumfem papieża Innocentego III, który decydował na nim nie tylko o sprawach dyscypliny kościelnej, ale i o koronach władców europejskich. Był też największym triumfem Kietlicza, który pojawił się w Rzymie z licznym orszakiem biskupów polskich; przedstawił tam nie tylko swe osiągnięcia

Wnętrze kościoła Dominikanów w Sandomierzu

w walce o swobody Kościoła, ale i perspektywy misji w Prusach, której był od kilku lat protektorem. W tym kierunku i pod swym kierownictwem chciał pchnąć inicjatywę książąt polskich; ułatwić to miały postanowienia soboru w sprawie powszechnego udziału w krucjacie. Tylko jeden książę, Kazimierz opolski, wypuścił się w orszaku króla węgierskiego Andrzeja w kierunku Ziemi Świętej. Inni książęta szykowali się ną krucjatę do Prus.

Autorytet arcybiskupa był obecnie tak silny, że z jego pomocą Odonic odzyskał ojcowską dzielnicę poznańską: niektórzy historycy przypuszczają, że zdobył ją w nowej wojnie ze stryjem, ale takie przypuszczenie nie jest konieczne. W warunkach nakazanej przez papiestwo powszechnej pacyfikacji i wyrównania wzajemnych roszczeń, kiedy Kietlicz mógł liczyć na zgrupowanych wokół siebie młodszych książąt, nacisk taki wystarczył do dobrowolnego zwrotu prawnie należącej się Odonicowi ojcowskiej dzielnicy (1216).

Następują potem dwa lata pełne przewrotów politycznych i różnych niejasnych posunięć. Głównym źródłem są tu dwa dokumenty papieskie, z których jeden dotyczy pretensji Henryka Brodatego do Kalisza, drugi zaś zatwierdza przymierze między nim a Laskonogim. Wokół tych dokumentów snują uczeni różne przypuszczenia, rekonstruują wojny i układy pokojowe, przymierza i konflikty. Poniżej przedstawię jedną z możliwych konstrukcji, jak się wydaje, dobrze tłumaczącą ówczesną sytuację.

Wielka kariera Kietlicza uległa załamaniu ze śmiercią popierającego go stale Innocentego III (1216). Wielki arcybiskup był wyniosły i niezbyt przyjemny w obcowaniu z ludźmi, toteż zraził sobie nawet książąt i biskupów z własnego obozu. Biskup płocki Gedko oska-

Dokument Władysława Laskonogiego dla cystersów w Łeknie

rżył go przed Rzymem o pychę i luksus, nie
licujący z chrześcijańską pokorą. Kietlicz –
donosił Gedko – nie tylko podróżuje z orszakiem 110 koni, każe sobie podczas wizytacji
wznosić specjalny tron i całować stopy, ale
nawet Ciało i Krew Pańską spożywa, siedząc
na tym tronie. Nie wiadomo, co tu było prawdą, a co oszczerstwem: faktem jest, że następca
Innocentego, Honoriusz III, dał przynajmniej
częściowo wiarę tym oskarżeniom. Kietlicz
otrzymał od papieża dość ostre pouczenie,
a wkrótce stracił godność legata papieskiego na

Prusy. Z tą chwilą cały obóz polityczny, na
którego czele stał, uległ rozbiciu, a w ostatnich
latach życia arcybiskup był już tylko biernym
widzem własnej katastrofy. W 1217 roku z biskupstwa krakowskiego ustąpił (czy też został
do tego zmuszony) wierny stronnik Kietlicza,
kronikarz Wincenty, co wskazywało na zmianę orientacji politycznej Leszka Białego. Nowym biskupem został kanclerz Leszka, uczony Iwo Odrowąż.

W roku 1217 powstała nowa konstelacja
polityczna na gruzach Kietliczowej koalicji

,,młodych książąt''. Na spotkaniu w Dankowie zawarto przymierze między Leszkiem Białym a Henrykiem Brodatym; jednocześnie musiało dojść do układu między Leszkiem a Władysławem Laskonogim, z którego wynikało wzajemne dziedziczenie posiadłości przez obydwu dawnych rywali (obydwaj nie mieli wówczas synów). W pełnym tekście zachował się układ przymierza Brodatego z Laskonogim z tegoż roku: na jego podstawie Władysław ponownie otrzymywał Ziemię Lubuską (którą utracił był w 1209 r. na rzecz margrabiego Łużyc), szczęśliwie odebraną przez Brodatego Niemcom.

W tymże roku Laskonogiemu udało się wygnać Odonica z Wielkopolski, która w całości znalazła się w rękach ,,Starego Władysława''. Po śmierci Kietlicza członkowie nowej koalicji doprowadzili do wyboru nowego arcybiskupa po swej myśli: został nim w 1220 roku dotychczasowy kanclerz Władysława, Wincenty, ongiś wyklęty przez Kietlicza za sprzyjanie księciu.

Książęta trójprzymierza, z którymi współpracował brat Leszka, Konrad Mazowiecki, kontrolowali politycznie całą Polskę i mogli myśleć o wspólnej ekspansji na Prusy. Leszek, jako władca Krakowa, miał pretensje do zwierzchnictwa nad innymi książętami, nosił tytuł ,,księcia Polski'', a nawet zdaje się sporządził sobie monarszą pieczęć majestatyczną, odbiegającą od wzoru powszechnie używanych pieczęci książąt dzielnicowych. Dzięki pomocy Laskonogiego zmusił w 1218 roku księcia Pomorza Gdańskiego, Świętopełka, do uznania swego zwierzchnictwa. Leszek był też formalnym wodzem wypraw krzyżowych na Prusy, podjętych przez rycerstwo polskie w latach 1222 i 1223, choć największy wkład rzeczywistego wysiłku wojennego należał do Henryka Brodatego.

Laskonogi nie brał udziału w wyprawach pruskich, albowiem zaniepokoiło go pojawienie się Odonica na północnych kresach jego posiadłości. Po dłuższych wędrówkach przygarnął go Świętopełk gdański, dążący do pełnej emancypacji spod zwierzchnictwa Leszka i całkowitego zrównania w prawach z książętami domu piastowskiego. Ożeniony z siostrą Świętopełka, Jadwigą, Odonic napadł z jego pomocą w październiku 1223 roku na gród Ujście i tam zorganizował sobie bazę wypadową na dalsze tereny Wielkopolski. Wkrótce zdobył Nakło, spustoszył dobra klasztoru w Mogilnie, a latem 1227 roku pobił oblegające go w Ujściu oddziały wojewody Dobrogosta; sam wojewoda poległ. Walki z Odonicem doprowadziły do nowej klęski na granicy zachodniej: w 1225 roku landgraf Turyngii Ludwik obległ Lubusz, który, nie doczekawszy odsieczy Laskonogiego, skapitulował.

Zagrożony Laskonogi zwrócił się o pomoc do swych sprzymierzeńców, Leszka i Henryka; Leszek zwołał na listopad 1227 roku zjazd książąt i biskupów do Gąsawy. Miał on rozważyć spór Laskonogiego z Odonicem; nie jest też wykluczone, że przygotowywano zbrojne wystąpienie przeciw Świętopełkowi. Latem tegoż roku król duński Waldemar II poniósł wielką klęskę w walce z koalicją książąt północnoniemieckich pod Bornhöved. Hegemonia Danii na południowym wybrzeżu Bałtyku załamała się, co stwarzało i dla książąt polskich szansę uaktywnienia polityki na tym obszarze.

Jak wiadomo, zaniepokojony zjazdem Piastów Świętopełk napadł w porozumieniu z Odonicem na wiecujących książąt: Leszek został zabity, Henryk Brodaty ciężko ranny. Laskonogi w ogóle nie był w Gąsawie, reprezentowali go tylko arcybiskup Wincenty i biskup Paweł. Ze śmiercią Leszka wyłoniła się sprawa sukcesji w Krakowie, ale Laskonogi nie od razu wystąpił z pretensjami. Na początku udało mu się pobić Odonica (1228) i wziąć go do niewoli; dopiero wtedy, zapewne w maju, na zjeździe w Cieni z dostojnikami małopolskimi przyjął wybór na księcia krakowskiego, obiecując zarazem adoptować dwuletniego syna Leszka Białego.

W Cieni wystawił Laskonogi dwa przywileje na rzecz Kościoła i na rzecz społeczeństwa księstwa krakowskiego, przede wszystkim możnych, którym zagwarantował udział w rządach i szanowanie ich przywilejów. Roman Grodecki słusznie podkreśla znaczenie tych aktów, po raz pierwszy oficjalnie ograniczających władzę monar hy koniecznością zgody przedstawicieli społeczeństwa na jego decyzje.

O Kraków trzeba było jednak walczyć z Konradem Mazowieckim, który, jako brat Leszka, zgłaszał pretensje do dziedzictwa. Tymczasem jednak Odonic zdołał zbiec z więzienia i jeszcze raz podjął walkę ze stryjem, która potoczyła się zmiennymi kolejami. Nie rezygnując formalnie z Krakowa, odstąpił Laskonogi jeszcze w 1228 roku rządy w Małopolsce Henrykowi Brodatemu. Istnieją wśród historyków różnice zdań na temat, czy Henryk sprawował pełną władzę książęcą, czy był tylko namiestnikiem Władysława. Dokumenty z tego czasu, w których używać miał tytułu księcia krakowskiego, okazały się bowiem falsyfikatami.

W każdym razie nawet wzięcie Henryka do niewoli nie umożliwiło Konradowi opanowania Krakowa: możni krakowscy, zwłaszcza z rodu Świebodziców-Gryfitów, sprawowali tam nadal rządy w imieniu Laskonogiego.

Tympanon w kolegiacie NMP w Wiślicy

W 1229 roku Konrad zaatakował Wielkopolskę i obległ z posiłkami ruskimi Kalisz, ale bez powodzenia. Natomiast Odonic odnosił stale sukcesy i w końcu wyparł stryja w ogóle z Wielkopolski; Laskonogi schronił się w Raciborzu. Nienawiść do bratanka lub dawniej podjęte zobowiązania skłoniły go do przekazania całego dziedzictwa po sobie Henrykowi Brodatemu i jego synowi Henrykowi.

W 1231 roku pomoc książąt śląskich umożliwiła Laskonogiemu jeszcze jedną wyprawę na Wielkopolskę. Dotarła ona aż pod Gniezno, ale w rezultacie zakończyła się niepowodzeniem. Stary książę wycofał się na Śląsk.

Śmierć miał, zdaje się, niezbyt chwalebną. Do niego mianowicie odnosi się, jak stwierdził Kazimierz Jasiński, notatka w kronice cysterskiej Alberyka z Trois-Fontaines, o zamordowaniu księcia gnieźnieńskiego przez niemiecką dziewczynę, którą usiłował zgwałcić. Miało to zapewne miejsce w Środzie, 18 sierpnia 1231 roku. Krajowe kroniki i roczniki na ogół dyskretnie ten fakt przemilczały, tylko Długosz podaje za nieznanym źródłem, że Laskonogi nie był popularny z powodu „rozpusty i wszeteczeństw".

Henryk Brodaty przyjął z tą chwilą tytuł księcia Krakowa, a jednocześnie wysunął pretensje do wielkopolskiego spadku po Laskonogim, znowu zagrażając pozycjom Odonica.

Mało wiemy w istocie o wielkopolskim księciu, który ani za życia, ani po śmierci nie cieszył się specjalną sympatią kronikarzy i historyków. Współcześnie był przez swych kościelnych przeciwników rysowany czarnymi barwami. W istocie, nie odznaczał się pobożnością. W swych stosunkach z klerem kierował się wyłącznie racjami politycznymi, zdołał sobie jednak zorganizować silne stronnictwo wśród wielkopolskiego duchowieństwa. Tylko że stronnicy jego rekrutowali się spośród przeciwników nowej dyscypliny kościelnej, w znacznej mierze spośród żonatych kanoników, do których należał też przyszły arcybiskup Wincenty. Nie był Laskonogi hojny wobec Kościoła: jego darowizny są rzadkie i wynikały z konieczności politycznych. Nie był też entuzjastą krucjat na Prusy, a propaganda jego przeciwników zarzucała mu nawet sprzymierzanie się z pruskimi poganami przeciw własnym krewniakom.

Nie sposób mu jednak odmówić szerszej koncepcji politycznej. Nie było to ślepe trwanie na starych pozycjach; przywileje w Cieni świadczą, że Laskonogi zrezygnował, przynajmniej w Krakowie, z prób przywrócenia autokracji. Jako jedyny z książąt polskich interesował się sprawami dziejącymi się nad Bałtykiem i usiłował, choć bez sukcesów, prowadzić tam aktywną politykę. Przez przymierze z Leszkiem Białym i Henrykiem Brodatym działał w kierunku utrzymania jedności rozpadającego się dziedzictwa piastowskiego.

Benedykt Zientara

HENRYK I BRODATY

Bohater niniejszego szkicu należy do postaci, które wciąż są przedmiotem sporu, i to nie całkiem bezinteresownego. Od kiedy historycy się nim bliżej zainteresowali – a stało się to dopiero w XIX wieku – zgodnie uznawano zalety Henryka Brodatego jako organizatora rozwoju gospodarczego dzielnicy śląskiej; natomiast fakt sprowadzenia przezeń osadników niemieckich dla zakładania nowych wsi oraz popieranie imigracji niemieckich kupców i rzemieślników do miast wywołał nie wygasły do dziś spór o ocenę tej działalności i o motywy, jakie przy niej księciem kierowały.

Liczni uczeni niemieccy, zwłaszcza lokalni badacze śląscy, uważali Henryka Brodatego za Niemca i tłumaczyli jego działalność niemieckim patriotyzmem, w imię którego miał świadomie kierować procesem germanizacji Śląska. Szczególnie przyczynił się do rozpowszechnienia takiego poglądu zasłużony skądinąd badacz dziejów Śląska, Colmar Grünhagen; korzystający z jego prac czołowi historycy niemieccy w rodzaju Karola Lamprechta wprowadzili to twierdzenie do syntez historii Niemiec. Wskutek tego pogląd o niemieckiej narodowości czy nawet niemieckim patriotyzmie Henryka Brodatego upowszechnił się we wszystkich krajach języka niemieckiego i nawet poza nimi. Ginęły w tym chórze wątpliwości, zgłaszane przez krytycznych badaczy, jak Paul von Niessen czy Heinrich von Loesch.

Wśród polskich uczonych, którzy dali sobie narzucić ten jednostronny pogląd na istotę

działalności Henryka, powstały dwa obozy: jedni, począwszy od Józefa Szujskiego, w ślad za badaczami niemieckimi uważali Henryka za zniemczonego germanizatora, oczywiście – w przeciwieństwie do nich – negatywnie oceniając jego dzieło. Najostrzej potępił Henryka w na pół publicystycznym szkicu Wacław Sobieski. Jeszcze po wojnie surowo osądził Brodatego z powyższych przyczyn w swej „Historii Śląska" Kazimierz Piwarski.

Jednocześnie jednak rozwijał się – również wśród historyków krakowskich – nurt sympatyzujący z działalnością Henryka. Stanisław Smolka podkreślał jego zasługi gospodarcze, Michał Bobrzyński – jego energię polityczną i twardą rękę wobec prób umniejszenia władzy książęcej. Obydwaj uważali opanowanie Małopolski przez Henryka za krok, zmierzający do przezwyciężenia rozbicia dzielnicowego i przywrócenia jedności.

Ten kierunek stał się następnie panującym w historiografii polskiej: apoteozy doczekał się Brodaty w pracach Mariana Łodyńskiego i Romana Grodeckiego, gdzie występuje on jako świadomy i konsekwentny realizator planu odbudowy Królestwa Polskiego. Te akcenty nasiliły się zwłaszcza przed drugą wojną światową i w obfitej literaturze powojennej, przede wszystkim popularnonaukowej. Pojawia się tam nie tylko tendencja do uczynienia z Brodatego nieomal współczesnego polskiego patrioty, zagospodarowującego „Ziemie Odzyskane" i broniącego ich przed tzw. *Drang nach Osten*, ale ponadto (to już nie tylko w pracach popularnych) do bagatelizacji liczby i znaczenia imigracji niemieckiej.

Coraz więcej historyków po obu stronach granicy rozumiało jednak, że dalsze rozwijanie takich tendencyjnych wywodów nie prowadzi ani do ukazania prawdy historycznej, ani do wyjaśnienia tego, co zaszło w ciągu XIII wieku

Środa Śląska, widok miasta z lotu ptaka

na Śląsku i w Polsce. Badania historyczne nie rozwijają się w próżni: o ile aktualność polityczna sporu o Śląsk w latach trzydziestych, czterdziestych i nawet pięćdziesiątych nie sprzyjała bezstronnemu rozpatrywaniu problemów, a przyciągała pióra przyodzianych w togi naukowe politycznych działaczy i publicystów, to późniejsze uspokojenie i stabilizacja przyniosły i na tym polu poprawę. Niezależnie od występujących tu i ówdzie i dzisiaj poglądów „w starym stylu", nic już nie przeszkadza opowiedzieć, jaki był naprawdę Henryk Brodaty.

Kłopoty są z tym nadal niemałe, bo podstawowe dane metrykalne tego księcia są mocno niepewne. Znamy wprawdzie ojca, ale już co

do matki sprawa jest, lub raczej była do niedawna, sporna. Ojcem był Bolesław Wysoki, syn Władysława Wygnańca, sam przez długi czas tułacz, a od 1163 roku władca dzielnicy śląskiej. Matką – jak udowodnił Kazimierz Jasiński – Krystyna, druga żona Wysokiego, pochodząca z niezbyt możnej rodziny grafów środkowoniemieckich. Data urodzenia nie jest znana: według różnych pośrednich danych przypada na lata 1165–1170; trzeba tu dodać, że Henryk nie był najstarszym synem Bolesława, nawet wśród dzieci z drugiego małżeństwa. Tylko w wyniku wielkiej śmiertelności w rodzinie książęcej (niektórzy z braci byli już dorośli w chwili śmierci) doczekał samodzielnych rządów w dzielnicy ojca.

Miejscem urodzenia natomiast był niewątpliwie Śląsk, co jest bardzo ważne dla naświetlenia sylwetki duchowej Henryka. Badacze niemieccy wiele stron druku poświęcili dociekaniom, jaki wpływ na kształtowanie się poglądów Henryka mogło wywrzeć urodzenie się w Niemczech i wychowanie w środowisku niemieckim. Poza niemiecką matką i kilkoma rycerzami, przybyłymi z Bolesławem Wysokim z Niemiec, kilkoma kobietami z dworu księżnej i niemieckimi cystersami z Lubiąża, bywającymi na dworze księcia, całe otoczenie było polskie, o czym świadczy choćby lista świadków dokumentu Bolesława Wysokiego z 1175 roku. Henryk Brodaty wychował się w Polsce i w polskim środowisku, choć dzięki matce i wspomnianym osobom niemieckiego pochodzenia zapoznał się wcześnie z językiem niemieckim i nie czuł w stosunku do Niemców obcości, jak inni jego rówieśnicy.

Można snuć domysły, czy Henryk, jako piąty najprawdopodobniej syn Bolesława Wysokiego, nie był przeznaczony pierwotnie do stanu duchownego. Pociągałoby to za sobą poważne skutki dla typu wykształcenia, a może i wpłynęłoby na sposób zachowania i postępowania. Ale to czyste domysły, pozwalające nam na zachowanie nadziei, że Henryk – być może – nie był analfabetą.

Rzecz ciekawa, że nie zachowały się nigdzie żadne wzmianki o jakiejkolwiek podróży Henryka poza ziemie polskie. To nie znaczy, oczywiście, że na pewno w ogóle nie wyjeżdżał za granicę, ale rzuca światło na nikłość podstaw twierdzenia o jego rzekomym tkwieniu w niemieckim środowisku.

Do prawdopodobnych podróży należy podróż po żonę. Została nią Jadwiga, córka Bertolda VI, hrabiego Andechs i księcia Meranii. Małżeństwo to jest prawdopodobnie wynikiem kontaktów dworu śląskiego z Wettinami,

władającymi w Miśni i na Łużycach: matką Jadwigi była Wettinówna. Ród Andechsów zrobił u boku cesarskiej dynastii Hohenstaufów wielką karierę w drugiej połowie XII wieku: siostry Jadwigi poślubiły królów Francji i Węgier. Dwór w Andechs był wybitnym ośrodkiem kultury rycerskiej; dbano o wykształcenie dzieci książęcych, nawet dziewcząt. Żywot Jadwigi zapewnia o jej zamiłowaniu do lektury.

Małżeństwo z Jadwigą, późniejszą świętą, odegrało ogromną rolę nie tylko w życiu Henryka, ale i w całej tradycji historycznej o nim. Dla średniowiecza, a częściowo nawet dla późniejszych epok (m. in. kontrreformacji) Jadwiga była ważniejszą postacią niż jej małżonek. Obok licznie powstających od połowy XIII

Zwornik z kaplicy zamkowej w Legnicy

wieku żywotów księżnej nie możemy wymienić ani jednej biografii jej męża. Toteż dla dziejopisów, aż po Naruszewicza i Lelewela, Henryk to głównie pobożny małżonek świętej. Nic więc dziwnego, że obraz jego postaci został skrzywiony i nie w pełni rozpoznany wobec ukazywania jej stale na drugim planie.

Tym niemniej nie można roli Jadwigi w życiu Henryka, w życiu polityczno-kulturalnym Śląska i Polski lekceważyć. Już od dzieciństwa skłonna do mistyki religijnej, z biegiem czasu coraz bardziej porzucała typowe formy życia dworskiego, a nawet starała się narzucić dworowi bardziej surowy tryb życia. Henryk pod jej wpływem również wciągał się w praktyki ascetyczne, wbrew modzie zapuścił brodę (ale, jak dodaje żywociarz, starannie ją przystrzygał), a nawet nosił mniszą tonsurę (o ile nie była to ideologiczna interpretacja całkiem naturalnej łysiny). Z czasem tragiczne przeżycia rodzinne pogłębiły rozdźwięk między światem duchowym Jadwigi a coraz krytyczniej ocenianymi ,,marnościami'' życia świeckiego. W 1209 roku skłoniła męża do wspólnego złożenia na ręce biskupa Wawrzyńca ślubów czystości: para książęca dochowała się już jednak wtedy siedmiorga dzieci. Od tej pory Jadwiga coraz bardziej oddawała się umartwieniom ciała i wyrzeczeniom, pod koniec życia na stałe osiedliła się w ufundowanym przez męża klasztorze cysterek w Trzebnicy, gdzie ksienią została jej córka Gertruda. Gertruda miała dożyć 1267 roku, kiedy nastąpiła uroczysta kanonizacja jej matki.

Nie zapominała jednak Jadwiga o swych obowiązkach księżnej. Nauczywszy się języka polskiego, grupowała wokół siebie oddanych dworzan polskiego i niemieckiego pochodzenia, częściowo tylko duchownych i mniszki. W działalności dobroczynnej docierała do niższych warstw społeczeństwa; zakładała szpita-le i leprozoria w rozwijających się miastach. W okresie klęski powodzi i głodu 1221–1222 potrafiła rozprowadzić zgromadzone poprzednio zapasy, łagodząc w ten sposób skutki katastrofy; obniżyła daniny chłopskie w swych majątkach. Usiłowała też wpłynąć na łagodzenie wyroków sądowych męża, zwłaszcza na powstrzymywanie wyroków śmierci. Tu jednak Henryk, tak chętnie ulegający perswazjom żony, potrafił się oprzeć; wydał nawet zakaz wpuszczania jej do więzień, aby się ustrzec przed dalszymi jej interwencjami.

Z tych wzmianek w żywotach św. Jadwigi wynika, że wizerunek skromnego pobożnego księcia był jednostronny: zza niego wyziera twarz konsekwentnego i świadomego swych celów polityka. Jako swą dewizę kazał Henryk wypisać: ,,Prowadź, Panie, kroki moje ścieżkami Twoimi, aby nie wahały się me stopy''. W polityce Henryka widać też stanowczość i postępowanie ku wytyczonym celom.

Nie znaczy to, aby już od początku miał przed sobą cel ostateczny: koronę królewską w zjednoczonej Polsce; stanowczość i wierność własnym zasadom politycznym nie oznacza też braku giętkości i braku zrozumienia nowych sytuacji, w których trzeba się pożegnać z niektórymi starymi poglądami. Konserwatyzm, jaki niektórzy historycy widzą w polityce Henryka, był raczej pragnieniem zachowania dotychczasowych podstaw władzy książęcej w nienaruszonym zakresie tak długo, aż dojrzeją budowane przez niego samego nowe tej władzy fundamenty. Obserwujemy to zarówno w jego działalności gospodarczej, jak politycznej, a w obu dziedzinach nie brak jego posunięciom śmiałości i nowości koncepcji.

Henryk Brodaty w swym realizmie politycznym i zrozumieniu spraw gospodarczych najbardziej przypomina Kazimierza Wielkiego. Śląsk przeobraził się dzięki niemu w szybkim tempie w przodującą gospodarczo dzielnicę Polski. Drogą do tego było zorganizowanie kolonizacji nie wykorzystywanych dotychczas terenów (głównie na Podgórzu Sudeckim) z pomocą sprowadzanych z Niemiec osadników. Osadnikom tym zapewniano swobody, czyniące opłacalnym trud dalekiej wędrówki i związane z nią ryzyko. Było to swobodne prawo osadnicze, zwane później „prawem niemieckim". Opierając się na doświadczeniach niemieckich władców terytorialnych znad środkowej Łaby, Henryk organizował kolonizację w sposób kompleksowy, grupując nowe osady wokół większego centrum osadniczego, mającego pełnić rolę miasta: ośrodka rynku lokalnego, administracji i sądownictwa nowego prawa.

Nowo kolonizowane tereny były wyodrębnione ze starego systemu administracji kasztelańskiej; nowa ludność też została oddzielona od polskich sąsiadów. Miało to doniosłe skutki: segregacja nie dopuściła do asymilacji przybyszów z ludnością miejscową. Henrykowi nie chodziło jednak z pewnością o utrzymanie odrębności językowo-obyczajowej kolonistów. Nie chciał on przedwcześnie rozszerzać przywilejów nowych osadników na ludność polską, na której powinnościach opierała się cała struktura państwowości piastowskiej; bez obowiązków transportowych i obowiązku goszczenia ludzi, znajdujących się w gestii księcia, bez danin w zbożu, bydle i nierogaciźnie nie byłoby możliwe zorganizowanie osiedlania kolonistów, których przecież trzeba było na początku wspomóc nie tylko przywilejami, ale także żywnością i budulcem.

Segregacji jednak nie dało się na dłuższą metę utrzymać, z czego zresztą Henryk zdawał sobie zapewne sprawę. Wcześnie też rozpoczął również reformowanie systemu powinności chłopów w starych posiadłościach książęcych, czego przykład mamy w dokumentach, dotyczących organizacji nadanej cysterkom włości trzebnickiej. Wciągał też do kolonizacji wewnętrznej luźną ludność polską, organizując na wzór czeski tzw. lgoty, czyli wsie zwolnione (przynajmniej okresowo) od dawnego systemu danin książęcych. W roku 1228 po raz pierwszy zezwolił osiedlać ludność polską na prawie niemieckim.

Specjalną uwagę poświęcił Henryk miastom, sprowadzając i popierając napływ cudzoziemców: kupców i rzemieślników. Mieszczanie otrzymywali ograniczoną autonomię, przede wszystkim w zakresie sądownictwa. Henryk był ostrożny i raczej skąpy w udzielaniu miastom samorządu; pilnie za to egzekwował obowiązek dostarczania przez mieszczan kontyngentów wojskowych na wyprawy wojenne. Najpotężniejszy Wrocław musiał pogodzić się – acz niechętnie – z budową nowego zamku książęcego w powiązaniu z systemem murów miejskich.

Wśród obcych przybyszów występowali obok Niemców romańscy Walonowie, którzy zasiedlili kilka wsi w okolicach Wrocławia, Oławy i Namysłowa.

Organizacja osadnictwa wywołała wciąż zaogniający się spór księcia z kolejnymi biskupami wrocławskimi. Henryk nie ograniczał działalności osadniczej do własnych posiadłości: wciągał do akcji klasztory śląskie, a z biskupem Cyprianem zawarł układ o zwolnieniu kolonistów z dziesięciny kościelnej na czas zagospodarowania nowo powstałych osad. Po upłynięciu okresu wolnizny koloniści mieli płacić daninę zryczałtowaną w określonej ilości zbóż lub w pieniądzu. Jednak następca Cypriana, biskup Wawrzyniec, zaczął wymagać od kolonistów dziesięciny snopowej z pola, jaką uiszczali dotychczas chłopi na prawie polskim; żądał też rozciągnięcia obowiązku dziesięciny na różne nie objęte nim dotychczas kategorie chłopów książęcych, a nawet domagał się dziesiątej części książęcych dochodów z kopalni złota, które Henryk rozbudował w okolicy Lwówka i Złotoryi, sprowadzając do nich górników z Miśni. Spór dotarł do papieża i lata upłynęły, zanim doszło do ugody (1227). Henryk obronił sprawę zasadniczą: zryczałtowanie dziesięciny nowych osadników, zgadzając się na zaspokojenie pozostałych pretensji biskupa.

Tymczasem sam biskup śladem księcia zaczął kolonizować na wielką skalę swe dobra w okolicach Nysy i Otmuchowa, wdzierając się przy tej okazji w okoliczne puszcze książęce, m. in. w graniczną „przesiekę". Na tym tle, jak też w sprawie sądownictwa w dobrach biskupich, rozwinęła się nowa seria sporów z następcą Wawrzyńca, Tomaszem; w rezultacie Henryk został obłożony klątwą kościelną i umarł w niejasnej sytuacji zawieszonej ekskomuniki. Ironia dziejowa, każąca umierać pod klątwą znanemu z pobożności księciu, złagodzona była postawą jego małżonki, posiadającej autorytet nie mniejszy od biskupa: Jadwiga popierała stanowisko męża, a podobne stanowisko zajmował kler zakonny, narzekający na zachłanność duchowieństwa świeckiego.

Gospodarczy awans dzielnicy był dla Henryka narzędziem w jego polityce ogólnopolskiej. Syn Bolesława Wysokiego, księcia-malkontenta, dobijającego się stale swych praw

Zaślubiny Henryka Brodatego i św. Jadwigi (Mistrz legendy o św. Jadwidze)

Budowa kościoła w Trzebnicy (Mistrz legendy o św. Jadwidze)

najstarszego przedstawiciela najstarszej linii piastowskiej, odczuwał jako krzywdę odebranie tej linii władzy w Polsce. Od początku też zabiegał różnymi sposobami o opanowanie Krakowa. Potrafił jednak w tej polityce dostosowywać metody do zmieniających się czasów. Zaczynał od prób przywrócenia senioratu z pomocą papiestwa; skoro sposób ten zawiódł, nie ponawiał tych starań i nawet po objęciu władzy w Krakowie nie nawiązywał do senioratu.

Początki rządów Henryka przyniosły niepowodzenie: tuż po śmierci ojca stryj Mieszko Plątonogi raciborski odebrał mu Opole z wielkim obszarem nad górną Odrą. Tajemnicze transakcje z książętami wielkopolskimi, w których starał się w zamian za Lubusz otrzymać

Kalisz – czyżby jako bramę wypad... Kraków? – nie dały pozytywnych rezultatów: stracił jedno i drugie.

Z biegiem czasu przyszło zrozumienie spraw zasadniczych, np. ogólnego interesu Polski piastowskiej jako całości, przeciwstawionego partykularnym interesom dzielnicowym, poza które niejeden z Piastów wyjść już nie potrafił. Władysław Laskonogi utracił w 1209 roku Lubusz, zdobyty przez Konrada Wettina, margrabiego Łużyc. Był to wyłom w polskim systemie granicznym. W rok później, korzystając ze śmierci Konrada i zamętu wśród jego sukcesorów, Henryk odzyskał Lubusz, a także zajął przejściowo znaczną część Łużyc, zapewne z Gubinem.

Około 1217 roku pojawia się koncepcja koalicji trzech najpoważniejszych książąt polskich: Henryka, Władysława Laskonogiego i Leszka Białego. Ten ostatni, władca Krakowa i Sandomierza, miał być formalnym przywódcą koalicji, dążącej m. in. do umocnienia jego pretensji do zwierzchnich rządów w Polsce. Dzięki niej przywrócił Leszek swe zwierzchnictwo nad Pomorzem Gdańskim. Laskonogi – władca Wielkopolski – otrzymał znowu od Brodatego Lubusz, dzięki czemu mógł prowadzić aktywną politykę w rejonie ujść Odry. A jaką korzyść odniósł Henryk? On jeden miał wówczas dziedzica tronu: może obiecano mu dziedziczenie po bezdzietnych kontrahentach.

Z tym okresem wiąże się plan ogólnopolskiej ekspansji do Prus. Najazdy pogańskich Prusów na posiadłości Konrada Mazowieckiego, brata Leszka, zrodziły pomysł wykorzystania ideologii wojen krzyżowych dla opanowa-

Fragment tympanonu kościoła cysterek w Trzebnicy

nia Prus, poddania ich chrystianizacji i podporządkowania Polsce. W latach 1218, 1222 i 1223 przedsięwzięto trzy wyprawy krzyżowe na Prusy, w których decydującą rolę odegrał Henryk Brodaty. Odebrano zajętą przez Prusów ziemię chełmińską. Po niepowodzeniu planu obrony granicy pruskiej przez ,,stróżę" rycerstwa z różnych dzielnic Polski, powstał pomysł powierzenia tej obrony któremuś z istniejących zakonów rycerskich. Wybór padł na Krzyżaków i Henryk, który już wcześniej czynił na Śląsku nadania na rzecz tego zakonu, był niewątpliwie jednym z rzeczników takiego rozwiązania. Pozornie wówczas bardzo praktyczne, okazało się ono później wielkim błędem politycznym, ale za późniejszy rozwój wypadków tylko w ograniczonej mierze odpowiedzialni są projektodawcy.

Rok 1227 przyniósł gwałtowny zwrot w wewnętrznej sytuacji w Polsce. Na wiecu książąt, biskupów i wyższych urzędników w Gąsawie został zamordowany Leszek Biały; Henryk Brodaty, na którego również dybali siepacze, został ciężko ranny. Ocalał tylko dzięki rycerzowi Peregrynowi z Wezenborga, który rzucił się na jego ciało i przyjął przeznaczone dla niego ciosy. Ale stary książę krzepki był nadzwyczaj, bo już w następnym roku wziął udział w walce o spadek po Leszku. Walczyli o ten spadek Władysław Laskonogi i brat Leszka, Konrad: pierwszy – na podstawie umowy o przeżycie z Leszkiem oraz elekcji krakowskiego możnowładztwa, drugi – powołując się na pokrewieństwo.

Henryk – jak się wydaje – wystąpił jako sojusznik Laskonogiego, który, zaplątany w walkę z bratankiem, Władysławem Odonicem, w Wielkopolsce, nie mógł bronić Krakowa. W znakomicie przeprowadzonej kampanii 1228 roku pobił Konrada pod Skałą i Międzyborzem i zmusił do opuszczenia Małopolski.

Kolumna z ornatu św. Jadwigi

Jednak Konrad zmienił sposób prowadzenia sporu: od czasu zbrodni gąsawskiej coraz częściej Piastowie nie przebierają w środkach, a moralność polityczna sięga najniższego punktu. Podczas wiecu w Spytkowicach na początku 1229 roku Henryk został napadnięty (znowu ranny) i porwany przez ludzi Konrada, po czym przewieziono go do Płocka. Niewiele to dało Konradowi: Małopolanie obronili Kraków, wyprawa sprzymierzonych z nim Rusinów na Kalisz i Śląsk zakończyła się bez rezultatu. Kiedy przed Konradem pojawiła się Jadwiga z żądaniem uwolnienia męża z więzienia, znany z bezwzględności i okrucieństwa książę mazowiecki nie mógł się oprzeć jej moralnemu autorytetowi. Henryk odzyskał wolność za cenę rezygnacji z pretensji do Krakowa. Zaraz jednak zwrócił się do papieża z prośbą o uwolnienie go od wymuszonej przysięgi.

Czas działał na jego korzyść, bo brutalne postępowanie Konrada z wdową po Leszku i jej małoletnim synem Bolesławem budziło coraz większą niechęć wśród Małopolan. Tymczasem w 1230 roku zmarł książę opolsko-raciborski Kazimierz i Henryk, jako najbliższy krewny, narzucił swą opiekę wdowie i jej małoletnim synom. W 1231 roku zmarł Władysław Laskonogi, uznając Brodatego i jego syna Henryka za swych dziedziców w Wielkopolsce oraz Krakowie.

Henryk Brodaty bronił na Śląsku prerogatyw książęcych i niechętnie widział wzrost wpływów któregoś z rodów możnowładczych; popierał raczej nowych ludzi, którzy wszystko mu zawdzięczali. Może do wyjątków należał ród Świebodziców-Gryfitów, rozgałęziony szeroko i mający wpływy także na Opolszczyźnie i w Małopolsce. Świebodzice należeli do najwierniejszych stronników Brodatego. Z ich też pomocą bez przeszkód objął Kraków; nie obyło się jednak bez wydania przywileju, gwarantującego prawa kleru i rycerstwa. Autokratycznie niegdyś nastrojony książę uczył się w Małopolsce współrządzić z możnowładztwem, stanowiącym – bądź co bądź – reprezentację społeczeństwa i będącym rzecznikiem interesów dzielnicy. Współpraca wypadła dobrze: nic nie zakłóciło więcej rządów Henryka w Krakowie, a jego syn mógł później bez przeszkód objąć po nim władzę. Dalsze walki z Konradem zakończyły się usunięciem go z Sandomierszczyzny, dziedzictwa małoletniego Bolesława Leszkowica. Rządy w jego imieniu (jako opiekun) objął i w Sandomierzu Henryk.

W 1234 roku nastąpił ostatni akt działalności zjednoczeniowej Henryka Brodatego: na wezwanie części możnowładztwa wielkopolskiego obaj Henrykowie wkroczyli do tej dzielnicy i opanowali tereny na lewym brzegu Warty. Może doszłoby do całkowitego usunięcia księcia Władysława Odonica, gdyby nie to, że był on pupilem Kościoła, któremu hojnie udzielał przywilejów. Nacisk arcybiskupa Pełki i innych biskupów zmusił Henryka do zadowolenia się podziałem Wielkopolski – ale starcia graniczne i wzajemne oskarżenia trwały nadal.

Henryk Brodaty był na dobrej drodze do zjednoczenia kraju: elastyczność jego polityki i zrozumienie konieczności zmian w stosunku monarchy i społeczeństwa stanowiły gwarancję sukcesów. Wytrwale czuwał nad bezpieczeństwem granic: kiedy Laskonogi po raz drugi utracił Lubusz, Brodaty w dwu kampaniach 1229 i 1230 roku wydarł go raz jeszcze z rąk niemieckich – tym razem arcybiskupa magdeburskiego. Rozszerzył też swe posiadłości w widłach Warty i Odry, zajmując Cedynię i Kiniec.

Słabą stroną jego władztwa był brak trwałych podstaw tworzonej ,,monarchii". Seniorat Krzywoustego przeżył się i nikt już nie myślał o jego przywróceniu. Na Śląsku władza Henryków była dziedziczna i mocna; w ziemi krakowskiej i w zachodniej Wielkopolsce opierała się właściwie na elekcji; w ziemi opolsko-raciborskiej i sandomierskiej – tylko na opiece, zleconej księciu śląskiemu dzięki jego autorytetowi i sławnej już rzetelności, przez miejscowych notablów. Trudno było utrzymać taki mandat po dojściu do pełnoletności podopiecznych.

Była jednak możliwość umocnienia władzy – korona królewska. Niejasne wzmianki źródłowe mogą wskazywać na starania Henryka – w latach trzydziestych XIII wieku – o koronę dla syna, czynione zarówno na dworze cesarza Fryderyka II, jak w kurii papieskiej. Starania te nie zostały uwieńczone powodzeniem, czy to w wyniku konfliktu między cesarzem a papieżem, czy też wobec zaostrzenia się stosunków Brodatego z hierarchią kościelną. Umierając 19 marca 1238 roku w Krośnie Odrzańskim, zostawiał Brodaty synowi dzieło wielkie, lecz nie ukończone.

Jeszcze jedna cecha Henryka, uznana przez autora żywota jego żony za godną odnotowania, przypomina Kazimierza Wielkiego. ,,Chociaż był dostojnym księciem, do tego stopnia jednak gwoli pokory zniżał się do ludzi ubogich i prostych, że jeżeli kiedykolwiek przynosili jakieś dary, nawet niewielkiej wartości, przyjmował je wdzięcznie i dziękował im uprzejmie, powiadając, że bardziej mu jest miłe, gdy człowiek ubogi lub wieśniak darowuje mu miskę jajek, niż gdy bogacz hojniejsze przynosi dary". Wiemy też, że miał raczej rubaszne poczucie humoru, cieszyły go niezbyt skomplikowane żarty błazna Kwiecika, a dużą przyjemność sprawiało mu ucztowanie przy kielichu, zwłaszcza z dala od surowych wejrzeń małżonki. Żywociarz ocenił go epitetem nieczęsto spotykanym, ale znamiennym: ani ,,wielki", ani ,,waleczny", ani ,,wspaniały", lecz: ,,mąż uczciwy i pożyteczny dla ludzi".

Benedykt Zientara

HENRYK II POBOŻNY

Stosunki rodzinne wśród Piastów były na ogół dalekie od wskazań moralności chrześcijańskiej. Nie mam tu na myśli rywalizacji i walki między dalszymi krewnymi ani nawet krwawych niekiedy starć między braćmi o dziedzictwo ojcowskie; nawet stosunki między rodzicami a dziećmi przedstawiały wiele do życzenia. Kłopoty Władysława Hermana z synami zatruły późne lata jego panowania; Mieszko Stary doczekał się wypędzenia przez syna, jego śląski bratanek Bolesław Wysoki doznał podobnego losu dzięki współdziałaniu swego syna i brata. Podobne przykłady można by mnożyć. Do chlubnych wyjątków należą stosunki między Henrykiem Brodatym a jego synem – również noszącym to samo imię.

Nietrudno było o harmonię w rodzinie, gdy syn był małoletni, uczył się wojny i polityki u boku ojca i ustępował jego wiekowi i autorytetowi. Ale Henryk Pobożny dawno już miał za sobą lata chłopięce, kiedy wciąż tkwił na dalszym planie, jako wykonawca ojcowskich poleceń. Urodził się – według ostrożnych ustaleń Kazimierza Jasińskiego – między 1196 a 1204 rokiem, zapewne bliżej pierwszej z tych dat, skoro już w 1208 roku wystąpił jako świadek w dokumentach. Od 1217–1218 roku był żonaty, ale jeszcze dwadzieścia przeszło lat musiał czekać na objęcie rządów. Mimo to nie spotykamy w źródłach żadnych śladów zniecierpliwienia czy typowej dla synów książęcych w średniowieczu – i nie tylko! – dążności do usamodzielnienia. Stał wiernie u boku ojca i wspierał jego politykę z podziwu godną lojalnością. A nie był przy tym bezwolnym narzędziem. Krótki okres jego samodzielnych rządów dowodzi, że stać go było na śmiałe decyzje polityczne, na upór i na orężne sukcesy.

Henryk nie był najstarszym synem Henryka Brodatego i św. Jadwigi. Spadkobiercą ojca miał być najstarszy brat, Bolesław, a po jego rychłej śmierci – drugi brat Konrad, zwany Kędzierzawym. Książę ten jednak zginął już w 1213 roku na polowaniu pod dolnośląskim Tarnowem, a późniejsza legenda opowiadała o niesnaskach między nim a Henrykiem. Więcej, między obydwu młodymi książętami miało rzekomo dojść do bratobójczej walki, w której Konrada mieli popierać Polacy, zaś Henryka – napływający na Śląsk Niemcy. Ojciec miał bezczynnie i bezsilnie przypatrywać się tej walce. Nie brak historyków, którzy doszukują się w tej legendzie echa autentycznych wydarzeń, całe opowiadanie jednak tak nie pasuje do sytuacji na Śląsku w początkach XIII wieku, że trzeba je uznać za późniejszą twórczość kronikarzy, rzutujących w przeszłość konflikty narodowe końca tegoż stulecia.

Dość liczne potomstwo Henryka Brodatego i Jadwigi poumierało w dzieciństwie lub wczesnej młodości: pozostał Henryk Pobożny i jego siostra Gertruda, która po niefortunnych zaręczynach z Ottonem Wittelsbachem, mordercą króla rzymskiego Filipa, wstąpiła do klasztoru cysterek w Trzebnicy i z czasem została opatką. W związku z tymi doświadczeniami rodzinnymi, a także wobec coraz większej skłonności matki do surowości i praktyk ascetycznych, dzieciństwo i młodość Henryka przebiegały w atmosferze różnej od innych dworów monarszych. Uległ tej atmosferze ojciec, przyuczany przez żonę do pogłębiania życia religijnego, który wbrew modzie zapuścił brodę i podobno miał mniszą tonsurę. To on zresztą, Henryk Brodaty, nosił w kronikach i żywotach swej małżonki przydomek Pobożnego (*pius princeps*). O jego synu kronikarze powiadają, że „imieniem i ozdobą cnót był podobny ojcu", ale używany przez nas przydomek Pobożnego został mu nadany przez nowożytnych już dziejopisów.

Księżna Jadwiga, otaczana przez męża, dzieci i dwór podziwem graniczącym z uwielbieniem, już za życia gotująca się do zajęcia w przyszłości miejsca na ołtarzach, miała ogromny wpływ na syna, wpływ, który nie zmniejszył się po założeniu przezeń własnej rodziny. Oddziaływanie matki, a także głębokie przejęcie się wzorcem chrześcijańskiego rycerza i władcy, przyczyniło się zapewne do

tak dobrego ułożenia stosunków między starym a młodym księciem.

Polityka ojca – potrzeba zbliżenia z królem czeskim Przemysłem Ottokarem I – zdecydowała o małżeństwie młodszego Henryka: w 1217 lub 1218 roku poślubił on córkę Przemysła Ottokara, Annę. Małżeństwo okazało się jednak bardzo harmonijne; z dwanaściorga dzieci dziesięć przeżyło ojca. Młoda księżna Anna uległa wpływowi świekry i pod jej kierunkiem wprawiała się w praktyki dewocyjne; naśladowała ją w długotrwałych modlitwach i postach, w dziełach dobroczynności i w darach na rzecz Kościoła. Nie dała się tylko nakłonić do przyjęcia „ślubów czystości".

Henryk Brodaty z rodziną, drugi z prawej Henryk Pobożny (Mistrz legendy o św. Jadwidze)

Wcześnie już towarzyszył Henryk ojcu przy różnych okazjach, czego dowodem jest występowanie na listach świadków w dokumentach. Około 1224 roku został oficjalnie dopuszczony do współrządów: otrzymał własną pieczęć i zespół własnych dworzan, wśród których specjalną rolę pełnił jego notariusz, Konrad z Rokitnicy.

Jesienią 1227 roku Henryk Brodaty został ciężko ranny w czasie wypadków gąsawskich, w których zginął książę krakowski Leszek Biały. Z tą chwilą ciężar rządów spoczął po raz pierwszy na barkach syna; nawet po wyzdrowieniu pomoc jego była Brodatemu niezbędna, gdy zdecydował się wziąć udział w walce o Kraków z Konradem Mazowieckim. Młodszy Henryk zastępował zapewne wówczas ojca na Śląsku. W 1229 roku Brodaty znalazł się w niewoli Konrada, a młodszy Henryk zwołał rycerstwo śląskie i stawił czoło najazdowi na Śląsk sprzymierzonych z Konradem Rusinów. Następnie Henryk Pobożny brał udział w kampaniach ojca przeciw Konradowi, w opanowaniu zachodniej Wielkopolski w walce z Władysławem Odonicem – w odbieraniu Ziemi Lubuskiej arcybiskupowi magdeburskiemu. Od 1234 roku nosił tytuł księcia Śląska i Polski, tj. zachodniej Wielkopolski, w której zapewne sprawował zlecone przez ojca rządy, już z pełnią władzy.

Śmierć Henryka Brodatego, 19 marca 1238 roku, zastała jego syna w pełni przygotowanym do rządów, ale przejęcie ich wypadło w bardzo złym momencie. Tak zwana przez historyków ,,monarchia Henryków" była właściwie zlepkiem szeregu księstw: w każdym z nich podstawy ich władzy były różne. Dolny Śląsk był dziedzictwem rodziny, ale w Górnym rządził Henryk Brodaty tylko jako opiekun dorastających synów księcia opolskiego Kazimierza; podobnie w księstwie sando-

Fryz kaplicy zamkowej w Legnicy

mierskim był tylko opiekunem Bolesława Wstydliwego, syna Leszka Białego. W Krakowie natomiast dzierżył władzę na podstawie elekcji przez możnych. Ostatnie lata rządów Brodatego zakłóciła coraz ostrzejsza walka z Kościołem, już nie tylko z biskupem wrocławskim Tomaszem, ale również z głową Kościoła polskiego, arcybiskupem Pełką. W toku tej walki stary książę znalazł się nawet pod klątwą.

Nowy władca ujrzał się pod presją ze wszystkich stron. Papież groził, że jeśli nie ulegnie żądaniom arcybiskupa, to ciało jego ojca zostanie usunięte z poświęconego miejsca. Biskup Tomasz trwał w opozycji, choć trzymał się z dala od księcia w Głogowie. Zdawać by się mogło, że Henryk musi ulec i Kościół otrzyma wielki przywilej, nadający mu na Śląsku wszystkie swobody i prerogatywy, jakimi rozporządzał już w innych dzielnicach.

Ale Henryk znał dobrze ówczesną sytuację międzynarodową. Klątwa, rzucona przez papieża w 1239 roku na cesarza Fryderyka II, musiała wywołać liczne zmiany frontów. Papież potrzebował gwałtownie sprzymierzeńców. Henryk rozumiał to i dał poznać jego wysłannikowi, Albertowi Beheimowi, że skłonny jest pod pewnymi warunkami go poprzeć. Z tą chwilą wszelkie zadrażnienia z klerem znikły, a karcony niedawno krnąbrny syn grzesznika zaczął być tytułowany „arcychrześcijańskim księciem".

Dawni podopieczni Henryka Brodatego zażądali usamodzielnienia i Henryk Pobożny nie mógł im tego odmówić. Mieszko Otyły, syn księcia Kazimierza, objął więc samodzielne rządy w Opolu, zaś Bolesław Wstydliwy w Sandomierzu. Obydwaj zaakcentowali tę samodzielność przez polityczne małżeństwa poza kręgiem wpływów Henryka: Mieszko poślubił córkę Konrada Mazowieckiego, zaś Bolesław – królewnę węgierską. Udało się jednak Henrykowi utrzymać dobre stosunki, a może nawet rodzaj przymierza z obydwu usamodzielnionymi książętami.

Ta ustępliwość Henryka miała ważkie przyczyny: północno-zachodnie granice jego państ-

Kościół Franciszkanów w Krakowie

twa zostały znowu zagrożone przez najazd książąt niemieckich, po raz któryś z rzędu usiłujących zdobyć Lubusz, „klucz Królestwa Polskiego". W roku 1238 margrabiowie brandenburscy, sprzymierzeni z Barnimem pomorskim, zdobyli Santok; Barnim opanował jednocześnie Cedynię i Kiniec. W rok później Brandenburczycy, tym razem w przymierzu z arcybiskupem magdeburskim Wilbrandem, zorganizowali wielką wyprawę na Lubusz i oblegli gród. Zostali jednak przez Henryka pobici: źródła mówią o wielkich stratach najeźdźców. Wkrótce potem Henryk odzyskał również Santok. Sukces jego działań obronnych był całkowity.

Warto też podkreślić, że przejęcie przezeń rządów w Krakowie i zachodniej Małopolsce obeszło się bez wstrząsów, mimo iż tamtejsi możni przywykli już do wybierania sobie władców. Ród Świebodziców-Gryfitów, od dłuższego czasu związany politycznie z książętami śląskimi, trwał na straży ich panowania w Krakowie, dzierżąc tam główne urzędy. Nie jest prawdą rzekomy brak zainteresowania Krakowem ze strony Henryka, czego dowodzi dokonana przezeń fundacja krakowskiego klasztoru franciszkanów.

Trudno powiedzieć, jak rozwijałyby się dalej stosunki polityczne w Polsce, gdyby nie dramatyczne przerwanie ich wątków przez gwałtowny czynnik zewnętrzny. Czy dzieło Henryków oparłoby się siłom odśrodkowym? Czy Henryk Pobożny sięgnąłby po koronę, o czym przebąkują niejasne wzmianki źródeł?

Pozostawmy te sprawy, jak to musiał uczynić również Henryk, gdy go doszły wieści o groźnym niebezpieczeństwie. Od 1238 roku najazd mongolski ogarnął Ruś: płonęły grody tzw. Zalesia, czyli późniejszej Rusi moskiewskiej; następnie wódz najeźdźców Batu zwrócił się na Kijów, który został spalony i zniszczony

Bitwa pod Legnicą (Mistrz legendy o św. Jadwidze)

(1240) Tysiące ludzi padały ofiarą okrucieństwa wojowników mongolskich, tłumy brańców pędzono w głąb Azji. Batu nie ukrywał, że dalszym celem jego ataku są Węgry.

Henryk rozesłał listy do książąt niemieckich, cesarza, króla czeskiego, żądając mobilizacji świata chrześcijańskiego wobec groźby frontalnego ataku pogan. Wzywał pomocy zakonów rycerskich. Cesarz Fryderyk II podjął te hasła i w szeroko rozsyłanej korespondencji wzywał do wspólnej akcji przeciw najeźdźcom i zawieszenia sporów między chrześcijanami, ale działalność ta spotkała się z oporem jego przeciwnika, papieża Grzegorza IX, dla którego największym wrogiem chrześcijaństwa był sam cesarz. Stąd też w decydującej chwili Henryk ujrzał się samotny.

Zapewne oczekiwanie na pomoc spowodowało taktykę zwlekania przyjętą przez Henryka w momencie ukazania się ,,Tatarów" na ziemiach polskich. Przed decydującym uderzeniem na Węgry Batu postanowił rzucić jedną z armii na Polskę, aby nie dopuścić do ewentualnego udzielenia przez nią pomocy napadniętemu sąsiadowi. Już w styczniu zwiadowcze oddziały mongolskie badały przeprawy przez Wisłę, spaliły Lublin i Zawichost; jeden z oddziałów, sprawdzając przyszłą trasę przemarszu, dotarł aż pod Racibórz. W lutym pojawiły się w Sandomierszczyźnie większe siły mongolskie; świeżo usamodzielniony Bolesław Wstydliwy zostawił dzielnicę na pastwę losu i zbiegł z żoną na Węgry, nie przypuszczając, że podąża naprzeciw niebezpieczeństwu.

169

Sandomierz został zdobyty i spalony. Na wieść o tych wypadkach wojewoda krakowski Włodzimierz, nie wiadomo, czy z polecenia Henryka, czy z własnej inicjatywy, ruszył na pomoc Sandomierzanom: 13 lutego 1241 r. pod Wielkim Turskiem doszło do pierwszego starcia Polaków z Mongołami, w którym Polacy, wciągnięci w zasadzkę, ponieśli wielkie straty.

10 marca rozpoczęła się ofensywa Batu-chana na Węgry, a doświadczony wódz Pajdar uderzył jednocześnie na Polskę. Po sforsowaniu Wisły, 18 marca zniósł rycerstwo małopolskie pod Chmielnikiem: wojewoda Włodzimierz i kasztelan krakowski Klemens legli na polu bitwy. Stamtąd dwa dywersyjne podjazdy ruszyły na Kujawy i pod Racibórz: ten ostatni – po raz pierwszy – spotkał się z porażką. Książę opolski Mieszko Otyły przezwyciężył panikę, zaskoczył Mongołów przy przeprawie przez Odrę i zadał im straty. Nie wpłynęło to jednak na całość kampanii.

Historycy ostro krytykowali postawę Henryka wobec najazdu: powinien był ich zdaniem skoncentrować swe siły w Małopolsce i tam próbować zatrzymać nieprzyjaciela. Tymczasem nie tylko Kraków, ale i Wrocław padł łupem najeźdźców, płonęły setki wsi małopolskich i śląskich, a książę wciąż czekał.

Krytykom trudno wczuć się w rzeczywistą sytuację i nastroje w marcu 1241 roku. Uchodźcy z ziem zajętych przez Mongołów przynosili sprzeczne ze sobą wieści, wśród których górowało przekonanie o niezmierzonej przewadze liczebnej najeźdźców i bezpośrednich ich związkach z siłami piekielnymi. Toteż Henryk postanowił stoczyć decydującą walkę dopiero po zebraniu się pod jego sztandarami odpowiednio licznych oddziałów. Przybycie z pomocą rycerzy zakonnych – templariuszy i Krzyżaków – budziło nadzieję odsieczy z Niemiec; dochodziły wieści o królu czeskim Wacławie I, który zmobilizował rycerstwo i posuwał się w stronę Śląska. Tam jednak stanął pod grodem Świny, woląc wyczekiwać na wynik walki, niż połączyć się z Henrykiem. Sądził zapewne, że po prawdopodobnej klęsce Henryka zatrzyma na przełęczach Sudeckich najazd Mongołów na Czechy.

Trudno dziwić się Henrykowi, że na wieść o zbliżaniu się wojsk czeskich zwlekał z podjęciem bitwy i poświęcił nawet Wrocław, aby nie ryzykować wyniku przyszłego starcia. Skupiał pod swymi znakami wycofujące się resztki rycerstwa małopolskiego; przybył doń ze swymi rycerzami Mieszko opolski. Czekał na odsiecz, dopóki w nią nie zwątpił.

Piętnastowieczna legenda o św. Jadwidze opowiada o rozmowie księcia z matką, która radziła mu poczekać jeszcze na wojska Wacława. ,,Kochana pani matko – miał odrzec Henryk – nie mogę dłużej zwlekać, albowiem zbyt wielkie są jęki biednego ludu: dlatego muszę walczyć i wystawić swe życie, aż po śmierć za wiarę chrześcijańską''.

Tak doszło do pamiętnej bitwy pod Legnicą 9 kwietnia 1241 roku. Przebieg jej znamy dość dokładnie dzięki relacji zamieszczonej w kronice Długosza. Jak udowodnił Gerard Labuda, relacja ta oparta jest na zaginionej raciborskiej kronice dominikańskiej, korzystającej z opowieści naocznych świadków, toteż może posłużyć do odtworzenia wypadków. Obok rycerstwa polskiego z obydwu dzielnic śląskich i małopolskich wzięli udział w bitwie nowi mieszkańcy Śląska, koloniści niemieccy, wśród których szczególnie odznaczyli się górnicy ze Lwówka i Złotoryi.

Pierwsze uderzenie Mongołów doprowadziło do rozbicia hufca złożonego z ochotników cudzoziemskich (głównie Niemców; w jego skład wchodzili też templariusze i Krzyżacy); dowódca jego, cioteczny brat Henryka, Bolesław Szepiołka, poległ. Jednak inne hufce przeszły do przeciwnatarcia, gdy dywersja mongolska (okrzyki: ,,bieżajcie, bieżajcie!") doprowadziła do paniki i rozsypki hufca opolsko-raciborskiego. Rycerze z tego hufca wraz ze swym księciem zbiegli z pola i nie oparli się aż w grodzie legnickim. Na ten widok Henryk miał powiedzieć: ,,Gorze nam się stało" (relacja zanotowała to po polsku) i osobiście rzucił się w wir walki, kiedy Mongołowie rozpoczęli akcję okrążania polskich oddziałów. Wraz z księciem padł kwiat rycerstwa i najwybitniejsi współpracownicy obu Henryków. Odmienną wersję śmierci księcia opartą na wypowiedziach świadków mongolskich przedstawia odkryta niedawno relacja franciszkanina polskiego, uczestnika poselstwa na dwór wielkiego chana: według niej Henryk, wzięty do niewoli, miał zostać ścięty przed namiotem dowódcy mongolskiego.

Po odejściu Mongołów, którzy po nieudanym oblężeniu zamku w Legnicy podążyli przez Morawy na Węgry, aby tam połączyć się z główną armią Batu-chana, żona i matka Henryka znalazły ciało jego na pobojowisku i pochowały je we wrocławskim kościele franciszkanów. Na miejscu, gdzie zginął książę, założono kaplicę z niewielkim konwentem benedyktynów.

Zadziwiające, że wokół tragicznej i bohaterskiej śmierci Henryka nie rozwinął się ani kult męczennika, poległego za wiarę, ani legenda rycerska. Potomkowie księcia, zajęci walką o spadek po nim, zapomnieli o jego celach politycznych, nie potrafili też wykorzystać propagandowo jego śmierci w obronie chrześcijaństwa. Tylko w ,,Kronice polskiej", powstałej w osiemdziesiątych latach XIII w., zapewne pod auspicjami Henryka Probusa, epitet *beatus princeps* mógłby być świadectwem planowanej przez wnuka rozbudowy

kultu. Ale jedyny to przykład. Zwykle określa się Pobożnego jako ,,księcia Henryka zabitego przez Tatarów". Dla późniejszych historyków pozostawał w cieniu swego wielkiego ojca.

Ożywiona dyskusja rozwinęła się tylko nad przyczynami katastrofy monarchii Henryków. Podczas gdy dawniej uważano, że najazd mongolski i klęska pod Legnicą wszystko tłumaczy, Jan Baszkiewicz w 1954 roku zwrócił uwagę na siłę elementów odśrodkowych za czasów Henryka Pobożnego, na utratę panowania nad Opolem i Sandomierzem, na niewielkie ślady działalności władcy w ziemi krakowskiej. Więzi gospodarcze między dzielnicami i zainteresowanie ich mieszkańców utrzymaniem jedności były zbyt słabe, aby wytrzymała ona okres próby. ,,Najazd tatarski – pisał Baszkiewicz – był ważnym zjawiskiem, przyspieszającym proces rozkładu, który rozpoczął się już wcześniej".

Według tej tezy, którą poparł dalszymi argumentami Kazimierz Jasiński, nawet bez klęski legnickiej doszłoby do rozpadu dzielnic połączonych przez Brodatego, co najpóźniej w chwili śmierci Pobożnego, obdarzonego licznymi żądnymi władzy synami. To wszystko możliwe, ale trzeba też pamiętać, że ewentualne przedłużenie rządów Henryka Pobożnego o dwadzieścia lat, połączone z energiczną działalnością gospodarczą, zwłaszcza osadniczą, mogłoby stworzyć elementy owej brakującej wspólnoty; umiejętne wykorzystanie sojuszu z papiestwem mogło przynieść poparcie Kościoła, a zwłaszcza umocnienie panowania dzięki koronacji. Koronacja zaś niosła ze sobą zupełnie nową pozycję polityczną władcy Wrocławia i Krakowa. Nie można więc wykluczać i takiej możliwości, że bez Legnicy okres rozbicia dzielnicowego Polski uległby skróceniu.

Benedykt Zientara

BOLESŁAW
ŁYSY
(ROGATKA)

Święta Jadwiga zdecydowanie nie lubiła swego najstarszego wnuka. ,,Biada, biada tobie, Bolesławie, jak wielkie nieszczęście przyniesiesz ty ziemi swojej!" – miała prorokować. Zdecydowanie źle traktowali go kronikarze: już współczesny mu mnich henrykowski stwierdził: ,,Książę Bolesław, syn zabitego przez pogan księcia Henryka, nic innego nie robił, tylko płatał głupie figle"; jeszcze gorzej pisali o nim późniejsi kronikarze i nie było w tym względzie różnic między pisarzami śląskimi i autorami z innych dzielnic.

Nie żałowano księciu Bolesławowi epitetów: żaden Piast nie może się poszczycić taką liczbą przydomków. W nagłówku wymieniono najczęściej spotykane. ,,Łysy" oznacza cechę jego wyglądu zewnętrznego, ,,Rogatka" zaś, jak tłumaczył Długosz, ,,w polskiej mowie oznacza człeka zuchwałego i jakby bodącego rogami". Nie jest to również przydomek pochlebny. Kronikarze śląscy określają go przydomkiem Cudaczny, a ponadto przysługiwał mu jeszcze epitet Srogi. Bo potrafił być także okrutny.

W ślad za kronikarzami poszli historycy i rzadko się trafia taki przykład jednomyślnej oceny polskich i niemieckich badaczy, jak w tej sprawie. Może ogólna niechęć, otaczająca od wieków pamięć tego księcia, odstręczała uczonych od bliższego zajęcia się jego dziejami. Dopiero ostatnio zainteresował się Bolesławem bliżej Roman Heck, który zarówno sam zajął się sylwetką Rogatki, jak skierował ku problematyce jego działalności badania kilku uczniów.

Jeżeli ,,trudne dzieciństwo" może służyć jako usprawiedliwienie późniejszych grzechów, to właśnie przy Rogatce trzeba tę sprawę uwzględnić. Najstarszy syn Henryka Pobożnego i Anny, księżniczki czeskiej, urodził się między 1220 a 1225 rokiem, zapewne bliżej tej ostatniej daty, skoro w początkach rządów pozostawał pod opieką matki. Matka i babka zajmowały się wychowaniem dzieci Henryka Pobożnego, a że obydwie oddane były dewocji, więc i dzieci w tym duchu urabiały. Drastyczna scena mycia twarzy małego Bolka wodą, w której uprzednio płukały nogi świątobliwe zakonnice (uwieczniona w ,,Żywocie św. Jadwigi"), mogła chłopcu na całe życie obrzydzić pobożne praktyki. Może też stawał babce okoniem, za co ona wywdzięczyła się złowróżbnym proroctwem. Miał je, niestety, spełnić.

Tragiczna śmierć ojca na polach legnickich 9 kwietnia 1241 roku zwiastowała Bolkowi wyzwolenie. Został władcą rozległego państwa, obejmującego prócz Dolnego Śląska ziemię krakowską, połowę Wielkopolski i Ziemię Lubuską. Początkowo matka starała się objąć regencję i utrzymać kontrolę nad rozhukanym młodzieńcem, ale już w 1242 roku wystawiał on dokumenty zupełnie samodzielnie.

Młody książę w otoczeniu rówieśników pędził wesołe i hulaszcze życie, w którym turnieje i polowania przeplatały się z ucztami i wyprawami na ,,głupie figle", polegające np. na wylewaniu mleka kobietom, handlującym nim na targu. Starsze pokolenie doradców księcia przypatrywało się temu z niejakim osłupieniem i protestowało, toteż Bolesław rychło usuwał starych ze swego otoczenia i powoływał doń nowych ludzi, częściowo rówieśników, częściowo karierowiczów, którzy zręcznie dostarczonymi prezentami zaskarbili sobie łaski księcia. Źródła przypisują też zgodnie Bolesławowi sprowadzanie Niemców; kronikarz wielkopolski utrzymuje nawet, że stało się to za jego czasów po raz pierwszy. Nie odpowiada to oczywiście prawdzie; pojedynczo pojawiają się Niemcy na Śląsku już za Bolesława Wysokiego, Henryk Brodaty sprowadził licznych rycerzy, kupców, rzemieślników, górników, chłopów. Tylko że Niemcy sprowadzani przez Rogatkę należeli do innego typu, a niemiecki autor „Kroniki polskiej" z końca XIII wieku nazywa ich po prostu rabusiami. Była to na ogół zbieranina najemnych żołnierzy, błędnych rycerzy i zwyczajnych zbirów, których Rogatka wynajmował do swych napadów, walk z braćmi i wojen z sąsiadami. Część ich, hojnie wynagradzana, osiadła na Śląsku.

Posiadłości młodego dziedzica obu Henryków zaczęły się błyskawicznie kurczyć, kiedy wyszła na jaw bezsilność rządów pobożnej wdowy i lekkomyślnego młodzieńca. W Krakowie zrazu uznano Bolesława księciem – panowanie śląskiej linii piastowskiej było już tam czymś oczywistym. Ale Konrad Mazowiecki, panujący teraz już tylko w Łęczycy, uznał sytuację za dogodną dla wznowienia własnych pretensji: we wrześniu 1241 roku najechał ziemię krakowską, spustoszoną niedawnym najazdem Mongołów, i zdobył upragniony Kraków, a raczej to, co z niego pozostało. Gryfita Klemens z Ruszczy bronił się przed nim długo w Skale, ale wobec braku zainteresowania ze strony Rogatki, poparł pretensje innego Bolesława, syna Leszka Białego, zwanego potem Wstydliwym. W 1243 roku Konrad musiał opuścić Kraków, ale Bolesław Rogatka nie osiągnął z tego żadnej korzyści.

Jednocześnie odpadła Wielkopolska, gdzie możnowładztwo. opowiedziało się w latach 1241–1242 za miejscową linią piastowską, reprezentowaną przez synów Władysława Odonica: Przemysła I i Bolesława Pobożnego. W rękach Rogatki zostały tylko najdalej na zachód wysunięte grody: Santok, Międzyrzecz, Zbąszyń, o które toczyły się dalej walki. Inaczej niż w sprawie Krakowa, Rogatka nie rezygnował z pretensji do Wielkopolski i do 1253 roku nosił tytuł księcia Śląska i Polski (tj. Wielkopolski). Powodowało to stałe konflikty z książętami wielkopolskimi, którzy interweniowali także w walki Rogatki z braćmi.

Przez pierwsze lata Bolesław, jeszcze nie Łysy, ale już Cudaczny, sam władał księstwem, korzystając z młodego wieku braci: najstarszy z nich, Mieszko, zmarł już w 1242 roku. Tymczasem możnowładcy śląscy, zaniepokojeni rozrzutnością Bolesława i topnieniem obszaru dzielnicy, postanowili ograniczyć jego władzę i w 1247 roku uwięzili go w Legnicy. Następstwem tego faktu było zmuszenie Bolesława do dopuszczenia do współrządów drugiego brata, Henryka III, ale także zapocząt-

Pieczęć Bolesława Łysego według przerysu z XIX w.

173

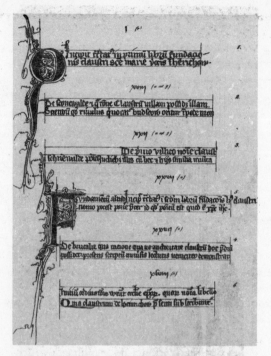

Pismo „Księgi henrykowskiej"

kowanie tak typowych dla polityki piastowskiej XII wieku serii porwań i wymuszeń,
coraz częściej traktowanych jako normalna
metoda polityczna. Trzeba z naciskiem stwierdzić, że nie Rogatka był twórcą tej metody.

Współrządy dwu braci okazały się niemożliwe: zbyt wielki był kontrast między rozrzut-
nym, lekkomyślnym i awanturniczym Bolesławem a gospodarnym i oszczędnym Henrykiem; doradców też obydwaj książęta dobierali
sobie odpowiednich. Za pośrednictwem biskupa wrocławskiego Tomasza doszło w 1248
roku do podziału Dolnego Śląska na dzielnice:
wrocławską i legnicko-głogowską. Dwaj młodsi bracia, Konrad i Władysław, przeznaczeni
zostali do kariery duchownej, a panujący książęta mieli zadbać o ich utrzymanie i zaopatrzenie: Konrad został przydzielony Bolesławowi.

Bolesław wybrał pierwotnie księstwo wrocławskie: być może wiązało się to z jego planem
odzyskania Wielkopolski poprzez spisek rodu
Nałęczów z Tomisławem, kasztelanem poznańskim na czele. Jednak spisek został od-
kryty, a jego przywódcy aresztowani. Rogatka
opowiedział się w końcu za dzielnicą legnicką,
ale jego niepowodzenia się nie skończyły.

Podczas gdy najmłodszy Henrykowic Władysław studiował spokojnie w Padwie, a potem
kumulował w swym ręku różne bogate zagraniczne prebendy kościelne, niespokojny Konrad rzucił studia paryskie i zwlekał z przyjęciem ofiarowywanego mu biskupstwa passaw-
skiego. Śledził natomiast pilnie konflikt między Bolesławem a Henrykiem, którego nie
rozwiązał podział z 1248 roku. Rogatka zapragnął pozbyć się siłą współzawodnika, toteż
wynajął wielką liczbę niemieckich najemników i za cenę pomocy przeciw bratu odstąpił
arcybiskupowi magdeburskiemu połowę Ziemi Lubuskiej, uznając się zarazem jego lennikiem z drugiej połowy. Ta druga połowa znalazła się niebawem w posiadaniu margrabiów
brandenburskich, którzy z czasem zawładnęli
zresztą i częścią arcybiskupa.

Lubusz był w XIII wieku powszechnie uważany za „klucz Królestwa Polskiego"; świadectwem tego była zaciekła jego obrona przez
dziada i ojca Rogatki, pamiętających o jego
znaczeniu strategicznym. Kronikarze XIII
wieku jednogłośnie potępili Bolesława za ten
czyn, który umożliwił późniejszą agresję brandenburską na Wielkopolskę i Pomorze. W zasadzie mieli rację. Tylko że Bolesław zrobił
dokładnie to samo, co jego brat Henryk III,
który ofiarował Henrykowi, margrabiemu
Miśni, za pomoc przeciw Rogatce, Szydłów –
strategiczny gród u ujścia Nysy Łużyckiej do
Odry oraz tereny między Bobrem a Kwisą,
albo też Krosno z okręgiem. Transakcja ta nie

weszła w życie, ale nie umniejsza to współwiny Henryka i jego doradców za frymarczenie ziemią śląską.

Opinia publiczna zwróciła się jednak tylko przeciw Bolesławowi. Obok jego „dziwactw" przyczyną tego były zbrodnie, jakich dopuścił się w czasie wyprawy wojennej na Wrocław w 1249 roku; spalił m. in. Środę, gdzie w jednym z kościołów spłonęli zamknięci w nim mieszczanie. Kroniki śląskie pełne są opisów różnych zbrodni wojennych Rogatki, którym zawdzięczał swój przydomek Srogiego.

Tymczasem Konrad zbiegł do Wielkopolski i ostatecznie zerwał ze stanem duchownym. Przemysł I, pragnąc odpłacić się Rogatce za spisek, przyjął zbiega z otwartymi rękoma i wydał zań córkę. Sprzymierzeni książęta ruszyli na Śląsk i opanowali Bytom nad Odrą. Przy tej okazji udało się urządzić zasadzkę i porwać Bolesława Łysego, który w ten sposób w ciągu dwóch lat już dwukrotnie padał ofiarą gwałtu politycznego. Za cenę wypuszczenia z niewoli musiał odstąpić Konradowi Głogów, który stał się ośrodkiem nowej dzielnicy śląskiej. Niebawem dołączył do niej Konrad Krosno (1251).

Z jedynego dziedzica ojca został Rogatka posiadaczem jednej i to nie największej dzielnicy. Trudno było mu się z tym pogodzić, toteż co pewien czas podejmował rozpaczliwe kroki, zmierzające do powiększenia własnej dzielnicy kosztem braci bądź uzyskania dodatkowych środków finansowych: rozrzutność i koszta werbowania najemników na liczne awantury wojenne doprowadziły go bowiem nieomal do nędzy. Jednocześnie rosła jego nienawiść do braci, którzy kilkakrotnie wymuszali różne ustępstwa na bezbronnym: nienawiść ta obejmowała także licznych możnych, faktycznie współdziałających z juniorami lub o to podejrzanych. Objęła także biskupa wrocławskiego Tomasza, który kilkakrotnie pośredniczył w sporach rodziny książęcej, zdobywając przy okazji różne przywileje dla Kościoła, zawierające ustępstwa w sprawach dziesięcin i sądownictwa kościelnego, przed którymi przez dziesiątki lat bronili się zażarcie dziad i ojciec aktualnych książąt.

Bolesław Rogatka wydał w roku 1248 i 1249 dwa przywileje na rzecz biskupstwa wrocławskiego. Tym większe zdziwienie budzi jego wyczyn z 1256 roku. Wraz ze swymi najemnymi zbirami, „jak złodziej i łotr, a nie jak

Wnętrze katedry we Wrocławiu

książę", Bolesław napadł w nocy 2 października na biskupa Tomasza, wywlókł go z łóżka i w samej bieliźnie wsadził na konia; wraz z dwoma kanonikami został Tomasz uprowadzony do Wlenia, a potem do Legnicy, gdzie przez pół roku był więziony w wieży, przejściowo nawet w kajdanach. Trudno upatrywać w tym wybryku jakiś sens polityczny; był to raczej nieprzemyślany odruch rozpaczy księcia, znajdującego się w stanie ruiny finansowej, a głównym celem napadu było zdobycie okupu, który biskup musiał w końcu uiścić.

Niebawem podjął Rogatka następne analogiczne przedsięwzięcie: zaprosił do Legnicy brata Konrada, pragnąc mu zgotować los biskupa. Książę głogowski został jednak ostrzeżony i tak zręcznie rozegrał intrygę, że nie tylko uniknął zasadzki, ale sam porwał Bolesława i wywiózł go do Głogowa. Roman Heck sądzi, że Konrad przekazał Rogatkę Henrykowi III do Wrocławia, i wiąże z tym faktem opowieść „Kroniki polskiej" o ucieczce Bolesława z zamku wrocławskiego.

Porwanie biskupa nie uszło Rogatce na sucho. Został uroczyście wyklęty, a arcybiskup Pełka groził zorganizowaniem przeciw niemu wyprawy krzyżowej. W rezultacie w grudniu 1258 roku Rogatka przyrzekł Tomaszowi zadośćuczynienie i odbycie pokuty, a 20 grudnia roku 1261 odbył w szatach pokutnych ze stu rycerzami pielgrzymkę do katedry wrocławskiej. Przed katedrą, w obecności arcybiskupa Janusza upokorzył się przed Tomaszem i wręczył mu przywilej, zawierający całkowity nieomal immunitet dla posiadłości biskupich; obiecał też przez sześć lat płacić corocznie po grzywnie złota na budowę nowej katedry. Ponieważ był wówczas w stanie niewypłacalności, brat Henryk wrocławski zgodził się wpłacić zamiast niego biskupowi 2 tys. grzy-

wien, ekwiwalent wymuszonego przez Rogatkę okupu.

Tak więc brutalność nie przyniosła Rogatce żadnej korzyści, przyczyniła się tylko do dalszego upadku jego autorytetu. Mimo to nie poniechał tego procederu: w roku 1271 usiłował znowu bezskutecznie pojmać Konrada. Z zawiścią patrzył na ogromny spadek syna Henryka III, małoletniego Henryka Probusa, który odziedziczył po ojcu i stryju wyłączne prawo do bogatego i świetnie zagospodarowanego księstwa wrocławskiego. Zgłaszane przez Rogatkę pretensje do udziału w spadku pomijano milczeniem; książę legnicki nie mógł sobie pozwolić na użycie przemocy, ponieważ młody dziedzic pozostawał pod opieką potężnego króla Czech, Przemysła Ottokara II. Wystarczyło jednak załamanie się czeskiej potęgi w konflikcie z królem rzymskim Rudolfem Habsburgiem (1276), aby Rogatka uznał, że nadszedł czas działania: 18 lutego 1277 roku ludzie Bolesława, w porozumieniu z niewiernymi dworzanami księcia wrocławskiego, porwali Henryka z jego dworu w Jelczu pod Wrocławiem i osadzili w więzieniu we Wleniu. Wyprawa odwetowa, przedsięwzięta przez Henryka Głogowskiego i Przemysła II wielkopolskiego na rzecz uwięzionego, doznała klęski pod Stolcem 24 kwietnia; sam Rogatka miał wprawdzie już zamiar zbiec z pola bitwy, ale syn jego Henryk doprowadził do zmiany sytuacji i świetnego zwycięstwa.

Ponieważ król Przemysł Ottokar nie mógł zaangażować się zbrojnie w ten konflikt w przeddzień decydującej rozprawy z Rudolfem, nawiązał układy z Rogatką i zgodził się zaspokoić jego pretensje do wrocławskiego spadku: Rogatka otrzymał w rezultacie w lipcu 1277 roku zachodni pas ziemi wrocławskiej ze Środą i Strzegomiem. Tak więc ostatni bandycki wyczyn Rogatki zakończył się sukcesem, ale przyczynił się do utwierdzenia złej sławy, jaką ten książę cieszył się wśród współczesnych.

Jego życie rodzinne również przyczyniało się do tej złej sławy. W 1242 roku poślubił Jadwigę, hrabiankę anhalcką; pożycie małżeńskie musiało układać się stosunkowo dobrze, mimo iż „Żywot św. Jadwigi" twierdzi, że księżna wycierpiała od męża wiele zła. Urodziła ośmioro dzieci i zmarła w grudniu 1259 roku. Znacznie gorzej przedstawiał się los drugiej żony, księżniczki pomorskiej Eufemii; niecodzienny tryb życia Bolesława i jego swobodne obyczaje doprowadziły do skandalu: podobno Eufemia pieszo opuściła dwór męża.

Tymczasem Bolesław Rogatka w otoczeniu swych kompanów podejrzanej konduity, niemieckiego głównie pochodzenia, oddawał się ulubionym rozrywkom. Poza pijackimi figlami w stylu owego rozlewania mleka, należały do nich w pomyślnych latach turnieje rycerskie i słuchanie pieśni: szczególnie przywiązał się Bolesław, zresztą z wzajemnością, do bliżej nie znanego „grajka", zapewne śpiewaka-waganta, Suriana. W otoczeniu księcia znalazła się też tajemnicza uwodzicielka, która porzuciła męża i została książęcą kochanką: późniejsza tradycja zwie ją Zofią Doren. Urodziła ona Rogatce syna Jarosława. Nie jest wykluczone, że książę poślubił ją po zerwaniu z Eufemią, ponieważ jeden z dokumentów z 1284 roku wymienia wśród świadków Zofię, wdowę po księciu Bolesławie. Nie było to oczywiście małżeństwo ważne z punktu widzenia Kościoła, tym bardziej że, jak wynika z kronikarskich wzmianek, żył jeszcze wówczas pierwszy mąż owej damy. Nie troszcząc się o to, znalazła ona wkrótce kolejnego męża w Wielkopolsce.

W okresach niepomyślnych, kiedy nędza przyciskała księcia, jego tryb życia się zmieniał. „We własnej ziemi legnickiej [...] przez łotrów, którzy pobudowali tam zamki, rzeczy i sił pozbawiony, konno, a czasem pieszo, bez służącego, z grajkiem Surianem nędznie się błąkał". Tragiczna postać, nie przystosowana do życia w swej epoce i do zadań, jakie los mu zlecił, wykolejona przez wychowanie i przez gwałty, jakich doznał od najbliższych, nie pozbawiona jednak oryginalności i artystycznej dezynwoltury. O swoistym poczuciu humoru świadczy jego reakcja na widok człowieka, którego kazał niedawno ściąć za jakieś przewinienie: ocalony przez przyjaciół delikwent spokojnie niósł cebrzyk na ulicy w Złotoryi. Książę stwierdził, że od tej pory może z całym spokojem wydawać wyroki śmierci, skoro pociąga to za sobą tylko dźwiganie cebrzyków w Złotoryi.

Pod koniec rządów mitygowali go nieco dorośli już synowie, stanowiący przeciwieństwo ojca: poważny i waleczny Henryk oraz gospodarny i rozsądny Bolko. Na podkreślenie zasługuje fakt, że mimo gustowania w otoczeniu niemieckich rycerzy i minnesängerów Rogatka nie tylko nie uległ zniemczeniu, ale nie zdołał się nauczyć przyzwoitej niemczyzny: jak podaje kronikarz, „mówiąc po niemiecku, tak przekręcał słowa, że budziło to śmiech wielu obecnych".

Zmarł na dyzenterię w drugi dzień świąt Bożego Narodzenia 1278 roku. Krótko przed śmiercią zaczął się interesować wreszcie perspektywami życia pozagrobowego: wielki grzesznik ufundował klasztor dominikanów w Legnicy, w którym został pochowany. Dobrze, że współcześni historycy wrocławscy, Karol Maleczyński i Roman Heck, przyczynili się do zrelatywizowania potępiających ocen, jakie od wieków były udziałem tego ekscentrycznego Piasta.

Henryk Samsonowicz

KONRAD I MAZOWIECKI

Nie był władcą, który zyskał sobie uznanie potomnych. Właściwie tylko jedna jego akcja znana jest powszechnie po dzień dzisiejszy i oceniana jak najsurowiej. Konrad Mazowiecki sprowadził Krzyżaków do Polski, dając początek konfliktom, które ostateczny finał zyskały po ostatniej wojnie wraz ze zniknięciem z mapy Prus Wschodnich. Już ten sam czyn zasługuje na uwagę. Trudno przecież w historii wyszukiwać jedynie bohaterów pozytywnych, otrzymany obraz przeszłości byłby bardzo niepełny. Historyka średniowiecza interesuje jednak wiele innych zjawisk, które zwykło się wiązać z panowaniem Konrada, a których efekty są także widoczne do dnia dzisiejszego: Mazowsze jako uboga dzielnica Polski, jako obszar zasiedlony przez szlachtę zagrodową, Mazowsze jako do niedawna kraj wyróżniający się swoją odrębnością kulturalną.

Życie i działalność Konrada przypadły na czasy niespokojne, czasy wielkich przemian, które obejmowały nasz kraj. Nie bez przyczyny wielu badaczy opowiada się za pierwszą połową XIII wieku jako okresem granicznym między wczesnym feudalizmem w Polsce, czasami funkcjonowania prawa książęcego a epoką rozwiniętych stosunków pieniężnych, rozwoju miast, powstawania i kształtowania się stanów. Takie przełomowe czasy są trudne dla ludzi: poddanych i książąt. Łatwo sąd historii może wydać o nich werdykt niekorzystny.

Konrad urodził się około 1187 roku jako młodszy syn Kazimierza Sprawiedliwego i Heleny, księżniczki znoimskiej. Był zatem wnukiem Bolesława Krzywoustego, po najmłodszym z synów, który w tym czasie zasiadał na tronie krakowskim. Wiadomo, że tzw. rozbicie dzielnicowe rozpoczęło się w Polsce od śmierci jego dziada w 1138 roku. Ale nie była to data, która zmieniałaby w sposób istotny sytuację kraju. Książę zwierzchni rezydujący w Krakowie posiadał i znaczne prerogatywy, i zdecydowaną przewagę nad swoimi krewniakami. Rzeczywiście, zmalało znaczenie Polski na arenie międzynarodowej, kraj nasz stracił możliwości ekspansji zagranicznej. Ale walk wewnętrznych nie było więcej niż w minio-

Pieczęć Konrada Mazowieckiego wg przerysu z XIX w.

nych stuleciach, szybko rozwijały się sztuki, nauka, a co istotniejsze – zyskiwały na znaczeniu wielkie rody.

Główną rolę w Polsce XII wieku odgrywała ziemia krakowska; ludna, bogata, leżąca na ważnych szlakach handlowych dystansowała inne dzielnice. Wśród tych ostatnich Mazowsze rozwijało się dość pomyślnie, wykorzystując swoje drogi wodne, bliskość Bałtyku i dostępność emporiów ruskich z Kijowem na czele. Ten stan rzeczy zmienił się w 1194 roku wraz ze śmiercią Kazimierza Sprawiedliwego, ostatniego władcy, którego władza – silniejsza lub słabsza – obejmowała niemal całe dziedzictwo Krzywoustego. Otruty podczas uczty pozostawił dwóch małoletnich synów – Konrada i starszego o rok czy dwa Leszka, ze względu na kolor włosów nazwanego przez współczesnych Białym. Pozostawił też senioralny tron krakowski i ziemie, którymi władał bezpośrednio, a więc sandomierską, mazowiecką, kujawską, łęczycką, sieradzką. Śmierć Kazimierza była na rękę jego starszemu bratu – Mieszkowi, który wypędzony w swoim czasie z Krakowa dążył do odzyskania władzy. Ułatwiała też sytuację przeciwnikom starego porządku, czyli władzy księcia egzekwującego daniny i posługi, rozdzielającego dobra za wierną służbę według swego uznania. Możni, którzy w ciągu ostatnich dwustu lat zyskali na znaczeniu, stali się wielkimi posiadaczami ziemskimi, nie chcieli takiej formy władzy. Potrzebne im były zwolnienia od ciężarów prawa książęcego, by rozwijać i wzmacniać gospodarczo swe włości.

W licznych i krwawych walkach wewnętrznych, jakie wybuchły w Polsce pod koniec XII wieku, młodociany Konrad nie brał bezpośredniego udziału. Pod opieką matki pozostawał w Krakowie, później w Sandomierzu lub na Mazowszu, którego spadkobiercą wyznaczony został około 1200 roku, nie będąc nawet tak jak jego brat – Leszek, obiektem przetargów walczących stronnictw. Sytuację zmieniła dopiero śmierć Mieszka Starego w 1202 roku. Wtedy obaj bracia, poparci przez możnych krakowskich, ostatecznie podzielili się sukcesją. Starszy zasiadł w Krakowie, młodszy dostał Mazowsze i Kujawy.

Przez następne ćwierć wieku działalność Konrada wiązała się w polityce zagranicznej głównie z planami dotyczącymi Prus. W realizacji celów ogólnych był on ściśle związany ze swym starszym bratem. Razem z nim prowadził akcje zbrojne na Rusi, razem z nim popierał dzieło reformy kościelnej prowadzonej przez arcybiskupa Henryka Kietlicza, współdziałał przy udzielaniu wielkich przywilejów immunitetowych dla Kościoła w Borzykowej i Wolborzu. Razem z bratem zwalczał Władysława Laskonogiego, wielkopolskiego pretendenta do tronu krakowskiego. Korzystał też z jego poparcia przy swych akcjach przeciw Prusom. Zmiana sytuacji miała miejsce w latach 1215–1217 na płaszczyźnie stosunków i ogólnopolskich, i wewnętrznych mazowieckich.

Najważniejszym jednak problemem – w gruncie rzeczy głównie obchodzącym Konrada – były sprawy Prusów. Ten lud pochodzenia bałtyjskiego, zamieszkały między dolną Wisłą i dolnym Niemnem, odrębny od słowiańskich Mazowszan religijnie, językowo, kulturowo, ustrojowo, na przełomie wieków XII i XIII zaczął przeżywać okres rozwoju zmierzającego w kierunku monarchii wczesnofeudalnej. Już tradycje Chrobrego i Krzywoustego kazały na północ od puszcz granicznych Mazowsza widzieć teren ewentualnej ekspansji Polski. Poprzednicy Konrada mieli jednak inne, bardziej atrakcyjne cele terytorialne. On sam, chcąc powiększyć swój stan posiadania, miał szansę rozszerzenia swego władztwa przede wszystkim kosztem pogańskich Prusów. Pierwsze jego działania zostały uwieńczone powodzeniem. Zajął on ziemię chełmińską, obszar sporny, dawniej zamieszkały przez Słowian, a w tym czasie częściowo opanowany przez Prusów. W ciągu dwóch lat nastąpiły jednak okoliczności nowe. Prusami zainteresowały się inne ośrodki polityczne, m. in. arcybiskupstwo gnieźnieńskie. Z jego ramienia prowadzący akcję misyjną biskup pruski Chrystian potrafił się uniezależnić od księcia mazowieckiego. Ale ponadto sami Prusowie przeszli do kontrofensywy. Starsza literatura przedmiotu chyba trochę nie doceniała plemion, które w wieku XIII były o krok od stworzenia własnego państwa. Udało się to ich pobratymcom Litwinom, jeszcze za życia Konrada. Również przykład litewski świadczyć może o groźbie, jaką dla wszystkich sąsiadów stanowiły grupy ludności bitnej, przyzwyczajonej do ciężkich warunków i szukającej łupów i ziemi drogą ekspansji wojennej. Trudno stwierdzić dokładnie, kiedy to nastąpiło, ale osadnictwo mazowieckie właśnie na przełomie XII i XIII wieku cofnęło się wyraźnie na południe. Grody w Szreńsku, Grzebsku, Grudusku, Słońsku zostały zniszczone, i to bezpowrotnie. Co prawda Mazowsze nie utraciło tych ziem, zasiedlonych i zagospodarowanych już w XI wieku, ale przestały się one liczyć w jego potencjale gospodarczym i demograficznym. Utraciło natomiast ziemię chełmińską, być może w jakimś związku z wstrząsami wewnętrznymi. W niejasnych i nie znanych bliżej okolicznościach doszło do konfliktu między księciem i bohaterem licznych wojen z Rusią i Prusami – pierwszym dostojnikiem księstwa – wojewodą Krystynem. Konrad – jak pisze Jan Długosz – ,,rycerza najdzielniejszego,

ozdobę Mazowsza, męża wielkiej zacności i słynnego wojennymi dziełami [...] niesprawiedliwie i okrutnie życia pozbawił". Kłopoty wewnętrzne doprowadziły do dalszych strat na północnym pograniczu Mazowsza.

Być może, że w innych warunkach politycznych konflikt z pogańskimi Prusami mógł spowodować zjednoczenie książąt i rycerstwa polskiego wokół sprawy wspólnej ekspansji na północy. Już raz udało się to Krzywoustemu. Rzeczywiście w 1222 i 1223 roku miały miejsce wspólne wyprawy Konrada, Leszka, śląskiego Henryka Brodatego oraz Świętopełka pomorskiego na ziemie Prusów. Brak większych sukcesów spowodował inne próby, mające na celu zlikwidowanie niebezpieczeństwa. Podjęto m. in. próbę utworzenia wspólnej dla całej Polski ,,stróży" rycerskiej, mającej czuwać nad bezpieczeństwem granic. Niewykluczone, że gęste osadnictwo rycerskie wzdłuż granicy pruskiej dało początek mazowieckiej szlachcie zagrodowej. Pojawiły się też projekty wykorzystania zakonów rycerskich do podboju ziem północnych.

W latach 1225 – 1226 Konrad podjął rozmowy z Krzyżakami świeżo wypędzonymi z Siedmiogrodu przez króla Węgier. Już w marcu 1226 roku cesarz Fryderyk II na prośbę Zakonu wydał dokument, w którym potwierdził, że książę mazowiecki obiecał nadanie ziemi chełmińskiej i innych ziem między swoją prowincją a granicami Prus oraz stwierdził, że Krzyżacy mają pomóc ,,w zdobyciu i opanowaniu ziem pruskich na cześć i chwałę Boga prawdziwego". Nadanie zostało zrealizowane dokumentem z 1228 roku już w zupełnie innych warunkach politycznych. Rok wcześniej (1227), podczas ogólnopolskiego wiecu zwołanego w Gąsawie, a dotyczącego akcji zbrojnej przeciw księciu pomorskiemu – Świętopełkowi, Leszek Biały, princeps Polski, został zamordowany. Niezależnie od wszystkich swych słabości i niekonsekwencji działania – był on ostatnim władcą, którego panowanie, nominalne niekiedy, uznawali książęta od Gdańska po Wrocław i od Poznania po Płock. Od roku 1227 nie można już mówić o władzy nad całą Polską, bodaj iluzoryczną. Książę krakowski – aż do końca XIII stulecia – będzie jednym z licznych polskich władców terytorialnych. Ale pozostała tradycja, która z biegiem lat miała odgrywać coraz istotniejszą rolę w procesie jednoczenia kraju. Kto miał w ręku Kraków – ten miał podstawy do władzy w całym dawnym królestwie Piastów. W chwili śmierci Leszka wydawać się mogło zapewne, że nic się nie zmieniło. Stąd też do walki o tron wystąpiło paru konkurentów. Nie ich siły jednak miały decydować o wyniku walk. Już od ponad pół wieku o tym, kto zasiada na Wawelu, decydowali możni krakowscy, przedstawiciele wielkich rodów posiadających ziemie i urzędy – Gryfitów, Lisów, Starżów-Toporczyków.

Wśród spadkobierców Leszka znaleźć się miał także jego brat Konrad. Napotkał on jednak na zdecydowany opór panów krakowskich. Czy było to związane z jego charakterem, który nie przysparzał mu nadmiernej popularności? Czy możni krakowscy szczególnie niechętnie widzieli mazowieckich rywali do godności i beneficjów? A może panowie krakowscy bali się o swe wpływy na wschodnich kresach i woleli władców, którzy nie szliby wespół z książętami Halicza? Walki toczyły się ze zmiennym szczęściem. Konrad miał w swym ręku ziemie północno-wschodnie Polski, miał sprzymierzeńców ruskich. Wykorzystywał Litwinów, Jadźwingów do organizowania ataków nękających przeciwników. Krakowianie wykorzystywali pomoc Śląska, liczyli na związki z Węgrami, później z Czechami. W ten sposób powstawały dwa bloki polityczne, dwa systemy, które przetrwać miały aż po XIV wiek, aż po początki Jagiellonów. W Polsce – jak ładnie to określił Jerzy Dowiat – obok króla był antykról. (Rzecz w tym, że nie wiadomo, który z pretendentów był antykrólem; ich prawa do tronu były równie zagmatwane).

Mimo klęski pod Skałą w 1228 roku Konradowi udało się porwać swego rywala Henryka Brodatego z wiecu odbywanego w Spytkowicach pod Zatorem i opanować w 1229 roku Kraków. Interwencja Jadwigi, żony Henryka, niewiasty cieszącej się dużym autorytetem osobistym, doprowadziła co prawda do uwolnienia męża kosztem zrzeczenia się przez niego praw do Krakowa, ale już w 1231 roku Henryk (po uzyskaniu od papieża unieważnienia wymuszonego przyrzeczenia) odzyskał główny gród Polski. Konrad ponowił swe starania po najeździe tatarskim w 1241 roku, który zdruzgotał państwo Henryka Pobożnego. Zajął nawet stolicę, ale metody rządzenia przypominające raczej – jak chce Stanisław Zachorowski – okupację przez wroga, przyniosły powszechne niezadowolenie. Konrad postanowił rozprawić się z opozycją. Po zwołaniu na wiec do Skarbimierza przedstawicieli niechętnych mu wielkich rodów krakowskich (Gryfitów, Starżów, Odrowążów, Awdańców) uwięził ich, czym jedynie wywołał jeszcze większą nienawiść do siebie. Już w 1242 roku został też wypędzony z Krakowa przez wojewodę Klemensa z Ruszczy Gryfitę. Klęska Konrada pod Suchodołem (1243) przekreśliła jego szanse. Nie zaniechał co prawda walki, organizując najazdy na księstwo krakowskie. W 1244 roku zdobył przejściowo Kielce, w roku 1246, po sukcesie zbrojnym pod Zaryszowem – Lelów i Piekary. Ale jeszcze przed śmiercią wszystko to utracił, zostawiając po swych rządach duże zniszczenie i nie najlepszą pamięć. Jak pisze

Długosz, „przez zejście Konrada [...] ziemie, które i on sam, i z pomocą barbarzyńskiej dziczy ustawicznie napastował wojną, zyskały błogi spokój i swobodę [...] odtąd Bolesław Wstydliwy, książę Polski, począł to, co było popsute – naprawiać, co się do upadku chyliło – podnosić".

Rzeczywiście bilans ponad czterdziestoletnich rządów Konrada był zdecydowanie ujemny, i to tak dla całej Polski, jak i dla Mazowsza. Zniszczenie całego kraju, rosnące niesnaski między dzielnicami, partykularna polityka książąt, usadowienie się Krzyżaków nad dolną Wisłą – to wystarczające powody do negatywnych ocen panowania Konrada. Do tego doszły i osobiste cechy księcia mazowieckiego. Nie ulega wątpliwości, że był człowiekiem

Kielich ofiarowany przez Konrada Mazowieckiego katedrze płockiej

gwałtownym. Dużego rozgłosu nabrała sprawa zatargu ze scholastykiem płockim, Janem Czaplą. W wyniku kłótni, powstałej z niezbyt jasnych przyczyn, swego kanclerza „gwałtownie uwięził", a udręczonego przez kilka dni w ciężkiej katuszy wydał potem na męki i jak łotra na szubienicy powiesić kazał. A gdy już nieżywego [...] nieśli do pogrzebania ciała, księżna [...] w gniewie odbiwszy je mnichom, [...] kazała je wrzucić na wóz, do którego zaprzężone były dwa woły, i powtórnie na szubienicy kazała [...] powiesić na zastraszający przykład i zgrozę". Nie gardził podstępem i wiarołomstwem. W 1233 roku „zaprosiwszy księżnę Grzymisławę i synowca swego Bolesława Wstydliwego na poufną rozmowę, jakoby w celu naradzania się o sprawach swego państwa, kazał ich uwięzić [...] w Czersku, silnie umocowanym grodzie [...] a do opanowania księstwa Bolesława, a nawet pozbawienia go życia, wszelkie wymierzywszy usiłowania..." Współcześni i potomni obciążali go oskarżeniami o niestałość, upór, nadmierną ambicję, o okrucieństwo, nieliczenie się z realną sytuacją polityczną. Źle pisze o nim kronika wielkopolska z XIII wieku, źle cytowany wyżej Długosz, źle następni historycy. Michał Bobrzyński określając go mianem „chciwego" i „srogiego" widzi w nim „awanturniczość i lekkomyślność", cechującą większą część książąt okresu rozbicia dzielnicowego. Na łamach książek pojawiały się określenia takie, jak pisane w 1895 roku przez Wiktora Czajewskiego, historyka zresztą nie najwyższego lotu: „nieszczęście chciało, że Mazowsze w najważniejszych momentach swego rozwoju otrzymało księcia Konrada, człowieka znanego z podłości i nikczemności umysłu". Te epitety poprzedzały bałamutne wywody o działalności władcy mazowieckiego, łączyły się ze stwierdzeniem, że „niedołężny Konrad okupywał wolność u nieprzyjaciół pieniędzmi", a kończyły inwektywą zupełnie już nieprawdopodobną: „gdy pieniędzy [Konradowi] zabrakło, spraszał bogatsze rycerstwo na biesiady, zabierał im cichcem konie i szaty [...] sprzedawał i płacił Prusakom". Jeśli opinie te warte są przytoczenia, to dlatego, że odbijają one pogląd, który z Konrada uczynił baśniowy symbol złego króla. W legendzie polskiej jest on synonimem władcy złego („nikczemność umysłu"), nieudolnego i okrutnego. Te epitety powtarzały się – w ostrzejszej czy łagodniejszej formie – również i w naszym stuleciu. Powojenna historiografia też w zasadzie uważała go za typowego negatywnego przedstawiciela okresu anarchii feudalnej, mimo że po siedmiuset latach pojawiły się próby przynajmniej częściowej rehabilitacji Konrada. Bronisław Włodarski zwrócił uwagę na jego wielkie plany polityczne dotyczące podboju Prus, zjednoczenia Polski, na jego aktywny udział w polityce ruskiej. Warto podkreślić, że wewnętrzna działalność Konrada czeka jeszcze na swego historyka. Był on autorem lokacji Płocka (1237), która stanowi próbę zorganizowania miasta polskiego w oparciu o nowe, przynoszone z Zachodu i rodzime normy prawne. W świetle tego aktu – przybysze, zajmujący się wielkim handlem, mieli cieszyć się prawem rycerskim, ale łącząc się w gminę z własnym sołtysem i własną jurysdykcją. Ostatnie lata, jak pokazały badania Andrzeja Tomaszewskiego, przyniosły też zmiany naszych poglądów na wielkie inwestycje kościelne na Mazowszu. Jeszcze do niedawna można było sądzić, że kamienna architektura romańska powstała jedynie w Płocku, Czerwińsku, Siecichowie. Okazało się, że zapewne w czasach Konrada powstało przynajmniej dwa razy więcej kościołów: w Błoniu, Czersku, może Sochaczewie, może Pułtusku, i to w skali, wielkości i jakości

Patena ofiarowana przez Konrada Mazowieckiego katedrze płockiej; postać księcia Konrada w prawym górnym rogu

nie ustępujących innym – poza Śląskiem – polskim ziemiom pierwszej połowy XIII wieku.

Czy dziś można dać jednoznaczny sąd o Konradzie? Wydaje się, że na jego czasy i jego dzieje należy spojrzeć z perspektywy wielkich przemian, jakie dokonywały się w tym czasie na ziemiach polskich. Do pierwszej połowy XIII wieku rozwój gospodarczy Mazowsza opierał się na szlaku, który od paruset lat był ważnym połączeniem wielkich ośrodków cywilizacyjnych i handlowych: z Bizancjum i Kijowa przez Wołyń, Drohiczyn, Płock nad Bałtyk. Najazd mongolski w 1240 roku zdruzgotał Kijów. Póki nie odbudowały się księstwa Rusi Halicko-Włodzimierskiej, Mazowsze straciło jedno ważne ogniwo swoich kontaktów. Jednocześnie nad Bałtykiem szybko wzrastał w siłę żywioł niemiecki. W czasach Konrada zaczęły do ujścia Wisły – i dalej – przybijać statki lubeckie, zaczęła się działalność Hanzy. Ale ważniejsze wydaje się inne zjawisko. W XIII wieku nasza część Europy została „odkryta” przez przybyszów z Zachodu, szukających dróg awansu życiowego. Napływać zaczęli chłopi-osadnicy, kupcy-mieszczanie i rycerze zdobywający łupy i doświadczenia bojowe. Największym przedsiębiorstwem organizującym ten ruch stał się – i to od pierwszych chwil swego pobytu nad Bałtykiem – zakon krzyżacki. Jego potencjał demograficzny i gospodarczy był wynikiem działania dużej części rycerstwa zachodniej Europy. Konrad ułatwił stworzenie potęgi, która nie tylko przewyższała siłę militarną i gospodarczą Mazowsza, ale wszystkie księstwa polskie. Na-

Kościół w Skalbmierzu

dania Konradowe – rzeczywiste i sfałszowane przez Krzyżaków – stworzyły przyczółek umożliwiający budowę wielkiego państwa, które gospodarczo i politycznie zaczęło już od końca XIII wieku ciążyć nad Mazowszem. Nie bez przyczyny Krzyżacy postarali się uzyskać od cesarza Fryderyka II nadanie całych Prus, które w 1243 roku zostały ogłoszone lennem papieskim.

W tym samym czasie rosły w siłę i znaczenie inne dzielnice Polski. Wielu osadników w związku z odkryciem złóż szlachetnych metali i – sui generis – „gorączką złota” zasilało ziemie śląskie. Nie bez znaczenia była tu też umiejętna i planowa polityka gospodarcza rywala Konradowego – Henryka Brodatego, na co zwrócił ostatnio uwagę Benedykt Zientara. W tym stanie rzeczy Mazowsze straciło swoje dotychczasowe znaczenie. Wypadł z gry partner ruski, wyrosły nowe ośrodki, które swym znaczeniem przewyższały ziemie nadwiślańskie. Co gorsza, na te ostatnie zaczęły spadać najazdy ludów bałtyjskich, które nasilać się miały przez cały XIII wiek. Na prawym brzegu Wisły nie było większego miasta – z Płockiem włącznie – które nie byłoby częściowo lub całkowicie w tym stuleciu zniszczone. Pogłębiało to nie tylko chaos, pogłębiało także dystans dzielący Mazowsze od innych dzielnic Polski. Wtedy właśnie stało się zacofanym, ubogim krajem, którym pozostało przez długie wieki.

Ważny też wydaje się jeszcze jeden czynnik powodujący zmiany. Wiek XIII był dla Polski okresem początkującym wielką przebudowę gospodarczą. Kolonizacja na prawie niemieckim rozpoczęła okres gospodarki towarowo-pieniężnej. Pojawiały się nowe grupy społeczne, monarchia patrymonialna oparta na systemie danin i usług, mającym jej zapewnić samowystarczalność, stawała się przeżytkiem. Trzeba więc przyznać, że Konradowi przyszło panować w wyjątkowo trudnym okresie. Jego zdolności nie były wystarczająco duże, by mu sprostać. Upór i energia – dobre przymioty sprawującego władzę – w tym przypadku podtrzymywały beznadziejną już w tym czasie koncepcję władcy, która nie mogła liczyć na szerokie poparcie. Przeciw Konradowi występowali wielcy posiadacze, a być może i ci „goście", którzy chcieli na nowych zasadach prowadzić swoje interesy. Śmiała koncepcja polityczna oparcia się o pogańską Litwę i schizmatycką Ruś – też raczej nie pasowała do czasów trzynastowiecznej Europy. Była wyraźnie anachroniczna dla epoki papieża-autokraty Innocentego III i jego następców. Z drugiej strony zapowiadała jakby czasy polityki Łokietka, nie mówiąc już o Jagiellonach. W przyszłości zrobić miała wielką karierę w Polsce.

Czy Konrad miał szansę przystosowania się do nowej rzeczywistości? Trudne to pytanie. Jego rywal, „antykról" Henryk Brodaty potrafił to zrobić znakomicie. Nie tylko zbudował państwo, które przyjęło nowe formy prawne i gospodarcze, rozbudował miasta, przemysł, sprowadził kolonistów, ale zasłużył sobie na wdzięczność swych poddanych. Określenie *utilis populo* (użyteczny ludowi) stosowane do Henryka jest ostatnim, które przyszłoby do głowy komukolwiek przy ocenie Konrada. Może Henrykowi było łatwiej. Nie miał Prusów na karku, mógł korzystać ze śląskich bogactw naturalnych. Ale potrafił on też przewidywać i przystosowywać swoje plany do realnych sił i możliwości. Sąd historii jest dla Konrada surowy, ponieważ okazał się złym politykiem, pozostającym w świecie sprzed stu lat, żyjącym tak, jakby nie istniało społeczeństwo świadome swych celów, a jedynym dobrem był interes dynastii i księcia. Nie była to postać wyłącznie czarna. Jego zrozumienie dla reform kościelnych, jego plany zmierzające do założenia własnego zakonu rycerskiego (dobrzyńców), polityczna gra na wschodzie, budowa grodów i miast – świadczyły na jego korzyść. Nie potrafił on jednak dostosować się do wymogów epoki i potrzeb ówczesnych Polski. Ten wieczny pretendent, malkontent, intrygant walczył o wielkie cele niemożliwe do zrealizowania. Chciał osiągnąć tron krakowski i opanować większość ziem Polski. Chciał zdobyć Prusy. Nie osiągnął ani jednego, ani drugiego. Mimo że oba działania mogły być dla naszego kraju korzystne, oba przyniosły mu szkody. Skutki jego panowania były złe. Nie dorósł do potrzeb epoki.

Rafał Karpiński

BOLESŁAW V
WSTYDLIWY

Tradycja historiograficzna przydziela Wstydliwemu numer porządkowy piąty. Był bowiem po trzech wielkich Bolesławach: Chrobrym, Szczodrym i Krzywoustym, i po mniej udanym Kędzierzawym, piątym z kolei księciem polskim tego imienia, który wymieniany być może w sekwencji władców związanych z ideą władzy zwierzchniej. Sam Wstydliwy panował jedynie w Małopolsce i używał tytułu księcia krakowskiego i sandomierskiego, a w jego czasach po dokonanym już wcześniej ostatecznym przekreśleniu idei senioratu i w związku z szybko postępującym rozdrobnieniem dzielnicowym władza nad przypadającym mu księstwem nie przynosiła ani moralnych, ani realnych korzyści, jakie dawała Piastowicom o pokolenie odeń starszym.

Jest to tym bardziej zaskakujące, że jeszcze sam Bolesław Wstydliwy stoczyć musiał uporczywą i bezwzględną walkę o tron krakowski ze swoim stryjem Konradem Mazowieckim, ale sukcesy, jakie tu osiągnął, nie miały dalszych konsekwencji, nie pociągnęły za sobą żadnych prób organizowania wokół Krakowa księstwa, które mogłoby być traktowane jako kontynuacja zwierzchnictwa w stosunku do dzielnic innych przedstawicieli dynastii. Za jego małoletności dla Laskonogiego, dla obu wybitnych Henryków śląskich: Brodatego i Pobożnego, dla Konrada Mazowieckiego Kraków nie był przecież czczym dźwiękiem. Wiązał się z nadzieją uzyskania tytułu do choćby nawet iluzorycznej zwierzchności nad działami rozradzających się Piastowiców. U Bolesława Wstydliwego takiej akcji dopatrzyć się nie sposób. Uderza i to, że poza walką o zdobycie Krakowa, jaką stoczył Bolesław z Konradem, dalej już panował w zasadzie spokojnie, nikt księstwa nie starał się mu wydrzeć. Tak więc – ani panowanie w Krakowie nie pchnęło Bolesława do dalszych wojen o powiększenie ojcowizny, ani dla książąt jego pokolenia Kraków nie był tak atrakcyjny, by na jego osiągnięciu skoncentrować aspiracje i cele polityczne.

Ale pokolenie następne, do którego należy Władysław Łokietek, podjęło akcję zjednoczeniową, zaś jednym z istotnych jej elementów była chęć panowania nad Krakowem. Wstydliwy, choć nad Krakowem panował, nie wykorzystał związanych ze stolicą awantaży. Dopatrzyć się co prawda można prób ideowego wzmocnienia Małopolski w czasach Bolesława V (związanych choćby z przeprowadzoną kanonizacją biskupa Stanisława), niemniej żadnych realnych posunięć politycznych w tym kierunku wyśledzić się chyba nie da.

Rzeczywistość polityczna okresu jego panowania nie stwarzała po temu dogodnych warunków. Rozdrobnienie dzielnicowe doszło do najwyższego prawie stopnia. Dawne w miarę jednolite mazowiecko-kujawsko-sieradzkie księstwo Konrada uległo podziałom na siedem odrębnych jednostek. Dolny Śląsk rozpadł się zrazu na trzy, potem na pięć księstw, na Śląsku Opolskim były trzy władztwa piastowskie. Tylko Wielkopolska pozostawała w miarę jednolita, mimo okresowych podziałów na księstwa poznańskie i kalisko-gnieźnieńskie. Pogłębiający się rozkład polityczny kraju utrudniał zapewne akcję łączenia poszczególnych władztw piastowskich, nie zapominajmy jednak, że wśród wszystkich ówczesnych księstw, księstwo należące do Bolesława było najrozleglejsze i reprezentowało największy potencjał demograficzny i gospodarczy; możliwości miał więc chyba najlepsze, by nie tylko utrzymać dziedzictwo, ale by je powiększyć i pójść trudną drogą łączenia i ujednolicenia poszczególnych ziem Polski. Czy o niepodjęciu tego programu zadecydowały cechy charakteru Wstydliwego, może po części ukaże niniejszy szkic biograficzny.

O Bolesławie wiemy dzięki wcale już obfitym źródłom pisanym, jakimi dysponujemy dla XIII wieku, stosunkowo wiele. Nie tyle jednak, by *curriculum vitae* było pełne i by mogły być rozświetlone wszystkie fakty odnoszące się do jego panowania i działalności. Bolesław, syn Leszka Białego i Grzymisławy księżniczki ruskiej, był wnukiem Kazimierza Sprawiedliwego, a prawnukiem Krzywouste-

go. Urodził się 21 czerwca 1226 roku, imię zaś nadano mu zapewne dla upamiętnienia pradziada, ostatniego władcy całej Polski. Rzecz znamienna, że jego brat stryjeczny, najstarszy syn Konrada Mazowieckiego, nosił również to imię. Czy braćmi – Leszkiem Białym i Konradem Mazowieckim – kierował świadomy zamysł w tym nawiązaniu do tradycji, niestety nie wiemy. Nie da się bowiem ustalić konsekwentnej prawidłowości w zakresie nadawania imion trzynastowiecznym Piastowicom. Dzieciństwo miał trudne. Nim ukończył półtora roku, zginął zamordowany w Gąsawie jego ojciec. Do opieki nad nim, nad jego matką, nad księstwem krakowsko-sandomierskim zgłosiło się wielu kandydatów. Grzymisława

Pieczęcie Bolesława Wstydliwego według przerysu z XIX w.

jednakże starała się odsunąć niebezpieczną a zagrażającą Bolesławowi opiekę. Przyjęła tytuł *ductrix Cracoviae et Sandomiriae*, więcej nawet, naśladowała mężowskie pretensje do zwierzchnictwa nad całą Polską, co odbiło się w tytulaturze – *ducissa Poloniae*. Była Grzymisława kobietą ambitną, o zdecydowanym charakterze; aż do jej śmierci (1258) syn Bolesław będzie w ważniejszych sprawach powoływać się stale na wolę i zgodę matki. Mimo to, i mimo – zapewne – poparcia możnowładców małopolskich, którym przecież na rękę były wdowie rządy wobec małoletności Bolesława, nie udało się Grzymisławie uniknąć opieki.

Z konkurentów do małopolskiego księstwa najgroźniejszy, a i najbliżej spokrewniony był stryj Wstydliwego Konrad Mazowiecki. Lepsze jednak prawa mógł przedstawić Władysław Laskonogi, co prawda wówczas zajęty wewnętrznymi sprawami swego wielkopolskiego księstwa. To właśnie z nim Leszek Biały zawarł układ na przeżycie, który potwierdzili możnowładcy krakowscy. Miał więc za sobą Laskonogi atut prawnej umowy i poparcie liczących się rodów rycerskich, niechętnych zresztą bezwzględnemu i despotycznemu Konradowi. Dzięki ich pomocy, wbrew energicznym staraniom Konrada został Laskonogi wybrany panem Krakowa. Ten formalny wy-
•bór określił też warunki, jakie winien był wypełnić elekt wobec Kościoła i świeckich możnych małopolskich, a ostatnio Benedykt Zientara uznał je za ,,prototyp późniejszych *Pacta conventa*". Tym aktem wystawionym na wiecu w Cieni zobowiązywał się Laskonogi do adopcji Bolesława, w przyszłości jedynego dziedzica dzierżonych przezeń księstw, oraz gwarantował wszystkim warstwom społecznym zachowanie ich praw, tak że wybitny znawca dziejów Polski XIII wieku Roman Grodecki pisał: ,,Po raz pierwszy na naszych ziemiach społeczeństwo otrzymało tu dokumentową gwarancję swych praw, czyli określenie granic władzy monarchy". I choć zapewne w owym 1228 roku był Władysław Laskonogi najstarszym z rodu piastowskiego, postanowienia uzgodnione w Cieni (5 maja) nie były bynajmniej podtrzymaniem zasady senioratu, ale jej przekreśleniem przez torującą sobie drogę koncepcję elekcyjności tronu. W tydzień po zapadłych w Cieni decyzjach ułożono status Grzymisławy i jej małoletniego syna. Wydzielono im księstwo sandomierskie i wtedy ambitna wdowa używała tytułu *ducissa Sandomiriae*.

Jednak gwarancje, jakich udzielił społeczeństwu Laskonogi, nie wystarczyły do utrzymania Krakowa. Odnowiona między nim a Odonicem wojna w Wielkopolsce zmusiła go do przekazania rządów w Krakowie Henrykowi Brodatemu. Brodaty sprawował tu władzę w imieniu Laskonogiego i dwukrotnie odpierał ataki Konrada na Kraków. Wkrótce potem wpadł jednak w pułapkę zastawioną nań przez Konrada i dostał się do niewoli (1229). Mimo to Konrad Krakowa nie opanował, utrzymały to miasto możne rody sprawujące funkcje urzędnicze w imieniu Laskonogiego, powiodło się natomiast podporządkowanie znacznej części Małopolski, tj. Sandomierskiego, oraz trwałe włączenie do swego władztwa ziemi sieradzkiej i łęczyckiej, należącej niegdyś do Leszka Białego, i rozciągnięcie zwierzchności nad Grzymisławą (używającą wtedy w dokumentach określenia ,,wdowa po księciu Leszku") i jej synem. Na miejsce trzyletniego dziedzica Leszka Białego wyznaczył Konrad w Sandomierszczyźnie swego pierworodnego, również Bolesława. Był to jednak dopiero początek walki o Kraków, w konsekwencji której już wówczas utracił Bolesław Leszkowic część ojcowizny. Referowanie kolejnego etapu walk o stołeczny Kraków między Konradem a Henrykiem Brodatym, uwolnionym dzięki sile moralnej i energii Jadwigi, jego żony (późniejszej świętej), mijałoby się z celem. Zainteresowanych należy odesłać do książki Benedykta Zientary o Henryku Brodatym. Tu wypada tylko przypomnieć, że po uciążliwych i długotrwałych, niszczących kraj walkach (1230–1232), szala zwycięstwa przechylać się wreszcie zaczęła na stronę Brodatego.

Dla Bolesława zwycięstwo to oznaczało zwrot księstwa sandomierskiego, w konsekwencji zaś najprawdopodobniej nieznaczny co prawda uszczerbek ojcowskiej schedy, ponieważ Konrad Mazowiecki zatrzymał dwie kasztelanie – żarnowską i skrzyńską. Pozostawiony swemu losowi w księstwie sandomierskim, Bolesław Leszkowic znalazł się jednakże w nie lada opresji. Oto zapewne na początku 1233 roku zwabił go wraz z matką na spotkanie Konrad Mazowiecki. Korzystał i tu z arsenału niewyrafinowanych metod przekonywania przeciwników politycznych. Według bulli Grzegorza IX oświetlającej ten epizod wewnętrznych stosunków polskich, Konrad ograbił bratową i własnoręcznie ją pobił. Osadził Grzymisławę z Bolesławem najpierw w Czersku, a potem przeniósł swoich więźniów do położonego w rozlewiskach Wisły Sieciechowa. Nim nadeszło moralne i polityczne poparcie od papieża, u którego na rzecz więźniów Konradowych interweniował Henryk Brodaty, udało im się uwolnić z sieciechowskiego więzienia. Pomoc w ucieczce przygotował Klemens z Ruszczy, wspierający i później Bolesława (na czym zrobił niemałą karierę), oraz opat sieciechowski Mikołaj z Galii. Według Długosza to on właśnie miał przekupić pieniędzmi i obietnicami strażników grodu sieciechowskiego i ,,kiedy – jednej nocy strażnicy po ochoczej biesiadzie pijani, zapomniawszy

o środkach bezpieczeństwa, zaniechali wystawienia zwykłych straży, książę Bolesław po cichu w czasie ciemnej nocy opuszcza z matką klasztor na przygotowanych potajemnie wózkach''. Uciekinierom przywrócono księstwo sandomierskie, nad którym zarząd objął Henryk Brodaty. Ceną, jaką Grzymisława i Bolesław musieli zapłacić, było zrzeczenie się praw do Krakowa. Z powodu stałych niepokojów czynionych przez Konrada umieścił Brodaty Grzymisławę z synem w dobrze bronionej Skale (w dolinie Prądnika).

Nie oznacza to oczywiście, by Bolesław wyrzekał się samodzielnego władania. Właśnie niedługo po uwolnieniu, 6 lipca 1235 roku matka wystawiła w swoim i jego imieniu dokument w wymienionej już Skale. Miał wtedy ukończone dziewięć lat. I choć Henryk Brodaty rozszerzył swe panowanie na część Wielkopolski oraz ustanowił rządy opiekuńcze na Opolszczyźnie, a także czynił zabiegi u możnowładztwa krakowskiego o zapewnienie tu sukcesji swemu synowi Henrykowi z pominięciem praw Bolesława, ten nie zamyślał rezygnować z objęcia ojcowizny. Dążył do emancypacji spod władzy Henryków i mimo że Henryk Pobożny objął po śmierci ojca tron krakowski, Bolesław został restytuowany w księstwie sandomierskim. Stała za tym aktem z uporem walcząca o prawo syna Grzymisława, przychylali się doń również zaniepokojeni rosnącą władzą Henryka możni małopolscy. Mógł tu również Bolesław korzystać z poparcia Konrada Mazowieckiego, ale sojuszu z Henrykiem Śląskim nie zerwał.

Monarchia Henryka nie przetrwała jednak najazdu Mongołów w 1241 roku. Bitwa legnicka i tragiczna śmierć Henryka Pobożnego (9 kwietnia) rozpoczęły epilog panowania książąt wrocławskich w Krakowie. Bolesław Wstydliwy schronił się najpierw na Węgrzech, a gdy i tu zagrażali wojownicy Batu-chana, przeniósł się do nie znanego bliżej klasztoru cysterskiego na Morawach.

Do rządów w Krakowie pretendował zrazu syn Henryka Pobożnego, Bolesław Łysy zwany też Rogatką. Nie objął ich osobiście, ale powierzył tamtejszym możnowładcom na czele z Klemensem z Ruszczy. Tę nieustabilizowaną sytuację rychło wykorzystał Konrad Mazowiecki i mimo oporu, jaki mu stawiał wojewoda Klemens, opanował Kraków. Represje i brutalność Konrada, i tak już dobrze znanego miejscowym potężnym rodom, skonsolidowały opozycję. Uznała ona, że najdogodniejszym dla jej aspiracji kandydatem będzie Bolesław

Leszkowic. Jego dłuższy pobyt za granicą od czasów ucieczki przed Mongołami jest prawdopodobny, milczą bowiem o nim źródła polskie w latach 1241–1243. Dopiero w tym roku powrócił do kraju przypuszczalnie wezwany przez możnych, wspierany posiłkami szwagra, Beli IV, króla Węgier. Do rozprawy z Konradem doszło w okolicach trudnego do zidentyfikowania Suchodołu (najpewniej w ziemi sandomierskiej). Tu ,,książę krakowski Bolesław Wstydliwy, który sprawiedliwszą podjął walkę i za którego bez przerwy odbywały się nabożeństwa i modły do Boga, dzięki łasce Bożej przemógł i pokonał księcia Konrada i jego wojsko". Puszczający tu wodze fantazji Dłu-

Kraków lokacyjny, widok z lotu ptaka

gosz pisze, że Bolesław – wówczas niespełna siedemnastoletni młodzieniec – ,,wielu położył trupem i wielu zranił, nawet samego księcia Konrada [...] zmusił do haniebnej ucieczki''. Rychło po tym zwycięstwie Bolesław tytułuje się księciem krakowsko-sandomierskim. Objął więc dopiero wtedy ojcowiznę uszczuploną o Sieradzkie, Łęczyckie i tzw. kasztelanie zapilickie (skrzyńską i żarnowską).

Nie był to jednak koniec zmagań ze stryjem Konradem. Ten jeszcze w roku suchodolskiej klęski podjął działania ofensywne przeciwko bratankowi, wspomagany, podobnie jak i w wyprawie roku następnego, przez książąt ruskich. Te walki nie przyniosły Konradowi spodziewanego efektu, zniszczyły jedynie kraj. I choć ambitny Konrad wznowił wojnę o tron krakowski w 1246 roku i uzyskał operacyjny sukces po bitwie pod Zaryszowem (skąd Bolesław salwował się ucieczką), celu swego życia nie zrealizował. Ówczesny układ sił w Małopolsce był dla Konrada niekorzystny. Tu możnowładztwo decydowało o losach tronu, a więc Konrad – reprezentant niepodzielnej władzy książęcej, mający jako zaplecze silną ręką dzierżone Mazowsze i do tego człowiek porywczy, niezrównoważony – był kandydatem nie do przyjęcia. O wiele wygodniej było powierzyć rządy młodemu, niedoświadczonemu Bolesławowi Leszkowicowi.

Władzę tę przecież zawdzięczał możnym małopolskim, od nich był zależny tym bardziej, że tytuły prawne do objęcia Krakowa nie przedstawiały się korzystnie – wszak Bolesław (a raczej Grzymisława w jego imieniu) zrzekł się był Krakowa na rzecz Henryka Brodatego.

Stosunki z sąsiednimi książętami polskimi układały mu się na ogół poprawnie. Na północy jego ziemie graniczyły z dzielnicami synów Konradowych. I chociaż dochodziło do sporadycznych starć, zwłaszcza między Bolesławem

Fragment diademu na hermie św. Zygmunta z katedry płockiej

a Kazimierzem kujawskim, dziedziczącym po ojcu nie tylko księstwo, ale i charakter, to dawnej wrogości już nie napotykamy. Z władcami Wielkopolski Przemysłem I i Bolesławem Pobożnym pozostawał w przyjaźni i sojuszu, o międzynarodowym nawet charakterze. W toczącej się wówczas rywalizacji między Czechami a Węgrami o Austrię książąt polskich można określić jedynie jako satelitów. Pobożny i Wstydliwy należeli do stronnictwa węgierskiego, co znajdowało wyraz w małżeństwach tych książąt, obu żonatych z córkami Beli IV. Bardziej złożona sytuacja, mająca aspekt zarówno ogólnopolski jak i środkowoeuropejski, wytworzyła się na granicy zachodniej państwa Bolesława Wstydliwego. Książęta Śląska opolskiego prowadzili politykę proczeską i wchodzili w przymierza skierowane przeciwko sojusznikom księcia krakowskiego.

Najsilniej (do 1273 r.) związał Bolesław swe losy z Węgrami. Posiłkował, podobnie jak książęta Rusi Halicko-Włodzimierskiej, swego teścia Belę IV w wojnie z królem Czech Przemysłem Ottokarem II, w nieudanej wyprawie na Morawy (1253), potem w wojnie 1260 roku. Kolejny etap walk przypadający na panowanie na Węgrzech Stefana V nie tylko nie przyniósł Bolesławowi żadnych efektów w polityce zagranicznej, ale także przyczynił się do buntu rycerstwa i omal nie pozbawił go tronu. Te wydarzenia spowodowały zmianę orientacji księcia krakowskiego, który po 1273 roku znalazł się w obozie proczeskim. Ale i z tego aliansu korzyści żadnych nie odniósł.

Pełne natomiast meandrów były stosunki państwa krakowsko-sandomierskiego i Rusi Halicko-Włodzimierskiej. Jej władca Daniel współdziałał aktywnie z Konradem Mazowieckim, gdy ten wojował o tron krakowski. Później od 1250 roku Ruś podporządkowana Mongołom, niszczycielskiej aktywności (jaka zaznaczyła się w okolicach Lublina czy Łukowa) już nie prowadziła. Bolesław i Daniel Halicki, należąc do ugrupowania prowęgierskiego, nieraz współdziałali ze sobą. Przyjaźń tę zresztą na krótko przerwało panowanie na Rusi syna Daniela Szwarna, który w 1264 roku wraz z Litwinami urządził wyprawę na księstwo Bolesława, co spowodowało odwetową wyprawę polską, zakończoną poważną klęską Rusinów. Ustabilizowała ona stosunki na wschodnich granicach księstwa krakowsko--sandomierskiego; stały się one nawet przyjazne: latopisy po śmierci Bolesława odnotowały dlań pochwały i uznanie.

Wypada wspomnieć niszczące najazdy ludów bałtyjskich: Litwinów i Jadźwingów na Małopolskę. Czasami posiłkowały one książąt mazowieckich w walkach o Kraków, czasami były to podejmowane samodzielnie wyprawy łupieżcze. Jadźwingowie szczególnie upamiętnili się złowieszczo (1256, 1264). Przeciwko nim zorganizował Wstydliwy zwycięską wyprawę w 1264 roku, niszczącą rzekomo całkowicie – jak podały późniejsze źródła polskie – ten lud: ,,niemal cały szczep i cały naród Jadźwingów uległ takiemu wyniszczeniu i za-

gładzie, że dla pozostałych i to zaiste nielicznych: albo wieśniaków, albo chorych, albo godzących się na władzę Bolesława – nie istnieje dziś (tj. w drugiej połowie XV w. – przyp. R.K.) nawet nazwa Jadźwingów". Jest to oczywiście opinia przesadna, a wytępienie Jadźwingów należy przede wszystkim przypisać Krzyżakom. Najazdy litewskie mimo to docierały jeszcze kilkakrotnie do Małopolski.

Z wielu jego wypraw wojennych organizowanych w tych niespokojnych czasach najbardziej waży na koncie Bolesława zwycięstwo nad Jadźwingami; wszak bitwy pod Suchodołem nie można zapisać na jego osobisty rachunek. Obok sukcesów militarnych zdarzały się i porażki, ale ,,wojowniczego ducha nie miał Bolesław w sobie". Drugiemu najazdowi mongolskiemu na Małopolskę (1259–1260) nie przeszkodził, ba, opuścił księstwo, ,,powierzywszy z płaczem gród królewski straży i obronie wojewody krakowskiego". Spędził czas srogich zniszczeń na Węgrzech, bądź – co bardziej prawdopodobne – w Sieradzu, u bliskiego mu Leszka Czarnego.

Bolesław organizował i popierał, ale bez sukcesów, misje chrześcijańskie wśród Bałtów. Walki z Jadźwingami, misje wśród nich prowadzone przez związanych ze Wstydliwym zakonników reguł mendykanckich wskazują, że był to chyba najważniejszy, samodzielny kierunek aktywności politycznej tego księcia. Fiaskiem także zakończyła się akcja zorganizowania biskupstwa na krańcach sandomierskiego księstwa Bolesława, w Łukowie – a więc ,,na kierunku jadźwieskim". Tu, w ziemi łukowskiej, jak informuje bulla Innocentego IV z 1254 roku, wielu mieszkańców miało być jeszcze nie ochrzczonych. Wszelkie plany podjęcia misji zewnętrznych i wzmocnienia organizacji kościelnej znajdowały w Bolesławie ,,gorącego zwolennika i po części wykonawcę". Kościołowi zasłużył się dobrze. Współcześni charakteryzowali go jako „stróża swobód kościelnych i dobrodzieja wszystkich zakonów". Zawdzięcza mu niemało katedra krakowska obdarzona przywilejami wydanymi m.in. z okazji kanonizacji św. Stanisława popieranej wydatnie przez księcia. Szczególnie ważny był tu przywilej z 1255 roku, którym Bolesław zwalniał ludzi wolnych (*liberi*) zamieszkujących dobra biskupstwa krakowskiego od prawie wszystkich ciężarów prawa książęcego. Obdarzał szczodrze różne instytucje zakonne (np. klasztory w Krzyżanowicach, Sieciechowie, Wąchocku), najbardziej jednak – żywo się wówczas rozwijające domy reguły franciszkańskiej. Tradycja zakonna – wbrew faktom – przechowała jego imię jako fundatora klasztoru franciszkanów krakowskich, którymi szczególnie się opiekował i u których został pochowany. Nie budzi zaś wątpliwości założenie przez Bolesława i bogate uposażenie klasztoru klarysek (żeńska odmiana reguły franciszkańskiej) w Zawichoście. Te akcje protegujące Kościół znajdują odbicie w produkcji kancelarii Bolesława. Spośród 143 dokumentów przezeń wystawionych, jakie do nas doszły, aż 85 procent dotyczy nadań dla Kościoła. Pamiętajmy jednak: duchowieństwo przywiązywało wówczas znacznie większą wagę do dokumentów, niż ludzie świeccy i archiwa kościelne zachowały się w lepszym stanie, niż instytucji świeckich czy osób prywatnych.

Rycerstwo, a zwłaszcza jego górna możnowładcza grupa, już choćby z tej racji, że rywalizacja o Kraków od początku rozdrobnienia dzielnicowego stwarzała mu szanse konsolidacji i odgrywania znacznej roli przetargowej, posiadało w Małopolsce wyjątkową pozycję. Podobnie było za Bolesława. Trudno nawet mówić o jego samodzielnych rządach, skoro wszystkie niemal decyzje dotyczące zarządu

państwem zapadały na wiecach „za zgodą i radą baronów". To właśnie w Małopolsce czasów Wstydliwego odnotowano największą liczbę owych *colloquia*, jak określano po łacinie wiece. Nie znaczy to, by książę biernie podporządkowywał się owym baronom, rycerstwu urzędniczemu. Już na początku panowania w 1244 roku osłabił przemożne dotąd stanowisko wojewody krakowskiego. Od tej pory miejsce przed wojewodą zajął kasztelan krakowski, później zresztą po zjednoczeniu państwa polskiego pierwszy dygnitarz świecki Rzeczypospolitej. Nowsze ujęcia wskazują, że Wstydliwy opierał się w tej próbie ograniczenia możnych krakowskich na średnim rycerstwie, a także na rozwijających się szybko miastach. Sąd ten wymagałby jednak dalszych monograficznych badań. W każdym razie miał Bolesław w swej dzielnicy malkontentów, którzy doprowadzili do buntu w 1273 roku i starali się przekazać tron Władysławowi Opolskiemu. To wystąpienie, u którego genezy miało leżeć dążenie Bolesława do zapewnienia sukcesji nad Małopolską Leszkowi Czarnemu, miało także międzynarodowy charakter. Wszak wtedy odwrócił Bolesław przymierze i znalazł się w obozie proczeskim. Czy jednym z przywódców tego zamachu stanu był biskup krakowski Paweł z Przemankowa, jak utrzymywała starsza historiografia, czy też udziału zwierzchnika Kościoła krakowskiego w buncie nie da się przekonywająco udowodnić (ks. Wł. Karasiewicz), pozostaje jeszcze sprawą otwartą. Bolesław wszakże pokonał malkontentów pod Bogucinem, lecz zwycięstwo okupił stratami na pograniczu zachodniej Małopolski na rzecz książąt opolskich.

Wydaje się, że rozumiał Bolesław dobrze nowe tendencje gospodarczo-prawne, jakie od półwiecza zaznaczyły się na Śląsku. I on dbał o *melioratio terrae* przeprowadzając lokacje

Brakteat przypisywany Bolesławowi Wstydliwemu

miast i wsi. Kilkanaście miast z Krakowem (lokacja 1257), Bochnią (1253), Jędrzejowem (1271) i wiele wsi zawdzięcza mu nowe formy organizacyjno-prawne i przestrzenne, stwarzające możliwości szybkiego rozwoju. Program urbanistyczny, jaki uzyskał wtedy Kraków, gdzie wytyczono rynek i ulice, wymierzono parcele pod domy, wystarczył aż do XX wieku. Niekiedy przesadnie oceniano tę akcję lokacyjną. ,,Działalność prawno-gospodarczą księcia Bolesława Wstydliwego w niejednym szczególe nasuwa porównanie z polityką gospodarczą wielkiego króla, tego, co to zastał Polskę drewnianą a zostawił murowaną" (J. Krzyżanowski). Przeprowadził też radykalną reformę żup wielickich i bocheńskich, pozostających dotąd w znacznym stopniu w rękach prywatnych; odtąd były wyłączną własnością państwa. Wprowadzono wtedy również nowe metody eksploatacji górniczej złóż soli kamiennej.

Już współcześni obdarzyli Bolesława przydomkiem *Pudicus* – Wstydliwy, a pierwszy nasz encyklopedysta B. Chmielowski pisał, że ,,tak był rzeczony od wielkiej modestyi i oczu spuszczonych, a bardziej obserwowanej z Kunegundą, żoną, czystości". Ślub czystości Bolesława i Kingi opisują ówczesne źródła. Pobożność Bolesława wyrażała się nie tylko w czystości. Nie była też wtedy skrajnym wyjątkiem, a nawet, zwłaszcza w kręgach rodzinnych, dość charakterystyczna. Jego imiennik w Wielkopolsce zasłużył sobie na przydomek Pobożny, podobnie jak Henryk Śląski, najstarszy syn Brodatego. Żona Kinga i szwagierka Helena Jolanta spokrewnione z kanonizowaną Jadwigą zostały wyniesione na ołtarze, podobnie jak siostra Wstydliwego Salomea. Ów klimat dworów: węgierskiego, śląskiego i wielkopolskich (również brat Bolesława Pobożnego, Przemysł I uchodził za władcę świątobliwego), jest odbiciem wyraźnej odnowy Kościoła dokonywającej się najpierw z inicjatywy cystersów, potem zakonów żebrzących: franciszkanów i dominikanów. Troje świętych i siedmioro błogosławionych wydała Polska XIII wieku. W czasach kontrreformacji dość arbitralnie poszerzono tę listę do 116 osób, wśród których oczywiście znalazł się i Bolesław Wstydliwy.

Zadziwia więc wcale niejednoznaczny portret Bolesława, jaki przedstawił kanonik krakowski Jan Długosz. Pisząc o jego zgonie (7 grudnia 1279) relacjonował, że ,,umarł dziewiczo czysty wśród oznak głębokiej pobożności. Wszyscy publicznie okazywali ból nie mniejszy niż przy prywatnej żałobie, wynosząc zmarłego w pochwałach, jakich nie wyrażali mu nawet za życia, kiedy był wśród nich. I bolał głęboko nad jego stratą nie tylko własny naród, ale i sąsiednie narody z powodu skromności i zacności, które okazywał w swym postępowaniu przez całe życie". Ale przypisując mu łagodność jednocześnie informował, że ,,był zmiennym przy rozstrzyganiu spraw, nie wolnym od przekupstwa – i lubił się czasami zabawiać polowaniem". A w innym miejscu: ,,nadto niezbyt sprawiedliwy i rzadko rozstrzygający ostatecznie sprawy żalących się i udających się do niego ze swymi urazami i krzywdami, łasy na dary i upominki, gdy otrzymywał skromny [nawet] podarunek, łatwo i pochopnie wyrokował na rzecz obydwu stron, z krzywdą jednak i szkodą dla jednej z nich; do tego dołączało się, że jako nadmierny i nieokiełznany miłośnik i zwolennik psów, a także jako myśliwy, polujący bez umiaru i względu na porę roku, wyrządzał raz po raz dotkliwe szkody. U wszystkich swoich poddanych, którzy byli w tym czasie obowiązani do udziału w łowach książęcych, a także do karmienia psów księcia, miał opinię uciążliwego i nieznośnego". Już Władysław Semkowicz wykazał, że tę niepochlebną opinię o księciu zaczerpnął Długosz bezkrytycznie z ,,Kroniki polskiej", zwanej też ,,Kroniką polsko-śląską".

Kolejne pokolenia historyków wykorzystując te sprzeczne sądy Długosza bądź ograniczały się do przedstawienia tylko pozytywnych cech bohatera, o którym pisano, że był ,,nabożny, pobożny i dobrotliwy" (M. Kromer), bądź przedstawiały w Długoszowej, lecz stuszowanej konwencji dwoisty jego portret (M. Bielski). Pierwsza wielka po Długoszu historia Polski A. Naruszewicza określi Bolesława jako ,,pana lekkomyślnego, sędzię niesprawiedliwego, zdziercę poddanych", zaś jego panowanie jako ,,pasmo nieszczęścia i rozmaitych klęsk". Będzie tu jednak podnosić, podobnie jak w pozytywizmie, zasługi Bolesława dla gospodarki.

Analityczne badania historyków krakowskich (St. Zachorowskiego i R. Grodeckiego) zanegowały wysoce niepochlebną opinię Długosza. Zgodzono się z zapiską rocznikarską, że ,,to człowiek czysty, wstydliwy, skromny i łagodny, nie oddający nikomu złem za złe, stróż swobód kościelnych, prawdziwy miłośnik rycerzy i dobrodziej wszystkich zakonów". Podkreślono nadto ,,umiarkowanie i zdrowo-ascetyczny charakter życia". Pisano, że ,,nie był niewątpliwie wielkim władcą" i ,,w trudnych okolicznościach swego panowania nie dokonał dzieł donioślejszego znaczenia", ale że ,,góruje w rzeszy współczesnych książąt powagą, zrównoważeniem i sprawiedliwością w rządach". Te sądy można zaakceptować, nie wydaje się jednak, by można kreować Bolesława Wstydliwego, jak czasem czyni się ostatnio, na rzecznika idei zjednoczenia Polski i odnowienia królestwa.

Trzonek noża ze Starego Sącza należącego, według tradycji, do księżnej Kingi

Henryk Samsonowicz

LESZEK CZARNY

Nie przeszedł do legendy narodowej, w świadomości przeciętnego Polaka nie kojarzy się z żadnymi czynami, żadnymi przemianami kraju. Jest jedynie kolorystycznym uzupełnieniem Leszka Białego, o którym też wie się niewiele. Jeden z licznych książąt dzielnicowych w okresie partykularyzmu, wymieniany był w podręcznikach jako aktor wielu drobnych dynastycznych walk wewnętrznych. A przecież z okresem jego panowania związanych jest wiele zjawisk, które miały ukształtować Polskę, odzyskującą ważne miejsce w polityce europejskiej. Największe sukcesy militarne od czasów Krzywoustego, triumf ideologii zjednoczeniowej, rozwój mieszczaństwa, podstawowe zręby przyszłej polityki zagranicznej – wszystko to miało miejsce w czasach, które zapowiadały już odbudowę Królestwa, wówczas gdy na tronie krakowskim zasiadał Leszek zwany Czarnym.

Urodził się między rokiem 1240 a 1242 jako polski dynasta i po mieczu, i po kądzieli. Ojcem jego był Kazimierz Konradowic, książę Kujaw, w przyszłości ziem sieradzkiej i łęczyckiej, prawnuk Krzywoustego. Matką – druga żona ojca, Konstancja, córka Henryka Pobożnego poległego pod Legnicą w walce z najazdem mongolskim. Imię, które dostał jako najstarszy syn pary książęcej, było starym imieniem rodowym Piastów spopularyzowanym przez Galla i mistrza Wincentego. Nosił je jeden z przodków Mieszka I, używało też kilku późniejszych książąt, ze stryjecznym dziadem – Leszkiem Białym. Leszek Czarny –

albo rzeczywiście brunet, albo po prostu ciemniejszy od dziada, jasnego blondyna – miał być ostatnim władcą nawiązującym imieniem do pogańskich jeszcze Lestków.

Połowa XIII stulecia, czasy dorastania Leszka Czarnego były okresem, w którym Polska stanowiła pojęcie geograficzne, organizacyjnie związane jedynie gnieźnieńską metropolią kościelną. Najazd mongolski zdruzgotał monarchię Henryków śląskich, stałe napady Prusów, Jadźwingów, Litwinów, Tatarów – niszczyły wschodnie prowincje kraju. Na północy wyrastała potęga krzyżacka, na południu – czeska, obie w przyszłości groźne dla idei zjednoczenia pod rodzimą dynastią. Od zachodu narastało niebezpieczeństwo brandenburskie. Pomorze rządzone było przez rodzimych książąt, obszary nad dolną Odrą dawno już straciły kontakt z Polską, podzieloną na kilka drobnych skłóconych organizmów politycznych, z których żaden nie był w stanie narzucić innym jednolitej polityki. W dodatku tradycyjne formy rządzenia państwem w oparciu o system służebności różnych grup ludności (system prawa książęcego) uległy całkowitemu rozkładowi. Kryzys ten wiązać należy z rozwojem i ekspansją nowych form gospodarowania opartych na pieniądzu, na rozwijającej się produkcji rynkowej i wymianie. Rzecz w tym jednak, że gospodarka pieniężna była w Polsce jeszcze dosyć prymitywna. W skali nie tylko Europy, ale nawet krajów ościennych, nasze ziemie leżały wówczas na peryferiach wielkiej wymiany europejskiej, w tym czasie nie dostarczając żadnych lub prawie żadnych produktów interesujących wielki handel. Wyjątkiem stał się Śląsk przeżywający w ciągu XIII wieku burzliwy rozwój gospodarczy. Ale to z kolei wiązało się z napływem ludności niemieckiej czy walońskiej wprowadzającej nowe obyczaje i związanej politycznie z obcymi wpływami.

Zagrożenie zewnętrzne, wewnętrzne niepokoje, rozwój świadomości narodowej – związany m.in. z początkami szkół parafialnych – spowodowały w tym samym czasie pojawienie się tendencji zjednoczeniowych. Około roku 1250 Wincenty z Kielc napisał żywot św. Stanisława, patrona Królestwa, stanowiący polityczny manifest tych, którym na zjednoczeniu zależało. Trudno powiedzieć, jak liczna była w owym czasie ta grupa. Należała do niej część wyższej hierarchii duchownej, przedstawiciele niektórych wielkich rodów, a zapewne wyrażała ona dążenia i drobniejszego rycerstwa zainteresowanego w silnej władzy zabezpieczającej mu spokojny rozwój. Działalność grup zjednoczeniowych utrudniona była jednak przez sprzeczność interesów elit rządzących w poszczególnych księstwach. Jeśli coraz powszechniej godzono się na potrzebę zjednoczenia, to otwarty pozostawał problem, kto i w oparciu o jakie ziemie ma to zjednoczenie przeprowadzić. W idei tej poważną przeszkodą była też tradycja wyposażania członków rodziny panującej w ziemię, tworząca z młodszych książąt stałych pretendentów do objęcia części ojcowizny.

Pierwsze lata politycznego życia Leszka Czarnego stanowią dość typową ilustrację tego stanu rzeczy. Do czasu śmierci matki i szybkiego powtórnego małżeństwa ojca w roku 1257 z księżniczką opolsko-raciborską, późniejszą matką Władysława Łokietka, stosunki rodzinne układały się poprawnie i Leszek z młodszym bratem – Siemomysłem – brał udział w wystawianiu różnych aktów państwowych. W późniejszych latach było już gorzej. Co prawda źródła nie są zupełnie jasne, ale wydaje się, że już koło 1260 roku dwudziestoletni Leszek znalazł się w obozie przeciwników ojca. Kazimierz bowiem miał licznych wrogów, z którymi nie potrafił sobie poradzić.

Należał do nich i jego rodzony brat Siemowit mazowiecki, i książę wielkopolski Bolesław Pobożny, i wreszcie dziedzic Krakowa, Bolesław Wstydliwy. Z kolei, do sprzymierzeńców Kazimierza zaliczyć można było niektórych książąt śląskich, na ogół zresztą skutecznie ze sobą skłóconych. Słabość księstw polskich uzupełniana być musiała sojuszami zagranicznymi. Bolesław Wstydliwy wiązał się z Węgrami, Ślązacy – z rosnącym podówczas szybko w potęgę królestwem czeskim. W walkach Przemysła Ottokara czeskiego z Belą IV węgierskim tego ostatniego w roku 1260 wspomagał Bolesław Wstydliwy, który przyprowadził ze sobą kuzyna Leszka. Wydaje się zatem, że wydarzenia roku następnego można interpretować następująco: Kiedy Kazimierz Kujawski toczył walkę z Bolesławem Pobożnym o Ląd i Wstydliwym o Lelów, jego synowie wspierani przez opozycję podnieśli bunt przeciw ojcu i opanowali południowe obszary jego państwa z Łęczycą i najpewniej z Sieradzem.

Pieczęć Leszka Czarnego

Rozbicie politycznie centralnych obszarów Polski znacznie się pogłębiło. Ziemie skupione w ręku Konrada Mazowieckiego w ciągu dwóch pokoleń rozpadły się już na pięć dzielnic. Sytuacja ta została zalegalizowana w roku 1263. Leszek został udzielnym księciem dzielnicy sieradzkiej, małej i niezbyt liczącej się w systemie politycznego układu sił w Polsce. Związał się też bliżej ze swym potężniejszym sprzymierzeńcem Bolesławem Wstydliwym, bezdzietnym księciem Krakowa. Widać przypadł do serca kuzynowi, który w 1265 roku jakoby go usynowił i ożenił z Gryfiną, księżniczką ruską, a jednocześnie siostrzenicą krakowskiej księżny Kingi, królewny węgierskiej, później zaliczonej w poczet błogosławionych.

Przez czternaście następnych lat, do 1279 roku działalność Leszka była dość unormowana. W polityce zagranicznej pozostawał stałym i pewnym sojusznikiem Bolesława Wstydliwego w jego prowęgierskiej i antyczeskiej polityce i w walce z książętami śląskimi. Mając jego poparcie walczył z przejściowym powodzeniem z bratem o resztę kujawskiego spadku po ojcu, który zginął w 1268 roku. Był także powodem – jeśli wierzyć niektórym przekazom źródłowym – wojny domowej w Małopolsce w 1273 roku. Rycerstwo, ponoć niezadowolone z wyznaczenia Leszka następcą tronu, odwołało się do księcia opolskiego Władysława, pragnąc zdetronizować Bolesława Wstydliwego. Wydaje się, że za kulisami buntu kryły się dwie koncepcje polityczne, które zaważyć miały na dalszych wydarzeniach w Polsce. Czechy były Polakom bliższe kulturą, obyczajem, językiem. Były nie zniszczone, bogate i przeżywały okres silnej ekspansji politycznej. Oparcie się na Czechach – których potencjał gospodarczy znacznie przewyższał polski – dawać musiało korzyści materialne, ale i zakładało włączenie się do kręgu interesów Pragi. Węgrzy byli zapewne mniej atrakcyjni gospodarczo, ale, poszukując sprzymierzeńców antyczeskich, byli mniej – zapewne – groźni dla suwerenności ziem polskich. Niezależnie od niewątpliwej prywaty i walki o doraźne korzyści, sojusz z Węgrami w większym stopniu zapewniał interesy rodzimej ludności niż związek z Czechami, zresztą już mocno, podobnie jak i Śląsk, zgermanizowanymi.

Alternatywa: Władysław Opolski czy Leszek Sieradzki była więc też alternatywą kierunku dalszego rozwoju politycznego Małopolski i chyba w tym aspekcie należałoby rozpatrywać wydarzenia 1273 roku.

Drugi nurt działalności Leszka, rzadko doceniany w literaturze przedmiotu, dotyczył jego rządów wewnętrznych w księstwie sieradzkim. Zakładanie miast na prawie niemieckim, rozwój wsi kolonizacyjnych na tym obszarze były w dużej mierze zasługą Leszka. Na dziesięć miast funkcjonujących tam w XIII wieku aż osiem uzyskało przywileje prawa niemieckiego w okresie jego panowania. Jeśli można mówić o szybkiej ekspansji gospodarczej Sieradzkiego, to biorąc pod uwagę karczunki, powstawanie nowych lub lokacje starych wsi, miało to miejsce właśnie wtedy. Umacnianie swojej pozycji politycznej i gospodarczej nie przebiegało zresztą Leszkowi łatwo, tym bardziej że dochodziło do rozdźwięków w samej rodzinie książęcej. Gryfina, przez swą siostrę, związała się z Czechami. W 1271 roku doszło do zerwania między małżonkami. Księżna oskarżyła Leszka o „niemoc", impotencję, i aż do 1275 roku pozostawała z mężem w otwartym konflikcie. Zarzut zresztą był chyba uzasadniony, bo wiemy, że Leszek leczył się u jednego z najsławniejszych ówczesnych lekarzy – Mikołaja z Krakowa. Dopiero mediacja Bolesława Wstydliwego doprowadziła do pojednania małżonków, którzy odtąd zgodnie reprezentowali tendencje prowęgierskie, współpracując z Bolesławem i książętami Wielkopolski.

W roku 1279 zmarł bezpotomnie Bolesław Wstydliwy i zgodnie z jego wolą Leszek zasiadł na tronie krakowskim. Jak chce ,,Rocznik franciszkański", miało to miejsce na skutek elekcji dokonanej przez możnych (*proceres*) ziemi krakowskiej. Co zatem stanowiło podstawę prawną władzy Leszka – desygnacja czy wybór? Jeśli wybór, to nie była to elekcja – jak chce Długosz – podobna do późniejszych z udziałem rycerstwa. Na panowanie Leszka zgodę wyrazili wysocy urzędnicy – wojewoda Piotr, kasztelan Warsz, biskup Paweł, przedstawiciele wielkich rodów stanowiących namiastki stronnictw politycznych, skupiających wokół siebie liczną klientelę – Starżów, Odrowążów, Rawitów, Gryfitów. Wydaję się, że w ciągu XIII wieku przyjął się już zwyczaj, kwestionowany niekiedy w poprzednim stuleciu, sprawowania władzy na podstawie aprobaty dostojników ziemskich. Oczywiście, stawiało to w innym nieco świetle, niż przyjmowano często, sprawę tzw. buntów i wypowiadania posłuszeństwa. Kto bowiem w czasach Leszka był właściwym suwerenem kraju?

Panowanie Leszka w Krakowie toczyło się pod znakiem licznych wojen prowadzonych na wielu frontach. Książę dał się poznać jako znakomity talent dowódczy i jako konsekwentny, acz nie najszczęśliwszy polityk.

Największe niebezpieczeństwa groziły ze wschodu. Książę halicki Lew, wspomagany przez część Małopolan zainteresowanych związkiem z Rusią, zgłosił swoje pretensje do Krakowa. Uzyskał pomoc swych łuckich krewniaków, Tatarów, Jadźwingów i – najpewniej – poparcie Mazowsza. Błyskawiczna koncentracja wojsk Leszkowych pod dowództwem kasztelana krakowskiego Warsza oraz wojewodów – krakowskiego Piotra i sandomierskiego Janusza – umożliwiła odniesienie druzgocącego zwycięstwa w lutym 1280 roku pod Goślicami. Sam Leszek poprowadził wyprawę odwetową, która spustoszyła i złupiła ziemie od Brześcia do Lwowa. Jeden z przeciwników został zneutralizowany. Mniej skuteczny był atak Leszka na Śląsk w obronie uwięzionych zdradziecko Przemysła II wielkopolskiego, Henryka Legnickiego i Henryka Głogowskiego. Wrocławski Henryk IV Probus dał sobie radę z interwencją zbrojną i wojska krakowskie kontentować się musiały zdobyciem dużych łupów. W 1282 roku natomiast najazd Jadźwingów na ziemię lubelską został zlikwidowany w sposób bardzo skuteczny. Nieprzyjaciel został dopędzony przez jazdę polską między Narwią a Niemnem i po okrążeniu niemal w całości wycięty. W rzezi, która miała miejsce, wzięli udział także uwolnieni jeńcy polscy. Siła bojowa Jadźwingów została definitywnie złamana i od tego czasu nie byli oni zdolni do samodzielnej ekspansji na ziemie sąsiadów. Resztki ich współdziałały natomiast z groźniejszym nieprzyjacielem – z Litwinami. Ci ostatni już w rok później, chcąc pomścić porażkę pobratymców, zorganizowali wielki najazd na ziemię sandomierską. I znowu, mimo zaskoczenia, Leszek stanął na wysokości zadania. Zorientowany w ruchach nieprzyjaciela przez swą służbę wywiadowczą osaczył cofających się z łupem Litwinów pod wsią Rowiny w ziemi łukowskiej i, mimo dużych strat własnych, na głowę poraził nieprzyjaciela, stosując skutecznie manewr pozorowanej ucieczki. Najcięższy najazd jednak miał miejsce na przełomie lat 1287/88, kiedy to chan Telebuga ruszył na Sandomierz i Kraków. Leszek utrzymał oba ufortyfikowane przez siebie miasta, ale unikając walnej bitwy wycofał się na Węgry pozwalając na potężne zniszczenie kraju. Samych dziewic jakoby Tatarzy mieli uprowadzić 21 tysięcy!

Być może działalność księcia ograniczona była wówczas przez silną opozycję, z którą miał do czynienia. Jeszcze w latach 1280–1281 wszedł on w ostry konflikt z biskupem Pawłem z Przemankowa kwestionując niektóre nadania swego pobożnego poprzednika na rzecz Kościoła. Zaostrzająca się walka doprowadziła do uwięzienia biskupa. Spowodowało to ostre wystąpienie hierarchii kościelnej przeciw Leszkowi, interwencję samego papieża i doprowadziło do porażki księcia. Biskup został uwolniony, otrzymać miał duże odszkodowanie, ale już do końca swej działalności należał do zdecydowanych przeciwników Leszka. Źle się też układały stosunki księcia z możnymi,

Brama Floriańska w Krakowie

szczególnie z rodem Toporczyków – Starżów. Być może, że jakieś spory powstały już w 1282 roku, ale jeszcze w walkach z Litwinami Starżowie odgrywali przy boku księcia bardzo istotną rolę. Stan ten zmienił się w 1285 roku, kiedy to przeciwko Leszkowi wystąpiły zjednoczone siły jego przeciwników. Wydarzenia, które wówczas miały miejsce, dobrze charakteryzują przemiany epoki. Starżowie, zapewne w porozumieniu z biskupem, zdecydowali się zbrojnie wystąpić przeciwko Leszkowi, powołując na tron krakowski księcia mazowieckiego Konrada II. Trudno wyjaśnić przyczyny buntu. Czy chodziło o lepsze zabezpieczenie granic wschodnich, czy o włączenie ziemi krakowskiej do bloku, w którym główną rolę wśród książąt polskich odgrywał śląski Henryk Probus? A może po prostu w grę wchodziły jakieś zagrożone interesy możnych? Jeśli wierzyć niektórym późniejszym przekazom, Leszek odwoływał się często w trakcie swych wypraw wojskowych do ,,koła rycerskiego". Może tam szukał sprzymierzeńców przeciwko dominacji możnych rodów? Tak czy inaczej cała niemal dzielnica wpadła w ręce jego wrogów i Konrada II, który przyjmował już od możnych przysięgę na wierność. Nie poddał się tylko zamek krakowski broniony nie przez rycerstwo, lecz przez mieszczan niemieckich, którzy pozostali wierni Leszkowi. Zapewne widzieli oni swą szansę w pomocy udzielonej księciu przeciwko uprzywilejowanym wielkim rodom. Leszek uszedł na Węgry, gdzie uzyskał posiłki zbrojne, z którymi pokonał pod Bogucicami nad Rabą Konrada i jego zwolenników. Sam książę mazowiecki uciekł do swojej dzielnicy, której w latach następnych skutecznie zresztą bronił przed odwetowymi wyprawami krakowian. Możni przy nim stojący zostali pojmani lub zbiegli. Zwycięzca pozbawił ich urzędów i powołał na nie swoich stronników – co prawda niekiedy z tych samych rodów, które go niedawno zdradziły. Jednak niektórzy z nowych dygnitarzy, jak Piotr Bogoria czy Sułek z Niedźwiedzia, dali początek rodzinom, które swój interes w przyszłych latach wiązały ściślej z polityką władcy.

Ważniejsze jednak wydają się posunięcia Leszka w stosunku do mieszczan, których zaczął konsekwentnie popierać, widząc w nich skuteczną podstawę do wzmocnienia władzy. Przywileje sądowe i gospodarcze dla Krakowa, Sandomierza, Buska szły w parze z budową murów obronnych. Dało to niemal natychmiast efekty podczas obrony kraju przed Tatarami w latach 1287–1288. Po raz pierwszy Kraków nie został przez nich zniszczony, podobnie jak Sandomierz. Wtedy też pojawiła się najprawdopodobniej w tych miastach rada miejska, organ samorządowy, prowadzący własną mieszczańską politykę, zjawisko nowe w dziejach społecznych Polski. Jest też rzeczą charakterystyczną, że o powołaniu następcy Leszka na tron krakowski zadecydowali mieszczanie, którzy wpuścili księcia wrocławskiego do miasta wbrew biskupowi, wbrew możnym, widzącym innego, mazowieckiego kandydata, a w trzy lata później ciż mieszczanie poparli Wacława czeskiego.

Leszek Czarny zmarł w Krakowie 30 września 1288 roku. Być może ulegając panującej w kraju zarazie, jak pisze Długosz – znękany klęskami ostatnich trzech lat. Rzeczywiście, czasy, w których panował, nie należały do spokojnych. Wojny zewnętrzne, wojny wewnętrzne, szalejące epidemie niszczyły i osłabiały kraj, przed którym coraz wyraźniej rysowała się alternatywa – zjednoczenie lub wchłonięcie przez organizm silniejszy, obcy. Można odnieść wrażenie, że Leszek zdawał sobie z tego sprawę, konsekwentnie stojąc na stanowisku przymierza z Węgrami. Widział też chyba sprawy ogólnopolskie, angażując się z powodzeniem w sprawę wyboru arcybiskupa gnieźnieńskiego. Przeciwstawienie się Włościborowi umożliwiło powołanie w 1282 roku na stolec arcybiskupi **Jakuba Świnkę**, jednego z największych szermierzy odbudowy Królestwa.

Nagrobek Leszka Czarnego w kościele Dominikanów w Krakowie

201

Pieczęć Leszka Czarnego

Czy Leszek świadomie dążył do zjednoczenia? Odpowiedź na to pytanie nie jest prosta. Zapewne ciążyło na nim wychowanie typowe dla drobnego książątka dzielnicowego, którego horyzonty ograniczały się do ziemi sieradzkiej czy łęczyckiej. Jego niektóre wyprawy odwetowe, szczególnie na tereny Mazowsza, nosiły charakter zwykłych feudalnych zagonów, mających na celu zdobycie możliwie dużych łupów. Ale chyba z czasem dostrzegł dalsze horyzonty polityki polskiej. Jego trwałe i wierne związki z Przemysłem wielkopolskim, który w siedem lat po zgonie Leszka miał odnowić tytuł królewski, umocnione jeszcze układem z 1284 roku, być może rysują też szerszą koncepcję polityczną. Takim też był w oczach historiografii, która nawet sugerowała świadome pozostawienie przez niego w spadku tronu Henrykowi wrocławskiemu. Nie sądzę, by istniały podstawy do takiego sądu, jeśli już działałby celowo w kierunku przezwyciężenia rozbicia, to chyba stwarzając ekspektatywę Przemysłowi. Ale poza dyskusją są jego zabiegi wokół umocnienia miast i mieszczaństwa.

Jeśli istniał w Polsce prekursor monarchii stanowej, wygrywający różne interesy grup celem wzmocnienia władzy centralnej, to był nim właśnie Leszek Czarny. Jest też jeden dowód bezpośredni świadczący o intencjach władcy. Jego pieczęć przedstawia Leszka klęczącego przed św. Stanisławem. W czasach gdy szerzyła się wiara, że ,,jak cudownie zrosło się porąbane ciało świętego, tak zrośnie się w jedno Królestwo", ta adoracja patrona Polski może być dość wymowna. Posiadał też Leszek cechy osobiste cenione przez następne pokolenia. Dobry wódz, śmiały żołnierz nie zrażany przeciwnościami, w czym na pewno przypominał swego młodszego brata przyrodniego Władysława Łokietka. Był też sprzymierzeńcem wiernym i stałym, nie opuszczającym przyjaciół w potrzebie. Wywyższając grono ludzi zawdzięczających mu swój awans, książę tworzył też wzór dla kształtowania przyszłej kadry urzędniczej zjednoczonej monarchii. Zaczął kroczyć drogą, którą potem, na pewno bardziej świadomie, poszli jego następcy: Władysław Łokietek, Kazimierz Wielki, Jagiellonowie. Drogą, która wyprowadzała Polskę z opłotków partykularyzmu, zacofania i wiodła ją do silnej i znaczącej Rzeczypospolitej.

Benedykt Zientara

HENRYK IV PROBUS

„Właśnie ów Piast śląski, dążący do rzeczywistego zjednoczenia i silnego królestwa, walczył o przyszłość narodu, o jego postępowy w skali ówczesnej epoki rozwój, o jego miejsce w szeregu przodujących krajów Europy".

„Lennik Rzeszy niemieckiej, nie chciał i nie mógł być polskim wielkim księciem. Jego celem politycznym była raczej potęga terytorialna ze Śląskiem jako ośrodkiem, z którym jako zbliżona obliczem miała się połączyć w znacznym stopniu otwarta dla niemczyzny Małopolska".

Pierwszy cytat pochodzi spod pióra Ewy Maleczyńskiej, drugi jest fragmentem pracy niemieckiego historyka Ericha Randta. Zostały wybrane dość przypadkowo i łatwo zastąpić je innymi, równie dobrze ilustrującymi rozbieżności w ocenie interesującej nas tutaj postaci.

Jak wyjść poza tę rozbieżność, jak dociec prawdy? Niezmiernie to trudne zadanie. Najważniejsze teksty – dokumenty, zachowane nie w oryginale, ale wpisane do formularzy, służących jako wzorce w praktyce kancelaryjnej – są kwestionowane stosownie do tendencji jednej lub drugiej strony. To, co jedni uznają za odbicie rzeczywistych faktów, inni uważają za produkty skrybów kancelaryjnych, piszących wypracowania na zadany temat. Także „Kronika rymowana" Ottokara ze Styrii, zawierająca bardzo istotne szczegóły, jest przez jednych uważana za wiarygodne źródło, przez innych – odsądzana od wszelkiej wartości. Można też długo stać nad pięknym sarkofa

giem księcia, dziś w Muzeum Narodowym we Wrocławiu, i wpatrywać się w rzeźbione oblicze naszego bohatera: Henryk Probus nie przemówi, a z jego twarzy niczego wyczytać nie sposób.

Nawet jego przydomek, Probus, to jest prawy, rzetelny, podlega wątpliwościom. Czy może go nosić książę, który cynicznie zwabiał innych Piastów na rozmowy, by ich uwięzić i zmusić do ustępstw terytorialnych lub osobistego uzależnienia? Czy można tak nazwać gracza politycznego, który rozsnuł tyle najrozmaitszych powiązań politycznych, wzajemnie sprzecznych, że sam się z nich nie mógł wyplątać?

To wszystko są przyczyny, dla których brak do dzisiaj monografii, która przedstawiłaby obiektywnie wszelkie niuanse tej skomplikowanej postaci. Wobec braku głębszych badań tego typu, również poniższa próba nakreślenia sylwetki Henryka Probusa będzie tylko hipotetyczną propozycją.

Henryk urodził się w 1257 lub 1258 roku, jako jedyny znany syn Henryka III księcia wrocławskiego, najwybitniejszego z synów Henryka Pobożnego. Henryk III zdołał tak manewrować wśród zamieszek i walk między braćmi, że utrzymał pod swym panowaniem największą i najbogatszą dzielnicę. Nie był wolny od współodpowiedzialności za gorszące spory w rodzinie i upadek moralności politycznej. Był jednak dobrym gospodarzem i pilnie popierał rozwój kolonizacji na prawie niemieckim w swej dzielnicy. Popierał także poczynania niemieckiego patrycjatu Wrocławia, który w szybkim tempie wyrastał na wielki ośrodek miejski, nie mający równego w Polsce. Wybudowane w 1261 roku mury trzeba było z czasem rozszerzyć dla włączenia wyrosłego poza nimi rzemieślniczego Nowego Miasta. Książęta wrocławscy traktowali rajców wrocławskich jako swych czołowych sojuszników politycznych i nie szczędzili im przywilejów.

Matką Henryka Probusa była Judyta, córka Konrada I Mazowieckiego, która, zanim poślubiła Henryka III, była żoną Mieszka Otyłego opolsko-raciborskiego. A więc oboje rodzice byli Piastami, a o ile na dworze Henryka III nie brakło Niemców, to jednak przewaga elementu polskiego w tym okresie nie może chyba ulegać wątpliwości. Pierwsze lata życia spędził więc Henryk Probus w przeważająco polskim środowisku.

Jednak życie młodego księcia uległo wkrótce burzliwym zakłóceniom. Matka umarła wkrótce po urodzeniu syna, choć dokładnej daty jej śmierci nie znamy. Ojciec poślubił niebawem drugą żonę, saską księżniczkę Helenę, która niewątpliwie przyczyniła się do wzrostu wpływów niemieckich na dworze wrocławskim. W kilka lat później, 3 grudnia 1266 roku zmarł ojciec młodego księcia, Henryk III, nie dożywszy czterdziestki. Ośmioletni chłopiec stał się dziedzicem ojcowskiego księstwa, którego rządy przejął stryj Władysław, arcybiskup salzburski. W 1268 roku przejął on również rządy biskupstwa wrocławskiego. Stryj też zadecydował o dalszych losach sieroty.

Zarówno Henryk III, jak Władysław byli przez swą matkę blisko związani z dynastią czeską. Ich wuj, król Wacław I, zaopiekował się zwłaszcza Władysławem, ułatwiając mu wspaniałą karierę kościelną, do której wstępem miały być studia w Padwie. Jeszcze bliższe stosunki łączyły Władysława z synem Wacława, Przemysłem Ottokarem II, który zapewnił mu dochody z kanonii kilku kapituł, mianował prepozytem kapituły wyszehradzkiej i kanclerzem królestwa czeskiego. Młody książę śląski został wybrany biskupem w Bamberdze i Passawie, na koniec w 1265 roku objął katedrę arcybiskupią w Salzburgu. Przemysł Ottokar II, budujący wielką potęgę dynastyczną, od początku brał pod uwagę rosnące osłabienie coraz bardziej rozbitej Polski, ułatwiające mu wciąganie poszczególnych księstw w orbitę swych wpływów. Dotyczyło to w szczególności spokrewnionych z nim Piastów śląskich, wśród których zaprzyjaźniony z królem czeskim Władysław miał odegrać rolę rzecznika jego interesów.

W ten sposób młody Henryk, powierzony przez stryja królowi czeskiemu, znalazł się na kosmopolitycznym dworze praskim, imponującym pod każdym względem chłopcu, przywykłemu do skromnych wciąż jeszcze śląskich stosunków. Wspaniałe budowle Hradczan i innych rezydencji królewskich, rytuał obyczaju

Henryk Probus po turnieju rycerskim (miniatura z kodeksu rodziny Manesse)

rycerskiego z turniejami, ucztami z udziałem znakomitych poetów, recytujących czyny bohaterów lub sławiących swego gospodarza, wreszcie z gronem pięknych dam, uprawiających grę „dworskiej miłości" – wszystko to musiało wprawić w zdumienie i zachwyt śląskiego księcia. Język czeski w tej rezydencji cofnął się do pomieszczeń czeladzi; panowie, damy i wytworni rycerze używali języka górnoniemieckiego, języka dworskiej poezji, w którym łatwiej było wyrazić wzniosłe uczucia i toczyć o nich dyskursy z przybyszami z obcych dworów niemieckich. Była to oczywiście moda: podobnie sto lat wcześniej, a gdzieniegdzie i w XIII wieku, królowała na niemieckich dworach francuszczyzna; włoscy pisarze, m.in. Brunetto Latini i Marco Polo, pisali też po francusku, uważając ten język za bardziej dystyngowany od własnego. W XVI wieku przyjdzie moda na włoski, od XVII warstwy „miarodajne" całej Europy będą paplać po francusku. Nie można więc tej dworskiej niemczyzny w Europie środkowej XIII wieku uważać za dowód pełnej germanizacji dworzan, duchownych i rycerzy w Czechach czy w Polsce. Inna rzecz, że osłabienie przywiązania do własnego języka ułatwiało oderwanie środowiska feudalnego od mas ludowych, relatywizowało świadomość narodową, wysuwając na czoło postaw moralnych lojalność wobec króla, dynastii, seniora, a nie wobec kraju czy narodu.

Wydaje się, że takie były koleje rozwoju duchowego młodego Henryka. Przejmował go podziw i zazdrość: w przyszłości będzie się starał dorównać wspaniałości swego czeskiego opiekuna we wszelkich dziedzinach. Rozwinie w swych rezydencjach wytworne życie dworskie z występami poetów i turniejami, a nawet sam chwyci za lutnię, by komponować pieśni miłosne na wzór *minnesängerów*. Historycy

Popiersie Henryka Probusa z nagrobka księcia (obecnie w Muzeum Narodowym we Wrocławiu)

polscy nie chcieli dopuścić myśli o niemieckich wierszach domniemanego wskrzesiciela Królestwa Polskiego. Jednak żaden inny z Henryków śląskich nie pasuje tak dobrze jak Henryk Probus do postaci Henryka „von Pressela", którego wiersze i wizerunek znalazły się w iluminowanym rękopisie poezji *minnesängerów* (obok zresztą Wacława czeskiego).

W 1270 roku umarł książę-arcybiskup Władysław, ale królowi czeskiemu trudno było puścić jego bratanka do Wrocławia dla objęcia rządów ojcowskiej dzielnicy. Wymógł na nim zobowiązanie, że pod karą kościelnego interdyktu niczego nie przedsięweźmie bez zgody królewskiego opiekuna; zobowiązał się młody książę nawet, że przyjmie pas rycerski tylko z rąk Przemysła Ottokara, że swój dwór i orszak przyodzieje w barwy dworu czeskiego. Opieka króla czeskiego miała tę dobrą stronę, że zabezpieczała księstwo wrocławskie przed natarczywością stryjów, obawiających się zadrzeć z największym potentatem środkowej Europy; zarazem jednak krępowała młodzieńca coraz silniejszymi więzami i stawiała pod znakiem zapytania niezależność jego państewka. Henryk mógł podziwiać swego opiekuna, ale chyba nie bardzo go kochał.

W 1273 roku Henryk został uznany za pełnoletniego; mimo to jednak musiał wystawić nowe zobowiązanie stosowania się do rad Przemysła Ottokara. Ten ostatni kontrolował go zresztą przez osobę przydzielonego mu „wychowawcy", Szymona Gallika, wywodzącego się zapewne z rodziny wrocławskich Walonów; niebawem w otoczeniu księcia pojawił się brat Szymona, Eberhard. Szymon, występujący ze zmieniającymi się tytułami marszałka, komornika i palatyna, wywierał do 1277 roku wyraźny wpływ na politykę młodego księcia; może już wówczas pojawili się też w jego otoczeniu prawnicy (Jakub syn Goswina i in.), dostarczający argumentów teoretycznych dla obrony prerogatyw władzy świeckiej wobec uroszczeń Kościoła: już w 1274 roku spór dotarł przed obradujący właśnie sobór powszechny w Lyonie. Na razie jednak udało się królowi czeskiemu z pomocą biskupa ołomunieckiego Brunona doprowadzić do kompromisu (1276).

Tymczasem jednak gwiazda Przemysła Ottokara bladła: nie tylko nie otrzymał upragnionej korony niemieckiej, ale wybrany przez elektorów kandydat, Rudolf Habsburg, coraz ostrzej mu się przeciwstawiał i dążył do likwidacji hegemonii króla czeskiego w Rzeszy. W 1276 roku doszło do załamania: Austria,

Styria, Karyntia i Kraina zostały utracone, a dwa pierwsze księstwa, nadane przez Rudolfa w lenno synom, stworzyły fundament przyszłej potęgi Habsburgów. Przygotowując się do następnego, decydującego starcia, Rudolf starał się oderwać od króla czeskiego jego sprzymierzeńców; m.in., zdając sobie sprawę z niechęci ambitnego Henryka wrocławskiego do przeciągającej się coraz bardziej dotkliwej opieki Przemysła Ottokara, zaproponował mu stanowisko księcia Rzeszy, sojusz i spełnienie wszelkich jego postulatów.

Klęski Przemysła Ottokara nie tylko w Henryku obudziły chęć wyzwolenia się spod hegemonii czeskiej. Podobne uczucia żywił jego stryj z Legnicy, Bolesław Rogatka; skutki tego miał jednak odczuć sam Henryk. 18 lutego 1277 roku książę wrocławski został porwany ze swego dworu w Jelczu pod Wrocławiem przez ludzi Rogatki i uwięziony we Wleniu. Strach przed potęgą czeskiego opiekuna, który dotychczas hamował zachłanność Rogatki wobec dziedzictwa wrocławskiego bratanka, znikł obecnie wskutek kłopotów Przemysła Ottokara. Król czeski nie mógł osobiście interweniować wobec stałego zagrożenia przez Habsburga: zorganizowana przezeń wyprawa Henryka Głogowskiego i Przemysła wielkopolskiego na Legnicę zakończyła się sromotną klęską pod Stolcem. Przyszło przyjąć propozycje rokowań i zgodzić się na ustępstwa terytorialne. Szósta część całego terytorium Henrykowego, ze Strzegomiem i bogatą Środą, została przekazana Rogatce za cenę uwolnienia młodzieńca, co nastąpiło 22 lipca 1277 roku.

Henryk nie był rad z takiego dysponowania jego posiadłościami przez czeskiego opiekuna; wyraziło się to również w jego postawie wobec generalnej rozprawy Przemysła Ottokara z Rudolfem. Być może znalazły się pod Suchymi Krutami wśród licznych polskich oddziałów także posiłki wrocławskie, ale Henryka z nimi nie było. Dopiero na wieść o śmierci króla czeskiego na polu bitwy (25 sierpnia 1278) Henryk ruszył z wojskiem ku Pradze, aby zażądać regencji w Czechach i opieki nad małoletnim Wacławem II. Tu ubiegł go jednak Otton brandenburski. Henryk otrzymał jako odszkodowanie od króla Rudolfa ziemię kłodzką w dożywocie.

Dalszy rozwój wypadków jest tajemniczy: między Rudolfem a Henrykiem toczyły się w marcu 1280 roku rokowania, zakończone złożeniem przez księcia wrocławskiego w Wiedniu hołdu władcy Niemiec. Mimo iż niektórzy historycy polscy skłonni są zaprzeczać prawdziwości wzmianek źródłowych o hołdzie, jest on chyba autentycznym faktem. Niebezpieczny to fakt dla Polski i Śląska, mimo iż nie miał poważniejszych następstw: po raz pierwszy jedno z księstw polskich, działając samodzielnie, odrywało się pod względem prawno-państwowym od całości *Regnum Poloniae* i wchodziło w zależność od obcych czynników politycznych. Znajdą się niebawem naśladowcy: w latach 1284–1285 osiem śląskich klasztorów franciszkańskich oderwało się od polskiej (właściwie: czesko-polskiej) prowincji i przyłączyło do saskiej.

Na miejsce Szymona Gallika, który po uwolnieniu Henryka nie odzyskał już dawnych wpływów, pierwsze miejsce wśród doradców Henryka zajął Niemiec Bernard z Kamieńca, prepozyt miśnieński, od roku 1280 kanclerz księstwa. Z jego wpływem na ambitnego księcia wiąże się, być może, plan osiągnięcia korony królewskiej w ramach Rzeszy. Hołd wiedeński otwierał tę drogę; o koronie polskiej wspomina wprost umowa Henryka z jego nowym teściem, Władysławem opolskim, w której książę opolski obiecał wspierać

Henryka w staraniach o koronę pod warunkiem, że ukoronowana zostanie również jego żona, nie znanego imienia córka Władysława. Sądzę, że szło tu właśnie o koronę z łaski Rudolfa, analogiczną do tej, jaką cieszyli się królowie czescy.

Sojusz z Rudolfem przyniósł jednak Henrykowi nowe kłopoty w Czechach, konflikt z Brandenburczykami, zaś do koronacji nie dochodziło: wydaje się oczywiste, że byłaby ona możliwa dopiero po ewentualnym opanowaniu przez Henryka Krakowa, ogólnie uznanego ośrodka Polski, gdzie zresztą przechowywana była stara korona królewska Bolesława Szczodrego. Książę Henryk nie chciał bowiem – jak sugeruje Erich Randt – zostać władcą nieokreślonego dużego konglomeratu księstw w ramach Rzeszy: mimo niemieckich wpływów kulturalnych i otoczenia niemieckich doradców pozostał Piastem i miał przed sobą piastowski cel: Królestwo Polskie. Według popularnych w związku z kanonizacją św. Stanisława legend korona, uzyskana przez Piastów od papieża, została utracona wskutek zbrodni na osobie biskupa: może dlatego sięgnął Henryk do innego źródła, z którego otrzymali koronę królowie czescy; może zresztą nawiązał tu do wcześniejszych starań pradziada, Henryka Brodatego.

Z właściwą sobie niecierpliwością przystąpił też do budowania własnego obozu politycznego w Polsce: wiedział, że starania o koronę muszą się opierać na realnej sile. Zawarł trwały sojusz z miastami, którym nie szczędził przywilejów (sam Wrocław otrzymał ich od Henryka siedemnaście, w tym pierwsze w środkowej Europie prawo składu), organizował osadnictwo, rozpoczął akcję rewindykacji bezprawnie – jego zdaniem – przez biskupów zajętych ziem książęcych i w ten sposób zagarnął około 70 wsi. Sięgnął też do metod, które dzięki stryjowi odczuł niedawno na własnej skórze: w lutym 1281 roku wezwał na zjazd w Baryczy sąsiadów: Przemysła II wielkopolskiego, Henryka legnickiego (syna i następcę Rogatki) oraz Henryka Głogowskiego, uwięził ich i zmusił do ustępstw. Przemysł musiał mu odstąpić ziemię wieluńską, ważną strategicznie dla walki o Kraków; dwaj Henrykowie zobowiązali się natomiast do służby wojennej z 30 kopiami rycerstwa na każde wezwanie, co stawiało ich w pozycji lenników księcia wrocławskiego. Ponieważ w analogicznej sytuacji znaleźli się rychło książęta żagański i ścinawski, można mówić o pełnej hegemonii Henryka Probusa na Śląsku.

Gwałtowność postępowania Henryka i nieobliczalne niekiedy posunięcia nie służyły jednak jego ostatecznemu celowi. Sojusz z Władysławem opolskim, stanowiący jeden z głównych filarów jego polityki zjednoczeniowej, został zniweczony po śmierci tego księcia, wskutek wypędzenia przez Henryka swej opolskiej żony, co synowie Władysława uznali za ,,wielką ujmę całego języka polskiego", zwłaszcza że następczynią wygnanej miała być Mechtylda, margrabianka brandenburska.

Książęta górnośląscy (którzy niebawem staną się lennikami króla czeskiego) w swym piśmie propagandowym przeciw Henrykowi uznali za stosowne odwołać się do opinii publicznej, coraz ostrzej widzącej wspólnotę interesów ludzi, mówiących po polsku, zagrożonych przez obcych i tych, którzy obcym sprzyjają. Podobnie jak i w innych dzielnicach (Kujawy, Wielkopolska) i podobnie jak w Czechach, coraz bardziej obawiano się na Śląsku rosnącej przewagi gospodarczej i politycznej imigrantów niemieckich.

Henryk Probus reprezentował stary punkt widzenia: cenił swych niemieckich doradców, popierał niemieckich mieszczan, traktując ich jako doskonałych współpracowników w budowie swej potęgi, swego państwa, przyszłego odrodzonego Królestwa Polskiego. Trudno go uważać za Niemca, choć już może językiem niemieckim władał lepiej niż polskim: był Piastem i utrzymanie piastowskiego dziedzictwa leżało mu przede wszystkim na sercu. Tkwił w polskiej tradycji historyczno-politycznej: on to zapewne był zleceniodawcą autora powstającej w tym czasie w Lubiążu ,,Kroniki polskiej". Nie doceniał jednak narastających konfliktów narodowych, powstających codziennie na skrzyżowaniu sprzecznych interesów pnących się niemieckich nuworyszów i spychanych przez nich w cień potomków polskich rodów możnowładczych; polskich kanoników i biskupów i niemieckich duchownych, napływających wraz z kolonistami. Język zaczął gwałtownie urastać do kryterium podziału, biegnącego w poprzek granic dzielnicowych, a zarazem stał się łącznikiem wszystkich jego obrońców w skali ponaddzielnicowej i niezwykle ważnym dla akcji zjednoczeniowej czynnikiem integracyjnym. Nie zrozumiał tego początkowo Henryk, ale zrozumieli jego kościelni przeciwnicy, gdy doszło do wybuchu konfliktu, przybierającego rozmiary nieomal wojny domowej.

Narastający ponownie od 1282 roku spór Henryka z biskupem Tomaszem II o wsie, założone przez biskupów w puszczy granicznej, uważanej przez księcia za swą własność, zaostrzył się w dwa lata później. Książę został wyklęty, ale nie uległ: okazało się bowiem, że biskup nie może liczyć na Śląsku na pełne poparcie kleru. Franciszkanie, premonstratensi, cystersi poparli księcia, podobnie jak inni Piastowie śląscy (poza wrogimi mu górnośląskimi) i większość rycerstwa, a zwłaszcza miasta: we Wrocławiu prześladowano nawet zwolenników biskupa.

Henryk uczynił ze sporu bezwzględną walkę o suwerenność władcy wobec czynników kościelnych: szło już nie tylko o bezprawnie zawłaszczone terytoria książęce, ale także o prawa księcia do władzy zwierzchniej nad ludnością dóbr biskupich, z których biskup chciał sobie zbudować niezależne państewko, oraz o prawo do sądzenia i karania duchownych przez sądy książęce. Skonfiskował biskupią Nysę i Otmuchów, wygnał zwolenników biskupa ze swego księstwa i zabronił w nim stosować zarządzenia biskupie. Tomasz schronił się w Raciborzu, na dworze wrogich Probusowi książąt Mieszka i Przemka.

Ale jednocześnie echa konfliktu zaczęły zataczać coraz szersze kręgi. Ogólnopolski synod w Łęczycy, któremu przewodniczył arcybiskup Jakub Świnka, poparł stanowisko biskupa (styczeń 1285 r.) Uczestnicy synodu, w szczególności Jakub Świnka, nie tylko potępili Henryka, ale uznali wystąpienia antykościelne na Śląsku za wyraz agresji elementu niemieckiego przeciw Polakom. W szczególności potępiono stanowisko franciszkanów śląskich, którzy ,,chcą zrobić z Polski Saksonię'', wprowadzono zarządzenia, zabezpieczające prawa języka polskiego w kościele i szkole.

Spór zaostrzał się coraz bardziej, przybierając na Śląsku często charakter konfliktu narodowego. Duchowieństwo śląskie podzieliło się w zasadzie zgodnie z podziałem językowym, choć nie znaczy to, aby w otoczeniu Henryka nie było duchownych polskich, jak np. prepozyt kapituły wrocławskiej Zbrosław, pozbawiony za to przez biskupa swego urzędu. Dalsze przekształcenie konfliktu w spór językowo-narodowy przyniosłoby ruinę wszystkim planom Henryka. Zacietrzewiony biskup Tomasz usiłował zorganizować na księcia krucjatę; Henryk obległ biskupa w Raciborzu w 1287 roku.

Wtedy doszło do zwrotu w sytuacji. Zwrot ten wiązany jest przez licznych historyków polskich z zabiegami arcybiskupa Jakuba, który miał wpłynąć mitygująco na obie strony. Henryk Probus zrozumiał, że bez poparcia Kościoła polskiego nigdy nie zdoła osiągnąć polskiej korony; być może zdał sobie również sprawę z dalszych konsekwencji rosnących powiązań niemieckiego kleru śląskiego z Rzeszą.

Książę zwolnił skonfiskowane dobra biskupie i dokonał dalszych ustępstw na rzecz Kościoła, co niektórzy historycy odczytują jako katastrofę jego polityki wewnętrznej konsolidacji księstwa. W zamian za to stworzono mu jednak nowe perspektywy w dążeniach do korony: nie miała to być jednak korona z łaski Rudolfa Habsburga. W 1288 roku zmarł książę krakowski Leszek Czarny i Henryk natychmiast wystąpił jako następca: kasztelan krakowski, Sułko z Niedźwiedzia, wydał mu Wawel, a rzeźnicy krakowscy otworzyli bramy miasta. Jest wysoce prawdopodobne, że stało się to dzięki zawartemu w końcu 1287 roku – może za pośrednictwem arcybiskupa Jakuba – porozumieniu o sukcesji między Leszkiem a Henrykiem, choć tezę Oswalda Balzera o powstaniu wielkiej koalicji ,,czterech książąt-jednoczycieli'': Leszka, Probusa, Przemysła II i Henryka Głogowskiego, należy po krytyce Jana Baszkiewicza uznać za sztuczną konstrukcję.

Przeciwko Henrykowi wystąpiły w Małopolsce liczne czynniki: biskup krakowski Paweł z Przemankowa, znaczna część rycerstwa, Bolesław książę płocki, Władysław Łokietek, brat zmarłego Leszka, któremu udało się opanować Sandomierz, wreszcie Lew książę halicki. Łokietek zdołał 26 lutego 1289 roku pobić wojska śląskie pod Siewierzem i chwilowo opanować Kraków.

Henryk był popierany solidarnie przez książąt śląskich: najbliższego mu Henryka Głogowskiego, jego brata Przemka ścinawskiego, który zginął pod Siewierzem, Henryka legnickiego, a nawet jednego z braci pierwszej żony, Bolka opolskiego, który wbrew stanowisku rodziny znalazł się u boku Probusa, a pod Siewierzem ranny dostał się do niewoli Łokietka. Popierały Henryka miasta, z Wrocławiem i Krakowem na czele. W czasie swych krótkich rządów krakowskich Henryk zdążył nadać przywilej lokacyjny Wieliczce. Układ o dziedziczeniu z Przemysłem II wielkopolskim stwarzał Henrykowi szersze zaplecze polityczne.

Tymczasem horyzont polityczny się zaciemniał: Wacław II czeski wystąpił z własnymi pretensjami do Krakowa, a hołd, złożony mu w styczniu 1289 roku przez Kazimierza bytomskiego (jednego z braci nieszczęsnej pierwszej żony Henryka) nie pozostawiał wątpliwości co do zamiarów króla czeskiego wobec aktualnego władcy Wawelu. W sierpniu Wacław ściągnął do Opawy Henryka legnic-

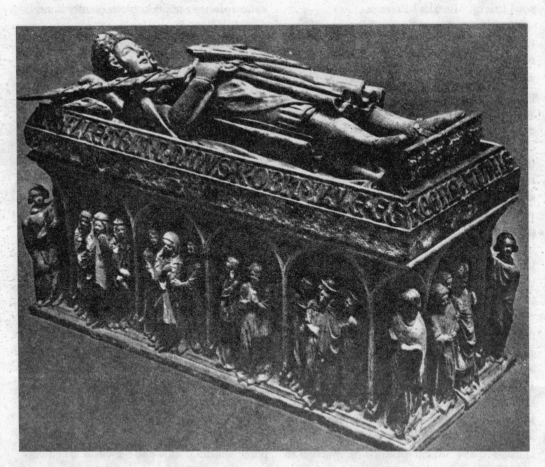

Nagrobek Henryka Probusa

kiego i jego brata Bolka, starając się ich zjednać nadaniami lennymi w czeskich Sudetach, nie wiadomo, z jakim skutkiem.

Kronika Ottokara, której wiadomości odrzucane są przez Randta i część innych historyków niemieckich, podaje, że Henryk czytał w Krakowie żywot św. Stanisława i pod jego wpływem zdecydował się na starania o koronę u papieża. Chodzi tu o tzw. Żywot Większy, w którym zawarte jest proroctwo o zrośnięciu się rozbitego na dzielnice Królestwa Polskiego w ten sam sposób, w jaki cudownie się zrosły rozsiekane członki męczennika. W tym momencie Bóg powoła swego wybrańca, który włoży na swe skronie koronę, przechowywaną w skarbcu katedry wawelskiej.

Jeżeli nawet Henryk nie czytał osobiście tej legendy, to musiał ją znać ze słyszenia (jak znał ją Ottokar). Nietrudno było mu dojść do przekonania, że to on jest wybrańcem bożym, o którym mówi legenda, zwłaszcza skoro zgodził się z tym arcybiskup. Wobec tego wysłał – jak pisze Ottokar – poselstwo do papieża z prośbą o przywrócenie królestwa w Krakowie. Ottokar powiązał także z tym momentem starania o koronę u Rudolfa, tutaj jednak pomieszał sprawy wcześniejsze z ostatnimi miesiącami życia Henryka.

Probus nie doczekał bowiem przywdziania korony. Po krótkiej chorobie zmarł 24 czerwca 1290 roku we Wrocławiu, nie bez podejrzeń o otrucie. W ostatnich chwilach życia pragnął zapewnić kontynuację swego dzieła i ułatwić zjednoczenie Polski. Zapisał księstwo wrocławskie Henrykowi Głogowskiemu, a Kraków Przemysłowi II: ten ostatni miał zostać królem i zostawić po sobie dziedzictwo pierwszemu. Ziemię kłodzką zwrócił Probus Wacławowi, aby zlikwidować możliwy pretekst do jego interwencji w sprawy śląskie. Biskupowi wrocławskiemu w wielkim przywileju oddawał pełnię

praw książęcych w ziemi nysko-otmuchowskiej, aby zapewnić pomoc Kościoła w realizacji swego testamentu politycznego.

Ironia dziejowa chciała, że z wszystkich jego legatów ten jeden tylko został zrealizowany. Przemysł II został wygnany z Krakowa, Henryk Głogowski z Wrocławia. Obaj jednak kontynuowali wytkniętą przez Probusa drogę i Przemysł zdołał dobić się korony. Po Probusie zaś został wspaniały nagrobek, na którym koronowany biały orzeł obok czarnego orła śląskiego jest świadectwem ambicji i dróg rozwoju duchowego Piasta – *minnesängera*, wskrzesiciela myśli o zjednoczeniu Polski.

Kościół Św. Krzyża we Wrocławiu

Benedykt Zientara

PRZEMYSŁ II

,,Roku Pańskiego 1273 szlachetny panicz Przemysł syn zmarłego księcia Przemysła, wkroczył do Sławii (tj. Pomorza Zachodniego – przyp B.Z.), ziemi księcia Barnima, aby zobaczyć pannę, córkę pewnego księcia imieniem Henryka z Wyszomierza (tj. Wismaru w obodrzyckiej ongiś Meklemburgii – przyp. B.Z.), zrodzoną z córki księcia Barnima – i dlatego ten książę trzymał ją u siebie, ponieważ była mu bliska. A gdy ją ujrzał, spodobała mu się jej osoba. I tamże, w kraju wspomnianego księcia Barnima, w mieście Szczecinie, pojął ją za żonę. A stało się to, gdy skończył szesnasty rok życia''.

Tymi słowami wielkopolskiego rocznikarza, w różowych barwach miłości, zaczyna się historia, należąca do najbardziej ponurych w dziejach piastowskiej dynastii. Bohaterką jej jest nieszczęsna Ludgarda, która mimo obcego pochodzenia doczekała się popularności wśród wielkopolskiego ludu, wstrząśniętego jej tragicznym losem. Ale wróćmy do chronologicznego przebiegu wydarzeń.

Przemysł II, syn księcia poznańskiego Przemysła I, tego, który lokował Poznań i zbudował w nim zamek, oraz Elżbiety, córki Henryka Pobożnego wrocławskiego, urodził się 14 października 1257 roku w kilka miesięcy po śmierci ojca. Opiekę nad nim objął stryj, książę kaliski Bolesław Pobożny, który w ten sposób rozciągnął władzę nad całą Wielkopolską. Młody książę pogrobowiec cieszył się wielką sympatią społeczeństwa, czego dowodem są pełne dumy wzmianki rocznikarskie o jego młodzieńczych czynach. Stryj Bolesław,

należący niewątpliwie do najwybitniejszych Piastów swego pokolenia, troskliwie wprowadzał go w arkana polityki, przygotowując do objęcia w przyszłości niemałego dziedzictwa (sam nie miał syna), którym była Wielkopolska, w przeciwieństwie do rozdrobnionych Kujaw i Śląska stanowiąca jednolitą całość. Głównym zadaniem politycznym książąt tej dzielnicy była obrona przed rosnącą agresją brandenburskich Askańczyków. Po okresie niepowodzeń i strat za Przemysłowego ojca, Bolesław Pobożny potrafił powstrzymać napór wroga, a nawet zadać mu dotkliwe straty. Nawiązał przymierze z księciem gdańskim Mściwojem (Mszczujem), który również, i to w jeszcze większym stopniu, narażony był na niebezpieczeństwo ze strony prących ku Bałtykowi Brandenburczyków.

W roku 1272 Bolesław oswobodził opanowany przez nich Gdańsk. Sojusz wielkopolsko-pomorski miał być tamą na drodze ekspansji niemieckiej na ziemie polskie. Dalszym ogniwem tego sojuszu miało być Pomorze Zachodnie, równie zagrożone agresją brandenburską. Dlatego Bolesław postanowił ożenić bratanka z wnuczką szczecińskiego księcia Barnima, Ludgardą.

W tym samym roku, w którym Bolesław odbierał Gdańsk Brandenburczykom, Przemysł stanął po raz pierwszy sam na czele wojska: był dowódcą, zapewne tylko nominalnym, wyprawy, jaką podjęli wojewoda poznański Przedpełk i kasztelan kaliski Janko, na znajdujące się w ręku Brandenburczyków Drezdenko. Wyprawa, która po drodze spaliła Strzelce Krajeńskie i wymordowała ich brandenburską załogę, dopięła celu i odzyskała ważny strategicznie zamek w Drezdenku, strzegący doliny Noteci.

Triumfy polityczne nie przychodziły łatwo Bolesławowi Pobożnemu: zdradził go Mszczuj gdański, a i Barnim szczeciński zawarł odrębny pokój z Brandenburgią. W 1274 roku Brandenburczycy spalili Poznań. Ambitny bratanek nie chciał czekać na dziedzictwo: skupiwszy wokół siebie stronnictwo możnowładcze, zbuntował się i korzystając z trudności stryja, wymógł na nim oddanie dzielnicy ojcowskiej (z Poznaniem). Zamiast pomagać stryjowi w obronie znowu zagrożonych kresów zachodnich, wplątał się w walki między książętami śląskimi, osłabiając w ten sposób akcję antybrandenburską. Mimo to Bolesław Pobożny zakończył panowanie wielkim sukcesem: w roku 1278 dotarł w swej ofensywie aż pod Sołdzin (Myślibórz), a po drodze odebrał zamek w Santoku, ,,klucz Królestwa Polskiego", utracony jeszcze w 1265 roku. W kwietniu roku 1279 zmarł, pozostawiając swą dzielnicę Przemysłowi, który w ten sposób połączył znowu wszystkie ziemie Wielkopolski.

· Samodzielna działalność polityczna Przemysła nie była imponująca. Uwikłany w zatargi książąt śląskich, zadarł z najpotężniejszym z nich, wrocławskim Henrykiem Probusem. Ówcześni Piastowie nie przebierali w środkach działania: do ulubionych metod należało organizowanie rozmów politycznych z przeciwnikami. W ich trakcie przeciwnik zostawał osaczony, uwięziony (w lochu, lub nawet w żelaznej klatce) i zmuszony po krótkim lub dłuższym oporze do odstąpienia spornego terytorium, zapłacenia okupu, uznania zwierzchności itp. Metody takie zapoczątkował Konrad I Mazowiecki w końcu lat dwudziestych XIII wieku; z upodobaniem stosował je stryj Henryka Probusa, a wuj Przemysła II – Bolesław Rogatka książę legnicki, ale i sam Henryk Probus, potraktowany w ten sposób przez stryja, przejął ten system: m.in. w roku 1281 uwięził bohatera niniejszego szkicu i wymusił odeń ziemię wieluńską. Walki książąt przeciągały się w latach następnych, wyczerpując siły obu stron, potrzebne do ważniejszych zadań.

Tymczasem dobiegła tragicznego końca historia Ludgardy. W grudniu 1283 roku zmarła ona w tajemniczych okolicznościach; mimo oficjalnej żałoby księcia i okazałego pogrzebu, wiedziano powszechnie, że księżna została uduszona na rozkaz męża. Bezpłodność Ludgardy napawała bowiem Przemysła obawą, że nie zostawi dziedzica tronu. Jednak, jak pisał Długosz, ,,ani książęca powaga, ani ogłoszony zakaz nie potrafiły usunąć z ust i serc ludzkich oceny jego występku". Piętnastowieczny kronikarz przytacza śpiewane za jego czasów ,,po polsku ułożone za dopuszczeniem bożym niezgrabnie przez wieśniaków pieśni ludowe", według których Ludgarda ,,kiedy przeczuwała, iż mąż przeznaczył ją na śmierć, ze łzami w oczach błagała go, by nie pozwalał odbierać życia żonie i niewinnej kobiecie, ale pomny na cześć dla Boga i honor zarówno małżeński, jak i książęcy, pozwolił ją odprowadzić choćby w jednej koszuli do ojcowskiego domu, a zniesie spokojnie każdy, nawet nędzny los, byleby ją tylko pozostawiono przy życiu". Przez to suche streszczenie przebija głębokie wrażenie, jakie tragedia Ludgardy, nie istniejąca we współczesnych oficjalnych źródłach, zrobiła na poddanych księcia Przemysła.

Zbrodnia Przemysła dokonana została nieomal w tym samym czasie, kiedy na metropolitalną stolicę kościelną w Gnieźnie wstępował nowy arcybiskup – Jakub Świnka, polityk wielkiego formatu. Brak nam informacji, jak arcybiskup odniósł się do czynu księcia, nie znamy treści ich rozmów. Wiemy jednak, że żadne cenzury kościelne nie spadły na żonobójcę: Kościół wziął go wyraźnie w obronę. Jakub Świnka był politykiem, nie moralistą. Zbrodnia Przemysła nie przeszkodziła mu w podjęciu ścisłej współpracy z księciem; mo-

213

że nawet pomogła arcybiskupowi utrzymywać nadzór nad działalnością władcy, obawiającego się stale podjęcia przez Kościół sprawy Ludgardy.

Gdzieś w tym czasie w polityce Przemysła pojawia się zwrot do szerszych koncepcji. Wraca sprawa przymierza antybrandenburskiego, połączona z nadarzającą się okazją do objęcia sukcesji na Pomorzu Gdańskim; wojny z Henrykiem Probusem przekształcają się w przymierze, a wraz z tym coraz wyraźniej rysuje się hołubiony p rzez Jakuba Świnkę plan odrodzenia Królestwa Polskiego. Dziedzictwo Bolesława nie zostało zaprzepaszczone: kłótliwe i awanturnicze książątko dzielnicowe, splamione szeroko komentowaną zbrodnią, wyrasta na odnowiciela Królestwa.

Trwa dyskusja wśród historyków, czy Przemysł sam rozwijał swą świadomość i w trudzie codziennej polityki dorastał do wielkich celów, czy też stał się poręcznym narzędziem wybitniejszej jednostki – arcybiskupa Jakuba?

Pieczęcie Przemysła II według przerysu z XIX w.

Bardzo trudno odpowiedzieć na to pytanie: nie znamy wypowiedzi Przemysła, współcześni rocznikarze bardzo krótko odnotowywali jego działalność, a w późniejszych kronikach życie jego oplotła legenda, wyrosła na blasku przywróconej korony królewskiej i tragizmie śmierci. Natomiast o Jakubie wiemy, że reprezentował nowy nurt społeczny, grupujący duchownych i rycerzy, zaniepokojonych ekspansją imigrantów niemieckich w Polsce, ich rosnącym znaczeniem politycznym i ich interesami, sprzecznymi z interesami Polski. Jakub Świnka widział w tej ekspansji odpowiednik politycznej agresji książąt niemieckich, głównie brandenburskich Askańczyków, na ziemie Polski; jako wielkopolski duchowny obserwował wszak toczące się od dziesięcioleci zmagania Bolesława Pobożnego w obronie granic kraju. W apelu do kardynałów w 1285 roku skarżył się, że „tereny graniczne Polski okupowane są przez książąt niemieckich, którzy to książęta podlegają Cesarstwu i w ten sposób zajęte przez nich ziemie pograniczne stają się częścią Cesarstwa". „Ale i inne nieszczęścia pomnożyły się w kraju przez napływ tego narodu (Świnka ma tu na myśli imigrantów niemieckich w Polsce – przyp. B.Z.), albowiem naród polski jest przez nich uciskany, znieważany, nękany wojnami, pozbawiony chwalebnych praw i zwyczajów ojczystych". Jakub Świnka nie ograniczał się w tym liście do wyliczania nieszczęść Polski i Polaków wynikających z niemieckiej ekspansji na różnych polach. Przemawiał do interesowności Kurii rzymskiej, podnosząc, że Polska stanowi część „ojcowizny św. Piotra" i przez jej uszczuplenie Rzym ponosi realne dotkliwe straty.

Już z tego cytatu widać, że Polska dla Jakuba Świnki to nie jakaś jedna z dzielnic („Polska" w źródłach XIII w. to przeważnie tylko Wielkopolska), ale całość dawnego „Królestwa Polskiego", którego pamięć przetrwała w czytywanych wciąż kronikach i odżyła w legendach, związanych z posiekaniem i cudownym zrośnięciem się członków św. Stanisława, właśnie niedawno kanonizowanego patrona kraju. Zarówno we wspomnianym liście, jak w uchwałach synodów kościelnych Jakub występował także w obronie języka polskiego, nakazując w nim nauczać religii, i zabraniał obejmowania stanowisk w szkołach przez osoby nie znające polskiego. Nie można wątpić, że plan odrodzenia Królestwa Polskiego i uwieńczenia któregoś z Piastów koroną królewską wcześnie powstał w otoczeniu głowy Kościoła polskiego. Kłopot był tylko w tym, że liczba kandydatów do korony w owym czasie co najmniej przekraczała tuzin. Przemysł, jako jeden z najpotężniejszych, zajmował jedno z pierwszych miejsc na ich liście – i tu tkwi zapewne geneza sojuszu politycznego księcia z arcybiskupem.

Stawiając – zgodnie ze Stanisławem Zachorowskim – arcybiskupa ponad księciem wśród budowniczych jedności Polski, nie możemy jednak lekceważyć związków, jakie już dawniej łączyły Przemysła z tradycjami orientacji północno-zachodniej, reprezentowanymi przez Bolesława Pobożnego i wykonawców jego polityki, którzy teraz skłaniali jego dziedzica do kontynuowania tego kierunku.

Otoczenie księcia gdańskiego Mściwoja II, liczące się z jego bezpotomną śmiercią, a nastawione antybrandenbursko, również przyczyniło się do ponownego zbliżenia. Rezultatem jego był układ w Kępnie 15 lutego 1282 roku, w którym Mściwój, darowując formalnie Pomorze Przemysłowi, wyznaczał go swym następcą: od tego czasu książę wielkopolski wielokrotnie występował na Pomorzu, udzielając zgody na różne darowizny Mściwója. Jeżeli nie inne przyczyny, to ten spodziewany wielki nabytek terytorialny, zapewniający Polsce dostęp do morza, skłaniał Jakuba Świnkę do wysunięcia księcia poznańskiego na czołowe miejsce wśród kandydatów do tronu.

Dwa układy zabezpieczały sukcesję gdańską: w 1287 roku w Słupsku Mściwój i Przemysł zawarli przymierze antybrandenburskie z księciem zachodniopomorskim Bogusławem IV; wcześniej, w 1285 roku, Przemysł ożenił się z Ryksą, córką Waldemara króla szwedzkiego, zapewniając sobie sprzymierzeńca za morzem. Z tego małżeństwa doczekał się Przemysł jedynej córki.

Tymczasem droga do korony skomplikowała się, bo na pierwsze miejsce wśród kandydatów wysunął się niedawny przeciwnik Przemysła, Henryk Probus. Arcybiskup Jakub przysłużył mu się pośrednictwem w ugodzie z biskupem wrocławskim Tomaszem, która zakończyła długi i zaciekły spór, wyczerpujący siły śląskiej dzielnicy. Kościół miał zapewne ułatwić Henrykowi starania o koronę, a sama akcja związana była z przewidywanym opanowaniem przez księcia wrocławskiego Małopolski po śmierci tamtejszego władcy, Leszka Czarnego. Zanim Henryk Probus podjął akcję, zawarł układ z Przemysłem o przeżycie: obaj książęta pozbawieni byli sukcesorów.

Sukces Henryka w Krakowie był krótkotrwały: niedługo po opanowaniu zachodniej Małopolski (w Sandomierszczyźnie utrzymywał się brat Leszka, Władysław Łokietek) Henryk umarł 23 czerwca 1290 roku przekazując Kraków i prawa do Małopolski Przemysłowi.

Nadeszła chwila działania Wielkopolan. Przemysł opanował Kraków i zaczął wydawać przywileje dla miejscowych instytucji kościelnych, ale już wkrótce został zmuszony do ustąpienia. Łokietek, popularny wśród niższego rycerstwa, uderzył na Kraków i zniszczył

wszelkie misterne plany najbardziej świadomej celu grupy Piastów. Przemysł nie zdołał mu stawić oporu; opuścił Kraków, ale zabrał ze skarbca katedry insygnia królewskie. Nie stanowił pociechy fakt, że sam Łokietek nie zagrzał miejsca w Krakowie: musiał uchodzić stamtąd przed nowym, znacznie groźniejszym przeciwnikiem – królem czeskim Wacławem. Z tą chwilą obce czynniki wkraczają w spory między Piastami i dzieło odbudowy Królestwa Polskiego staje się trudniejsze i bardziej skomplikowane.

Zrezygnowawszy z Małopolski, Przemysł zawarł dla szachowania Wacława przymierze z książętami kujawskimi: Łokietkiem i jego bratem Kazimierzem (1293). Aktualna stała się sprawa sukcesji pomorskiej. Wiedząc, że największe przeszkody wznoszą tu margrabiowie brandenburscy, Przemysł wszedł z nimi w porozumienie: okazję stworzyła śmierć szwedzkiej żony księcia. Zapewne w 1293 roku Przemysł poślubił Małgorzatę, córkę margrabiego Albrechta III.

W samo Boże Narodzenie 1294 roku umarł Mściwój II. Przemysł był na miejscu i bez przeszkód objął władzę na Pomorzu; tylko kujawscy bratankowie Łokietka i tutaj bruździli w miarę możności. Pierwsza połowa 1295 roku upłynęła na umacnianiu się nowego władcy na Pomorzu: jednocześnie Jakub Świnka zdecydował się nie czekać z koronacją na odzyskanie Krakowa. 26 czerwca tego roku Gniezno stało się widownią uroczystości, na którą Polska czekała dwieście lat: korona Bolesława Śmiałego znalazła się na skroniach wielkopolskiego księcia. Wymowę chwili oddaje świetnie napis, ozdabiający pieczęć majestatyczną nowego króla; ,,Sam Wszechpotężny zwrócił Polakom zwycięskie znaki".

Nowe królestwo było raczej symbolem niż rzeczywistością: władza królewska rozciągała się tylko na Wielkopolskę i Pomorze; nikt z książąt nie był skłonny poddać się autorytetowi monarchy, może tylko Henryk Głogowski, przewidziany w układach między Probusem a Przemysłem na jego następcę, mógł być uważany za sojusznika. W Małopolsce rosła potęga obcego króla, zdecydowanego na dalszą ekspansję w Polsce. Margrabowie brandenburscy nie zrezygnowali z Pomorza, co do którego zgłaszał także pretensje książę Rugii. Wewnątrz kraju jątrzyła opozycja Zarębów i Nałęczów, z których pierwsi już poprzednio spiskowali przeciw Przemysłowi

Zapusty obchodził Przemysł w Rogoźnie. Ostatki były zapewne huczne, skoro nie zauważono obcych ludzi, wkradających się do dworu królewskiego o świcie w środę popielcową, 8 lutego 1296 roku. Zaskoczony we śnie przez zbirów, król chwycił za broń, ale został ranny; pijana straż łatwo dała się obezwładnić. Napastnicy zamierzali pierwotnie uprowadzić Przemysła, ale ponieważ z powodu znacznego upływu krwi nie rokował nadziei na doprowadzenie do miejsca przeznaczenia, porzucili zabitego na drodze.

Wydaje się niewątpliwe, że mordercy działali na zlecenie margrabiów brandenburskich, spośród których obciążano odpowiedzialnością zwłaszcza Jana IV, rodzonego siostrzeńca ofiary. Zbrodnia rogozi·ska przyczyniła się do gwałtownego wzrostu nastrojów antyniemieckich w Polsce: prawdopodobnie ona wpłynęła na odwrócenie się wielkopolskiego społeczeństwa od przewidywanego następcy Przemysła, Henryka Głogowskiego (który otaczał się niemieckimi dworzanami) i wybranie księciem Łokietka, znanego z niechęci do Niemców. Ale uparcie obciążano też winą dwa rody wielkopolskie: Nałęczów i Zarębów, choć historycy do dziś nie mogą znaleźć bezpośrednich śladów ich zdrady.

Śmierć uczyniła Przemysła męczennikiem sprawy zjednoczenia i zadzierzgnęła nić sympatii do niego, przenikającą większość dzieł historycznych. Wyżej wyraziliśmy pewne wątpliwości co do przypisywania wszystkich sukcesów osobistym zasługom króla, który nie reprezentował zbyt wysokich wartości moralnych. Ale politycy rosną często w miarę pojawiających się przed nimi wielkich zadań. Jak trudno porównywać Łokietka – małego awanturnika z lat 1288–1290, psującego wielkie dzieło konsolidacji Polski, z Łokietkiem – twórcą ostatecznego połączenia rozbitych dzielnic Królestwa, tak też nie możemy zaprzeczyć, że i Przemysł z niecierpliwego młokosa, buntującego się przeciw mądremu stryjowi i wplątującego się niepotrzebnie w śląskie awantury, z okrutnika, mordującego niewinną żonę, mógł przekształcić się w wybitnego polityka, realizującego cele najlepszych kręgów społeczeństwa polskiego. Ale jeżeli tak, to i w tym musiał zaznaczyć się wpływ Jakuba Świnki, właściwego przywódcy obozu zjednoczeniowego.

Pieczęć Przemysła II

Benedykt Zientara

WACŁAW II

Było to w końcu sierpnia lub we wrześniu 1300 roku – pamiętnego roku, w którym świat chrześcijański po raz pierwszy obchodził jubileusz: 1300 rocznicę Bożego Narodzenia. Tłumy pielgrzymów ruszyły do Rzymu, gdzie papież Bonifacy VIII, pełen głębokiego przekonania o swym monarszym w chrześcijaństwie stanowisku, umacniał się w decyzji przekształcenia swych pretensji do władzy nad królami w rzeczywiste panowanie.

Inne uroczystości odbywały się w Gnieźnie: oczywiście nie na skalę rzymskich, ale w Polsce robiły wielkie wrażenie. Po raz drugi po przeszło dwuwiekowym okresie Królestwa bez króla arcybiskup Jakub Świnka wkładał koronę na skronie polskiego monarchy. Jakaż jednak różnica w porównaniu z dokonaną pięć lat wcześniej pierwszą koronacją! Wtedy królem zostawał Przemysł II, przedstawiciel prastarej polskiej dynastii, w prostej linii potomek pierwszego króla – Bolesława Chrobrego. Teraz na tronie zasiadł cudzoziemiec, przedstawiciel obcego rodu, łamiąc dziedziczne prawa Piastów do tronu polskiego. Co więcej – dokonał tego za zgodą i wolą społeczeństwa polskiego, które krótko przedtem po prostu wygnało dotychczasowego pretendenta, „dziedzica Królestwa Polskiego", jak się tytułował, Władysława Łokietka.

Aby taki przełom stał się możliwy, konieczne były dwie rzeczy: po pierwsze – znużenie większości społeczeństwa ustawiczną rywalizacją i walką między mnożącymi się Piastami, po drugie – przekonanie, że państwo nie jest związane nieodwracalnie z dynastią, lecz jest

dobrem społeczeństwa (to znaczy, oczywiście, w myśl ówczesnych pojęć, jego klas rządzących). Ta zasada pozwalała przezwyciężyć podziały dzielnicowe i uznać Polskę za całość, w czym pomagała utrwalana przez dziejopisarstwo tradycja o dawnej świetności Królestwa Polskiego oraz szerzące się proroctwa o zbliżającym się zjednoczeniu.

Jednym z nurtów ideowych, towarzyszących tendencjom zjednoczeniowym i walnie je wspierających, była opozycja wobec nasilających się kulturalnych i politycznych wpływów niemieckich. Książęta piastowscy chętnie otaczali się Niemcami, powierzali im ważne urzędy, ufali im często bardziej niż miejscowemu możnowładztwu, licząc na ich wdzięczność. Również w Kościele polskim zarysował się wzrost wpływu imigrantów, a tuż przed Jakubem Świnką dwukrotnie doszło do nominacji Niemców na katedrę gnieźnieńską – kościelną stolicę Polski. Rywalizacja na dworach i w Kościele zaostrzyła przeciwieństwa między miejscowymi możnymi a przybyszami: ci pierwsi zrozumieli znaczenie języka jako czynnika jednoczącego naród, a zarazem pozostawiającego poza jego nawiasem obcych; język ojczysty stał się wartością, cenioną na równi z chwalebną tradycją historyczną, a nawet został uznany za nieodłączną część owej tradycji. Tę właśnie opozycję reprezentował w sposób najbardziej dobitny arcybiskup Jakub Świnka.

Były jednak i inne nurty, związane z tendencją zjednoczeniową, nie akcentujące jednak różnic językowych i obejmujące ludzi różnego pochodzenia. I one nawiązywały do tezy o jednolitości Królestwa Polskiego, ale kładły nacisk na praktyczne korzyści, jakie miało przynieść zjednoczenie: pacyfikację kraju, przywrócenie praworządności, ułatwienie komunikacji i handlu, ujednolicenie praw. W tym sense tendencję zjednoczeniową popierał także niemiecki patrycjat miast polskich.

Poszczególne nurty zjednoczeniowe wiązały swe nadzieje z najambitniejszymi przedstawicielami dynastii piastowskiej i popierały ich starania o przywrócenie monarchii. Dwie pierwsze próby, związane z postaciami Henryka IV wrocławskiego i Przemysła II, zakończyły się jednak tragicznie. Działalność dalszych „jednoczycieli" – Henryka III Głogowskiego i Władysława Łokietka wywołała rosnące rozczarowanie, zniechęcające w ogóle do Piastów. Wtedy coraz więcej oczu zaczęło się zwracać w stronę obcego monarchy, który już od 1289 roku zdobywał sobie oparcie w Polsce. Był to król czeski Wacław II.

Jakie walory upatrywali w Wacławie jego zwolennicy? Potomek prastarej czeskiej dynastii, z wychowania i kultury związany był z niemczyzną, choć trudno go nazwać Niemcem, skoro świadomość jego ściśle zrośnięta była z pochodzeniem z rodu Przemyślidów i z krajem, w którym panował. Niemniej niemieckie mieszczaństwo w Polsce uznało go chętnie za swego i gorąco popierało – oczywiście, dopóki to nie stało w sprzeczności z własnymi interesami. Co ciekawsze, uzyskał Wacław już w 1291 roku poparcie szlachty małopolskiej, która niechętnie widziała w Krakowie wielkopolskiego księcia Przemysła II (władającego tam na mocy testamentu Henryka IV), a następnie pozbyła się awanturniczego Łokietka. Wacław potrafił wykorzystać rosnącą rywalizację między małopolskim a wielkopolskim ośrodkiem tendencji zjednoczeniowych.

Ale dlaczego poparli Wacława rzecznicy obozu antyniemieckiego, zjednoczeni wokół Jakuba Świnki? Argument się znalazł: było nim polsko-czeskie pokrewieństwo językowe. Według czeskiej „Kroniki zbrasławskiej" Polacy sądzili, że dobrze się stanie, jeżeli „zje-

dnoczą się pod jednym berłem i jednym panowaniem ci, którzy niewiele się różnią w narzeczach języka słowiańskiego. Albowiem ci, którzy mówią tym samym językiem, zazwyczaj łączą się bliższymi więzami miłości".

Jakub Świnka wiedział, że Wacława trudno nazwać „szermierzem języka słowiańskiego". Wiedział też jednak, że wśród szlachty i duchowieństwa czeskiego coraz bardziej wzrastają tendencje antyniemieckie, które miały swych zwolenników również w kręgach dworskich, np. w kancelarii, gdzie powstały znane apokryficzne teksty antyniemieckie, nawiązujące do polsko-czeskiego braterstwa. Liczył więc na porozumienie ze zwolennikami tych tendencji. Uważał też, że potężny Wacław ma większe szanse na zjednoczenie Polski niż

Wacław II według miniatury z kodeksu rodziny Manesse

Grosz praski Wacława II (awers i rewers)

którykolwiek z jego piastowskich przeciwników, a samo dzieło zjednoczenia uważał za sprawę ważniejszą niż interes tego czy innego z książąt, których dawniej popierał. Niespodziewanie więc arcybiskup znalazł się w jednym szeregu z mieszczanami krakowskimi i poznańskimi.

Nie tracił jednak nadziei, że zyska wpływ na króla i „nawróci" go do antyniemieckich idei. Już podczas uroczystości koronacyjnych, kiedy niemiecki kapelan króla, Jan Wulfing, wygłaszał kwieciste kazanie łacińskie, arcybiskup, siedząc obok króla, cedził półgłosem obelgi pod adresem oratora, nazywając go „psim łbem niemieckim". Niemiecki autor „Kroniki zbrasławskiej", relacjonując ten fakt (zapewne opowiedziany przez króla), nie pozostał dłużny, twierdząc, że ten, który mówi takie rzeczy, ma język gorszy od psa, ponieważ psi język ma właściwości oczyszczające, zaś język Jakuba sączy truciznę... Takie to bywały polemiki w owe lata.

Kim jednak był nowy monarcha? Matejkowski wizerunek bardzo go postarza: w chwili koronacji miał Wacław 29 lat, zaś dożył tylko 34. Młody król nigdy nie cieszył się jednak dobrym zdrowiem. Miał „trudne dzieciństwo": jego ojciec, król Przemysł Ottokar II, który po zdobyciu Austrii, Styrii, Karyntii i Krainy, wywalczywszy dostęp do Adriatyku, chciał sięgnąć po koronę cesarską, zginął w tragicznej bitwie pod Suchymi Krutami (1278), kiedy Wacław – dziedzic tronu – miał siedem lat. Zwycięzca, Rudolf z Habsburga, zawładnął zdobyczami Przemysła Ottokara z wyjątkiem Czech i Moraw; w Czechach regencję opanował Otton Wysoki, margrabia brandenburski: jego rządy przeszły do historii Czech jako „złe dni", w których miejscowi magnaci rywalizowali z Brandenburczykami w łupieniu kraju. Sam Wacław, uwięziony przez Ottona i trzymany niejako w zastawie, przebywał w Berlinie i Szpandawie, przy czym „opiekun" niezbyt troszczył się o jego wychowanie:

młody król nie miał nawet okazji zapoznać się ze sztuką czytania i pisania, którą już wówczas uważano za pożyteczną dla władcy. W tym to czasie ukształtował się pełen sprzeczności charakter Wacława: wybitna inteligencja łączyła się w nim z bezwzględnością w polityce; chętnie dawał przyrzeczenia i składał przysięgi, które równie łatwo łamał przy zmianie konstelacji. Był miłośnikiem poezji rycerskiej, a podobno nawet autorem wierszy miłosnych w języku górnoniemieckim. Ze szczególnym upodobaniem słuchał epopei rycerskich, a ideałem i wzorcem była dlań postać Aleksandra Wielkiego. Ten ideał i odziedziczone po ojcu ogromne ambicje pchały go później do śmiałych przedsięwzięć politycznych, którym nie mogły sprostać nawet sławne wówczas bogactwa Królestwa Czeskiego.

Pobożny aż do zabobonności, odznaczał się Wacław podejrzliwością i nerwowością, zadziwiającą współczesnych, a łatwo tłumaczącą się przeżyciami dzieciństwa. Nigdy nie przestał się bać burzy i ciemności, nie znosił miauczenia kotów. Stale miotał się między ambicją, która kazała mu rozszerzać granice panowania, sięgać po coraz to nowe ziemie i korony, a świadomością przemijania świata, która pchała go do ascezy. Fizycznie był słaby, choć podobno urodziwy: unikał wysiłku, podróżował mało, a zwłaszcza niechętnie brał udział w wyprawach wojennych.

Kiedy w 1283 roku margrabia Otton za odszkodowaniem zrzekł się regencji, zaś dwunastoletni król mógł wrócić do Pragi, rządy przechwyciła matka Kunegunda, wywodząca się po mieczu z czernihowskich Rurykowi-

Zamek w Będzinie

Wacław II (rzeźba Parlera z katedry Św. Wita w Pradze)

czów, a po kądziéli z węgierskich Arpadów. Wraz z nią objął teraz ster królestwa rycerz Zawisza z Falkensteinu z rodu Witkowiców, który swą postawą polityczną przyczynił się niedawno do katastrofy króla Przemysła Ottokara. Zdaniem niektórych, już za życia męża Kunegunda obdarzała Zawiszę swymi względami, co przyczyniło się do zerwania króla z Witkowicami. Po 1283 roku stał się Zawisza nie koronowanym władcą Czech, a zarazem wychowawcą Wacława: w dwa lata później, w trzy lata po urodzeniu się syna ze związku z Kunegundą, został jej legalnym małżon-

kiem. Witkowice opanowali większość głównych urzędów i dostojeństw w kraju.

Młody Wacław, pozbawiony dotychczas życzliwych ludzi i przyjaciół, przywiązał się do Zawiszy, który wprowadzał go w rzemiosło rycerskie i zawiłe arkana polityki. Nie wiedział zapewne, że opinia o dworze czeskim była w Europie coraz gorsza, a związek Kunegundy z Zawiszą uważano za skandal.

Król rzymski Rudolf Habsburg nadaniem Czech w lenno Wacławowi (1285) potwierdził jego pełnoletność; zgodnie z wcześniejszymi umowami z Kunegundą doprowadził jednocześnie do zaślubin Wacława ze swą córką Gutą. Słabe zdrowie młodego króla budziło wśród Habsburgów nadzieje ∙ na sukcesję w Czechach, toteż Rudolf przymknął oczy na opinię matki pana młodego, biorącej udział w uroczystościach. Ale nie obyło się bez afrontów: Zawisza nie został dopuszczony, a nieletnia jeszcze panna młoda została po ślubie znowu przez ojca wywieziona, aby nie uległa zgorszeniu na zdemoralizowanym dworze.

Wkrótce jednak gwiazda Zawiszy z Falkensteinu przygasła. W tym samym 1285 roku zmarła nagle Kunegunda, a wpływ Zawiszy na Wacława zaczął stopniowo maleć, zwłaszcza odkąd Habsburżanka Guta w dwa lata po ślubie znalazła się wreszcie na stałe u boku męża. Na czołowe miejsce wśród doradców Wacława wysunął się z pomocą Guty biskup praski Tobiasz: jego perswazje obok podszeptów Guty odwracały sympatię króla od Zawiszy, tym bardziej że królewski opiekun starał się zawrócić politykę czeską na tory antyhabsburskie pod hasłem odzyskania strat Przemysła Ottokara II.

Wystarczyła krótka stosunkowo nieobecność Zawiszy w kraju, aby Wacław przeszedł do obozu habsburskiego. Jego zjazd ze szwagrem, Albrechtem austriackim w marcu 1288 roku pod Znojmem stanowi przełom w polityce Wacława. Habsburg wyperswadował mu próby powrotu do ojcowskiego parcia ku Adriatykowi, natomiast obiecał pomoc przy ekspansji w innym kierunku. Zwrócił wzrok Wacława ku Polsce, gdzie dwa tuziny książąt brały się za głowy w walce o poszczególne grody i ziemie, a w najlepszym wypadku o hegemonię. Wacław postanowił wykorzystać nadarzającą się okazję, zwłaszcza gdy niedługo potem zmarł bezpotomnie książę krakowski Leszek Czarny, którego żona była rodzoną ciotką Wacława. Wprawdzie nikt w Polsce nie słyszał o prawnej możliwości odziedziczenia księstwa przez siostrzeńca żony poprzednika, ale chodziło tylko o pretekst, który miał być poparty siłą zbrojną i pieniędzmi. I tak było

wiadomo, że o tronie krakowskim decyduje elekcja przez możnych, a nie piastowski porządek dziedziczenia.

Kraków opanował wprawdzie Henryk Probus, ale za to drobni książęta górnośląscy, pozostający z nim w konflikcie, poparli Wacława. 10 stycznia 1289 roku pojawił się w Pradze Kazimierz bytomski, który poddał swe księstwo zwierzchnictwu lennemu króla czeskiego: w ten sposób ekspansja Czech w kierunku Polski wyszła poza stadium projektów i wpływów politycznych.

W tym samym czasie Zawisza z Falkensteinu, rzecznik przeciwników tej polityki i ówczesny wróg Habsburgów, został zdradziecko uwięziony przez królewskiego pasierba. W półtora roku później spadła jego głowa,

Nowy Sącz lokacyjny, widok z lotu ptaka

odcięta podobno nie mieczem lub toporem, ale zaostrzoną deską. Tragiczna śmierć i awanturnicze życie stały się tematem licznych legend wokół postaci pysznego magnata. Niespokojne sumienie króla Wacława miała ukoić fundacja nowego klasztoru cysterskiego w Zbrasławiu; wdzięczni mnisi w klasztornej kronice postarali się później otoczyć czasy i postać Wacława należytym blaskiem.

W styczniu 1291 roku podjęto przygotowania do wyprawy na Kraków: bracia Kazimierza bytomskiego – Bolko opolski i Mieszko cieszyński, stanęli u boku Wacława. Wyprawa zakończyła się pełnym sukcesem: od 10 kwietnia tytułował się Wacław księciem krakowskim i sandomierskim. Przywileje, nadane w Litomyślu małopolskiemu klerowi i szlachcie, stanowiły mocny fundament panowania króla czeskiego w południowej Polsce. Sukcesy te przypieczętowała w następnym roku wyprawa na Łokietka: osaczony książę nie tylko zrzekł się Małopolski, ale uznał się lennikiem Wacława z Brześcia i Sieradza. Wcześniej jeszcze w Opolu złożyli hołd władcy Opola, Cieszyna i Raciborza. W obozie czeskim znalazł się też Bolesław mazowiecki, który poślubił siostrę Wacława.

Następny akt już znamy: w 1300 roku został Wacław królem całej Polski; Łokietek znalazł się na wygnaniu, a jego kujawscy bracia i bratankowie pospieszyli z hołdem. W 1301 roku wpływ czeski rozszerzył się na księstwa wrocławskie, legnickie i brzeskie na Śląsku, gdzie Wacław został opiekunem małoletnich dziedziców tronu. Od Karpat aż do Bałtyku przejęli rządy czescy starostowie, doprowadzając do uspokojenia kraju – co zgodnie podkreślają niechętni czeskim rządom polscy rocznikarze. Dzieło Wacława miało mocne podstawy. Najważniejszą z nich było przysłowiowe bogactwo króla czeskiego, oparte zwłaszcza na dochodach z eksploatacji srebra w Igławie i Kutnej Horze, ale także z handlu. Dzięki nim mógł Wacław wprowadzić „twardą walutę" – grosz praski. Z pomocą włoskiego teoretyka prawa rzymskiego – Gozzo z Orvieto – skodyfikował prawo górnicze, a nawet planował pełną kodyfikację prawa ziemskiego z ubocznym celem umocnienia władzy królewskiej – co jednak napotkało gwałtowny sprzeciw szlachty; podobnie przyjęto zamiar założenia w Pradze uniwersytetu.

A jednak marzenia o rozszerzeniu państwa na wzór Aleksandra Wielkiego doprowadziły do kryzysu. W 1301 roku Wacław przyjął dla swego jedynego syna Wacława koronę węgierską, stanowiącą przedmiot przetargów po wygaśnięciu dynastii Arpadów. Tą drogą znalazł się w konflikcie nie tylko z Albrechtem austriackim (od 1298 r. także królem rzymskim), ale i z papieżem Bonifacym VIII, popierającym na Węgrzech Karola Roberta, księcia z neapolitańskiej dynastii Andegawenów. Wrogowie Wacława połączyli swe siły: papież zakwestionował Wacławowi nie tylko koronę węgierską, ale i polską, zaś jego węgierscy zwolennicy udzielili poparcia Łokietkowi w zbrojnym powrocie do Polski. Jak gdyby i tego było mało, sięgał Wacław po Miśnię, niemieckie terytorium nad środkową Łabą, co znowu wplątywało go w dalsze konflikty. W 1304 roku z trudem odparł najazd Albrechta Habsburga na Czechy.

Również popularność króla w społeczeństwie czeskim spadała: otoczenie jego składało się głównie z Niemców, i to nie miejscowych, ale ściągniętych znad Renu, ze Szwabii i Bawarii. Obok Piotra von Aspelt, biskupa bazylejskiego, ważną rolę grał w nim Krzyżak Herman von Hohenlohe oraz opaci kilku klasztorów cysterskich, z którymi Wacław szczególnie był związany. Kryzysowa sytuacja pogorszyła jego stan nerwów: od śmierci żony Guty (1297) prowadził tryb życia, określany przez kronikarzy jako rozpustny; nie zmieniło sytuacji nowe małżeństwo z Ryksą, córką i dziedziczką Przemysła II króla polskiego. Z objęć swych licznych dworskich i mieszczańskich kochanek uciekał król raz po raz do ciszy klasztornej, gdzie poddawał się pokucie, połączonej z postami i ostrym biczowaniem. Chorobliwe kolekcjonowanie relikwii miało go uchronić przed nieszczęściami, które nie dały na siebie długo czekać.

Nie dożył Wacław katastrofy swego imperium, nie zrzekł się żadnej ze swych pretensji: w słabych rękach syna zostawił trzy korony królewskie, ale naprzeciw niego – koalicję potężnych wrogów. Na Węgrzech zwolennicy młodego Wacława znaleźli się w zdecydowanej mniejszości; w Polsce Łokietek krążył po ziemi sandomierskiej, docierając pod Kraków. W Pradze, po długiej, niewyjaśnionej chorobie, w której współcześni plotkarze i późniejsi historycy dopatrywali się bądź rezultatów niecnotliwego trybu życia, bądź skutków trucizny, 21 czerwca 1305 roku zmarł Wacław, w habicie cysterskiego konwersa, szepcąc ostatnie modlitwy; władca o nieprzeciętnych zdolnościach i ogromnych ambicjach, który zaprzepaścił stworzone mu przez los wspaniałe możliwości.

Panowanie jego w Polsce budziło i budzi sprzeczne oceny: jedni widzieli tu tylko obcą brutalną okupację, inni – możliwość powstania potężnego państwa słowiańskiego, stanowiącego główny ośrodek polityczny centralnej Europy. Oczywiście, trudno nie dostrzegać, że rządy Wacława w Polsce, wykonywane przez obcych krajowi i często zmieniających się namiestników, zwłaszcza niechętnie widzianych Niemców, musiały być odczuwane jako rosnące brzemię cudzego panowania. Wacław wyraźnie nie ufał swym polskim zwolennikom: jedynie wrocławski Niemiec Jan Muskata, z czasem biskup krakowski, był przezeń używany do służby politycznej także za granicami Polski. Ale jednocześnie panowanie Wacława przełamało proces rozpadu Polski i po raz pierwszy zjednoczyło większość polskich dzielnic pod jednym berłem. Porzuciwszy tytulaturę dzielnicową, Wacław tytułował się po prostu ,,królem Czech i Polski", rozumiejąc pod określeniem Polski wszystkie jej części. Zmuszając do hołdu dzielnicowych książąt piastowskich, wskazał Wacław swym polskim następcom drogę do rozciągnięcia panowania na ziemie, w których bezpośrednio nie władali. Wprowadzona przez Wacława jednolita administracja namiestników królewskich – starostów – także pozostała trwałym osiągnięciem i została rozbudowana później przez Łokietka i Kazimierza Wielkiego. Również reforma pieniądza i prawo górnicze Wacława II miało ogromny wpływ na dalszy rozwój gospodarki i organizacji regaliów.

Benedykt Zientara

WACŁAW III

W długim szeregu królów polskich zabrakło nieomal miejsca dla jednego z nich. Panował on krótko – niespełna czternaście miesięcy – a obszar jego władania stale się kurczył. Nic też nie wiadomo, aby kiedykolwiek w Polsce przebywał. Matejko nie umieścił go w swym ,,poczcie królów", a co gorsza, brak w ogóle jakiegokolwiek współczesnego wizerunku. Tym niemniej – objął władzę jako prawowity dziedzic tronu i był uznawany przez większość ziem polskich za króla Polski. Zasługuje więc na biografię, która będzie bodaj pierwszą polską biografią Wacława III.

Urodził się 6 października 1289 roku jako jedyny syn króla czeskiego Wacława II i jego żony Guty Habsburżanki. Ojciec wiązał z jedynakiem ogromne nadzieje i nieomal od kolebki zaczął snuć dlań szerokie perspektywy polityczne, nawiązując rokowania w sprawie przyszłego małżeństwa i szukając dlań nowych koron królewskich, jak gdyby dwu ojcowskich było za mało.

W początku 1298 roku doszło w Wiedniu do zjazdu Wacława II czeskiego z Andrzejem III węgierskim i Albrechtem austriackim. Zjazd był związany z przygotowaniami do obalenia króla niemieckiego Adolfa, ale przy tej okazji zaręczył Wacław swego dziewięcioletniego syna z córką Andrzeja, Elżbietą. Przyszłe małżeństwo z dziedziczką ostatniego z Arpadów miało młodemu Wacławowi otworzyć perspektywy panowania na Węgrzech.

Sam Andrzej jednak miał trudności z utrzymaniem się na tronie. Silne stronnictwo możnowładcze, popierane przez papieża Bonifacego VIII, przeciwstawiało mu własnego kandy-

data do tronu – neapolitańskiego księcia z dynastii andegaweńskiej Karola Roberta, który poza błogosławieństwem papieskim miał za sobą kredyt wielkiego florenckiego banku Bardich. Karol Robert pojawił się w Splicie w czerwcu 1300 roku, a Chorwacja, stanowiąca wówczas część monarchii węgierskiej, opowiedziała się po jego stronie. Podobne stanowisko zajął prymas Węgier, Grzegorz arcybiskup ostrzyhomski.

14 stycznia 1301 roku Andrzej III zmarł nagle i wydawało się, że Karol bez przeszkód zasiądzie na tronie. Jednak możnowładcy węgierscy, popierający dotychczas Andrzeja, a wśród nich władający na ziemiach słowackich Amadej Aba i Mateusz Czak żądali elekcji. Stronnictwo antyandegaweńskie gwałtownie szukało kontaktów z Wacławem II: potężny a bogaty władca Czech, który świeżo przyozdobił swe czoło również polską koroną i panował nad ziemiami od Dunaju po Bałtyk, wydawał się jedyną alternatywą polityczną. Tylko on mógłby przeciwstawić się papieżowi i Andegawenom. W maju 1301 roku na sejmie w Budzie wybrano królem jego syna, niespełna dwudziestoletniego młodszego Wacława. W Brnie toczyły się następnie układy dworu czeskiego z węgierskimi magnatami. Obawy, że rozległe, ale nieskonsolidowane państwo Wacława II znajdzie się w obliczu nieprzewidzianych trudności, a zwłaszcza ogromnych kosztów, nie przeważyły ambicji króla, który czuł się naśladowcą wielkiego Aleksandra: wszak w ciągu krótkiego czasu zdołał opanować tereny polskie, znacznie przekraczające rozmiarami obszar Królestwa Czeskiego. Opanowanie Węgier, Miśni – może w przyszłości korona cesarska – wszystko to leżało nieomal w zasięgu ręki.

Wacław II przyjął więc ofertę i przekazał syna Janowi, arcybiskupowi Kalocsy, który był kanclerzem węgierskim a zarazem głową stronnictwa antyandegaweńskiego. Ze strony ojca objął opiekę nad młodszym Wacławem towarzyszący mu Jan Muskata, biskup krakowski. 27 sierpnia 1301 roku arcybiskup Jan koronował chłopca (który przy tej okazji przyjął imię Władysława V) w Białogrodzie Królewskim (Székesfehérvár), tradycyjnym miejscu koronacji Arpadów.

Okazało się jednak, że papiestwo potrafiło poruszyć wszelkie siły, skłonne powstrzymać ekspansję Przemyślidów. Legat papieski na Węgrzech, kardynał Mikołaj Boccassini (późniejszy papież Benedykt XI) podkopywał ich stanowisko, grożąc interdyktem; stronnicy Andegawenów zbrojnie, choć bez powodzenia, atakowali Budę i Białogród; papież zakwestionował polską koronację Wacława II, która została dokonana bez zezwolenia Stolicy Apostolskiej.

Nie tu miejsce na opowieść o węgierskim panowaniu „Władysława V", które było właściwie wojną domową, wciągającą Czechy w konflikt o skali europejskiej. 31 maja 1303 roku Bonifacy VIII, uznając się za kompetentnego sędziego w sporze o tron węgierski, przysądził go Karolowi Robertowi: jednocześnie uznał wszystkie przysięgi na rzecz „Władysława V" za nieważne i pod klątwą nakazał wszystkim Węgrom przejście na stronę „prawowitego" króla. Król rzymski (czyli władca Niemiec) Albrecht Habsburg, który czuł się zagrożony przez ekspansję czeską, został przez papieża wezwany do wyparcia Czechów z Węgier. Z kolei Wacław szukał przymierza z królem francuskim Filipem Pięknym. W koalicji antyczeskiej znalazło się też miejsce dla polskiego wygnańca, Władysława Łokietka: ze względu na dość liczne objawy niezadowolenia z czeskich rządów w Polsce stronnictwo andegaweńskie zdecydowało się udzielić Łokietko-

wi pomocy w organizowaniu dywersji na ziemiach małopolskich. Kujawscy krewni Łokietka udzielali mu poparcia, a nawet popadli w zbrojny konflikt z czeskim starostą. Są też ślady zainteresowania samego papieża osobą Łokietka i sprawami polskimi. Wacław II próbował zwiększyć swą popularność w Polsce, doprowadzając 26 maja 1303 roku do uroczystej koronacji swej polskiej żony Ryksy, córki Przemysła II, której dokonał w Pradze biskup wrocławski Henryk z Wierzbna.

Szybki spadek popularności „Władysława V" na Węgrzech i przechodzenie jego stronników do obozu Karola Roberta zmusiło Wacława II do zbrojnej interwencji w 1304 roku. Przeciwnik jednak unikał bitwy, a samym Czechom groził najazd Albrechta; wzmocnienie załóg Budy i Białogrodu nie dawało żadnej gwarancji. Wacław zdecydował się więc na powrót, tym razem zabierając ze sobą syna, ale również węgierskie insygnia koronacyjne (z koroną św. Stefana) i grupę węgierskich magnatów oraz mieszczan budzińskich, traktowanych nieomal jako zakładników. To oburzające Węgrów „świętokradztwo" przyczyniło się walnie do załamania stronnictwa „Władysława V" i przechodzenia dawnych jego zwolenników na stronę Karola Roberta. Jednocześnie Łokietek z pomocą węgierską zaczął umacniać się w Małopolsce, gdzie opanował Wiślicę (1304).

Wacław II odparł wprawdzie najazd Albrechta na Czechy, wspierany od strony Moraw przez Andegawenów, ale Czechy znalazły się w niezwykle trudnej sytuacji politycznej i finansowej. W takiej chwili przyszła choroba i śmierć młodego jeszcze władcy Czech i Polski, 21 czerwca 1305 roku.

Niespełna szesnastoletni „Władysław V", odtąd znowu Wacław, został spadkobiercą obu koron i wszystkich związanych z nimi trudności. Trudno jest ocenić osobistość młodziutkiego króla, bo rządy jego trwały bardzo krótko, a kronikarze dołożyli starań, aby skupić na nim czarne barwy i złożyć nań odpowiedzialność za gwałtowną katastrofę imperium Wacława II, który umarł wystarczająco wcześnie, aby skutki jego polityki ukazały się w pełni dopiero po śmierci.

Surowo oceniono więc usunięcie przez młodego króla na bok doradców ojca z Piotrem Aspeltem na czele; otoczeniu Wacława III, w którym główną rolę grali kanclerz Piotr Angeli i rycerz Rajmund z Lichtenburga, przypisywano demoralizujący wpływ i brak

Kościół NMP w miejscowości Sedlec koło Kutnej Hory

umiejętności politycznych. Porównywano młodego króla z biblijnym Roboamem, który „pogardziwszy radami mądrzejszych i starszych, szukał tylko towarzystwa i rady młodszych i przez to zginął". Przyjacielem Wacława i Rajmunda był rycerz-poeta Henryk z Freiberga, który Rajmundowi, jako wzorowi rycerskości i dworskich obyczajów, dedykował swego „Tristana".

Nowy dwór hołdował swobodnym obyczajom, a pijatyki kończyły się wyprawami do miasta z „polowaniem na dziewczęta"; kronikarz, zbrasławski opat Piotr, widział w tym świadome oddziaływanie otoczenia dla spętania energii młodego króla. Dziś widzielibyśmy tu spontaniczną reakcję chłopca na nagłe zniknięcie wszelkich ograniczeń jego swobody i pojawiienie się możliwości wykorzystywania władzy dla własnych uciech i rozrywki kompanów.

F. Gräbner uznał usunięcie dawnych doradców ojca przez Wacława III za zwrot polityczny w kierunku antyniemieckim, ale pogląd ten nie wytrzymuje krytyki, skoro nowe otoczenie nie było mniej kosmopolityczne (z przewagą Niemców) niż dawny dwór. Nie da się też w polityce Wacława III odnaleźć żadnych elementów ideologii wspólnoty słowiańskiej. Tym niemniej pierwsze kroki młodego króla w polityce były rozsądne. Nie można mu brać za złe zastawiania majątków królewskich, skoro skarb był wyczerpany, a ze wszystkich stron groziły wojny. Natomiast zawarcie w sierpniu 1305 roku pokoju z Albrechtem za cenę zwrotu Chebu (Eger), który stanowił zastawioną królowi czeskiemu posiadłość cesarską, było krokiem rozsądnym, eliminującym przynajmniej jednego z przeciwników. Po tej samej linii poszły decyzje w sprawie Węgier: jesienią 1305 roku „Władysław V" zrzekł się tronu węgierskiego na rzecz kuzyna – Ottona dolnobawarskiego, który obecnie stanął na czele przeciwników Andegawenów; jemu też wydał Wacław węgierskie klejnoty koronne. W ten sposób wyplątywał się z walk na Węgrzech, nie rezygnując z podsycania oporu przeciw Karolowi Robertowi. Wydanie w lutym 1306 r. siostry Anny za Henryka Karynckiego, ostatniego dziedzica Karyntii i Tyrolu, rezerwowało Cze-

chom wpływy na terenach, skąd wyrugowała Przemyślidów ekspansja habsburska.

Najtrudniejsza była sytuacja w Polsce, gdzie panowanie czeskie wyraźnie się zachwiało. Łokietek opanował Sandomierszczyznę i sięgał po Kraków, a nawet, zdaje się, opanował zamek wawelski. Książęta kujawscy stanęli po jego stronie i podjęli walkę z czeskim starostą

Fragment murów miejskich Krakowa

Kujaw, Pawłem z Paulsteina. Ten jednak bronił się dzielnie i do rozstrzygnięcia nie doszło: w styczniu zawarto rozejm w Toruniu. Wielkopolska pozostała wierna Wacławowi, tym wierniejsza, im bardziej Małopolska przechodziła na stronę Łokietka. Ale niektórzy panowie tamtejsi szukali, na wszelki wypadek, kontaktów z Henrykiem Głogowskim i Bolesławem wrocławsko-legnickim: obaj ci książęta tytułowali się „dziedzicami Królestwa Polskiego".

Wacław III troskliwie przygotował wyprawę do Polski. W tym kontekście zapewne trzeba widzieć jego małżeństwo z Wiolą, córką Mieszka cieszyńskiego, zawarte 5 października 1305 roku. Historycy czescy traktują małżeństwo z ubogą księżniczką jako jeszcze jeden wybryk młodego króla, zapominając, jak ważna strategicznie była rola Cieszyna w utrzymaniu Krakowa w rękach czeskich. Nadto małżeństwo z Piastówną, i to z dworu dotychczas mało tkniętego nalotem niemczyzny, miało – być może – powstrzymać ucieczkę polskich stronników Wacława z jego obozu. Mimo wszystko jednak Wacław nie mógł liczyć na własne siły: zwrócił się więc o pomoc do Krzyżaków i Brandenburgii i to pozbawiło go szans w Polsce.

Krzyżacy już od dawna współpracowali z Przemyślidami w umacnianiu ich pozycji na Pomorzu Gdańskim (przeciw najazdowi książąt rugijskich) i na Kujawach. Nie wiemy, jaka była cena ich interwencji na przełomie 1305 i 1306 roku, która doprowadziła do rozejmu toruńskiego. Za to groźne następstwa miały mieć układy Wacława z Brandenburczykami: za Miśnię i pomoc w Polsce gotów był im Wacław odstąpić Pomorze Gdańskie, co też uczynił układem z 8 sierpnia 1305 roku. Układ nie wszedł jednak w życie, bo jeszcze w listopadzie Wacław nadawał przywileje klasztorowi

oliwskiemu: zresztą praktyczna władza na Pomorzu znajdowała się w rękach tamtejszego możnowładczego rodu Święców, którzy pełnili tam funkcję starostów Wacława; dla opanowania Pomorza margrabiowie brandenburscy musieliby wejść w rokowania ze Święcami. Nie wiadomo, w jakim stopniu wiadomość o układach Wacława z margrabiami rozeszła się po Polsce.

W każdym razie wiosną 1306 roku władza Wacława w Polsce stanęła pod znakiem zapytania. Henryk Głogowski wkroczył do Wielkopolski i opanował z pomocą swych zwolenników znaczną część kraju; Bolesław wrocławski zajął Kalisz. Obydwaj znaleźli się w konflikcie z Łokietkiem – i tylko tej rywalizacji zawdzięczał Wacław utrzymanie się jeszcze załóg czeskich w Krakowie oraz niektórych ośrodkach kujawskich i wielkopolskich.

Konieczna była interwencja zbrojna, o ile i tu nie miało dojść do utraty tronu. Nowe pożyczki pod zastaw miały dostarczyć środków na utrzymanie armii, a fundacja nowego klasztoru we Wsetinie na Morawach – przychylność niebios. Ale do wojny nie doszło. W drodze do Polski zatrzymał się Wacław w morawskim Ołomuńcu, gdzie stanął kwaterą w domu komornika morawskiego Albrechta ze Sternberga. W tym domu, w czasie poobiedniego odpoczynku został 4 sierpnia 1306 roku zasztyletowany: otrzymawszy trzy ciosy, zmarł nie odzyskawszy przytomności. Za mordercę uznano niemieckiego najemnego żołnierza, Konrada z Dotensteinu, którego schwytali strażnicy, gdy wybiegał z domu. Ponieważ jednak natychmiast został zabity, nikt nie dowiedział się ani czy to on naprawdę był zabójcą, ani też z czyjego działał polecenia. Zatarciu śladów sprzyjał generalny rabunek mienia królewskiego, którego dopuścili się żołnierze na wieść o śmierci Wacława. Stąd też zgłaszane przez kronikarzy podejrzenia, oskarżające o najęcie mordercy to króla rzymskiego Albrechta, to Władysława Łokietka, nie zasługują na rozpatrywanie. Spisku należy szukać, jak to ukazał Józef Šusta, wśród usuniętych od władzy panów czeskich. Domyślali się tego już w XIV wieku tzw. Dalimil oraz Benesz z Weitmilu. Wierszowana kronika Ottokara styryjskiego opisuje nawet, jak dwunastu czeskich wielmożów rzucało kości, aby los wyznaczył tego, który podejmie się zgładzenia króla. Rzekomym mordercą był według niej niejaki Holen z Wildsteinu: postać ta występuje rzeczywiście w źródłach, ale ostatni raz w 1284 roku. Kronika Ottokara nie zasługuje więc na większe zaufanie niż plotki innych współczesnych.

Tragiczny los młodego utalentowanego króla (poza czeskim i niemieckim znał węgierski i łacinę), który nie mógł rozwinąć swych możliwości, budził w Czechach żal, zwłaszcza że Wacław był ostatnim potomkiem Przemysła, ostatnim władcą z prastarej rodzimej dynastii. Po jego śmierci rozpoczęły się interwencje władców Rzeszy, walki o tron Habsburgów, Luksemburgów i Henryka Karynckiego. Wszyscy potentaci zgłaszali również pretensje do tronu polskiego, te jednak nie były aktualne: Władysław Łokietek i Henryk Głogowski wyeliminowali innych pretendentów i stworzyli dwa kompleksy ziem, mogące stanowić podstawę do zjednoczenia Polski. Śmierć Henryka w 1309 roku umożliwiła Łokietkowi uzyskanie absolutnej przewagi i zjednoczenie Polski. Stało się to możliwe dzięki wygaśnięciu Przemyślidów. Mimo współczucia dla tragicznie zmarłego króla trzeba stwierdzić, że dłuższe jego panowanie spowodowałoby długotrwałe wojny na ziemiach polskich, rujnujące kraj, a zarazem wyczerpujące siły Czech w niepotrzebnej ekspansji do Polski, w której zwolennicy unii stracili znaczenie, a niechęć do obcych rządów zwróciła powszechne sympatie ku piastowskim kandydatom.

Ten królewski życiorys odbiega od innych, dotyczy bowiem króla, który panował nad Polską, ale w czasie swych krótkich rządów w Polsce się nie pojawił. Tym niemniej jednoroczny okres jego rządów zasługuje na przypomnienie, choćby ze względu na to, że jest prawie nieznany: skutki jego, jak choćby transakcja z Brandenburgią w sprawie Pomorza, miały być dla Polski jednak bardzo dotkliwe.

Benedykt Zientara

HENRYK III GŁOGOWSKI

Po tajemniczej śmierci Henryka Probusa w 1290 r. zostało trzech piastowskich kandydatów do dziedzictwa po nim: nie tylko w sensie materialnym, ale także programu politycznego. Trzech kandydatów, z trzech różnych linii piastowskich miało podjąć program zjednoczenia Polski i przywrócenia królestwa: niestety, nie we współdziałaniu ze sobą, lecz w ostrej rywalizacji. A prawie natychmiast wyłonił się czwarty, obcy kandydat – Wacław II czeski, pragnący opanować Polskę na podstawie wątpliwych argumentów prawnych, ale także bardzo realnej siły polityczno-ekonomicznej swego państwa.

Ze wspomnianych trzech Piastów dwaj cieszą się zasłużoną sławą i miejscem w panteonie narodowym: Przemysł II wielkopolski, który pierwszy po dwu wiekach uwieńczył skronie koroną i wkrótce tragicznie zginął, oraz Władysław Łokietek z linii kujawskiej, który zdołał dokonać upragnionego przez wszystkich dzieła zjednoczenia. Natomiast trzeci z rywali, Henryk Głogowski, ostatni książę śląski o ambicjach ogólnopolskich i horyzontach na miarę zamierzeń, uległ zapomnieniu, nie doczekał się ani uznania, ani głębszego zainteresowania ze strony historyków. Nie miał szczęścia, mimo iż zdolnościami nie tylko dorównywał, ale może nawet przewyższał partnerów. Na rozbitym między tuzin książątek Śląsku trudniej jednak było zdobyć siły i środki do szerszych działań, niż w nie podzielonej Wielkopolsce czy Małopolsce. A może to osobiste cechy charakteru nie pozwalały mu skupić wokół

siebie tłumu entuzjastycznych zwolenników? Obok takich cech, jak wytrwałość, zamiłowanie do porządku i gospodarność, można bowiem u niego dojrzeć rys okrucieństwa.

Henryk był synem Konrada, księcia głogowskiego, a wnukiem Henryka Pobożnego, po którym odziedziczył imię. Ojciec jego, przeznaczony początkowo do stanu duchownego, studiował w Paryżu i został, dzięki wpływom swego wuja, króla Czech, wybrany biskupem passawskim. Ale kiedy na Śląsku rozgorzały walki o dziedzictwo między jego starszymi braćmi: Bolesławem Rogatką i Henrykiem, zrzucił suknie duchowne i pospieszył upomnieć się o swój udział. Korzystał przy tym z pomocy książąt wielkopolskich i ożenił się z ich siostrą Salomeą. Z ich też pomocą zdobył sobie dzielnicę głogowską, zmuszając do ustępstw wziętego do niewoli seniora rodziny, Bolesława Rogatkę.

Synem Konrada i Salomei był właśnie Henryk, ale nie wiadomo dokładnie, kiedy się urodził i czy rzeczywiście był najstarszym synem, jak przypuszcza autor „Rodowodu Piastów śląskich", Kazimierz Jasiński. Data urodzenia przypada jego zdaniem na lata 1251–1260. Do dziedzictwa po ojcu sięgali jeszcze dwaj bracia – Konrad i Przemysł, zwany zdrobniale Przemkiem, chociaż pierwszy z nich, znany pod przydomkiem Garbatego, obdarzony już wcześniej kanonikatami kilku kapituł, miał zostać dostojnikiem kościelnym. Mimo to po śmierci starszego Konrada, która nastąpiła w 1273 lub 1274 roku, jego głogowska dzielnica została podzielona na trzy mniejsze: Konrad dostał ostatecznie Żagań, Przemko – Ścinawę, zaś stołeczny Głogów został w ręku Henryka. Trzeba tu dodać, że mimo rozległego obszaru, dzielnica głogowska należała do najsłabiej zaludnionych i najuboższych terenów Dolnego Śląska. Znaczną część jej pokrywały lasy, nie brakło podmokłych ziem, nie nadających się do rolniczego wykorzystania. Dopiero za czasów Konrada i Henryka III rozwinął się ruch lokacyjny; poza Głogowem żadne jednak z lokowanych tu miast (Żagań, Kożuchów, Ścinawa, Szprotawa, Bytom Odrzański, Góra) nie uzyskało większego znaczenia w handlu dalekosiężnym.

Henryk miał decydujący głos w polityce całej trójki synów Konrada, o nim bowiem głównie słyszymy w nielicznych wzmiankach o udziale dzielnicy głogowskiej w szerszych akcjach politycznych. Od początku zbliżył się Henryk do swego imiennika, księcia wrocławskiego Henryka Probusa, i wziął udział, wraz z Przemysłem II poznańskim, w zbrojnej wyprawie przeciw Bolesławowi Rogatce, trzymającemu w niewoli wrocławskiego bratanka. Wyprawa ta skończyła się jednak niepowodzeniem: syn Rogatki, również Henryk, znany później pod przydomkiem Otyłego lub Brzuchatego, zadał niefortunnym obrońcom jeńca klęskę pod Stolcem 24 kwietnia 1277 roku. Po raz pierwszy starli się tu dwaj Henrykowie, których rywalizacja doprowadzi z latami do wzajemnej zaciekłej nienawiści, wywierającej złowrogi wpływ na dzieje Śląska w końcu XIII wieku.

Konflikt został rozwiązany dzięki pośrednictwu króla czeskiego Przemysła Ottokara II, który starał się pogodzić Piastów, a zarazem zjednać ich dla swego obozu w zbliżającym się decydującym starciu z królem rzymskim Rudolfem Habsburgiem. W bitwie pod Suchymi Krutami (Dürnkrut), gdzie w 1278 roku poległ król czeski, wielkie straty ponieśli również posiłkujący go książęta polscy. Przypuszcza się, że był wśród nich Henryk Głogowski.

Acz nie bez trudności, dał się Głogowczyk uzależnić od Henryka Probusa i popierał jego plany polityczne. Początkowo opierał się brutalnemu krewniakowi, który w 1281 roku uwięził go wraz z dwoma innymi książętami i zmusił do układu, stawiającego go w pozycji lennika: Henryk Głogowski miał posiłkować księcia wrocławskiego na każde wezwanie z 30 kopiami rycerzy. Mimo tej niezbyt szlachetnej formy zadzierzgnięcia ściślejszego związku, Głogowczyk pozostał mu wierny, nawet gdy Probus znalazł się pod klątwą biskupa. Książę wrocławski odpłacił mu się za to przekazaniem wykupionego przez siebie z rąk arcybiskupa magdeburskiego Krosna Odrzańskiego, należącego niegdyś do dzielnicy głogowskiej. Na podobnych warunkach weszli w zależność od Henryka Probusa dwaj bracia Henryka Głogowskiego – Przemko i Konrad.

W czasie decydującej walki Probusa z Łokietkiem o Kraków Głogowczycy wspierali go zbrojnie: w bitwie pod Siewierzem 26 lutego 1289 roku, zwycięskiej dla Łokietka, poległ Przemko ścinawski.

Pieczęć Henryka Głogowskiego według przerysu z XIX w.

Wielkie plany Henryka Probusa nie spełniły się. 23 czerwca 1290 roku władca Krakowa i Wrocławia umierał w swym nadodrzańskim zamku, mając przy boku Henryka Głogowskiego, jako najbliższego współpracownika i spadkobiercę. Jemu to przekazał Probus testamentarnie swe śląskie posiadłości, oddając jednocześnie Kraków wielkopolskiemu Przemysłowi.

Dwaj spadkobiercy Henryka Probusa mogli się stać – gdyby zdołali objąć i utrzymać dziedzictwo – najpotężniejszymi książętami polskimi. Gdyby nadto utrzymali jedność działania, to realizacja marzeń Probusa (i coraz większej liczby świadomych politycznie Polaków) – zjednoczenie Królestwa Polskiego – miała wszelkie szanse powodzenia. Henryk Głogowski miał bowiem zostać dziedzicem pozbawionego męskich potomków Przemysła.

Ale losy sprzysięgły się przeciw dziełu Probusa. Jego krakowski następca, Przemysł, miał do czynienia już nie z awanturniczymi wypadami Łokietka, ale z groźniejszym przeciwnikiem – Wacławem czeskim, który bez trudu wyparł go z Krakowa. Również na Śląsku niszczył Wacław dzieło Probusa, mobilizując przeciw niemu u swego boku książąt górnośląskich (bytomskiego, cieszyńskiego, opolskiego) oraz Henryka Otyłego legnickiego i jego brata Bolka jaworskiego. Ale najgroźniejsze było przejście Wrocławia na stronę wrogów Głogowczyka. Miasto – z niewyjaśnionych przyczyn – odmówiło uznania testamentu gorąco dotychczas popieranego księcia, Henryka Probusa, i nie chciało uznać swym władcą Henryka Głogowskiego, który przebywał na Wyspie Tumskiej, w siedzibie biskupa i kapituły. Natomiast w mieście pojawił się przywołany przez mieszczan Henryk Otyły, powitany także z aplauzem przez część rycerstwa. Doszło do formalnej elekcji, a Głogowczyk musiał opuścić Wrocław, zapowiadając zemstę.

Rozpoczęła się długa i niszcząca wojna o dziedzictwo po Probusie, która doprowadziła do całkowitego rozbicia księstwa wrocławskiego. Henryk Otyły, który trzymał się tylko dzięki potędze swej nowej stolicy, musiał odstępować jeden po drugim poszczególne obszary księstwa. Południową część, ze Świdnicą i Ziębicami, odstąpił za pomoc swemu bratu Bolkowi. Na północy wydzierał mu gród po grodzie Henryk Głogowski, który w 1291 roku zmusił Otyłego do oddania Ścinawy (zatrzymanego przez Probusa dziedzictwa po bracie Przemku), Milicza, Trzebnicy i Sycowa z dzielnicy wrocławskiej, a nawet Bolesławca i Chojnowa z legnickiej. Ale na tym się nie skończyło.

Dworzaninem Henryka Otyłego był Lutko, syn Pakosława, niegdyś książęcego marszałka nadwornego. Dworzanin ten pałał ukrywaną nienawiścią do księcia, który swego czasu wydał wyrok śmierci na jego ojca: Pakosław, winny zabójstwa, został publicznie ścięty. Z tym to Lutkiem ułożył Henryk Głogowski spisek, mający na celu porwanie Otyłego. Kiedy książę przebywał w łaźni, Lutek porwał go nagiego i bezbronnego i nocą dostarczył do grodu w Sądowlu, gdzie czekał Henryk Głogowski. „Dostawszy go – opisuje kronikarz Piotr z Byczyny – odprowadził do Głogowa i uwięził w strasznych okowach, chcąc go zmusić do uległości. Kazał zrobić jakby skrzynię z okratowanym otworem, przez który mógł oddychać i pobierać pokarm, i innym, podobnie zabezpieczonym, przez który mógł wydalać kał. W takim zamknięciu trzymał go jak najsurowiej przez 6 miesięcy, tak że na jego biodrach i plecach roiło się robactwo; nie mógł też ani stać, ani siedzieć, ani leżeć z powodu ciasnoty".

Po pół roku takich męczarni zgodził się nieszczęsny więzień układem z 6 maja 1294 roku oddać Głogowczykowi – poza odstąpionym poprzednio obszarem – prawie całe terytorium księstwa wrocławskiego na prawym brzegu Odry z Oleśnicą, Kluczborkiem, Namysłowem, Byczyną i Gorzowem. Obiecał też zbrojną pomoc wojskową w wysokości 100 kopii w ciągu 5 lat. Ponadto zapłacił wykup w wysokości 30 grzywien srebra. ,,Po uwolnieniu – pisze kronikarz – był stale chory i nigdy w pełni nie wyzdrowiał do końca życia". Zmarł zresztą już 22 lutego 1296 roku.

Dwa tygodnie wcześniej zginął tragicznie inny Piast, sprzymierzeniec Henryka Głogowskiego, Przemysł II, który zdołał przez pół roku cieszyć się koroną królewską. Odrodzone Królestwo Polskie było faktem, mimo ograniczenia do Wielkopolski i Pomorza Gdańskiego i mimo stałego zagrożenia od południa przez potęgę Wacława. Dziedzicem zamordowanego króla w myśl jego testamentu był Henryk Głogowski, który też ruszył do Wielkopolski i opanował szereg grodów pogranicznych. Szybszy był jednak Władysław Łokietek, powołany przez rycerstwo wielkopolskie. 10 marca Henryk musiał zawrzeć z nim w Krzywiniu układ pokojowy, w którym zadowolił się zajętą południowo-zachodnią częścią dzielnicy oraz obietnicą dziedziczenia po ewentualnie bezpotomnej śmierci Łokietka.

Układ jednak nie został dotrzymany i stale słychać o starciach między zwolennikami obu książąt. W 1298 roku Henryk dotarł w swej wyprawie do Kościana i przyjął tytuł ,,księcia Królestwa Polskiego", zgłaszając tym pretensje do ideowego dziedzictwa po Przemyśle. 24 czerwca wystawił w Kościanie wielki przywilej na rzecz arcybiskupa Jakuba Świnki, biskupa poznańskiego Andrzeja Zaręby oraz włocławskiego Wisława, co świadczy o porozumieniu

z biskupami, torującymi Henrykowi drogę do korony z pominięciem coraz słabiej trzymającego się Łokietka. Uprzedzając już wypadki, Henryk przyznał Andrzejowi i jego następcom na katedrze poznańskiej wieczyście urząd kanclerski odrodzonego Królestwa.

W owym momencie, gdy Henryk sięgał po koronę, mógł już być pewien, że w przeciwieństwie do Probusa i Przemysła II pozostawi po sobie dziedziców tronu. W 1291 roku poślubił Matyldę, księżniczkę brunszwicką, i rychło doczekał się kilku synów i córek.

Jednak plany z 1298 roku nie zostały zrealizowane. Prawdopodobnie kłopoty na Śląsku wstrzymały akcję Henryka w Wielkopolsce: Bolko jaworski, działając także jako opiekun synów Henryka Otyłego, korzystając z zaangażowania Głogowczyka w sprawy wielkopolskie, odebrał mu Chojnów i Bolesławiec.

Kiedy tak więksi i mniejsi Piastowie mocowali się ze sobą, jedni w walce o wyższe cele polityczne, inni – o powiększenie dzielnicy, Wacław II krok za krokiem umacniał swe rządy w Polsce i powiększał ich obszar. Gdy biskupi wielkopolscy popadli w spór z Łokietkiem i rycerstwo również wystąpiło przeciw małemu księciu, wykorzystał sytuację nie Henryk, lecz Wacław i on to koronował się na króla Polski (1300). Henryk zatrzymał jednak swe zdobycze w południowej Wielkopolsce i, demonstracyjnie używając nadal tytułu ,,księcia Królestwa Polskiego", kwestionował prawa króla czeskiego do tronu polskiego. Był też jedynym poważnym oponentem Wacława w Polsce, od kiedy Łokietek udał się na wygnanie.

Sytuacja Henryka stawała się jednak coraz trudniejsza. Pozyskawszy sobie wrocławian, Wacław objął po śmierci Bolka jaworskiego (1301) opiekę nad małoletnimi synami Henryka Otyłego i z tego tytułu wprowadził do

Wrocławia swych starostów. Najstarszy z dziedziców Otyłego, Bolesław, poślubił córkę Wacława i zamieszkał w Pradze; jednocześnie (1303) wystawił dokument, odstępujący Wacławowi wszystkie ziemie, które ongiś wydarł jego ojcu Henryk Głogowski. Nie ulegało wątpliwości, że król czeski gotuje Henrykowi los Łokietka: transakcja z Bolesławem dostarczała pretekstu do wojny, a księstwo Henryka było ze wszystkich stron osaczone przez posiadłości Wacława i jego brandenburskich przyjaciół.

Tylko zaplątanie Wacława w walkę o tron węgierski, a następnie najazd habsburski na Czechy przeszkodziły w podjęciu akcji przeciw Henrykowi. Tymczasem książę głogowski wzmocnił się przez przyłączenie księstwa żagańskiego po śmierci Konrada Garbatego (1304) i wyczekiwał dalszych kłopotów Przemyślidów, aby podjąć ponownie akcję w Wielkopolsce. Miał tam silne kontakty i wielu sympatyków, toteż już wiosną 1306 roku, równocześnie z uderzeniem Łokietka na Kraków, wkro-

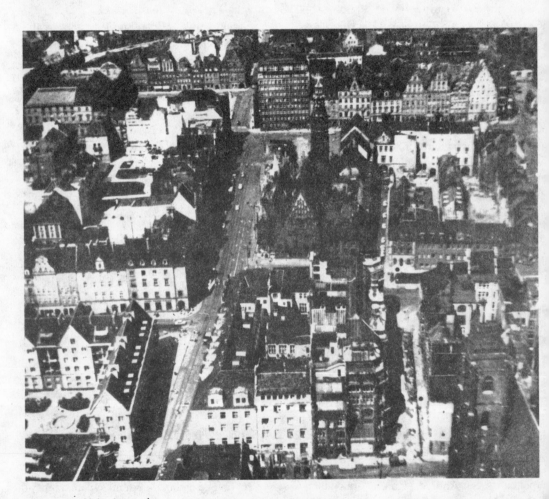

Wrocław, widok z lotu ptaka

czył do Wielkopolski i w czerwcu władał już Poznaniem. Niespodziewana śmierć króla Wacława III, przygotowującego wyprawę na Polskę, uwolniła zarówno Henryka, jak Łokietka, od obaw przed czeskim zagrożeniem.

Uwolniona od czeskich rządów Polska miała aż dwóch pretendentów do tronu, noszących tytuł „książąt Królestwa Polskiego"; chwilowo pojawił się nawet trzeci – Bolesław Hojny, ów syn Otyłego, a zięć Wacława II, który opanował Kalisz i również zgłosił pretensje do „Królestwa", ale rychło został przez Henryka wyparty z Wielkopolski.

Obydwaj przeciwnicy nie atakowali się wzajemnie, próbując się umocnić wewnątrz posiadanych księstw. Henryk zabiegał przede wszystkim o względy miast, udzielając im hojnie przywilejów i dbając o przywrócenie porządku, a przede wszystkim zwalczając rozbój. „Ten był surowy wielce na złodziejów, łupieżców i gwałcicieli" – zapisał kronikarz wielkopolski, ale dodał zaraz z przekąsem: „Ale sam był wielkim wyciągaczem, a nadto niezbyt przyjazny Polakom (tj. zapewne Wielkopolanom – przyp. B.Z.). Ale za jego czasów był w Polsce (Wielkopolsce – przyp. B.Z.) i wszystkich jego ziemiach powszechny pokój".

Zarzucano więc Henrykowi surowe ściąganie podatków i posługiwanie się w Wielkopolsce obcymi ludźmi, zapewne Ślązakami i Niemcami: książę głogowski nie ufał, jak widać, możnym wielkopolskim, którzy w ciągu dziesięciu lat trzykrotnie zmieniali sobie władcę. Niemieccy rycerze w otoczeniu księcia, a zapewne także niemieccy mieszczanie z miast Śląska i Wielkopolski, traktowani byli nieufnie przez rozbudzonych narodowo i coraz bardziej antyniemiecko nastrojonych przedstawicieli wielkopolskiego duchowieństwa i rycerstwa. Jeszcze silniej wzrosła ta nieufność wobec synów Henryka, nie mających jego

Pieczęć Henryka Głogowskiego według przerysu z XIX w.

autorytetu i ulegających we wszystkim dworskiemu otoczeniu.

Henryk nie dobił się korony królewskiej, choć z niej nie zrezygnował. Dopóki żył, nie było pewne, czy on, czy też Łokietek osiągnie cel, o który rywalizowali. Być może w ostatnich latach życia opuściła księcia głogowskiego dawna energia, może był już chory: w każdym razie popierający go dawniej arcybiskup Jakub Świnka znalazł się teraz po stronie Łokietka. 9 grudnia 1309 roku Henryk zmarł, nie urzeczywistniwszy swych planów, a liczni synowie, dzieląc dziedzictwo, doprowadzili do rozbicia tego największego, choć nie najsilniejszego ekonomicznie, księstwa śląskiego. Próbowali także dzielić między siebie Wielkopolskę, przez co postawili się w całkowitej sprzeczności z dążeniami społeczeństwa, tęskniącego do jedności. Nietrudno więc przyszło Łokietkowi wyrugować ich w 1314 roku z tej dzielnicy i przesądzić w ten sposób swe prawo do kierownictwa w dziele odbudowy Królestwa Polskiego.

Jan Baszkiewicz

WŁADYSŁAW I ŁOKIETEK

„Zostawiłby po sobie tylko wielki chaos błędów i konfliktów, gdyby o sprawy narodu polskiego nie zadbał zbawiennie znakomity tytan, jego syn". Taki osąd niemałych przecież dokonań króla Władysława Łokietka przekazał świadek epoki, małopolski rocznikarz. Byłoby zapewne ryzykowne zastanawianie się w tym związku nad charakterem Polaków, którzy w czasach wielkich przełomów są niecierpliwi i oczekują od swej władzy sukcesów stuprocentowych. Zauważmy więc tylko, że historiografia bliska dworom zawsze była skłonna krytykować i pomniejszać poprzedników, aby następcom nadać tym bardziej posągowy wymiar.

A przecież trudno się nie dziwić opinii czternastowiecznego rocznikarza: w naszej świadomości historycznej postać i dzieło Władysława Łokietka zajmują miejsce honorowe. Władca miniaturowego księstwa na Kujawach, którego przeznaczeniem stało się odnowienie Królestwa Polskiego, ani dosłownie, ani w przenośni nie był wprawdzie „znakomitym tytanem", budzi wszakże sympatię i respekt. Na respekt ów zasłużył; nasze sympatie zaś nie są na kredyt, mają one pokrycie w prawdzie narodowej historii.

Nie wiemy dokładnie, kiedy się urodził: może w roku 1260, może na samym początku roku następnego. Jego ojcem był Kazimierz, książę Kujaw, Łęczycy i Sieradza; jego matka Eufrozyna pochodziła ze śląskiej (opolsko-raciborskiej) linii domu piastowskiego. Dziedzi-

ctwo ojca, zmarłego w roku 1267, ulegało skomplikowanym i zmiennym podziałom; książę Kazimierz pozostawił bowiem aż pięciu synów: dwóch dorosłych i trzech paroletnich malców. Pierwsze doświadczenie polityczne Łokietka – rządy w południowej części Kujaw ze stolicą w Brześciu – nie pozostało bez wpływu na jego losy.

Postępujące w drugiej połowie XIII wieku rozproszkowanie polityczne Polski niosło bez wątpienia następstwa dla kraju niekorzystne: pomniejszenie sił władzy monarszej, a zatem i słabszy opór w obliczu obcych inwazji, i przejawy wewnętrznej anarchii. Jednakże podziały dzielnicowe miały również korzystne następstwa. Formowanie się mniejszych dzielnic książęcych sprzyjało ożywieniu aktywności lokalnych, rozwojowi nowych centrów ekonomiki i kultury, szerszemu udziałowi ludzi w życiu społecznym. Nie tylko wielmoże, lecz także rycerstwo i mieszczaństwo żywiej partycypowało w aktywności politycznej. Książęta i dygnitarze dzielnicowi mnożyli swe kontakty tworząc dwory, kompletując ekipy współpracowników, umacniając swe klientele: w ten sposób zapuszczali głębiej korzenie w społeczną glebę swoich dzielnic. Jest to prawda dawniej nie doceniana przez historyków, dziś dla nas oczywista.

Czy nie istniał jednak pewien próg politycznego rozbicia, poza którym – w dzielnicy zbyt małej – skutki ujemne przeważały nad korzyściami? Otóż właśnie Kujawy brzeskie były takim księstwem w kieszonkowym wymiarze. Można się zastanawiać, czy podobne powiatowe rządy nie przyzwyczajały młodego Władysława Łokietka do patrymonialnego sprawowania władzy, do decydowania o wszystkich istotnych sprawach. I można podejrzewać, że gdy terytorium poddane jego władzy powiększyło się wielokrotnie, usiłował on – z najfatalniejszym skutkiem – kontynuować taki styl rządzenia.

Pewne jest, że Łokietek nie należał do książąt, którzy kontentowali się swym skromnym dziedzictwem. Po śmierci braci, Leszka Czarnego (1288) i Kazimierza łęczyckiego (1294), Łokietek skupił w swym ręku prócz południowych Kujaw ziemie sieradzką i łęczycką. Kompleks to rozległy, nie nazbyt wprawdzie zamożny, lecz położony w samym centrum Polski. Łokietek pragnął połączyć z nim inny, najcenniejszy spadek po Leszku Czarnym: Małopolskę. Dwa razy zgłaszał swą kandydaturę: najpierw po wycofaniu się z gry elekta możnych małopolskich, księcia Bolesława płockiego (1289). Przegrał wówczas tę rywalizację o Kraków do księcia wrocławskiego Henryka IV Prawego. Drugi raz zgłosił się po śmierci Prawego (1290). Wypadło wówczas konkurować z wielkopolskim Przemysłem II. Z tej rywalizacji dwóch polskich książąt jako *tertius gaudens* zwycięsko wyszedł król Czech Wacław II; to on objął rządy nad Krakowem.

Czeskie rządy w Małopolsce zbliżyły Łokietka do niedawnego rywala, Przemysła II; w roku 1293 stanęła koalicja tych dwóch książąt. Wydarzenie ważne: oznaczało nawrót do tradycyjnego współdziałania dwóch linii pias-

Brześć Kujawski, widok z lotu ptaka

towskich – wielkopolskiej i kujawskiej. Ale w sojuszu tym Przemysł II górował wyraźnie doświadczeniem, talentem, znaczeniem. Zdołał on połączyć z Wielkopolską Pomorze Gdańskie i wskrzesić koronę królewską. Od 26 czerwca 1295 roku Polska po dwustu latach przerwy znowu miała króla. Tragiczna śmierć Przemysła pół roku później bez wątpienia opóźniła i skomplikowała proces zbierania ziem polskich. Zarazem jednak otworzyła wielką szansę przed sojusznikiem zmarłego, Łokietkiem. Przemysł II nie zostawił syna; na Łokietka tedy padł wybór panów wielkopolskich i pomorskich.

W ten sposób w ciągu ośmiu lat (1288–1296) drobny książę brzesko-kujawski zrobił oszałamiającą karierę. Rządził już ogromnym blokiem terytorialnym (Wielkopolska, Pomorze Gdańskie, część Kujaw, ziemie sieradzka i łęczycka). Co więcej, miał oczywistą perspektywę włożenia korony królewskiej, odnowionej właśnie przez Przemysła. Potwierdzeniem jego ambicji było zgłaszanie roszczeń do Małopolski mimo oczywistej dysproporcji pomiędzy jego możliwościami a siłami Wacława czeskiego.

Rok 1300 przyniósł całkowite załamanie i monarchii Łokietka, i jego politycznych nadziei. Opuszczony przez wielmożów wielkopolskich i pomorskich uległ presji militarnej Wacława II. Monarcha czeski stał się panem wszystkich ziem, rządzonych przez Łokietka, i to on właśnie otrzymał w Gnieźnie koronę jako nowy król Polski (1300). Łokietek znalazł się na wygnaniu; o tym okresie jego życia mamy wiadomości bardzo skąpe i niepewne.

Zamek w Chęcinach

Był sam winowajcą tej politycznej katastrofy. Liczne i zgodne świadectwa potwierdzają, że nie potrafił zarządzać ogromnym obszarem, który mu przypadł. ,,Nie był dobrym szafarzem sprawiedliwości'' – powie później jeden ze świadków tamtych wydarzeń. Nie zdołał stworzyć sprawnej i oddanej grupy współpracowników, skłócił się z poważną częścią wielmożów, w tym z hierarchią duchowną, co zablokowało sprawę jego koronacji. Nie potrafił zaradzić wkradającej się do jego ziem anarchii, poskromić samowoli, łupiestw, bałaganu. Zapewne stało się tak, bo usiłował rządzić wielkim państwem podobnie, jak swymi małymi Kujawami brzeskimi, a to było po prostu niemożliwe. Toteż panowie wielkopolscy i pomorscy dość zgodnie opowiedzieli się przeciw niemu i poparli kandydaturę Wacława II. Ten zwrot ku obcemu dynaście, nawet nie spokrewnionemu z Piastami, ,,naturalnymi panami Polski'', był bez wątpienia m. in. wyrazem rozczarowań do książąt piastowskich jako jednoczycieli kraju. W tym także do Łokietka, do jego talentów, do jego politycznego rozumu.

Podniesienie się z takiej katastrofy jest fenomenem zdumiewającym. Oczywiście, pomogło Łokietkowi nowe rozczarowanie polskiego społeczeństwa, tym razem do rządów czeskich, które nie spełniły pokładanych w nich nadziei. Jednakże Łokietek przede wszystkim sam pomógł swojej sprawie. Miał on tę cechę charakteru, która okazała się niezmiernie ważna dla posuwania się na drodze jednoczenia ziem polskich, drodze ciernistej, powolnej, pełnej trudności i załamań: nie chciał i nie umiał godzić się ze swymi klęskami. Ujawnił tę cechę już w latach dziewięćdziesiątych XIII wieku, w toku rywalizacji o Małopolskę z wielekroć potężniejszym Wacławem II. Naciskany przez potężne siły militarne rezygnował dwakroć z roszczeń małopolskich i przyjmował degradujące go politycznie warunki, by natychmiast po wycofaniu się Czechów warunki te odrzucać i wznawiać swe roszczenia.

Także jako wygnaniec nie stracił wiary w swoją sprawę. Sprzyjało mu nie tylko rosnące, zwłaszcza w Małopolsce, niezadowolenie z czeskich rządów, ale także położenie międzynarodowe stwarzające trudności czeskim Przemyślidom. Już w roku 1304 ziemia sandomierska była pod władzą Łokietka. Ten efektowny powrót dokonał się dzięki węgierskiej pomocy zbrojnej, ale też dzięki .poparciu Łokietka przez wpływowe rody możnowładcze i rycerstwo Sandomierszczyzny. Śmierć Wacława II w czerwcu 1305 roku, a potem zamordowanie jego syna, Wacława III, w sierpniu 1306 roku ostatecznie zrujnowały czeskie rządy w Polsce.

Rękojeść miecza sprawjedliwości, wtórnie koronacyjny miecz królów polskich (awers)

Ale już przed tragicznym zgonem Wacława III rządy te załamywały się całkowicie: uległy likwidacji w Sandomierskiem, na Kujawach, w ziemiach łęczyckiej i sieradzkiej, a także w części Wielkopolski.

Przerwijmy w tym miejscu chronologiczny opis zdarzeń. Stwierdźmy najpierw, że przywrócenie państwowej jedności ziem polskich było podówczas, na przełomie XIII i XIV stulecia, imperatywem politycznym, ekonomicznym i moralnym; badania naszej historiografii nader gruntownie oświetliły ów problem. Przyjmowanie programu jedności państwowej przez opinię społeczną zacząć się musiało od możnych świeckich i duchownych. To oni mieli długą już tradycję wpływania na politykę książąt, doświadczenie w sprawowaniu rządów i środki materialne, których wykorzystanie mogło przeważyć polityczne szale. To oni mogli się skutecznie przeciwstawiać – przez odpowiedni wybór panujących – tendencjom do drobienia dużych dzielnic na małe i słabe formacje polityczne, pozbawione szans w wielkiej grze. Tak właśnie postępowało możnowładztwo Wielkopolski, Małopolski, Pomorza Gdańskiego. I odwrotnie: tam, gdzie słabła polityczna rola polskich wielmożów, a okoliczności sprzyjały rozdrabnianiu dzielnicy – kruszyła się potęga nawet ludnych i zamożnych ośrodków. Tak właśnie stało się na Śląsku, który długo przodował cywilizacyjnie i politycznie dzielnicom Polski książęcej. Upadek wielu śląskich rodów możnowładczych przy jednoczesnej głębokiej penetracji obcego żywiołu przyczynił się walnie do zatraty samodzielnej roli politycznej przez rozdrabniany na coraz mniejsze dzielnice Śląsk.

Jednakże sami tylko możni duchowni i świeccy nie byliby w stanie realizować polityki odnowienia Królestwa. Rękojmią jej sukcesu było świadome wspieranie wysiłków zje-

dnoczeniowych przez szersze środowiska. A więc przez rycerstwo, stanowiące podstawę siły militarnej kraju; przez polskie mieszczaństwo dysponujące niemałymi środkami materialnymi i obronnymi; przez niższy kler z jego możliwościami wpływania na społeczną świadomość. A nawet przez chłopstwo. Chłop, wielki niemowa średniowiecznego społeczeństwa, też nie przyglądał się biernie wewnętrznemu nieładowi i zewnętrznym zagrożeniom; lepsze teraz warunki życia pozwalały mu prostować ramiona, szukać własnego miejsca w społeczeństwie, a nawet pomagać niekiedy aktywnie w dziele politycznej przemiany.

Opinia społeczna w swej podstawowej masie świadoma więc była celu dyktowanego przez interes zbiorowy. Ale rozumny wybór środków wiodących do tego celu, ich uruchomienie i sterowanie całym wysiłkiem zjednoczeniowym – to zadanie politycznego kierownictwa. Możni panowie są sztabem, ale z uwagi na sam charakter celu jak i na siłę zasady monarchicznej na czele stanąć musi polski książę, dobry kandydat do korony. To trudny historyczny egzamin dla piastowskiej dynastii.

Wyznajmy, że było w tej rodzinie wielu kandydatów, którzy wydają nam się wybitniejsi od Łokietka. A więc najpierw jego brat, bezpotomnie zmarły Leszek Czarny, mądry władca Małopolski, ambitny i wrażliwy na problemy ekonomicznego oraz politycznego postępu. A więc wrocławski Henryk IV Prawy: inteligentny, wszechstronny, energiczny, a przede wszystkim mający niebywale wysokie mniemanie o randze monarszej władzy. Zabiegał już o koronę królewską, zmarł jednak bezpotomnie w wieku 32 lat. Podobno otruty. A dalej, odnowiciel Królestwa Przemysł II: odważny, pełen inicjatywy, nie pozbawiony bezwzględności w działaniu. Wygasła na nim zasłużona, patriotyczna linia wielkopolska

Piastów. Jeszcze po upadku czeskich rządów w Polsce z Łokietkiem konkurował inny ambitny władca, Henryk książę głogowski, dzielny, przedsiębiorczy i stanowczy. I on zmarł (1309), zanim rozstrzygnął się los tej rywalizacji. Zostawił pięciu słabych synów, którzy roztrwonili polityczną spuściznę swego wybitnego ojca.

Niewątpliwie, karierze Łokietka ogromnie pomogły te przedwczesne, często bezdziedziczne zgony innych kandydatów do korony królewskiej. Czy jednak można. twierdzić, że jego królewski awans tłumaczy się wyłącznie zbiegiem szczęśliwych okoliczności, zniknięciem ze sceny lepszych od niego pretendentów? Byłoby to twierdzenie ryzykowne.

W osobie Władysława Łokietka w początkach XIV wieku skupiła się bowiem nie tylko tradycja domu piastowskiego, tak dramatycznie osłabionego przez przedwczesne zgony wybitnych władców i wygasanie całych linii. Reprezentował on także istotne wartości, które pozwoliły opinii społecznej uznać w nim dobrego kandydata do korony. Po niefortunnym eksperymencie z rządami Przemyślidów, w obliczu brandenburskiego i krzyżackiego zagrożenia, a także penetracji żywiołów niemieckich na ziemie Polski – książę Władysław przedstawił się jako rzecznik narodowego interesu. Mogła się przy nim skupić patriotyczna solidarność żywotnych sił społecznych, zaniepokojonych przyszłością kraju. O patriotyzmie Władysława Łokietka ludzie tamtych czasów pisali i mówili w sposób całkowicie jednoznaczny.

Był to patriotyzm czynny, wsparty wytrwałością, uporem, szczególną osobistą dzielnością. Jeszcze pod sam koniec życia siedemdziesięcioletni król Władysław przygotowywał i prowadził osobiście wojsko przeciw krzyżackiemu najeźdźcy. Jakże miało nie rozpozna-

wać się w nim polskie rycerstwo? Cnót militarnych, tworzących kodeks i ethos tej warstwy, Władysławowi Łokietkowi nie brakowało w żadnym okresie jego długiego i burzliwego życia.

Gorzej było z jego cywilnymi, by tak rzec, talentami polityka i rządcy. Jednakże klęska z roku 1300 nauczyła go, że nie można rządzić wielkim blokiem terytoriów tak samo, jak miniaturowym księstwem. Gdy ponownie zebrał pod swą władzą główny trzon polskich dzielnic, potrafił skompletować dobrą ekipę współpracowników, w której znaleźli się panowie małopolscy, Kujawianie, a także dygnitarze polskiego Kościoła. Pamięć niefortunnych rządów z lat 1296–1300 utrudniła i opóźniła powrót Łokietka do władzy w Wielkopolsce. Ale książę Władysław zawinił w tamtych latach głównie brakiem stanowczości, nie zaś jakąś arbitralnością w rządzeniu, która kompromitowałaby jego przyszłe stosunki z elitą wielmożów. Z punktu widzenia możnych pa-

Pieczęć majestatyczna Władysława Łokietka

243

Denar Władysława Łokietka

nów Łokietek był – po powrocie do władzy,
jako rządca już doświadczony i dojrzały –
monarchą bardzo odpowiednim. Małopolski
rocznikarz przypisał mu trzy główne cnoty.
A więc wielką łagodność („tylko zmuszony
nakazywał karać kogoś śmiercią"), niezrówna-
ną skromność („wszelki przepych i wyniosłość
były mu zupełnie obce"), wreszcie niezwykłą
cierpliwość („nie umiał nigdy mścić się za
krzywdy, okazywał wielką ludzkość tym, którzy wobec niego zawinili i miał dla nich zawsze
łagodne oblicze"). Dodajmy jeszcze do tego
pobożność i przykładne obyczaje; zupełnie
niepodobny do swego następcy, Łokietek
przeżył czterdzieści lat we wzorowym małżeństwie z Jadwigą, córką księcia Bolesława kali-
skiego.

Władca tego pokroju musiał być miły ambitnym wielmożom, źle znoszącym monarchów arbitralnych i bezwzględnych w działaniu. Czy jednak jego cnoty i przymioty osobiste nie budziły sympatii także szerszych środo-
wisk społecznych? W jego przydomku Łokieć,

Łokietek upatrywać przecież należy nie złośliwość czy lekceważenie, lecz nie pozbawioną
sympatii familiarność.

Zapewne, te cnoty i zalety Łokietka nie
stanowią przymiotów twardego organizatora
nowego politycznego ładu. Niektórzy historycy upatrywali w nich tę poczciwość, która
niebezpiecznie graniczy z naiwnością, słabością, umysłową miernotą. Jednakże pierwszym
celem nie było organizowanie nowego ładu, ale
stworzenie go: należało skupić szerokie siły
społeczne wokół programu odnowienia Królestwa, a także bronić jednoczące się państwo
przed atakami wrogów. Dzielności wojennej
Łokietka w obronie kraju nikt nie kwestionu-
je. A gdyby tak spojrzeć na jego skromność,
łagodność i cierpliwość jak na przejaw przezor-
ności i rozwagi politycznej? Czy nie kryła się za
nimi jasna świadomość, że jedność państwa
jest wciąż niepełna i krucha, że zbierający
ziemie polskie monarcha musi wprzód zdobyć
szeroki społeczny *consensus*, utrwalić swój
wątły autorytet? Hipotezę taką uwierzytelnia
fakt, że po swym powrocie do władzy łagodny
i cierpliwy Łokietek potrafił jednak skutecznie
i stanowczo rozprawiać się z opozycją biskupią
lub rebeliami niemieckich mieszczan. Jego
skromność i wyrozumiałość nie wykluczały
bynajmniej pryncypialności i uporu w dążeniu
do wielkich politycznych celów.

Po upadku rządów czeskich już w roku 1306
skupił Łokietek władzę w Małopolsce, kom-
pleksie sieradzko-łęczycko-kujawskim i na Pomorzu Gdańskim. To inna konfiguracja niż
w latach 1296–1300: nie Wielkopolska, lecz
Małopolska stanowi teraz trzon Łokietkowej
monarchii. Władzę w Wielkopolsce zdołał
uchwycić Henryk Głogowski; tylko wschodnie jej skrawki znalazły się w ręku Łokietka.

Rozchwiała się w ten sposób mająca już
długie tradycje wspólnota polityczna Wielko-

polski i Pomorza Gdańskiego; dla losów Pomorza miało to skutki fatalne. Zagarnął je w latach 1308–1309 zakon krzyżacki. To ciężka porażka polityczna, pociągająca też za sobą poważne komplikacje ekonomiczne. Wobec potęgi Krzyżaków strata na razie nie do odrobienia, brzemienna także w dalsze klęski. Wypadnie czekać półtora stulecia na powrót Gdańska do Polski.

W latach 1311–1312 jeszcze jeden kryzys monarchii Łokietka – bunt niemieckiego patrycjatu Krakowa, który się rozszerzył na niektóre mniejsze miasta Małopolski. Ale możni małopolscy i rycerstwo, ogromna większość kleru, spora liczba mieszczan pozostali przy Łokietku. Krakowski bunt upadł.

Teraz już dwa wielkie sukcesy. Wielkopolska odrzuciła rządy synów Henryka Głogowskiego przyjmując władzę Łokietka (1314), a ogólnopaństwowy zjazd w Sulejowie (1318) sformułował petycję do papieża w przedmiocie koronacji Łokietka. Koronę króla Polski otrzymał on nareszcie w katedrze krakowskiej 20 stycznia 1320 roku.

Ostatnie lata były znowu ciężkie. Nie udało się wykorzystać zamętu w Marchii Brandenburskiej dla odzyskania strat terytorialnych: wyprawa Łokietka z roku 1326 przeciw Brandenburczykom przyniosła nikłe sukcesy. W kampanii tej wykorzystane zostały przez króla litewskie posiłki zbrojne. Propaganda krzyżacka wykorzystywała tę pogańską pomoc w wojnie z chrześcijanami dla opluwania Polski i jej króla. Ale od przejściowych emocji, które ta propaganda mogła tu i ówdzie wzbudzić, ważniejsze się przecież wydaje budowanie mostów do tego sojuszu z Litwą, bez którego nie byłby możliwy Grunwald. Natomiast ostatnie wojny Łokietka z zakonem krzyżackim przyniosły dotkliwe porażki militarne. Nie bez znaczenia była pomoc, jaką

Zakonowi zapewnił król Czech Jan Luksemburczyk. Nie równoważy niekorzystnego bilansu połowiczny sukces pod Płowcami (1331), którego znaczenie dla Polaków mieści się w sferze wyobrażeń zbiorowych. Aż do bitwy grunwaldzkiej potrzebne było pilnie naszym przodkom takie moralne pokrzepienie.

Jednak poskromienie najeźdźców i odzyskanie strat nie były jedynym problemem do pilnego załatwienia. Kadłubowe Królestwo Polskie, odtworzone w roku 1320, obejmowa-

Władysław Łokietek (rzeźba głowy z grobowca w katedrze wawelskiej)

ło tylko dwie główne polskie dzielnice – Wielką i Małą Polskę oraz pomost pomiędzy nimi, kompleks łęczycko-sieradzki, a także ojcowiznę Łokietka, południowe Kujawy. Na Mazowszu, Śląsku, zachodnim Pomorzu, w północnej części Kujaw trwało dzielnicowe rozbicie. Pomorze Gdańskie, ziemia chełmińska, spora część zachodniej Wielkopolski i Ziemia Lubuska były w ręku Krzyżaków oraz Brandenburczyków. Ostatnie wojny z Zakonem przyniosły utratę Kujaw. Królestwo Polskie nie było wyposażone w solidnie zorganizowaną administrację; charakter króla sprzyjał przeróżnym politycznym kompromisom. Nie brakowało w państwie konfliktów politycznych i klasowych, zatargów z wielmożami, zdrad i dąsów możnych pozostawionych na uboczu. Książęta dzielnicowi niechętnie spoglądali na królewski awans Łokietka i, z małymi wyjątkami, nie zamierzali uznać jego zwierzchnictwa.

A przecież w sumie koszt społeczny zjednoczenia Polski był dużo mniejszy niż w niejednym innym kraju; jest w tym zasługa króla Władysława. Co zaś najważniejsze, dokonał się już przełom polityczny: Królestwo Polskie przywrócone zostało na trwałe. Zapewniona została mocna podstawa dla politycznej jedności kraju, w której mogła się uformować i rozwinąć polska narodowa tożsamość.

Król Władysław zmarł w Krakowie 2 marca 1333 roku. Z wawelskiego sarkofagu Łokietka patrzy na nas twarz jasna, bardzo słowiańska, o rysach grubo ciosanych, a przecież nie pozbawiona ani szlachetności, ani majestatu. Spójrzmy na nią z szacunkiem. Jest to twarz człowieka, któremu historia pozwoliła stać się jednym z budowniczych naszej państwowości. I jednym z rządców, o jakich modlił się dla Polski poeta, rządców mocnych w mądrości i dobroci.

Henryk Samsonowicz

KAZIMIERZ III WIELKI

Kazimierz wstąpił na tron w sytuacji, która nie rokowała pomyślnie nowemu władcy. Kraj był zniszczony wojnami i najazdami Krzyżaków, Tatarów, Litwinów, Czechów, Brandenburczyków. Co bogatsze dzielnice – Śląsk, Pomorze, Kujawy – pozostawały w rękach sąsiadów; Mazowsze było lennem króla czeskiego, Jana, który to władca miał pretensje do całej Korony Polskiej. To, co zostało dziedzicowi Łokietka, stanowiło niespójny, skłócony wewnętrznie zlepek dwóch prowincji – Małopolski i Wielkopolski. Różniły je odmienne prawa i obyczaje, różne interesy gospodarcze, wieloletnia tradycja odrębności politycznej, a nawet inne narzecze językowe. Łączyło niezbyt wiele: poczucie wspólnej historii, świadomość przynależności do Korony Polskiej, organizacja kościelna i osoba monarchy z własnej, rodzimej dynastii. W 1333 roku zjednoczenie Polski pozostawało jedynie programem, którego realizacja wymagała wielu wysiłków i pozornie nie rokowała powodzenia, przynajmniej w najbliższym czasie. Brakowało do tego i pieniędzy, i możliwości gospodarczych, silnej armii, kadry fachowców, którzy mogliby poprowadzić dzieło odbudowy Polski. Po dwustuletnim rozbiciu istniało co prawda państwo, ale jego rola w Europie, jego pozycja polityczna i gospodarcza były drugorzędne. Między innymi skutkami powodowało to u polityków ówczesnych nawyk patrzenia na wielką politykę przez pryzmat swojej małej dzielnicy i brak perspektyw, bez posiadania

których niepodobna było zmienić istniejącą sytuację.

Bilans trzydziestosiedmioletniego panowania króla Kazimierza jest zdumiewający. Terytorium państwa wzrosło ponad dwukrotnie, zamieszkiwała je dwuipółkrotnie większa niż na początku panowania liczba mieszkańców. Skarb, co w dziejach Polski nie jest zjawiskiem zwykłym, napełnił się dzięki pomyślnej realizacji różnych poczynań gospodarczych: zakładaniu nowych wsi i miast, modernizowaniu starych, planowemu rozwojowi handlu, górnictwa, usprawnieniu polityki podatkowej, przeprowadzeniu reform monetarnych. Zbudowano około siedemdziesięciu punktów obronnych – zamków i murów miejskich – umożliwiających stabilizację polityczną (zewnętrzną i wewnętrzną), zreformowano wojsko, które zaczęło po dwustuletniej przerwie liczyć się jako poważna siła militarna Europy środkowej. ,,Królik krakowski” – jak go nazywali przeciwnicy w latach trzydziestych XIV wieku – pod koniec panowania wyrósł na arbitra sporów międzynarodowych, równego partnera cesarza, poszukiwanego i cenionego sprzymierzeńca, biorącego aktywny udział w rozgrywkach polityki europejskiej. Wewnętrzna opozycja została stłumiona, podjęto dzieło ujednolicenia prawa wspólnego dla całej Polski. Co ważniejsze, w monarchii Kazimierzowej zmienił się typ Polaka. Nie był już przedstawicielem jednego z bardziej zacofanych zakątków Europy oddalonego od wielkich ośrodków kultury i nauki. Rycerz polski stawał się bliski poziomem i formami życia swoim kolegom z krajów bardziej rozwiniętych. Jego wyobrażenia polityczne zaczęły obejmować coraz to szersze horyzonty. Właśnie w XIV wieku nastąpiły pierwsze zwiastuny charakteryzujące późniejszy ,,złoty wiek” kultury polskiej. Włączenie do Korony Rusi Ha-

Tablica erekcyjna kolegiaty wiślickiej

lickiej wprowadziło nie tylko odmienny element etniczny, ale – co ważniejsze – ideologiczny, religijny. Wtedy właśnie pojawiła się tolerancja religijna, jako konieczny wymóg określający zgodne współżycie różnych systemów kulturowych. Wtedy też Polska zaczęła być wielkim tyglem, w którym mieszały się różne wartości wschodu i zachodu Europy. Dodać by zresztą należało i inne strony świata: w XIV wieku zaczęli do Polski napływać w dużej liczbie – poza Niemcami – Włosi, Żydzi, Ormianie, Wołosi, Flamandowie, a poprzez kontakty z Krzyżakami – Anglicy, Niderlandczycy, Francuzi. Miasta polskie były członkami Hanzy, sięgającej od Inflant po Holandię, a obejmującej wpływami północną i zachodnią Europę. Polska stała się jednym z wygodniejszych szlaków lądowych łączących Bliski Wschód z Niderlandami, Anglią, Francją.

Czy można się dziwić, że Kazimierz był jednym z nielicznych władców (obok bajecznych – tym zawsze łatwiej), którzy przeszli do legendy? Jak konstytucje dawnej Rzeczypospolitej zaczynały się od powoływania na prawo Kazimierzowe, tak i większość pozytywnych informacji o własnej historii odnosi się do XIV wieku. Pojęcia ,,Polski murowanej", ,,króla chłopków" towarzyszą wielu ,,domom Esterki", ,,zamkom Kazimierza Wielkiego". Przy czym – rzecz charakterystyczna – mimo swych niewątpliwych zasług, mimo noszonego przydomka Wielki, polski władca nie stoi w panteonie największych narodowych postaci. Jak złośliwie wyraził się pewien historyk – Kazimierz ani nie umarł za ojczyznę, ani nie wygrał wielkiej bitwy, a co najważniejsze – nie cierpiał. Ten bohater pozytywistyczny nie był dla epoki romantyzmu poszukiwanym wzorcem. Trzeba lojalnie stwierdzić, że miał on wielu niechętnych już 600 lat temu. Lista zarzutów kierowanych pod jego adresem jest dość długa. Wymawiano mu niejednokrotnie błędy w polityce zagranicznej: zrezygnował ze Śląska, zrezygnował z Pomorza, rozpoczął okres ,,niesłusznych ekspansji na Ruś", szedł na pasku polityki węgierskich Andegawenów podporządkowując jej interesy Polski. Wskazywano na ujemne skutki w polityce wewnętrznej: napływ obcych grup etnicznych, pozostawienie schedy Węgrom. Rewidowano poglądy o skutkach jego działalności: w Polsce roku 1370 było mniej zamków niż w dowolnym państwie ościennym, reforma finansowa nie w pełni się udała, podobnie jak niezupełnie jasne są pierwsze lata działalności wszechnicy krakowskiej. Formułowano też zarzuty dotyczące charakteru monarchy: gwałtownik, który utopił księdza Baryczkę, okrutnie głodem zamorzył Maćka Borkowica, uciekinier spod Płowiec, niestały w sojuszach, bigamista czy nawet poligamista. Co innego, że jego przygody miłosne zjednywały mu sympatię, zbliżały do czytelnika jego wizerunek. Ale dla odmiany nie pasowały do dobrego, zapobiegliwego gospodarza, budowniczego, reformatora prawodawcy. Pojawiała się sprzeczność między stereotypami dwóch różnych bohaterów, wykorzystywanych przez historiografię oddzielnie w zależności od okazji.

Niezależnie od oceny osoby Kazimierza nie ulega jednak wątpliwości, że okres jego panowania zamyka się bilansem nadzwyczaj dodatnim. Zapewne sprzyjały temu okoliczności. Wielkie załamanie gospodarcze Europy zachodniej, klęski elementarne trapiące wysoko rozwinięte państwa, spadek dochodów klasy feudalnej spowodowały efekty korzystne dla ziem stanowiących dotychczas odległe peryferie gospodarki, kultury i polityki. Nie były one tak dotknięte kryzysem jak Francja, Anglia czy Nadrenia. Stąd ich rozwój potoczył się inaczej, korzystniej niż starych ośrodków ży-

cia politycznego w Europie. Dzięki temu stały się – chyba po raz pierwszy w dziejach – obszarami atrakcyjnymi dla różnorakich przedsiębiorców. Napływ na wschód ludzi, kapitałów, rozwój górnictwa, produkcji miejskiej, rolnictwa, stanowiły w istotnej mierze efekty tego stanu rzeczy, charakterystycznego dla całej Europy środkowo-wschodniej – od Serbii Stefana Duszana po Danię Waldemara IV i Litwę Olgierda.

Miał więc Kazimierz zadanie częściowo ułatwione. Niewątpliwą jego zasługą była umiejętność wykorzystania sprzyjających okoliczności. Zresztą nie tylko w tym przypadku. Jego działalność w Awinionie i misterne rozgrywki z papieżem, elastyczna polityka w stosunku do rywalizacji dwóch potężnych rodów niemieckich – Luksemburgów i Wittelsbachów – także to potwierdzają. Układy z Krzyżakami, z Luksemburgami stanowiły przykład realizmu politycznego. Nic nie tracąc, król Polski zyskiwał czas i siły na późniejsze działa-

Korona, berło i ostrogi z grobu Kazimierza Wielkiego

249

nia. W dodatku – jak na polityka przystało – traktował owe układy dość swobodnie. Sprawa Śląska regulowana była dość często w latach 1335, 1339, 1348, 1356 układami z królami czeskimi, a zapewne wiązała się z supliką króla do papieża w 1364 roku, wnoszącą o unieważnienie wszelkich przysiąg niekorzystnych dla Królestwa i Kościoła – jak głosiła argumentacja – jakie Kazimierz, zmuszony okolicznościami, musiał złożyć. Jedynym niezłomnym punktem polityki Kazimierza był sojusz z Węgrami. Opłaciło się to Polsce w ciężkich latach po śmierci Łokietka, podczas rywalizacji o Ruś. Inna sprawa, że przejęcie korony przez króla Ludwika po śmierci jego wuja przyniosło Polsce same straty. Wiązało się też z pierwszą wielką falą nastrojów antywęgierskich zakończoną pogromem w Krakowie, już za regencji królowej Elżbiety.

Dalszą niewątpliwie pozytywną cechą osobistą króla Kazimierza była umiejętność doboru ludzi, z którymi mógł realizować swoją politykę przebudowy Polski. Jarosław Bogoria Skotnicki, Janusz Suchywilk, Grzymalita – doktorzy dekretów, Leliwici – Melsztyńscy i Pileccy, Starżowie – Tęczyńscy, Porajowie – Kurozwęccy, a obok nich przedstawiciele drobniejszego rycerstwa robiącego karierę w państwie i dzięki państwu; Florian Mokrski, Janko z Czarnkowa, Jan ze Stróżysk, Jan z Oleśnicy, to byli ludzie króla. Wprowadzeni w arkana wielkiej polityki, świadomi najtajniejszych zamysłów, współtwórcy i współrealizatorzy dzieła, dzięki któremu i kraj stawał się silnym, i oni dochodzili do znaczenia i potęgi majątkowej. Być może, że po raz pierwszy w tym stopniu dobro państwa zostało oddzielone od osobistych interesów władcy. Pewnie,

Zamek w Kole nad Wartą

można dyskutować, czy ludzie ci nie realizowali jedynie małopolskiej polityki. Ale wśród nich znajdowali się także wielkopolanie, wyrośli na działaniu jednoczącym ziemie polskie, przeciwstawiający się starym zasiedziałym rodzinom z Poznańskiego czy Gnieźnieńskiego. Nie jest istotne, kto wpadł na pomysł spisania i zmodernizowania prawa zwyczajowego – Jarosław czy Kazimierz, który chciał pierwszy reformy monetarnej – król, podskarbi Świętosław Pałuka czy któryś z krakowskich żupników – ważne jest, że plany te zostały zrealizowane, zgodnie z potrzebami państwa i życzeniami tych wszystkich, którym chodziło o „jedno prawo i jedną monetę" dla całego królestwa.

Ostateczna decyzja należała do króla i on ponosił odpowiedzialność za jej podjęcie. A nie ulega wątpliwości, że szukał ludzi, którzy wyróżniać się musieli rzeczywistymi umiejętnościami w działaniu. Rzecz ważna – obok Kazimierza nie wyrastali pochlebcy, ludzie robiący karierę na odgadywaniu myśli swego pana. Otoczenie monarchy stanowili politycy realizujący plany przebudowy państwa. Nie zawsze skutecznie, nie wszędzie z równym powodzeniem – ale zgodnie ze zrozumianą i akceptowaną racją stanu. Uniwersytet założony w Krakowie miał dostarczać monarchii fachowców. W pierwszej jego wersji nie było tam nawet miejsca na teologię i na filozofię. Dominować miało prawo (aż 8 katedr), obok niego wykładane były medycyna (2 katedry) i sztuki wyzwolone (1 katedra). Uczelnia miała zapewnić kadry urzędników królewskich, ludzi z wyższym wykształceniem ogólnym, którzy byliby przygotowani do samodzielnych decyzji zgodnych z potrzebami państwa. Za życia Kazimierza wszechnica nie zdążyła się rozwinąć, ale odnowiona przez Jagiełłę stworzyła europejski ośrodek nauki i kultury. Tak

Pieczęć majestatyczna Kazimierza Wielkiego

czy owak, za króla Kazimierza nauka poszła w cenę. Kolejną zasługą władcy było to, że stworzył nową drogę awansu – poprzez wiedzę.

Działalność gospodarcza króla – stosunkowo najczęściej opisywana – podporządkowana była jednemu celowi: uczynienia z Polski kraju bogatego, a jej władcy – zasobnym w gotówkę. W realizacji tego Kazimierz nie krępował się wieloma względami. Sprowadzał fachowców-finansistów – Włochów, Żydów – czuwał nad bezpieczeństwem handlu, wytyczał najkorzystniejsze drogi handlowe. Wychodził z założenia, że bogaci poddani są warunkiem koniecznym, aby bogatym mógł być władca. Stąd też kosztem cudzoziemców popierał swoich. Skarżyli się wrocławianie – poddani czescy, że król nie pozwala im swobodnie jeździć do Lwowa. Odpowiedział król, że zdobył Ruś dla swoich ludzi. Podobnie postępował, kiedy zakazywał używania drogi biegnącej przez mazowiecką Warszawę i domagał się, by korzystać ze szlaku przechodzącego przez jego ziemię. Porządkował wiele innych spraw gospodarczych, zadziwiając długofalowymi inwestycjami, jakimi były lokacje miast i wsi na prawie niemieckim – ujednoliconym dla królestwa od czasów Kazimierza. Tu dowiódł, że potrafił trafnie przewidywać. Lata wolnizny, podczas których nie napływały podatki do kasy królewskiej, opłaciły się z nawiązką, tworząc podstawy rozwoju polskiej gospodarki w następnym stuleciu. Do

dziś korzystamy z sieci osadniczej utrwalonej w zasadniczym zrębie w XIV wieku. Gospodarcze plany królewskie zakrojone były na wiele lat, ale ich efekty okazały się trwałe. Do dziś terminologia prawa górniczego korzysta z ordynacji Kazimierzowskiej wydanej dla kopalni soli.

Jako człowiek na pewno Kazimierz nie przypominał sylwetki z brązu. Nieobce były

Nagrobek Kazimierza Wielkiego w katedrze wawelskiej

mu uczucia takie, jak strach i zawiść. Wiele czasu poświęcał na rozrywki: polowania, uczty, rzeczywiście prowadził bogate życie erotyczne. Bohater skandalów z Węgierką Klarą Zach, Czeszką – Krystyną Rokiczaną, Żydówką – Esterką, miał i sukcesy sercowe na rodzinnym gruncie Krakowa. Pod tym względem też różnił się od swych piastowskich poprzedników w XIII wieku, bądź wstrzemięźliwych z przekonania (Pobożny, Wstydliwy), bądź z musu (Leszek Czarny). Małżeństwa królów traktowane były wówczas jako formy aliansów. Wiele żon miał Jan Luksemburski i Karol IV, ale Kazimierz miał też wiele konkubin i ponoć małżonki morganatyczne. Nie był typem rycerza średniowiecznego, który dla chwały damy swego serca potyka się na turniejach. Nie przypominał dotychczasowych władców-rycerzy, trubadurów. Bliższy był postaciom znanym z czasów późniejszych – francuskiemu Henrykowi IV czy angielskiemu Henrykowi VIII. Był bohaterem czasów nowożytnych, zaplątanym w średniowiecze, a posiadającym jeszcze wiele cech charakteru właściwych dla swojej epoki. Przedstawiciel władzy patrymonialnej – ale w czasach gdy powstawały zręby państwowego publicznego prawa; przedstawiciel fiskalizmu średniowiecznego – ale wprowadzający wczesne formy protekcjonizmu. Chyba był on dobrym przedstawicielem całego społeczeństwa, tkwiącego jeszcze w rzeczywistości drobnych władztw terytorialnych, prawa ziemskiego, prymitywnej gospodarki i jednocześnie wkraczającego w epokę nowej Polski, ujednoliconej monar-chii stanowej i aktywnego jej udziału w gospodarce całej Europy.

Kazimierz budował nową Polskę. Czy wiedział, co tworzył? Wydaje się to nieprawdopodobne. Nie mógł przewidzieć wielonarodowościowej Rzeczypospolitej, sejmu szlacheckiego, koniunktury na polskie zboże. Ale dzięki niemu – czy jego czasom – doszło do tych wszystkich wydarzeń, które określiły dalsze formy bytu społecznego. Zamki budowane przez króla straciły prędko swoje znaczenie militarne, trzeba je było przebudowywać i uzupełniać; główne szlaki handlowe ustąpiły miejsca nowym, o wiele ważniejszym; upadło znaczenie urzędu starosty, zdewaluował się grosz krakowski. Na pewno trwałym dorobkiem epoki, której król Kazimierz był wyrazicielem, było stworzenie nowego społeczeństwa. Nie zawsze działało ono w sposób nowy, ale posiadało otwarty stosunek do zmienianej przez siebie rzeczywistości.

Awansując z trzeciorzędnego kraju na silny organizm polityczny podjęła Polska trud przekształcenia samej siebie. Niezależnie od tego, jak dalece się to udało – po dwustu latach z okładem powstało społeczeństwo polskie zdolne do przystosowania się do zmiennej rzeczywistości, nie zasklepiające się w starych, skamieniałych wzorach życia. Takim był też sam Kazimierz, nie lękający się nowego, niezależnie od tego, czy chodziło o ekspansję na Ruś, czy o odwrócenie przymierzy. Nie bez przyczyny cała dawna Rzeczpospolita powoływała się na jego prawa. A i obecne pokolenia mogą czerpać wzory w jego epoce.

Stefan Krzysztof Kuczyński

SIEMOWIT III MAZOWIECKI

Na genealogii książąt mazowieckich na długo zaciążyła omyłka Oswalda Balzera, wnikliwego przecież badacza powiązań rodzinnych Piastów, autora klasycznej i wciąż nieocenionej monografii tego zagadnienia. Niesłusznie przypisując księciu wiskiemu i rawskiemu Siemowitowi II (zmarłemu rzekomo w 1343 r.) syna Siemowita III (zmarłego w 1345 r., w rzeczywistości zaś identycznego z Siemowitem II), Balzer wprowadził podwójną numerację następnych książąt mazowieckich tego imienia. Autorytet wybitnego mediewisty przesądził, że mimo dokonanego już przed półwiekiem sprostowania Henryka Paszkiewicza, wiele podręczników i tablic genealogicznych do dziś powtarza tę omyłkę, dwukrotnie numerując mazowieckich Siemowitów. W ten sposób Siemowit III, zwany w schyłku życia Starszym, nosi także kolejny numer IV, przysługujący jego synowi, księciu płockiemu.

Podobnie i do ustalonej przez Balzera daty urodzenia Siemowita III wniesiono później korektę, przesuwając ją kilkanaście lat wstecz. Dzisiaj przyjmuje się, że Siemowit III, syn księcia czerskiego Trojdena I i księżniczki halickiej Marii, urodził się najpóźniej w 1313 roku, a brat jego Kazimierz I najpóźniej w roku 1314. Książęta doszli więc wcześniej, niż przypuszczał Balzer, do lat sprawnych. Jakoż za życia ojca (zmarłego w 1341 r.) występują jako współwystawcy wydawanych pod jego imieniem dokumentów, najwcześniej już w 1327 roku.

Pogmatwane dane biograficzne to nie jedyne kłopoty historyka związane z osobą Siemowita III. ,,Porywczy i gwałtowny w całym życiu – charakteryzuje tego władcę Jan Długosz – poddanym swoim i rycerstwu okazywał się surowym i srogim. Dla wszystkich przykry i gnębca, uciskał szlachtę i lud wiejski ustawicznymi daninami, dowozami i różnego rodzaju wydzierstwy, ażeby ze zwykłą sobie mógł występować hojnością i pieniądze rozpraszać na niepotrzebne wydatki". Wybitnie nieprzychylna opinia dziejopisa, przejęta przez starszą historiografię, potwierdza istotnie rządy twardej ręki i popędliwy charakter Siemowita III, przesłania jednakże niemało konstruktywnych dokonań tego księcia zarówno w zarządzie wewnętrznym jego dzielnicy, jak i w stosunkach na zewnątrz.

Mazowsze, które na skutek separatystycznej polityki jego książąt znalazło się poza zjednoczonym państwem polskim, w pierwszej połowie XIV stulecia stało się przedmiotem rozgrywek politycznych, w których zaangażowane były Polska, Czechy, państwo krzyżackie, Litwa i Ruś. Nie stanowiło też jednolitego organizmu politycznego. Po krótkotrwałym scaleniu w końcu XIII wieku przez Bolesława II płockiego uległo podziałowi między jego synów. Ten stan rzeczy utrzymał się i w następnym pokoleniu, kiedy po śmierci Siemowita II rządzili trzej młodzi książęta, jego bratankowie. Dzielnicę czerską z ziemią warszawską, poszerzoną po śmierci stryja o ziemię rawską, objęli niedziałem, tj. pozostając we wspólnocie, bracia Siemowit III i Kazimierz I Trojdenowice; w wystawianych wspólnie dokumentach tytułowali się książętami mazowieckimi, panami czerskimi i rawskimi. W dzielnicy płockiej rządził zaś Bolesław III, syn Wacława (Wańki), któremu dostały się też ziemie sochaczewska i wiska. Książę ten, podobnie jak jego ojciec, był związany hołdem lennym z Czechami. Związki polityczne książąt płockich z czeskimi Luksemburgami, jak również ich przychylna Krzyżakom postawa, poważnie oddalały ich od polskiej racji stanu.

Tymczasem w stosunkach z Krzyżakami Korona zaczęła dochodzić swoich praw przed sądem papieskim, próbowała też działań dyplomatycznych. Pewną rolę odegrali w tych wydarzeniach i mazowieccy Piastowie, zbliżając się do stanowiska króla polskiego. Ojciec obu Trojdenowiców użyczył gościny sądowi papieskiemu, który wyznaczył swą sesję do Warszawy, rosnącego w znaczenie ośrodka miejskiego Mazowsza. W 1339 roku zapadł tu korzystny dla Polski wyrok, zawieszony jednak przez Rzym. Cztery lata później doszło w Kaliszu do zawarcia „wieczystego pokoju" króla z Krzyżakami, mocą którego Zakon utrzymał się w posiadaniu Pomorza Gdańskiego, musiał jednak zwrócić Kujawy i Dobrzyń. W związku z tym książęta mazowieccy – żyjący jeszcze Siemowit II wiski, Bolesław III płocki i występujący samodzielnie, bez brata, Siemowit III czerski, byli zmuszeni zrzec się na żądanie Krzyżaków swych praw do Pomorza. Świadczy to, że w oczach Zakonu uchodzili wówczas za adherentów króla polskiego i Korony.

Stosunki wewnętrzne na Mazowszu rychło jednak poróżniły książąt, spowodowały też odejście Siemowita III od Kazimierza Wielkiego. Nierówny po śmierci Siemowita II podział dzielnic stawiał w korzystniejszej sytuacji Bolesława III płockiego, który też nie zrywając zależności lennej od Czech, pozyskał sobie przychylność Kazimierza Wielkiego zapisując mu swą dzielnicę w razie bezpotomnej śmierci. Pozbawieni perspektywy na uzyskanie stanowiącego integralną część Mazowsza księstwa płockiego Trojdenowice postanowili szukać

Pieczęć herbowa Siemowita III

innego protektora. Znaleźli go w osobie Karola IV czeskiego i w latach 1346–1348 zostali jego lennikami.

Zbliżenie Kazimierza Wielkiego z Karolem IV przekreśliło nadzieje książąt czerskich pokładane w osobie władcy Czech. W nieznanych okolicznościach zerwali krótkotrwałe więzy łączące ich z Czechami i przeszli na stronę króla polskiego.

W ten sposób wszyscy trzej książęta mazowieccy oderwali się od Luksemburgów i nawiązując współpracę z Kazimierzem Wielkim weszli w strefę jego polityki. W maju 1350 roku doszło do zjazdu króla z Siemowitem III i Kazimierzem I (a może i Bolesławem III) w Sulejowie, gdzie obradowano zapewne nad sposobem zabezpieczenia się od Litwinów nękających zbrojnymi wyprawami Mazowsze. Wówczas to, najpóźniej wiosną 1350 roku, Siemowit III i Kazimierz I, a prawdopodobnie i Bolesław III, stali się lennikami króla polskiego. W związku z tym dla podkreślenia wspólnego pochodzenia dynastycznego, a zarazem jako lennik króla polskiego, Siemowit III wprowadził na swą pieczęć monumentalny wizerunek orła piastowskiego, pozbawionego wszakoż nie przysługującej księstwu korony, w miejsce używanego dotąd znaku skrzydlatego smoka jako godła dzielnicy czerskiej.

Zapewne niedługo potem Trojdenowice, występujący dotąd w niedziale, usamodzielnili się: Siemowit III jako pan na Czersku, a Kazimierz I jako pan na Warszawie. W stolicach ich księstw istniały okazałe zamki – starszy czerski i o nowszej metryce warszawski, o którego naprawy już wtedy zadbał Kazimierz I. Rządząc osobno bracia prowadzili wspólną politykę na zewnątrz. Głównym jej celem było teraz porozumienie z Kazimierzem Wielkim.

Swe zobowiązania lenne obie strony udokumentowały udziałem w akcjach przeciw Litwinom w latach 1350 i 1351: król z obowiązku obrony swych wasali, książęta mazowieccy jako jego lennicy, zaangażowani w wyprawach tym więcej, że występowali w obronie własnych zagrożonych dzielnic. Drugą wyprawę litewską Bolesław III płocki okupił życiem nie pozostawiając potomka. Zgodnie z poczynionym zapisem król objął dzielnicę płocką, z której Siemowitowi III i Kazimierzowi I, swoim „synowcom", jak ich nazywa w stosownym dokumencie, wydzielił ziemię sochaczewską jako lenno. W wypadku bezpotomnej śmierci króla książęta mieli być zwolnieni z lenna i – co nie mniej ważne – mieli otrzymać dzielnicę płocką. Objęli ją zresztą wcześniej, już w 1352 roku pod zastaw 2 tys. grzywien potrzebnych królowi na wyprawę przeciwko Litwie. W 1355 roku król, zapewne spławiwszy swe zobowiązania, na powrót objął Płock.

Przedstawione tu w skrócie wypadki układają się w logiczny ciąg wydarzeń, które siłą rzeczy musiały doprowadzić do przełomu w nie najlepszych dotąd stosunkach Polski z Mazowszem i kooperacji króla z mazowieckimi Piastami. Aleksander Swieżawski słusznie stwierdza, że w ówczesnym układzie sił politycznych w naszej części Europy była to współpraca obustronnie korzystna. Czasowe wcielenie dzielnicy płockiej do Korony usuwało groźbę dywersji luksemburskiej na gorącym pograniczu polsko-krzyżackim. Dodajmy: pozwoliło też uczestniczyć tej dzielnicy – prawda, że krótko – w opartym na protekcjonizmie królewskim rozwoju gospodarczym ziem polskich i przyczyniło się do wzrostu poziomu kultury materialnej na jej terenie (widomy efekt – to wyznaczenie przez króla funduszów na budowę murów miejskich Płocka). Nadanie Trojdenowicom ziemi sochaczewskiej w lenno włączało Mazowsze w polski system obronny i uniemożliwiało opowiedzenie się jego władców za przeciwnikami króla w wypadku konfliktu z Litwą czy Zakonem. Z drugiej strony książęta mazowieccy pozyskiwali opiekę królewską i pomoc w razie obcego najazdu, bardziej realną od efemerycznej pomocy czeskiej. Czasowy charakter stosunku lennego, zawartego tylko na okres życia króla, i perspektywa odzyskania Płocka, gdyby niemłody już król nie pozostawił męskiego potomka, stwarzały zaś nadzieję, że książęta staną się suwerennymi władcami całego Mazowsza.

W stosunkach z Trojdenowicami inicjatywa przyjaznego ich ułożenia wyszła od króla Kazimierza, a uwieńczenie jej powodzeniem było niemałym sukcesem władcy polskiego. Ale i książętom nie można odmówić dobrej woli unormowania tej zasadniczej wszak dla przyszłości Mazowsza sprawy. Obaj zrozumieli z pewnością konieczność oparcia się o silnego sąsiada, rządzącego w dobrze rozwijającym się państwie, monarchę, z którym ponadto łączyły ich bliskie związki krwi. Z obu braci pierwszoplanowa rola w tej akcji przypadła niechybnie starszemu Siemowitowi. Już od początku rządów przedstawia się on jako realista w stosunkach na zewnątrz, acz o dużych ambicjach politycznych i wysoko pojętym poczuciu prestiżu.

W końcu 1355 roku przedwcześnie umarł Kazimierz I warszawski. Król polski oddał wówczas w lenno Siemowitowi III, jako jedynemu przedstawicielowi mazowieckiej gałęzi Piastów, pozostałą po bracie dzielnicę z ziemią warszawską oraz grody Ciechanów, Sochaczew, Wiskitki, Nowogród i Nowydwór. W dokumencie królewskim znalazło się też przyrzeczenie Siemowitowi III Płocka wraz z całą ziemią po śmierci króla, a po jego stryjence Elżbiecie Wacławowej także Wyszogrodu i Płońska, które trzymała jako oprawę. Trzy lata później król, ponawiając obietnicę zwrotu Płocka, nadał Siemowitowi III prawem dziedzicznym, bez obowiązku lennego Zapilcze, oderwane wcześniej od Mazowsza i przyłączone do ziemi sandomierskiej.

W ten sposób Siemowit Trojdenowic stawał się jeszcze za życia Kazimierza Wielkiego jedynym władcą sporego obszaru ziem mazowieckich, uszczuplonych wprawdzie o dzielnicę płocką i oprawę księżnej Elżbiety, lecz z ekspektatywą objęcia ich pod swoje rządy i całkowitego uniezależnienia się od Korony. Jeśli nie zaspokajało to jeszcze jego ambicji, to przecież pozostał lojalnym lennikiem króla polskiego. Docenił to Kazimierz Wielki wciągając księcia mazowieckiego do współpracy na różnych odcinkach życia politycznego. Spotyka się więc z Siemowitem III, zapewne służy mu swą radą, zaprasza go do udziału w ważniejszych spotkaniach „na szczycie", jak w sławnym zjeździe monarchów w Krakowie w 1364 roku. Za Kazimierzem Jasińskim można przyjąć nato-

miast, że w tzw. dotąd „zjeździe książąt" w Łowiczu w 1369 roku gospodarzem był Siemowit III, który odprowadzał tu króla i książąt śląskich, powracających z Płocka ze ślubu swej córki Małgorzaty z Kaźkiem słupskim. Małżeństwo córki z ukochanym wnukiem Kazimierza Wielkiego, adoptowanym przezeń może właśnie w Płocku dla zapewnienia mu tronu polskiego, znowu wprowadzało Siemowita III i jego księstwo w obręb planów politycznych króla. Na uwagę też zasługuje, że najstarszy syn księcia mazowieckiego Janusz przebywał na dworze królewskim w Krakowie i to chyba nie tylko po to, aby – jak pisał Felicjan Kozłowski – szybko powiadomić ojca w wypadku śmierci króla Kazimierza.

Zasługą Siemowita III, podnoszącą jego pozycję partnerską w oczach króla polskiego, było unormowanie przez niego stosunków z Litwą, korzystne zarówno dla Mazowsza jak i dla Korony. W 1358 roku sąd polubowny wyznaczył granicę między Litwą a ziemiami księcia mazowieckiego. Nawet dokonany dziesięć lat później najazd Litwinów na dobra biskupstwa płockiego i zniszczenie Pułtuska nie doprowadziły do otwartego konfliktu mazowiecko- (a więc i polsko-) litewskiego. Jeszcze później stosunki z Litwą ulegną dalszemu zacieśnieniu, co godziło w interesy Krzyżaków. Są nawet przesłanki, aby przypuszczać, że u schyłku swych rządów Siemowit III chciał przyczynić się do chrystianizacji Litwy w obrządku łacińskim i był w tej sprawie pośrednikiem między książętami litewskimi i papiestwem. Dobrosąsiedzkie stosunki z Litwą miało umocnić małżeństwo Janusza Siemowitowica z córką Kiejstuta a siostrą Witolda, Anną Danutą.

Dwukrotnie żonaty z księżniczkami śląskimi (pierwszą jego żoną była Eufemia opawska) Siemowit III jeździł na Śląsk; kronika Janka z Czarnkowa notuje jeden jego pobyt w Cieszynie. Oku bystrego obserwatora nie mogły ujść urządzenia gospodarcze, prawne i kulturalne świadczące o wysokim poziomie rozwoju tej dzielnicy. Innym terenem obserwacji była Korona. Zapatrzony w organizację i funkcjono-

Wieża zamku w Rawie

wanie tych organizmów politycznych, niektóre ich instytucje chciał zaprowadzić w swym księstwie, aby zmniejszyć dystans dzielący je od innych ziem polskich.

W zarządzie wewnętrznym wprowadził instytucję starostów ziemskich oraz starosty generalnego, ustanowił też urzędy podkomorzego, skarbnika i marszałka dworu. Usprawnił funkcjonowanie kancelarii. Szeroko pojmując zakres swego regale przystąpił do bicia monety wzorowanej na półgroszkach Kazimierza Wielkiego, o zbliżonej do nich próbie, ale o mniejszej wadze. Dwukrotnie przeprowadzał też zmianę monety. Udzielał zezwoleń na lokowanie wsi na prawie niemieckim i przenoszenie ich na to prawo, połączone zwykle z ustaleniem czynszu rocznego z włóki, płaconego po latach wolnizny. Dbał o rozwój parafii w swojej dzielnicy i hojnie je uposażał. Skrupulatnie ściągał należne mu podatki i dochody, żywo interesował się cłami. Zapewne nakładał też podatki nadzwyczajne, skoro kronika Janka z Czarnkowa określa je jako ,,niesłychanie wysokie'' i ,,prawie niemożebne'', tak dla rycerstwa, jako i dla ludu. Zdaje się to potwierdzać dokument z 27 grudnia 1355 roku, w którym książę zobowiązywał się wobec króla nie wprowadzać nowych podatków w ziemi zakroczymskiej, a także nie uciskać zarówno ludzi biednych, jak i rycerzy.

W stosunku do urzędników wykazywał szeroki gest, czym jednał ich dla swych celów. Gdy skarbnik rawski Mikołaj z Milonowa wyratował go z jakiegoś niebezpieczeństwa, nadał mu wieś Łochów przenosząc ją zarazem na prawo chełmińskie. Podkanclerzemu Marcinowi Szczakowi, który był plebanem mszczonowskim, zapewnił wolności dla jego parafii.

Pewna liczba poczynionych przez niego z tytułu pełnionej władzy zatwierdzeń aktów darowizny, kupna i sprzedaży zdaje się wskazywać, że więcej może nawet niż inni książęta wnikał w różne dziedziny życia swoich poddanych.

Siemowit III otaczał opieką miasta. Wcześnie nadał prawa miejskie swemu ośrodkowi rezydencjalnemu – Rawie, który za jego panowania stał się stolicą książęcego Mazowsza. Prawa miejskie otrzymały od niego Sochaczew, Bolimów i Mszczonów. Książę ten nie zapomniał i o Warszawie, którą przejął po zmarłym bracie. Wraz z żoną Eufemią założył i uposażył tu, podobnie jak w Rawie, klasztor augustianów, a obie te fundacje zatwierdził papież Innocenty VI. Z pewnością przebywał na zamku warszawskim i może też w jakiś sposób przyczynił się do jego rozbudowy Jeszcze za jego życia syn Janusz I zadba o zakończenie budowy pierwszej linii murów miejskich Warszawy i dociągnięcie ich do zabudowań zamkowych.

W początkowym okresie swych rządów Siemowit III popierał instytucje kościelne, a przede wszystkim klasztory. Poza wspomnianymi fundacjami augustiańskimi udzielił przywilejów dla dóbr cystersów sulejowskich i norbertanek płockich. W 1350 roku uwolnił włości biskupa poznańskiego od ciężarów prawa polskiego.

Z upływem czasu stosunki z Kościołem uległy tak dalece pogorszeniu, że można w tym upatrywać zorganizowanej akcji księcia, zwłaszcza przeciw wielkiej własności kościelnej. Już w latach 1357–1358 miały miejsce spory księcia z biskupem poznańskim Janem i arcybiskupem Jarosławem Bogorią ze Skotnik; w obu wypadkach musiał je rozstrzygać król Kazimierz Wielki jako arbiter. Zatargów pomiędzy księciem a arcybiskupem i biskupem poznańskim było zresztą więcej, głównie o przestępstwa popełniane przez poddanych

Pieczęć herbowa większa Siemowita III

obu stron. Ugody – z arcybiskupem w Skierniewicach w 1359 roku i z biskupem poznańskim w Sochaczewie w 1368 roku – tylko na krótko zażegnały spory. W 1374 roku kasztelan Stefan napadł na transport zboża wieziony z arcybiskupiego Łowicza. Z rozkazu księcia dokonano też połączonych z rabunkiem napaści zbrojnych na wsie arcybiskupa, a zapewne też biskupa płockiego i innych feudałów duchownych. Spowodowało to wyklęcie kasztelana Stefana, jego pomocników i gwałcicieli oraz obłożenie interdyktem znacznej części księstwa mazowieckiego. Dopiero to skłoniło Siemowita III do ustępstw i zadośćuczynienia szkód wyrządzonych dobrom arcybiskupa. Kilka lat później doszło jednak do otwartej wojny z arcybiskupem Janem Suchymwilkiem o obsadzenie prepozytury łęczyckiej, na którą Siemowit III przewidział swego najmłodszego syna Henryka i uzyskał dlań poparcie kurii papieskiej. Tymczasem arcybiskup nadał prepozyturę swemu kandydatowi, którego bracia i krewni pobili, zelżyli i ograbili przedstawicieli księcia, gdy ci usiłowali w imieniu Henryka wejść w posiadanie majątków prepozytury. Spowodowało to zbrojny najazd Siemowita III na Łowicz i zajęcie siłą posiadłości należących do prepozytury łęczyckiej. Tym razem zatarg zakończył się – przy mediacji króla Ludwika Węgierskiego – zwycięstwem Siemowita III. Syn jego objął prepozyturę łęczycką, a wcześniej jeszcze płocką. Dla zjednania sobie biskupa Siemowit III potwierdził jego prawa i przywileje.

Zaraz po śmierci Kazimierza Wielkiego w listopadzie 1370 roku Siemowit III wypełniając zapis króla bez przeszkód zajął Płock, Rawę, Wyszogród, Gostynin i Sochaczew z zamkami. Kilka lat wcześniej objął leżącą na lewym brzegu Wisły część pozostałej po księżnej Elżbiecie oprawy, a jej część prawobrzeżną przejął wraz z ziemią płocką. Zwolniony z obowiązku lennego stał się więc zupełnie niezależnym władcą, ostatnim już zjednoczycielem całego książęcego Mazowsza. Król Ludwik Węgierski nie był nadmiernie zainteresowany sprawami tej dzielnicy, jak i w ogóle północnej granicy swego państwa polskiego. Odpowiadało to planom Siemowita III, władcy, którego prężne dotąd rządy osiągają jeszcze wyższy stopień monarchiczności. Z królem Ludwikiem książę utrzymywał zaś poprawne, lecz chłodne stosunki. Dopiero później jego syn Siemowit IV przejdzie do jawnej opozycji przeciw rządom dynastii andegaweńskiej.

Czołowym osiągnięciem Siemowita III w rządach wewnętrznych scalonej przezeń dzielnicy była, inspirowana niewątpliwie przez statuty Kazimierza Wielkiego, kodyfikacja prawa sądowego Mazowsza i oparcie całego ustroju sądowego na zasadzie terytorialnej. Statut sochaczewski Siemowita III z 27 kwietnia 1377 roku znosił stare prawa i ustana-

wiał szereg artykułów regulujących niektóre dziedziny prawa sądowego, jak wiek mężczyzny i kobiety uprawniający do działań prawnych, kwestię świadków, sprawę zastawów i przedawnień, sposoby oczyszczania się od nagany szlachectwa oraz wyznaczających kary za gwałt i zabójstwo. Położył w ten sposób podstawy pod przyszłe pomniki prawa mazowieckiego.

U schyłku życia, najpóźniej w 1374 roku, Siemowit III wyznaczył swoim dwóm starszym synom, Januszowi i Siemowitowi, własne dzielnice: jednemu dał ziemię warszawską, nurską, łomżyńską, ciechanowską, różańską, zakroczymską i wiską; drugiemu czerską, rawską i liwską. Władza młodych książąt w wydzielonych im dzielnicach miała, mimo szumnych tytułów, charakter wybitnie namiestniczy, a jej zakres był ograniczony do spraw lokalnych. W swym bezpośrednim władaniu Siemowit III zatrzymał Płock, Płońsk, Wyszogród, Zawkrze, Gostynin i Sochaczew, praktycznie nadal rządził jednak całym księstwem. Przyjął też wówczas przydomek Starszego (*Senior*) dla odróżnienia od noszącego jego imię średniego syna. 25 lutego 1379 roku jako władca całego Mazowsza (*dux tocius terre Mazovie*) formalnie podzielił księstwo między synów (wprowadzając zmiany do wcześniejszych działów) i zastrzegł, że gdyby najmłodszy syn Henryk porzucił stan duchowny, bracia mają mu wydzielić ze swoich części równy udział. Stosownie do ordynacji ojcowskiej synowie specjalną umową ustanowili między sobą działy, zapoczątkowując zasadniczy podział Mazowsza na dzielnicę czersko-warszawską (Janusz I) i płocką (Siemowit IV).

Gdy więc Siemowit III po długich rządach umierał w Płocku 16 czerwca 1381 roku, pozostawiał sprawy swego księstwa uregulowane. Obronił jego niezawisłość nie tylko bez wchodzenia w konflikt z Koroną, ale nawet zachowując i umacniając przyjaźń z królem polskim. Pogłębił jednak tym samym separatyzm książęcego Mazowsza, które dopiero po upływie niespełna półtora wieku zostanie inkorporowane do państwa polskiego. Ułożył też pokojowe stosunki ze wszystkimi sąsiadami. Scalił pod swymi rządami całość ziem mazowieckich, którym zapewnił porządek prawny, przyczynił się do rozwoju miast, a w dużej mierze osobiście sprawując rządy umocnił autorytet władzy książęcej, sięgając wewnątrz swej dzielnicy aż na sam dół drabiny społecznej.

Nad życiem i dokonaniami Siemowita III zaciążyła wszakoż głośna tragedia, która rzuciła ponury cień na jego osobę i stała się tematem licznych legend i opowieści. Po śmierci pierwszej żony Eufemii Siemowit III ożenił się po raz drugi z księżniczką ziębicką, której imię doszło do nas w zdefektowanym zapisie (przypisywane jej imiona Ludmiła i Elżbieta nie znajdują potwierdzenia w źródłach). Początkowo para książęca żyła w zgodzie, księżna zaś urodziła dwóch synów, którzy zmarli w dzieciństwie. Później jednak książę pod wpływem donosów zaczął podejrzewać żonę o zdradę. Nie bacząc, że znów spodziewała się dziecka, uwięził ją na zamku w Rawie i rozpoczął śledztwo. Wziął na tortury jedną z dworek i mimo iż ta nie potwierdziła podejrzeń, gdy księżna urodziła syna, nakazał ją swym zausznikom udusić. Podejrzanego zaś o cudzołóstwo rozkazał schwytać, rozszarpać końmi, a następnie powiesić.

Nowo narodzonego syna księżnej, Henryka, oddał Siemowit na wychowanie jakiejś ubogiej kobiecie w pobliżu Rawy. Postępek księcia wywołał oburzenie najbliższej rodziny, tym bardziej że nie było dowodów zdrady małżeńskiej. Gdy dziecko miało trzy lata, córka Siemowita III z pierwszego małżeństwa Małgorzata, żona Kaźka słupskiego, wysłała swych ludzi, którzy uprowadzili chłopca na jej dwór. Małgorzata starannie zajęła się wychowaniem przyrodniego brata, a gdy ten dorósł, wysłała go na dwór ojca. Siemowit uderzony podobieństwem syna do siebie uznał niewinność księżnej, a Henryka otoczył wielką miłością i polecił kształcić. Obdarzył go prepozyturami płocką i łęczycką, co stało się zarzewiem wspomnianego konfliktu z arcybiskupem gnieźnieńskim. Henryk zostanie później biskupem-elektem płockim, porzuci jednak stan duchowny dla małżeństwa z Ryngałłą, córką księcia litewskiego Kiejstuta.

Pamięć okrutnego postępku Siemowita III żyła długo w tradycji ludowej; jeszcze w XIX stuleciu opowiadanie to, w nieco innej wersji, ponoć ,,powzięte z podań, pieśni prostego ludu, w okolicach Rawy śpiewanych", zapisał Teodor Narbutt. Echa tragedii mazowieckiej, chociaż w scenerii dworu króla sycylijskiego Leontesa, pobrzmiewają nawet w ,,Zimowej opowieści" Williama Szekspira.

W osobie Siemowita III widzimy dziś wybitnego rzecznika samodzielności politycznej książęcego Mazowsza. Mimo że nie brak mu było szerszych ambicji, nie wykroczył poza partykularny interes swojej dzielnicy. To on jednocząc, a pod koniec życia – jak udzielny monarcha – dzieląc między synów swe księstwo, stworzył z Mazowsza jakby ,,polską Burgundię", jednak nie tak groźną politycznie jak jej francuski odpowiednik. Polityka jego następców będzie zmierzać do obrony samodzielności księstwa, pogłębiając secesję ziem mazowieckich, a zarazem ich regres. Duża część odpowiedzialności za późniejsze zacofanie Mazowsza spada więc i na Siemowita III, i to mimo niewątpliwych zasług, jakie w okresie panowania położył on dla swej dzielnicy.

Andrzej Wyrobisz

LUDWIK WĘGIERSKI

.

Był synem Elżbiety Łokietkówny i Karola Roberta, króla Węgier i założyciela węgierskiej gałęzi dynastii andegaweńskiej. Imię jego: Ludwik, często podawano – także w polskich źródłach – w galijskiej formie: Lois, gdyż Andegawenowie wywodzili się z Francji i kultywowali tamtejsze koneksje rodzinne. W chwili obejmowania władzy na Węgrzech po śmierci swego ojca w roku 1342 liczył zaledwie 16 lat, w momencie wstępowania na tron polski w roku 1370 był już dojrzałym czterdziestoczteroletnim mężczyzną. Współczesny mu kronikarz węgierski, archidiakon Jan z Küküllö, napisał, że był „człowiekiem słusznego wzrostu, o wyniosłym spojrzeniu, z brodą i włosami kędzierzawymi, pogodnym obliczem, o wydatnych wargach, nieco w ramionach pochylony". Był zdaje się chorowity (są przypuszczenia, iż dziedzicznie obciążony syfilisem, inni historycy medycyny sądzą, że była to gruźlica), w każdym razie w okresie, kiedy był królem Polski, uskarżał się na zły stan zdrowia, a jego faworytem stał się lekarz Jan Radlica, którego promował na biskupstwo krakowskie. Wykształcenie otrzymał na owe czasy staranne. Zgodnie ze zwyczajem dworu andegaweńskiego młodym królewiczem zajmowało się dwóch pedagogów: wychowawca, który miał czuwać nad całością edukacji, a przede wszystkim wprowadzać go w życie i tajniki rządzenia ludźmi, oraz właściwy nauczyciel. Tym ostatnim był duchowny Mikołaj z diecezji wrocławskiej, zmarły jako biskup Pécs. Wychowawcą był natomiast Mikołaj

Knezicsi, a potem Michał Poharos, późniejszy żupan Abaujvár. Nie wiemy dokładnie, na czym edukacja młodego Ludwika polegała, uchodził jednak później za człowieka wykształconego. Miał też piękną bibliotekę. Wspomniany już kronikarz węgierski odnotował, że „wyróżniał się znajomością literatury i z wielkim zainteresowaniem studiował astronomię". Był niewątpliwie doskonałym administratorem i świetnym dyplomatą, szczęściło mu się i w przedsięwzięciach wojennych, chociaż służył raczej Minerwie, a nie Marsowi.

Na Węgrzech zasłużył sobie na przydomek Wielkiego i zalicza się go do najznakomitszych monarchów tego kraju. Jego rządy w Polsce były na ogół bardzo krytycznie, często wręcz negatywnie oceniane przez historyków. Szereg ujemnych ocen zapoczątkował współczesny Ludwikowi polski kronikarz, Janko z Czarnkowa, który po jego śmierci napisał: „Za czasów króla Ludwika nie było żadnej stałości w Królestwie Polskim ani żadnej sprawiedliwości. Albowiem starostowie i ich burgrabiowie łupili ciągle dobra uboższych ludzi; a jeśli niektórzy z poszkodowanych, zastawiwszy swe majątki, jechali do Węgier i tam skargi do króla zanosili, król wydawszy im listy, za które musieli w kancelarii płacić wielkie pieniądze, odsyłał ich do domu; atoli starostowie żadnej uwagi na te listy nie zwracali i nie przestawali uciemiężać ludzi. Łupienie na drogach publicznych kupców i innych przejeżdżających oraz kradzieże działy się nieustannie; starostowie zaś, dbając jedynie o swoje zyski, ani hamowali, ani chcieli tego hamować". Zaś o rządach Elżbiety Łokietkówny, sprawującej przez wiele lat w Polsce regencję w imieniu syna, Janko z Czarnkowa pisał: „Za jej rządów działy się w Królestwie Polskim wielkie grabieże, łupiestwa i rozboje: prałatom różnych kościołów, podczas ich obecności w domu, zabierano nocną porą złodziejskim sposobem konie, księgi i różne rzeczy; łupiono kupców w różnych stronach Polski handlujących; łotrowie wypędzali z Królestwa stadniny należące do szlachty, szczególnie w Wielkopolsce [...]. Nikt nie mógł wyjednać od królowej zwrotu niesłusznie zabranych dziedzictw ani załatwienia rozmaitych ważnych spraw [...]. Tajemnym oskarżeniom donosicieli dawała łatwy posłuch, przez co wielu ludziom sprawiedliwym i synowi jej wiernym krzywdy czyniła..."

Janko z Czarnkowa mógł tak pisać, gdyż był silnie związany z wielkopolską opozycją, przeciwną rządom andegaweńskim w Polsce, szukającą dróg obalenia tej dynastii, nieustannie wichrzącą przeciwko Ludwikowi i jego matce, zmierzającą – może nieświadomie, ale taki był obiektywny wydźwięk tych działań – do ponownego rozbicia dopiero co zjednoczonego przez Łokietka i Kazimierza Wielkiego królestwa. Janko z Czarnkowa miał też osobiste powody, by oczerniać Ludwika, Elżbietę Łokietkównę i ich stronników. Zaraz na początku rządów Ludwika został mianowicie oskarżony – najprawdopodobniej nie bez podstaw, jak o tym świadczy treść wyroku sądowego – o sprofanowanie grobu Kazimierza Wielkiego i próbę kradzieży złożonych tam insygniów koronacyjnych, skazany na banicję i pozbawiony urzędu podkanclerzego. Aczkolwiek więc jako współczesny opisywanym przez siebie wydarzeniom, a przy tym jako człowiek wykształcony i z rządami państwa obeznany, był Janko z Czarnkowa dobrze poinformowany o tym, co się działo w Polsce, to jednak na ocenach jego, niewątpliwie stronniczych i chyba celowo w sposób stronniczy formułowanych, polegać nie możemy. W wielu wypadkach można mu udowodnić oczywiste mijanie się z prawdą. Janko pisał, że ,,nikt nie mógł wyjednać od królowej zwrotu niesłusznie za-

Pieczęć majestatyczna Ludwika Węgierskiego

branych dziedzictw". Z zachowanych dokumentów wiemy, że Elżbieta skutecznie zajęła się sprawą tzw. restytucji, czyli zwrotu dóbr skonfiskowanych (nie wiemy, czy prawnie, czy bezprawnie) przez Kazimierza Wielkiego. Mimo informacji Janka o bezkarnym łupieniu kupców, wiadomo, że handel w Polsce za Ludwika Węgierskiego przeżywał okres najświetniejszego rozkwitu. Jak więc było naprawdę?

Faktem jest, że czasy Ludwika Węgierskiego nie były w Polsce spokojne. Zawichrzeń nie brakowało, szczególnie w Wielkopolsce. Oprócz nie budzącego zaufania Janka z Czarnkowa wspominają o nich inne źródła, m.in. bulle papieskie. Ale stan, w jakim znajdowała się Wielkopolska za Andegawenów, nie był czymś zasadniczo różnym od stanu poprzedniego, to znaczy za dwóch ostatnich Piastów. Dzielnica ta pogrążona była w feudalnej anarchii, przeciwna zjednoczeniu państwa, opozycyjna wobec monarchii, prób scentralizowania władzy i jej umocnienia. Przez cały wiek XIV wiele tam było wystąpień buntowniczych względem władzy monarszej (najsłynniejsze z nich to konfederacja Maćka Borkowica za Kazimierza Wielkiego), prywatnej polityki możniejszych rodów, a nawet zdradzieckich konszachtów z sąsiadami, wróżd rodowych, napadów zwykłych łotrzyków, z którymi jeszcze Łokietek poradzić sobie nie umiał. Trzeba oddać sprawiedliwość i Ludwikowi, i sprawującej regencję królowej-matce Elżbiecie, iż mimo tej trudnej sytuacji w Wielkopolsce, mimo popierania przez tamtejszą opozycję innych pretendentów do tronu, jak Kaźko Słupski i Władysław Biały, panowali nad położeniem i nie dopuścili do oderwania się tej dzielnicy od korony, utrzymując tym samym dzieło zbudowane przez Łokietka i Kazimierza. Stanowisko Ludwika wobec problemu zjednoczenia Polski było najzupełniej wyraźne: mimo iż sam po wstąpieniu na tron poczynił pewne nadania na rzecz Kaźka Słupskiego i Władysława Opolczyka, mimo dopuszczenia do pewnych ubytków terytorialnych na rzecz Brandenburgii, Litwy i Mazowsza, kontynuował on politykę jednoczycielską i utrwalał zjednoczenie ziem polskich dokonane przez swych poprzedników. Podkreślał to rezygnując z tytulatury dzielnicowej i tytułując się tylko *rex Poloniae*.

Prawda też, że Ludwik przebywał w Polsce niewiele, tłumacząc się, że ,,nie może znosić powietrza polskiego". Nigdy nie opanował języka polskiego. Rządy w Polsce sprawowali w jego imieniu regenci: matka Elżbieta Łokietkówna, książę Władysław Opolczyk, Zawisza z Kurozwęk. Nie było to jednak traktowanie Polski po macoszemu zważywszy, że najdłużej rządząca krajem regentka, królowa Elżbieta, była córką Władysława Łokietka i rodzoną siostrą Kazimierza Wielkiego, która mimo iż w chwili obejmowania regencji w Krakowie miała już za sobą 50 lat królowania na Węgrzech, nigdy o swym polskim pochodzeniu i piastowskiej genealogii nie zapomniała. Nie można też Ludwikowi stawiać zarzutu, iż o sprawy Polski nie dbał. Wręcz przeciwnie – były to dlań sprawy pierwszorzędnej wagi, aczkolwiek traktował je z punktu widzenia polityki dynastycznej Andegawenów i interesował się przede wszystkim możliwościami zapewnienia dziedziczności tronu polskiego dla swego potomstwa. Z drugiej strony wszelako sytuacja Polski była wówczas ściśle sprzężona z położeniem Węgier. Rządy Ludwika Węgierskiego w Polsce były tylko fragmentem zbliżenia polsko-węgierskiego, kształtującego się już od początku XIV w. i stanowiącego niezmiernie ważny element układu sił politycznych nie tylko w środkowo-wschodniej Europie. Władysław Łokietek i Kazimierz Wielki potrzebowali wsparcia dyplomatycznego, a ewentualnie także zbrojnego, przeciwko Czechom i Krzyżakom. Węgierscy Andegaweni byli żywotnie zainteresowani w tym, by nie dopuścić usadowionych na tronie czeskim Luksemburgów do opanowania także i Polski, gdyż wtedy Węgry zostałyby otoczone przez posiadłości luksemburskie zarówno od zachodu, jak i od północy. Stąd poparcie udzielone przez Karola Roberta Łokietkowi i Kazimierzowi Wielkiemu w walce z Luksemburgami, a następnie zabiegi o opanowanie i utrzymanie korony polskiej. Korona ta była dla Andegawenów szczególnie cenna. Węgry zjednoczone z Polską najpierw sojuszem za czasów Karola Roberta, a potem unią personalną za Ludwika, były potęgą, skutecznie przeciwstawiającą się groźnym dla europejskiej równowagi sił zakusom Luksemburgów.

Węgry i Polska, a ściślej rzecz ujmując miasta oraz szlachta polska i węgierska, miały też wspólne interesy na Rusi Halickiej. Po wygaśnięciu tamtejszej dynastii książęcej w pierwszej połowie XIV w., Ruś Halicka stała się atrakcyjnym łupem dla krajów sąsiednich, zainteresowanych w opanowaniu ważnego szlaku handlowego wiodącego do kolonii włoskich nad Morzem Czarnym. Interesy Polski i Węgier, wspólne, gdy szło o odepchnięcie trzeciego pretendenta, mianowicie Litwy, stawały się jednak sprzeczne, gdy chodziło o podział zdobyczy. Sprzeczności te czasowo łagodziło, a przynajmniej odsuwało konieczność rozstrzygnięcia sporu, objęcie obu tronów – węgierskiego i polskiego – przez jednego monarchę, Ludwika.

Jan Długosz, kronikarz o blisko sto lat późniejszy od Janka z Czarnkowa, a więc patrzący na czasy Ludwika Węgierskiego z odległej perspektywy i chociaż zależny od dzieła swego poprzednika, to jednak bardziej odeń obiektywny, napisał w swej ,,Historii Polski" o Ludwiku, iż zbierał on z Królestwa Polskiego dochody, ,,jakich przed nim żaden z królów polskich dostatniej nie pobierał". Jest to pochwała administracji i gospodarki Ludwika, gdyż regularny dopływ dochodów do skarbu można osiągnąć tylko przez mądre zarządzanie państwem, a nie przez ucisk fiskalny. Nawet Ludwikowi niechętny, bo również z opozycją wielkopolską związany, autor ,,Rocznika kujawskiego" przyznawał, że król Ludwik rządził sprawiedliwie, ,,każdemu sprawiedliwość wymierzał i wymierzać nakazywał, aby każdemu jego prawo służyło".

Szczególną opieką otoczył w Polsce miasta, ich gospodarkę, handel. Jeszcze za życia Kazimierza Wielkiego w 1355 roku Ludwik jako król węgierski zezwolił kupcom polskim udawać się z solą na Węgry aż po Liptów i Sáros. W 1368 roku ograniczył dla kupców polskich prawo składu obowiązujące w Koszycach do trzech dni. Ponieważ w ciągu tych trzech dni kupcy polscy nie byli zobowiązani do sprzedaży swych towarów w Koszycach i po ich upływie mogli jechać dalej, oznaczało to w praktyce niemal całkowitą swobodę handlowania na Węgrzech i w krajach ościennych. Zaraz po wstąpieniu Ludwika na tron polski w roku 1370 Kalisz uzyskał od niego polecenie do starosty, by zachował to miasto przy jego przywilejach. W dwa lata później regentka Elżbieta zwróciła Kaliszowi wieś Dobrzec skonfiskowaną miastu przez Kazimierza Wielkiego, a rok potem zwolniła kaliszan z połowy cła w Koninie i Ostrzeszowie. Zwolnienie od ceł w całej Polsce, potwierdzenie przywilejów, zwrot wsi Jeżyce i Winiary, a wreszcie prawo wyboru rajców bez ingerencji starosty (niezwykle ważna prerogatywa!) otrzymał Poznań. Kazimierz, podówczas osobne miasto pod Krakowem, uzyskał przywrócenie targów na konie i bydło. Potwierdzenia przywilejów i zwolnienia celne dano Słupcy, Bieczowi, Bochni, Nowemu Sączowi, Czchowu. Wznowiono skład soli w Sandomierzu. Dla powetowania strat poniesionych przez Lublin na skutek najazdu Litwinów w roku 1376 nadano temu miastu nowe przywileje i potwierdzono stare. W 1374 roku królowa Elżbieta wydała ordynację dla kopalń olkuskich, która stała się podstawą prawną rozwoju górnictwa ołowiu i srebra na terenie złóż śląsko-krakowskich oraz rozkwitu Olkusza jako miasta górniczego. Największe wszelako korzyści za rządów Ludwika osiągnął Kraków, który w 1372 roku uzyskał bezwzględne prawo składu (czyli praktycznie rzecz biorąc całkowity monopol handlu, uniemożliwiający obcym kupcom pomijanie Krakowa i prowadzenie transakcji na własną rękę), a w 1376 roku prawo nabywania przez mieszczan ziemi w promieniu dwóch mil od miasta. Przywilej Ludwika z roku 1372, gwarantujący kupcom polskim i węgierskim wstęp na Ruś Halicką z wykluczeniem kupców obcych (chodziło o odsunięcie kupców z Prus krzyżackich), odnosił się również przede wszystkim do krakowian.

Nie bez racji więc dwudziestowieczni historycy, badający czasy Ludwika Węgierskiego, nazywają je złotym okresem średniowiecznego handlu w Polsce. Trzeba przyznać, że ów rozkwit handlu na ziemiach polskich, ale szczególnie w Małopolsce, był rezultatem nie tylko polityki Ludwika, lecz także z jednej strony działalności jego poprzednika, Kazimierza Wielkiego, a z drugiej wyjątkowo korzystnej koniunktury międzynarodowej. Sytuacja w handlu europejskim w drugiej połowie XIV wieku spowodowała niezwykłe ożywienie szlaku łączącego Włochy i Europę zachodnią przez Wrocław, Kraków i Lwów z wybrzeżem czarnomorskim, a także nawiązanie kontaktów między miastami polskimi i flandryjskimi,

Kościół Bożego Ciała na Kazimierzu w Krakowie

poszukującymi właśnie wtedy nowych partnerów w dobie stuletniej wojny Anglii z Francją, i przerywanie tak ważnych dotychczas dla gospodarki Flandrii stosunków z tymi krajami. Faktem jest, że miastom polskim, a zwłaszcza Krakowowi, działo się wówczas dobrze. Nie jest przy tym istotne to, że Ludwik nadawał przywileje miastom polskim nie bezinteresownie i nie bez politycznych pobudek, a mianowicie spodziewał się od nich w zamian poparcia dla swej polityki, szczególnie planów zapewnienia sukcesji tronu polskiego dla swych córek. W polityce nic się nie czyni bezinteresownie i żaden średniowieczny ani nowożytny monarcha nie nadawał nikomu przywilejów bez rachuby na rewanż ze strony uprzywilejowanego.

Z jednego jeszcze powodu czasy Ludwika Węgierskiego uważane są przez historyków za okres przełomowy w dziejach Polski. Monarcha ten był mianowicie wystawcą przywileju, który stał się podstawą swobód i politycznej siły szlachty w Polsce. Idzie oczywiście o tzw. pakt koszycki z roku 1374. Był to przywilej generalny, czyli rozciągający się na cały kraj, ale odnoszący się tylko do szlachty (nie obejmował chłopów ani mieszczan, a także duchowieństwa, które nieco później zyskało od Ludwika osobne przywileje). W zamian za wyrażenie przez szlachtę zgody na objęcie tronu polskiego po śmierci Ludwika przez jedną z jego córek (nie wymieniono dokładnie którą, chodziło wtedy o najstarszą córkę Ludwika, Katarzynę, zmarłą kilka lat później), król zwalniał szlachtę z podatku zwanego poradlnym z wyjątkiem 2 groszy z łana chłopskiego. Oznaczało to praktycznie zwolnienie szlachty z wszelkich obciążeń na rzecz państwa, gdyż owe 2 grosze, w dodatku uiszczane z łanów chłopskich, a więc obciążające chłopów, były tylko symbolem zwierzchnictwa władzy króle-

Pieczęć Władysława Opolczyka według przerysu z XIX w.

wskiej (*signum summi dominii*). Było to poważne uszczuplenie dochodów skarbowych, aczkolwiek pamiętać należy, że poradlne faktycznie już od dość dawna ściągane nie było. Odtąd jednak ilekroć król potrzebował pieniędzy na nadzwyczajne wydatki, mógł je uzyskać tylko za zgodą ogółu szlachty, która w ten sposób zyskała możliwości wywierania istotnego wpływu na politykę państwa przez udzielanie zgody na opodatkowanie. Wpływ ten umacniały dalsze postanowienia paktu koszyckiego mówiącego o tym, iż szlachta ma obowiązek uczestniczyć w pospolitym ruszeniu tylko dla obrony kraju i na jego terytorium, natomiast jej udział w wyprawach wojennych poza granice królestwa miał być przez króla osobno wynagradzany. Na króla też spadał obowiązek wykupywania szlachty z niewoli, jeśli dostała się do niej w czasie zagranicznej ekspedycji. Przywilej koszycki ograniczał też obowiązek szlachty i jej poddanych udzielania pomocy przy budowie grodów i zamków tylko do wypadków, gdyby chodziło o umocnienia pograniczne zagrożone wojną lub gdyby na budowę nowego zamku zgodziła się cała szlachta. W pozostałych wypadkach koszty budowy zamków miał ponosić król. Była to rezygnacja ze starego – i dodajmy: od dość dawna nie egzekwowanego – prawa zezwalającego monarsze pociągać wszystkich mieszkańców kraju do pomocy przy pracach fortyfikacyjnych. Rezygnował król również ze starego prawa stacji i zobowiązywał się do utrzymywania na własny koszt swego dworu w czasie podróży po kraju. Wreszcie król zobowiązywał się do obsadzania urzędów jedynie Polakami, i to zamieszkałymi w tej ziemi, w której urząd zawakował.

Pakt koszycki oznaczał poważne ograniczenie władzy monarszej, a ugruntowanie preponderancji szlachty w państwie. W niedalekiej już przyszłości miało to zachwiać równowagę stanów w Polsce i na kilka stuleci oddać władzę w ręce szlachty z uszczerbkiem przede wszystkim dla miast, czego skutki – jak wiadomo – nie były dla kraju korzystne. Pakt koszycki nie był jednak ani pierwszym, ani ostatnim z serii przywilejów ziemskich nadających szlachcie rozległe uprawnienia. Wiele jego postanowień nie oznaczało wprowadzenia innowacji, lecz było tylko potwierdzeniem istniejącego już stanu rzeczy. Proces uprzywilejowywania szlachty był długotrwały i zależał od mnóstwa czynników politycznych, społecznych i gospodarczych, nie zaś od takich lub innych posunięć poszczególnych monarchów. Wydając przywilej koszycki Ludwik oczywiście ani nie zamierzał osłabiać monarchii, ani też wysuwać na pierwszoplanową pozycję w państwie szlachty. Za ustępstwa, jakie czynił, chciał uzyskać dziedziczność tronu – ważny element silnej władzy królewskiej. Nadając przywileje szlacheckie, równocześnie obdarzał

nowymi prawami miasta i wyraźnie zmierzał do oparcia się na miastach celem przeciwstawienia się szlachcie. Sytuacja wewnętrzna Polski, słabość miast, międzynarodowe koniunktury gospodarcze sprzyjające raczej polskiej szlachcie, a nie miastom, spowodowały, iż ostatecznie nie mieszczaństwo, lecz szlachta decydować miała o losach kraju.

Obiektywnie więc pakt koszycki stał się podwaliną szlacheckich wolności i jako taki wszedł do szlacheckiej tradycji historycznej. W XVI i XVII wieku szlachta powołując się na swoje wolności i prawa często przypominała koszycki przywilej. Świętosław Orzelski, piszący o bezkrólewiu po śmierci Zygmunta Augusta, przypominał postać króla Ludwika, który chociaż „spraw Polski nieco zaniedbał", to jednak „rozszerzył wolności Polakom". Stanisław Czarnkowski występując na sejmie 1585 roku mówił: „To już wiadomo jest wszystkim, iż od Loisa wolności nasze brać *incrementa* poczęły swoje". W pismach politycznych z czasów rokoszu Zebrzydowskiego znalazła się również pochwała Ludwika: „nie panował absolutnie, owszem, fundamenta praw i wolności naszych od niego są założone".

Ludwik zmarł w Tyrnawie we wrześniu 1382 roku pozostawiając polskie dziedzictwo zabezpieczone licznymi układami z polską szlachtą, duchowieństwem i mieszczanami dla jednej ze swych córek (nie ustrzegło to kraju i spadkobierczyń Ludwika przed różnymi perturbacjami po jego śmierci). Pozostawiał Polskę jako kraj zjednoczony w takich samych zasadniczo granicach, w jakich go odziedziczył po Kazimierzu Wielkim. W czasie swego panowania stworzył lub umocnił stworzone przez swych poprzedników podstawy potęgi gospodarczej i politycznej Polski, podstawy, na których oprzeć się miała w przyszłości świetność doby jagiellońskiej.

Andrzej Wyrobisz

JADWIGA

Data urodzin królowej Jadwigi jest nieznana, nie zanotowano jej w żadnym dokumencie ani kronice. Stało się tak nie tylko dlatego, że narodziny trzeciej z kolei córki Ludwika Wielkiego Andegaweńskiego, króla Węgier i Polski, oraz Elżbiety Bośniaczki przeszły zapewne bez echa, gdyż nikt nie mógł przewidzieć, że odegra ona w przyszłości doniosłą rolę jako monarchini, większe zainteresowanie wzbudziłoby przyjście na świat męskiego potomka królewskiej pary jako niewątpliwego dziedzica tronu. Ale poza tym było to średniowiecze, a ludzie średniowieczni nie przywiązywali wagi do ścisłych dat i dokładnej rachuby czasu. Ksiąg metrykalnych wówczas nie prowadzono, nie zajmowano się też ustalaniem wieku osób, nawet bardzo wysoko postawionych w hierarchii społecznej. Historycy na podstawie różnych pośrednich przesłanek i żmudnych dociekań ustalili, że Jadwiga urodziła się w końcu roku 1373 lub na początku roku następnego, najprawdopodobniej 18 lutego 1374 r. Podawana też jest inna data: rok 1371; aczkolwiek tę właśnie datę urodzenia Jadwigi można znaleźć w kronice Jana Długosza, wydaje się, że znakomity i skrupulatny na ogół kronikarz popełnił pomyłkę nie będąc dokładnie poinformowanym o sprawach rodzinnych króla Ludwika, w tym bowiem roku miała się urodzić starsza siostra Jadwigi, późniejsza królowa Węgier, Maria. Rok urodzenia Jadwigi wywołuje wciąż spory wśród historyków i nie tylko historyków. Data urodzenia – sprawa w życiorysie ważna. W biografii Jadwigi ważna dodatkowo dlatego, że od jej ustalenia zależeć

może ocena prawomocności działań późniejszej królowej Polski, z punktu widzenia średniowiecznych praw i obyczajów nie było bowiem obojętne, w jakim wieku wstępowała Jadwiga w związki małżeńskie albo obejmowała tron polski. Patrząc jednak bardziej generalnie spór ten wydaje się dotyczyć spraw raczej drugorzędnych; na pierwszym planie historyk postawi niewątpliwie to, czego Jadwiga dokonała jako władczyni Polski. A dokonała niemało. Cofnięcie o dwa lub trzy lata wstecz daty urodzin nie zmieni przecież faktu, że w chwili przybycia do Polski i objęcia tronu w roku 1384 była jeszcze dzieckiem, a wszystkie jej dokonania zamykały się w krótkim, niespełna trzydziestoletnim żywocie.

Początkowo bynajmniej nie przewidywano osadzenia młodziutkiej królewny Jadwigi na tronie polskim, który objąć miała jej starsza siostra, Maria. Koncepcja oddania korony polskiej Jadwidze powstała dopiero wtedy, gdy po śmierci króla Ludwika panowie małopolscy nie zgodzili się ani na kontynuację unii personalnej z Węgrami, ani na regencję Zygmunta Luksemburskiego, męża Marii. Dwa lata trwały pertraktacje z królową-wdową Elżbietą Bośniaczką, a równocześnie toczyły się rozgrywki stronnictw w Polsce: waśnie Wielkopolan z Małopolanami, wojna domowa w Wielkopolsce w 1383 roku, zwana wojną Grzymalitów z Nałęczami od rodów głównych przywódców, doszło nawet do okrzyknięcia królem w Sieradzu księcia Siemowita IV mazowieckiego. Dopiero w lecie lub na jesieni 1384 roku Jadwiga przybyła do Polski, i w tymże roku, 16 października, została koronowana w katedrze wawelskiej na króla Polski.

Dwa wiekopomne i brzemienne w skutki wydarzenia wiążą się z osobą Jadwigi jako władczyni Polski: unia polsko-litewska i chrzest Litwy oraz restytuowanie Uniwersytetu Krakowskiego. Chrystianizacja Litwy w obrządku katolickim oznaczała włączenie tego kraju do europejskiej wspólnoty nie tylko religijnej, ale i kulturalnej, rozszerzała więc granice wpływów Kościoła rzymskiego, ale także zasięg oddziaływania kultury późnośredniowiecznej Europy, wzbogacając ją równocześnie o te wszystkie elementy, które wnosił nowo schrystianizowany naród w postaci dorobku własnego oraz przyswojonego z Rusi. Unia polsko-litewska radykalnie zmieniała układ sił politycznych we wschodniej części Europy i w strefie bałtyckiej. Dosyć niespodziewanie wyrosło potężne państwo polsko-litewskie nie tylko obejmujące kolosalne obszary i dużą liczbę mieszkańców, ale również dysponujące wielkim potencjałem gospodarczym i militarnym. Dominacja państwa krzyżackiego na południowych wybrzeżach Bałtyku została nagle zagrożona. Zmieniało to konfiguracje polityczne także w innych częściach Europy, musiało wpłynąć i na powiązania Luksemburgów z Krzyżakami, i na stosunek papiestwa do Zakonu. Stąd różnorodne zabiegi nie tylko ze strony Krzyżaków, ale i innych potencji, zmierzające do rozerwania unii, sianie wewnętrznej niezgody, kwestionowanie prawomocności małżeństwa Jagiełły i Jadwigi, powątpiewanie w prawdziwość chrystianizacji Litwy. Sprawy te, podobnie jak dodatnie i ujemne skutki unii polsko-litewskiej, są dobrze znane, acz nie zawsze z właściwym umiarem oceniane. Mniej mówi się o tym, że unia stwarzała także zupełnie nowe warunki rozwoju gospodarczego dla Polski i dla Litwy, przemian społecznych zwłaszcza w Wielkim Księstwie, rozkwitu kultury w obu krajach.

Nie mniej doniosłe było odnowienie Uniwersytetu Krakowskiego, najstarszej i przez długi czas jedynej polskiej wyższej uczelni, której zawdzięczamy rozwój nauki polskiej w XV wieku, wykształcenie znakomitych uczonych, wśród nich Mikołaja Kopernika, a potem, mimo okresów upadku, stałe rozwijanie twórczej myśli naukowej, szkolenie potrzebnych krajowi wysoko wykwalifikowanych specjalistów, ratowanie od zagłady kultury polskiej w trudnych latach zaborów i obcej okupacji.

Oczywiście dzieł tych nie dokonała Jadwiga sama, a nawet można powiedzieć, że jej osobisty udział był w nich niewielki. Unia polsko-litewska była przede wszystkim tworem małopolskich możnowładców, polityków kierujących państwem i młodą królową, niekiedy wprost zmuszających ją do określonych działań. Uniwersytet organizowali uczeni mężowie, zasługą Jadwigi było dostarczenie środków materialnych na uruchomienie uczelni. I w jednym, i w drugim wypadku jednak Jadwiga musiała zgodzić się na daleko idące osobiste wyrzeczenia: zrezygnowała z klejnotów i kosztownych szat, by stworzyć fundusz na odbudowę uniwersytetu, nie mniejszym poświęceniem była zgoda na poślubienie Jagiełły, człowieka około 20 lat od niej starszego, ,,obcego poganina – jak pisze kronikarz – którego nigdy nie widziała, a o którym ją fałszywie uprzedzono, że nie tylko z postaci, ale i z obyczajów i całego układu okazywał się dzikim barbarzyńcem". Nie wiemy oczywiście, ile w decyzji poślubienia Jagiełły (czego rezultatem była unia z Litwą i chrystianizacja tego kraju) było uległości wobec nacisku panów małopolskich lub odruchu emocjonalnego, a w jakim stopniu był to krok przemyślany, wynikający ze zrozumienia racji stanu i interesu zachodniego chrześcijaństwa. Osobistą rozterkę Jadwigi oddaje fakt, iż przed podjęciem ostatecznej decyzji w tej sprawie wysłała jednego ze swych najzaufańszych dworzan, Zawiszę z Oleśnicy, z poleceniem przypatrzenia się

Jagielle i opisania jego twarzy, postawy i przymiotów. Sprawozdanie Zawiszy, którego Jagiełło wziął nawet ze sobą do łaźni, by mógł go lepiej poznać, całkowicie Jadwigę uspokoiło.

Możemy natomiast twierdzić stanowczo, że działanie Jadwigi w sprawie odnowienia uniwersytetu nie było tylko gestem charytatywnym lub powolnością wobec żądań płynących z zewnątrz, musiało wynikać także z osobistych zainteresowań Jadwigi nauką i kulturą, z doceniania ich społecznej roli. Mogła zresztą Jadwiga brać przykład ze swego ojca, Ludwika, który był założycielem pierwszego węgierskiego uniwersytetu w Pécsu w roku 1367 i gorliwym promotorem sztuk i nauk.

We wszystkich podejmowanych przez Jadwigę działaniach wysuwa się na czoło jej osobowość, jej cechy charakteru. Długosz pisał, że ,,okazywała rozsądek i dojrzałość", mimo młodego wieku ,,cokolwiek mówiła albo czyniła, wydawało jakby sędziwego wieku powagę" – i opinia ta nie była chyba tylko pochlebstwem kronikarza.

Osobowość Jadwigi kształtowało najpierw wychowanie na dworze budzińskim, który odznaczał się świetnością i bogactwem, był jednym z najznakomitszych dworów ówczesnej Europy. Andegawenowie węgierscy wywodzili się z Francji i Włoch. Karol Robert i Ludwik Wielki, dziad i ojciec Jadwigi, podtrzymywali zarówno kontakty polityczne, jak i kulturalne z tymi krajami. Rozpowszechnił się wówczas na Węgrzech zachodnioeuropejski obyczaj rycerski, urządzano turnieje i zabawy dworskie, w których Karol Robert sam chętnie uczestniczył. Dwór budziński był bardzo ożywiony. Rezydencja królewska w Budzie, tarasami schodząca do Dunaju, zachwycała wspaniałością. Nie mniej okazałe były inne zamki królewskie, niektóre budowane przez architektów francuskich. Współzawod-

Pieczęć majestatyczna Jadwigi

niczyły z nimi siedziby magnatów. W takim otoczeniu spędzała dzieciństwo Jadwiga.

Panowanie Andegawenów było okresem wspaniałego rozkwitu kultury węgierskiej. Założono wtedy wspomniany już uniwersytet w Pécsu, rozwijało się szkolnictwo w miastach i wsiach. Oświata przestała być monopolem duchowieństwa. Pojawiły się szkoły świeckie i inteligencja świecka, niezbędna zresztą do sprawnego funkcjonowania administracji państwowej. Kwitło piśmiennictwo. Kroniki spisywali: archidiakon Jan z Küküllö i franciszkanin Jan. Powstała też wówczas słynna ,,Kronika ilustrowana" (Chronicon pictum, Képes krónika), napisana prawdopodobnie przez kanonika Marka Kálti. Najcenniejsze w niej są zdobiące ją miniatury o tematyce świeckiej wykonane przez Mikołaja Medgyesi; wywarły one wielki wpływ na rozwój malarstwa na Węgrzech. Dzieło to miało być prawdopodobnie darem dla narzeczonego jednej z córek króla Ludwika. Pisywano nie tylko po łacinie,

271

ale coraz częściej także po węgiersku. Bezpośrednie stosunki utrzymywane przez Andegawenów z Italią sprzyjały przenikaniu kultury włoskiej na Węgry, a zwłaszcza nowatorskich prądów kulturalnych, co kładło podwaliny pod późniejszy rozkwit renesansu. Z kolei bliskie stosunki Węgier z Polską powodowały, że poprzez Węgry docierały do naszego kraju wielkie osiągnięcia kultury europejskiej, przede wszystkim francuskiej i włoskiej. Nagrobek Kazimierza Wielkiego w katedrze wawelskiej, wyróżniający się na tle ówczesnej rzeźby wykwintem ujęcia i subtelną maestrią, powstał prawdopodobnie pod wpływem sztuki francuskiej i węgierskiej. Na Węgrzech kwitły w XIV wieku rzeźba, malarstwo, złotnictwo.

Z dworu węgierskiego wyniosła więc Jadwiga znajomość i zamiłowanie do życia dworskiego, ale równocześnie umiejętność czytania, znajomość kilku języków, zainteresowanie lekturą i muzyką, sztuką i nauką, poczucie piękna.

Krótki pobyt Jadwigi w latach 1378–1379 na dworze wiedeńskim, związany z układami zawartymi w sprawie jej małżeństwa z Wilhelmem Habsburgiem, pozwolił jej na poznanie jeszcze jednego środowiska dworskiego, ale – z uwagi na dziecięce lata królewny – nie wywarł chyba na nią wpływu.

Nie bez znaczenia natomiast był fakt, iż wśród andegaweńskich, francuskich przodków Jadwigi był św. Ludwik biskup Tuluzy, którego kult pielęgnowano w dynastii. Dla mentalności ludzi średniowiecza, dla pozycji w ówczesnym społeczeństwie miało to ogromne znaczenie i niewątpliwie wpłynęło na wychowanie Jadwigi i jej sióstr. Być może dla Jadwigi jako narzeczonej Wilhelma Habsburga była przeznaczona rękopiśmienna książka zawierająca żywot jej patronki, św. Jadwigi śląskiej, w wersji niemieckiej, wykonana na zamówienie księcia Albrechta Habsburga. Nie wiemy, czy kiedykolwiek dotarła do niej, wskazuje jednak na to, jaki kierunek chciano nadać jej wychowaniu. Wiemy za to z całą pewnością, że otrzymała – już jako królowa Polski – dzieło czeskiego teologa, dominikanina Henryka Bitterfelda z Brzegu ,,De contemplacione et vita activa". Wywarło ono – jak się zdaje – duży wpływ na Jadwigę, która wedle wyłożonych w nim zasad życia kontemplacyjnego i czynnego starała się kierować własnymi działaniami. Splecione linie dwóch liter M występujące na kryształowym roztruchanie, który był własnością Jadwigi, na winietach spisanego dla niej ,,Psałterza floriańskiego", na ściennych malowidłach w wawelskiej Kurzej Stopie, gdzie mieszkała, tłumaczy się jako skrót imion: Maria i Marta, będących dewizą królowej, odpowiadających dwóm postaciom ewangelicznym: Marii kontemplującej i Marty czynnej. O nich pisał właśnie Bitterfeld rozpatrujący gorycze życia czynnego i osłodę, jaką niesie kontemplacja.

Jadwiga rzeczywiście starała się realizować ideał życia kontemplacyjno-czynnego. Było to zgodne z duchem epoki, w której żyła. Miała zresztą znakomite wzory do naśladowania, przede wszystkim św. Brygidę szwedzką, również z królewskiego rodu się wywodzącą. Długosz pisał w swej kronice o spełnianych przez Jadwigę dobrych i pobożnych uczynkach, o umartwieniach, a także o intelektualnych zainteresowaniach i kontemplacyjnym nastroju: ,,W czasie wielkiego postu i przez cały adwent odziana włosienicą ciało osobliwą powściągliwością trapiła. [...] Wzgardziwszy próżnością i wszelakimi marnościami świata, wszystek umysł swój zajmowała modlitwą i czytaniem ksiąg świętych, jako to Pisma starego i nowego zakonu, Homilii czterech doktorów, żywotów świętych pańskich, kazań i dziejów męczeństw, modlitw i bogomyślności św. Bernarda, św. Ambrożego, objawień św. Brygidy i wielu innych z łacińskiego języka na polski przełożonych". Przy tej okazji ujawniona została jeszcze jedna zasługa Jadwigi: tłumaczono dla niej na język polski księgi i przygotowywano w tym języku rękopisy, co stwarzało podwaliny pod rozwój piśmiennictwa polskiego, przyczyniało się do rozwoju i doskonalenia języka.

— Wszelako upamiętniony przez Długosza (a powtórzony za nim przez Henryka Sienkiewicza w ,,Krzyżakach") portret Jadwigi jako osoby oddającej się w ostatnich latach życia umartwieniom i ascezie, odosobniającej się od światowego życia dworu, poświęcającej czas skupieniu i kontemplacji, opiekunki chorych i ubogich, dobrodziejki szpitali w Bieczu, Sandomierzu, Nowym Sączu, na Stradomiu, fundatorki ołtarzy – jest jednostronny. Jadwiga bynajmniej nie uchylała się stale od życia dworskiego, brała w nim nie tylko udział, ale była jego ośrodkiem. Miała własny dwór, niezależny od króla, zorganizowany na wzór węgierski. Składał się on z licznych urzędników (miała własną kancelarię), rycerzy, dworzan, dam. Chętnie otaczała się uczonymi, co potwierdza jej zainteresowania nauką i skłonności do kontemplacji. Na dworze krakowskim przebywał Hieronim Jan Sylwan z Pragi i głośny czeski kaznodzieja Jan Szczekna. Blisko z Jadwigą związany był uczony medyk, biskup krakowski Jan Radlica, i jego następca na stolicy biskupiej, doktor obojga praw, Piotr Wysz, kanclerz królowej, wielce zasłużony dla odnowy uniwersytetu, oraz sławny prawnik Stanisław ze Skalbimierza, pierwszy rektor odnowionej akademii krakowskiej.

W życiu dworskim Jadwiga kładła nacisk na umiejętność wykwintnej konwersacji. Ale poza tym utrzymywała świeckich muzyków, jeździła konno, polowała, miała strzelców i psiarnie. Przyjmowała sama lub razem z królem zagranicznych dyplomatów i dostojników. Często gościła księżnę Aleksandrę mazowiecką, siostrę Jagiełły i żonę księcia Siemowita IV, osobę, którą historycy podejrzewają, że wnosiła gwarny nastrój światowy. Historycy zauważyli, że w zachowanych fragmentarycznie rachunkach dworu Jadwigi i Jagiełły brak wydatków na suknie i kosztowności królowej, zapewne jednak przywiozła ich dostateczną ilość w swojej wyprawie z Węgier (Długosz pisał, że przyjechała stamtąd ,,z wspaniałą królewską wyprawą w złocie, srebrze, naczyniach i szatach kosztownych, klejnotach, purpurach i jedwabiach"), skoro starczyło drogich sukien i klejnotów na zapis dla uniwersytetu.

Ale nie tylko w życiu dworskim przejawiała się aktywność Jadwigi. Dewocyjna i charytatywna działalność królowej nosiła charakter jak najbardziej praktyczny. Fundowane przez nią, obdarowywane i otaczane opieką szpitale, będące w średniowieczu nie instytucjami służby zdrowia, lecz raczej opieki społecznej, odpowiadały pilnym potrzebom kraju, miały rozwiązywać skomplikowane i silnie nabrzmiewające w późnym średniowieczu problemy miejskiej i wiejskiej biedoty, żebractwa i włóczęgostwa. Założone przez Jadwigę kolegium psałterzystów przy katedrze wawelskiej, erygowane przez nią ołtarze, kościoły, w których budowie uczestniczyła, służyły nie tylko życiu religijnemu, ale – w ówczesnym sensie – także kulturalnemu. Była też czynna w polityce. Jej kancelaria wystawiała wiele dokumentów. W 1387 roku stała na czele wyprawy polskiej na Ruś Halicką; rezultatem tej wyprawy było ponowne przyłączenie Rusi Czerwonej do Polski. Od 1390 r. Jadwiga podjęła korespondencję z Krzyżakami, poruszając w niej różne ważne polityczne kwestie, wykazując przy tym dojrzałość, takt dyplomatyczny, nieustępliwość wobec żądań krzyżackich. U potomnych zasłużyła sobie na epitet „moralnej sprawczyni Grunwaldu". Ekspediowała także listy i poselstwa do Rzymu w sprawach odpustów, obsady biskupstw w Polsce, a także odnowienia uniwersytetu w Krakowie. Odegrała doniosłą rolę w doprowadzeniu do zgody między Jagiełłą i Witoldem w 1393 roku, a także w pertraktacjach z Zygmuntem Luksemburskim (wyjeżdżała w tym celu na Węgry i przy-

Dziedziniec Collegium Maius

jmowała go w Polsce), którego należało odciągnąć od Krzyżaków.

Jadwiga zmarła 17 lipca 1399 roku. Pozostała po niej tradycja osoby świątobliwej i wybitnej władczyni. Kult królowej Jadwigi zaczął się rozwijać zaraz po jej śmierci, a jednym z jego propagatorów był chyba sam Jagiełło. Można wątpić, czy Jadwiga była rzeczywiście wybitnym politykiem – była na to zbyt młoda, a większość przypisywanych jej posunięć politycznych, a także akcji dyplomatycznych z pewnością przygotowali, a nawet realizowali doświadczeni politycy, doradcy królowej i dygnitarze królestwa. Jej osobowość poznajemy albo przez pryzmat urzędowych akt, rachunków, wystawianych przez kancelarię królowej dokumentów, podpisywanej przez Jadwigę, ale nie przez nią koncypowanej korespondencji dyplomatycznej, albo panegirycznych notatek rocznikarskich, a przede wszystkim kroniki Długosza, autora wyrażającego się o Jadwidze z szacunkiem, a nawet czcią, głoszącego kult jej świątobliwości, ale dynastii Jagiellońskiej nieprzychylnego, a przy tym nie zawsze dokładnie poinformowanego, piszącego kilkadziesiąt lat po śmierci Jadwigi. Autentyczną postać królowej przesłaniają więc różne tendencje polityczne i hagiograficzne, co nie sprzyja poznaniu prawdziwego jej oblicza. Zdaje się jednak nie ulegać wątpliwości, że była to postać niepospolita, kobieta wyróżniająca się nie tylko urodą i wzrostem (miała ok. 180 cm wzrostu, a jej piękność zgodnie sławili wszyscy współcześni), ale przede wszystkim intelektem i charakterem. W polskiej tradycji historycznej zajmuje Jadwiga poczesne miejsce jako jedyna kobieta-król na tronie polskim i jako władczyni dobrze zasłużona dla kraju, który nie był przecież jej właściwą ojczyzną, chociaż i po ojcu, i po matce spokrewniona była z polskimi Piastami.

Juliusz Bardach

WŁADYSŁAW II JAGIEŁŁO

Od wieków imię Jagiełły kojarzy się nieodparcie z imieniem Jadwigi. W dziesiątkę utrafił Karl Scheinocha von Wtelensky – syn austriackiego urzędnika w Galicji, Czecha z pochodzenia, ożenionego z Polką, znany literat i historyk piszący się Karol Szajnocha, kiedy w 1855–56 roku opublikował swoją najpopularniejszą książkę: ,,Jadwiga i Jagiełło''. Gruba, ponad 80 arkuszy licząca książka, gdy została wznowiona przez Państwowy Instytut Wydawniczy, rozeszła się w dwóch nakładach (łącznie 40 tysięcy egzemplarzy), zadając kłam wszystkim, którzy twierdzą, że współczesny czytelnik nie akceptuje ,,kolubryn'' historycznych. Owszem, akceptuje, pod warunkiem wszakże, że objętości odpowiada nie tylko cena, ale i interesujące go treści. A tych u Szajnochy, na którego dziele oparł swoich ,,Krzyżaków'' Sienkiewicz, nie brak. Stąd renesans po blisko stu dwudziestu latach.

Na szerokim tle społeczno-obyczajowym zarysował rzecz o węgierskiej królewnie z francuskiej dynastii Andegawenów, ale jednocześnie wnuczce Elżbiety Łokietkówny, koronowanej w 1384 roku w wieku dziesięciu zaledwie lat na króla polskiego, i jej mężu wielkim księciu litewskim Jagielle – ostatnim pogańskim władcy w Europie, który starszy od niej o dwadzieścia kilka lat od 1386 roku przez pół wieku blisko dzierżył jabłko i berło Królestwa Polskiego. Do polskiego panteonu jako jedni z najpopularniejszych władców weszli Litwin i Andegawenka, jak też zatytułował swoją popularną książkę znawca epoki profesor Stefan M. Kuczyński.

Poganin, nieokrzesany barbarzyńca – oto jak wyobrażała sobie przyszłego małżonka Jadwiga i jej węgierskie otoczenie, kiedy wystąpił on – obok Siemowita IV mazowieckiego – jako kandydat do ręki Jadwigi, a co zatem idzie i do tronu polskiego. Kandydaturę Jagiełły popierali panowie małopolscy, z których środowiska wyszła inicjatywa tego związku, przeciw arcyksięciu Wilhelmowi Habsburgowi, któremu Jadwiga została poślubiona – ówczesnym zwyczajem – w wieku lat czterech (1378). Pragnąc ubiec współzawodników szesnastoletni Wilhelm zjawił się w pierwszej połowie sierpnia 1385 roku w Krakowie w towarzystwie księcia Władysława Opolczyka, który miał dopilnować spełnienia małżeństwa, jako że właśnie w tym czasie Jadwiga zbliżała się do ukończenia lat dwunastu, co ówcześnie stanowiło wiek uprawniający do rozpoczęcia pożycia małżeńskiego (a można je nawet było – według św. Tomasza z Akwinu – przyśpieszyć o sześć miesięcy). Jednak panowie małopolscy nie dali się postawić przed faktem dokonanym. Dążąc do umocnienia pozycji Królestwa Polskiego nie chcieli podporządkowywać go dynastycznej polityce Habsburgów. Wygnali więc Wilhelma, który zdołał już dostać się na Wawel. Jadwiga sama odwołała akt ślubu, który biskupi uznali za nieważny, a młodociana królowa ulegając namowom zaakceptowała kandydata z Wilna. Aktem w Krewie w 1385 roku Jagiełło zobowiązał się, w zamian za rękę Jadwigi, przyjąć wraz z braćmi i całą Litwą chrześcijaństwo w obrządku łacińskim, a ziemie Litwy i Rusi litewskiej na zawsze przyłączyć *(applicare)* do Korony Królestwa Polskiego. W roku następnym zjazd panów i szlachty w Lublinie powołał go na tron. Była to w istocie elekcja. Po niej nastąpiły – już w Krakowie

275

– ślub z Jadwigą i koronacja na króla Polski. Tak rozpoczął się nowy etap dziejów Polski oparty na związku z Litwą. Związek ten na kilka stuleci określił dzieje obu państw i narodów, a nazwa jego – unia jagiellońska – związała się na zawsze z imieniem jego współtwórcy.

Spotyka się czasem pogląd, że unia polsko--litewska była czymś wyjątkowym, unikalnym w dziejach Europy. Nic bardziej fałszywego. Związki dynastyczne prowadziły wówczas często do bardziej lub mniej trwałych unii między państwami. Polska miała za sobą świeże doświadczenie unii z Węgrami, której jednak po śmierci Ludwika Węgierskiego nie zamierzano kontynuować. W dwanaście lat po akcie w Krewie, w 1397 roku została zawarta unia Danii, Szwecji i Norwegii. Przykłady można mnożyć bez trudu. Jeśli unia polsko-litewska wyróżniała się czymś, to swoją trwałością, choć początki jej nie zapowiadały bynajmniej idylli.

Rozpowszechnione jest przekonanie, że unia polsko-litewska została zawarta przez Jagiełłę i jego braci z tworzącymi radę królewską panami małopolskimi ze względu na niebezpieczeństwo zagrażające obu państwom ze strony zakonu krzyżackiego. Niektórzy autorzy piszą o ,,śmiertelnym niebezpieczeństwie zagrażającym Litwie", a nawet – z powołaniem się na Długosza – wspominają, że Litwini byli bliscy porzucenia swych siedzib i osiedlenia się gdzie indziej. Niewątpliwie położenie geopolityczne Litwy, atakowanej z dwóch stron przez zakon krzyżacki i zjednoczony z nim zakon kawalerów mieczowych (inflancki) zmierzające do zagarnięcia Żmudzi, nie należało do najwygodniejszych. Nie sądzę jednak, by Litwini rozpatrywali tego rodzaju

Ruiny zamku w Trokach

ewentualność. Podzielam pogląd Henryka Łowmiańskiego, że Zakon nie zagrażał samemu istnieniu państw polskiego i litewskiego. Natomiast – jak słusznie stwierdza znakomity historyk – „istnienie potężnego Zakonu nad Bałtykiem oznaczało ograniczenie suwerenności państw zaplecza na polu gospodarczym, wystawienie tych państw na eksploatację gospodarczą przez Krzyżaków [...], całkowite odcięcie od Bałtyku", a więc „zarazem skrępowanie pod względem politycznym".

O ile jednak byt Litwy jako państwa nie był bezpośrednio zagrożony, to nie oznacza bynajmniej, by nie stała ona przed koniecznością szybkich i zasadniczych decyzji. Najważniejszą była u schyłku XIV wieku kwestia chrystianizacji Litwy. Zachowanie bowiem pogaństwa, gdy cała Europa była chrześcijańską, więcej, gdy uzależnione od Litwy ziemie ruskie wyznawały od wieków religię chrześcijańską (w obrządku wschodnim), stawało się anachronizmem nie do utrzymania. Trzeba pamiętać bowiem, że Litwa czasów Olgierda (1341–1377) zapanowała nad rozległymi obszarami Rusi sięgając na wschodzie aż po górną Wołgę, w bezpośrednie sąsiedztwo konkurującej z nią w akcji jednoczenia ziem ruskich Moskwy, a po dolny Dniepr na południu. Syn Olgierda i ruskiej księżniczki Julianny – Jagiełło sprawami Rusi zajmował się najbardziej. Rywalizując z wielkim księciem moskiewskim Dymitrem sprzymierzył się z chanem Złotej Ordy Mamajem, kiedy ten w 1380 roku wyprawił się przeciw Moskwie. Na wyprawę Jagiełło zdążał jednak tak, by nie wziąć udziału w bitwie na Kulikowym Polu nad Donem, gdzie Dymitr, zwany odtąd Dońskim, rozbił na głowę zastępy tatarskie. Zainteresowany w osłabieniu Moskwy Jagiełło dbał równocześnie, by nie odcinać sobie w przyszłości drogi do porozumienia z nią.

Półgrosz koronny Władysława Jagiełły (przerys)

W rok potem uwięził on podstępnie swego stryja Kiejstuta – dzierżącego część zachodnią Litwy, obrońcę tradycji pogańskiej i wroga Zakonu, z którym miewał już wcześniej zatargi. Kiejstut w więzieniu rychło – i zapewne nie bez przyczynienia się do tego bratanka – życie zakończył. Z Zakonem natomiast Jagiełło zawarł w roku 1382 traktat pokojowy, w którym zobowiązał się m. in. w ciągu czterech lat przyjąć chrzest z całą Litwą.

Trudna sytuacja zarówno wewnętrzna, jak i zewnętrzna wymagały giętkości i obrotności. Nie brakło ich Jagielle, przy czym spryt nie zawsze szedł w parze z dotrzymywaniem przyjętych zobowiązań czy lojalności nawet w stosunku do najbliższych.

Od czasu, gdy zasiadł na tronie polskim, Jagiełło zmienił się. Nie musiał już działać *per fas et nefas*, a korona na głowie zobowiązywała do postępowania, które by odpowiadało piastowanej godności, a przede wszystkim regułom postępowania przyjętym w Polsce. Wróćmy jednak do tego, co spowodowało tę zasadniczą odmianę w losach Jagiełły, jaką było powołanie go na króla Polski.

Podejmując realizację tej koncepcji panowie małopolscy nie tylko sprawę krzyżacką mieli na oku. Chodziło im także o Ruś Halicką opanowaną za rządów króla Ludwika przez Węgry. Odzyskanie jej było możliwe przy

277

pomocy Litwinów, którzy usadowili się w Łucku i w Kijowie. Jagiełło jako król polski zapewniał też spokój na granicy północno--wschodniej i zabezpieczenie kraju przed niszczącymi najazdami litewskimi. Dla Kościoła polskiego dokonanie chrystianizacji Litwy oznaczało nowe biskupstwa prowincji gnieźnieńskiej, ale było też sprawą prestiżową. Polacy drogą pokojową mieli dokonać tego, co przez wiek nie udawało się potędze krzyżackiej.

Plany polskie dogadzały Jagielle. Zdawał on sobie dobrze sprawę, że Litwa musi wejść – i to najrychlej – w skład społeczności chrześcijańskiej. Do wyboru pozostawała tylko droga, w jaki to sposób uczynić. Początkowo myślał o poślubieniu córki Dymitra Dońskiego, co było też formą sojuszu z Moskwą, i nawet zawarł porozumienie w tej mierze. Jednak perspektywa związku z Jadwigą była bardziej tentująca. Miłości własnej wielkiego księcia pochlebiała perspektywa korony królewskiej.

Jemu samemu, jego braciom i litewskiemu otoczeniu Polska imponowała swoją kulturą i pozycją. Jednocześnie musieli czuć się usatysfakcjonowani, że są dla Polaków pożądanymi partnerami. Mieli też w tym interes wewnętrznopolityczny. Element litewski, choć panujący, stanowił mniejszość w Wielkim Księstwie, którego granice objęły – jak wiemy – znaczną część ziem ruskich. W tej sytuacji chrzest w obrządku wschodnim oznaczał asymilację grupy panującej przez liczniejszą i kulturalnie wyżej stojącą ludność ruską. Natomiast przyjęcie chrztu w obrządku łacińskim za pośrednictwem Polski nie tylko pozbawiało Krzyżaków argumentu uzasadniającego ich ustawiczne wyprawy, tzw. rejzy, na Litwę, ale jednocześnie wywyższało wielkiego księcia, jego braci (miał ich aż jedenastu), licznych braci stryjecznych i panów litewskich w stosunku do ruskich kniaziów i bojarów, neutralizując skutecznie odczuwany dotąd w stosunku do Rusinów kompleks niższości. Doprowadził

Pieczęcie Władysława Jagiełły według przerysu z XIX w.

on już wcześniej do przyjęcia przez niektórych książąt litewskich osadzonych na Rusi prawosławia. Tym pilniejsza stawała się dla Jagiełły konieczność generalnego rozstrzygnięcia sprawy.

Upewnione co do stanowiska polskiego poselstwo litewskie wysłane na Węgry od Jagiełły i jego braci do królowej-matki Elżbiety Bośniaczki zwróciło się do niej z prośbą, aby przyjęła Jagiełłę za syna i wydała zań córkę swoją Jadwigę, a on swoje dziedzictwo – Litwę – przyłączy do Królestwa Polskiego. Jagiełło ujmował związek w kategoriach patrymonialnych. Wielkie Księstwo stanowiło własność Giedyminowiczów i gdy naczelnik dynastii zostawał królem sąsiedniego państwa, dziedzictwo swoje do niego przyłączał. Tak też formułował to akt w Krewie. Ujęcie takie było jednak anachronizmem w stosunkach polskich, gdzie Korona Królestwa Polskiego stanowiła jednostkę polityczną niezależną od osoby panującego. Stąd, gdy Jagiełło widział

przyszłość jako połączenie w swoim ręku dziedzictwa żony i własnego, panowie krakowscy widzieli ją w rozciągnięciu panowania Królestwa Polskiego nad ziemiami Litwy i Rusi, czyli ich inkorporacji. Takie rozwiązanie było sprzeczne zarówno z interesami dynastii, jak i panów litewskich. Stąd, gdy po koronacji Jagiełły książęta litewscy i ruscy składali akty hołdownicze zobowiązując się do wierności parze królewskiej i Koronie, złożenia homagium odmówił przyrodni brat Jagiełły Andrzej – książę połocki, a kilku innych książąt zwlekało z jego dokonaniem.

Utrzymanie odrębności państwowej Wielkiego Księstwa – mimo postanowień aktu krewskiego – było naturalnym skutkiem różnicy etapów rozwoju obu krajów. Obrońcą, więcej – symbolem państwowości litewskiej stał się stryjeczny brat Jagiełły Witold Kiejstutowicz. Skłócony z Jagiełłą i stąd poszukujący oparcia oraz schronienia u Krzyżaków, z czasem objął z ramienia Jagiełły zarząd Wielkim Księstwem. Inicjatywa porozumienia wyszła od Jagiełły. Jako król polski nie potrzebował już używać podstępów dla utrzymania się przy władzy. Doceniał on zdolności, rzutkość, energię Witolda, jego popularność na Litwie. Rozum polityczny nakazywał mieć w nim sprzymierzeńca i przyjaciela, nie wroga. Utrzymując polityczną odrębność Litwy miał ją Witold zachować pod zwierzchnictwem Jagiełły. Program ten Jagielle udało się w pełni zrealizować. Witold, który umocnił swoją pozycję na Litwie, przybrał tytuł wielkiego księcia, gdy Jagiełło tytułował się najwyższym księciem Litwy. Odtąd Witold był najbliższym współpracownikiem, a jednocześnie lojalnym partnerem Jagiełły. Ich ścisła współpraca, mimo różnic charakteru (Witold był porywczy, Jagiełło refleksyjny i spokojny), trwała aż do zgonu Witolda w 1430 roku.

Pomiędzy interesami Jagiełły a jego polskiego możnowładczego otoczenia istniała w odniesieniu do Litwy zasadnicza różnica. Utrzymanie odrębności Litwy, gdzie władza wielkoksiążęca po śmierci Witolda miała powrócić do Jagiełły czy jego dziedziców, odpowiadało monarsze, zwłaszcza że panowie polscy stale akcentowali, iż jest on władcą elekcyjnym. Rada królewska z kolei obstawała przy programie inkorporacji, odsuwając najwyżej, pod naciskiem okoliczności, jego realizację. Najważniejszą z tych okoliczności była potrzeba skupienia sił dla rozstrzygającej rozprawy z Zakonem.

Do rozprawy tej przygotowywał się Jagiełło wraz z Witoldem długo i starannie skupiając siły zbrojne oraz przygotowując grunt pod względem politycznym. W 1408 roku Witold zawarł pokój nad rzeką Ugrą z Moskwą zabezpieczając sobie spokój od wschodu. Następnie, za poduszczeniem Witolda, wybuchło powstanie na Żmudzi wspierane przez Litwę. Jednocześnie Polska oświadczyła, że atak na Litwę zostanie uznany za *casus belli*. Zrobiono więc wszystko, by zmusić Zakon pierwszy do wszczęcia kroków wojennych, co później wykorzystała polska dyplomacja przeciwstawiając agresywność Zakonu pokojowej polityce Jagiełły. Działania wojenne wszczęte w 1409 roku, a następnie przerwane, wznowiono w roku następnym, który stał się decydującym momentem w zmaganiach Polski i Litwy z zakonem krzyżackim.

Bitwa pod Grunwaldem 15 lipca 1410 roku stanowi nie tylko największe wydarzenie panowania Jagiełłowego, ale należy do paru najważniejszych dat w historii Polski, które weszły do historii powszechnej. Zwycięstwo grunwaldzkie załamując potęgę zakonu krzyżackiego zahamowało na kilka wieków ekspansję niemiecką na wschód. Wspólne zwycięstwo zacieśniło

związek Polski i Litwy. Oba państwa zdawały sobie sprawę, że ich współdziałanie było konieczną przesłanką tego wiekopomnego zwycięstwa. Niechętny Jagielle Jan Długosz największą zasługę zwycięstwa przypisał Witoldowi, któremu Jagiełło miał powierzyć naczelne dowództwo. Powtarzali to za Długoszem późniejsi historycy. Dopiero Stefan M. Kuczyński w książce „Wielka wojna z zakonem krzyżackim" udowodnił, że to Jagiełło dowodził pod Grunwaldem zarówno wojskami polskimi jak i pozostającymi pod bezpośrednią komendą Witolda – litewskimi. Łącznie wojska polsko-litewskie, liczące 90 chorągwi (50 polskich, 40 litewskich) o ogólnej liczebności 30 tysięcy jazdy, wsparte posiłkami tatarskimi obliczanymi na 2 tysiące jazdy i oddziałami, które przysłał lennik Jagiełły hospodar mołdawski, były znacznie liczniejsze niż krzyżackie, liczące 51 chorągwi, ale ustępowały im – zwłaszcza gdy chodzi o Litwę – pod względem uzbrojenia i wyszkolenia bojowego. W rezultacie w pierwszej części bitwy jazda zakonna zmusiła do odwrotu chorągwie litewskie i tatarskie. Tylko trzy chorągwie smoleńskie dotrzymały pola i mimo ciężkich strat dołączyły się do wojsk koronnych.

W drugiej części bitwy sytuacja uległa zasadniczej zmianie. Militarną przewagę ciężkiej jazdy krzyżackiej potrafił Jagiełło skutecznie zneutralizować przez zastosowanie przejętej od Tatarów taktyki polegającej na uderzaniu od razu całością sił, co umożliwiało przełamanie liniowego szyku przeciwnika, jak również od flank i od tyłu. Trafna była też decyzja uderzenia na umocniony obóz krzyżacki, co dopełniło pogromu Zakonu. Poległ sam wielki mistrz. Wzięto wielu jeńców. Można powiedzieć, że zwycięstwo przekraczało oczekiwania zwycięzców.

Po jednodniowym wypoczynku wojska Jagiełły, powoli opanowując teren i obsadzając zamki (Olsztyn, Olsztynek, Morąg i inne), zdążały pod Malbork, stolicę Zakonu i potężną – jak to widać i dziś – twierdzę. Miał mu to za złe Długosz reprezentujący tu pogląd Zbigniewa Oleśnickiego. ,,Ludzie biegli w sztuce wojennej – pisał dziejopis – za największy to błąd poczytywali królowi, że nie posłał wojska do opanowania zamku Marienburga, co wówczas łatwą było rzeczą, gdy zamek ten bez obrony i niemal pusty stał dla zwycięzców otworem".

Czy można było posuwać się szybciej? Zdania w tej mierze były – i są – podzielone. W każdym razie czas ten wykorzystali Krzyżacy, którzy zdążyli przygotować obronę. Współcześni historycy w większości biorą w obronę Jagiełłę dowodząc, że szybsze posuwanie się w warunkach opanowywania kraju nie było możliwe, a zdobycie Malborka wymagało armii oblężniczej (piechoty, artylerii), której ani Polska, ani Litwa nie posiadały.

W dwadzieścia kilka dni po rozpoczęciu oblężenia stolicy Zakonu Witold wycofał się ze swoimi wojskami na Litwę. Wycofanie to interpretowano rozmaicie. Obecnie zwraca się głównie uwagę, że wojska litewskie poniosły pod Grunwaldem wielkie straty (do 50 procent) oraz że Litwie zagroził w tym czasie najazd zakonu inflanckiego, którego tylko jedna chorągiew uczestniczyła w bitwie pod Grunwaldem. Faktem jest, że wycofanie się Witolda odbyło się za zgodą Jagiełły, który przydał mu nawet eskortę z sześciu chorągwi polskich, mających osłaniać Litwinów przed nagłym napadem przeciwnika. Pozwoliło to Pawłowi Jasienicy napisać, że ,,Jagiełło ani na chwilę Litwinem być nie przestał". Z tego niewątpliwego faktu wyciągał jednak wątpliwą już przesłankę, że ,,służył swojej ojczyźnie wspierając ją polskimi siłami". A że w interesie

Litwy – jak sądził Jasienica – nie leżała likwidacja Zakonu, stąd kunktatorstwo, które obróciło się przeciw zwycięzcom, i na ostatek ostry – inspirowany w części przez Długosza – sąd wartościujący: ,,Nikt tak wielkiego zwycięstwa w równy sposób nigdy nie zmarnował".

Rzeczywiście zafiksowane w traktacie pokojowym z 1411 roku warunki, jak odzyskanie Żmudzi na czas życia Jagiełły i Witolda (po czym miała ona powrócić do Zakonu, co zresztą nigdy nie nastąpiło), zwrot Siemowitowi IV mazowieckiemu części zastawionej Krzyżakom dzielnicy oraz niemała, co prawda, suma 100 tys. kóp groszy praskich (= 300 tys. dukatów) za wykup jeńców to stosunkowo niewiele po tak świetnym zwycięstwie. Daleko stąd jednak do tak ostrego sądu jak wyrażony przez Jasienicę.

Od chwili powołania na tron polski Jagiełło gros czasu i sił poświęcał sprawom Polski. Regularnie co roku – jak to ustalił Antoni Gąsiorowski – objeżdżał wszystkie ziemie Królestwa, rozstrzygając na miejscu spory, sprawując sądy i kontrolując działalność starostów i urzędników ziemskich. Dopiero w końcu listopada wyjeżdżał na Litwę, by spędzić tam Boże Narodzenie i Nowy Rok. W Koronie, w przerwie między podróżami, rad przebywał nie na Wawelu, którego nie lubił, ale najczęściej w Korczynie, gdzie wybudował sobie rezydencjalny dwór.

Po Grunwaldzie wymogi sojuszu w walce o utrzymanie na stałe Żmudzi skłoniły Litwę do zacieśnienia więzi z Polską. Z drugiej strony dla panów koronnych stało się jasne, że związek ten winien się oprzeć już nie na zasadzie inkorporacji, ale równorzędnego związku obu państw. Odpowiadało to zarówno Jagielle jak i Witoldowi. Wyrazem nowego układu była unia zawarta w 1413 roku w Horodle.

Władysław Jagiełło ze sceny fundacyjnej w kaplicy Św. Trójcy na zamku w Lublinie

Stanowiła ona, że związek obu państw będzie miał charakter trwały. Odtąd wielki książę na Litwie miał być ustanawiany przez króla za zgodą panów oraz szlachty litewskiej i polskiej. Odwrotnie, ewentualny wybór króla w Polsce miał się odbywać za radą panów i szlachty litewskiej. Dla omawiania spraw interesujących obie strony przewidziano wspólne polsko-litewskie zjazdy i sejmy. Umocniono więc między obu państwami przez adopcję 47 najznaczniejszych rodów panów i bojarów litewskich do polskich herbów szlacheckich.

Unia horodelska – mimo przejściowych wstrząsów i modyfikacji, z których najważniejszą była przewaga unii personalnej nad wyznaczaniem dla Litwy osobnego wielkiego księcia – stała się podstawą więzi międzypaństwowej na przeszło półtora wieku, bo aż do unii lubelskiej (1569). Zasługa to obu władców: Jagiełły i Witolda, że potrafili w drodze kompromisu tak ułożyć wzajemne stosunki, że odpowiadały długofalowym interesom obu społeczeństw i państw.

Po pokoju toruńskim przyszło jeszcze Jagielle kilkakrotnie wojować z Zakonem. Raz w 1414, drugi w 1422 roku, kiedy po zwycięstwie sił polsko-litewskich Krzyżacy na zawsze zrzekli się Żmudzi. Wreszcie w 1433 roku wojska polskie wraz z zaciężnymi rotami czeskich husytów, zwanych „sierotkami", doszli do Bałtyku.

Walczący z Zakonem król polski budził żywe sympatie wśród Czechów, gdzie w tym czasie rozwijał się ruch narodowo-religijny, którego przywódcą ideowym, a potem symbolem, był Jan Hus. Po zwycięstwie pod Grunwaldem napisał on do Jagiełły list gratulacyjny „z radością, której ani piórem nie opisać, ani słowem nie wyrazić".

Stąd też, gdy husyci odparli zwycięsko podjęte przeciw nim wyprawy cesarza Zygmunta Luksemburczyka, zwrócili się do Jagiełły proponując mu objęcie tronu czeskiego. Mimo sympatii dla ruchu husyckiego Jagiełło odpowiedział odmownie. Propozycję Czechów zaakceptował natomiast – za zgodą króla – Witold, który wysłał do Czech, jako namiestnika, bratanka Jagiełły księcia Zygmunta Korybutowicza. Intencją Witolda i Jagiełły było, po uzyskaniu tronu czeskiego, doprowadzić do porozumienia husytów z papiestwem kładąc kres zarówno schizmie jak i wojnom. Ugody nie chciało jednak papiestwo głosząc program wytępienia herezji. Pod naciskiem hierarchii duchownej, w szczególności Zbigniewa Oleśnickiego realizującego politykę kurii rzymskiej, król wycofał się ze sprawy czeskiej.

Wraz z Witoldem odwołał on Korybutowicza oraz towarzyszących mu polskich i litewskich rycerzy. Co więcej, pod naciskiem episkopatu wydał król edykt wieluński (1424), który przyrównywał wyznawanie husytyzmu do zbrodni obrazy majestatu, grożąc zań najsurowszymi karami. Jednocześnie nakazywał w nim Jagiełło sprawdzanie przez specjalnie powołanych inkwizytorów prawowierności każdego przybywającego lub powracającego z Czech. Na zwolenników husytyzmu posypały się represje. Biskup poznański Andrzej z Bnina nakazał spalić na stosie pięciu ministrów (tzn. kaznodziei) husyckich wydanych mu przez oblężony Zbąszyń. Polityka wyznaniowa Jagiełły, skłonnego do tolerancji religijnej, nie biegła linią prostą. Neofita, by uniknąć zarzutu nieprawowierności, szedł na daleko idące ustępstwa wobec żądań papiestwa i jego reprezentantów w kraju, ale gdy interes kraju wymagał, sięgał do pomocy tychże husytów w walce z Zakonem.

Warte są przypomnienia dzieje Jagiełłowego małżeństwa z Zofią Holszańską. Po śmierci trzeciej swej żony, Elżbiety Granowskiej, 70-letni już i nie mający wciąż synów Jagiełło pojął za żonę młodą, siedemnastoletnią księżniczkę Zofię Holszańską. Pochodząca z XVI wieku ruska ,,Kronika Bychowca'' opisuje, że kiedy podczas pobytu u księcia Semena Druckiego król poznał jego dwie siostrzenice: Wasylisę (zwaną Biełuchą) i Zofię Holszańskie, zwrócił się do towarzyszącego mu Witolda, by pomówił z opiekunem, czy nie wydałby za niego Zofii. Na propozycję Witolda książę Drucki miał odpowiedzieć: ,,«Król Jagiełło to brat twój koronowany i hospodar wielki. Nie mogłoby się lepiej stać siostrzenicy mojej, iżby za Jego [Królewską] Mość wyszła. Ale mi się nie godzi hańby czynić i sromoty starszej siostrze jej, iżby ona przed starszą wyszła za mąż, niech więc Jego Mość starszą pojmie». I kiedy wielki książę Witold królowi Jagielle to powiadał, on odrzekł: «Sam ja to wiem, że siostra starsza jest cudniejsza, ale ma wąsiki, a to znaczy, że jest dziewką krzepką, a ja jestem człowiek stary i nie śmieć się na nią pokusić». A potem wielki książę Witold pomyślawszy z księciem Semenem, wezwali przed siebie księcia Iwana Włodimierowicza Bielskiego, bratanka swego, i zmówili za niego tę starszą siostrę Wasylisę Biełuchę, a Zofię zaręczyli z królem Jagiełłą''.

Pochodząca z rodu książąt kijowskich Zofia, zwana czasem Sońką, była prawosławna. Przeszła na katolicyzm dopiero w przeddzień ślubu, ale nadal chętnie otaczała się Rusinami. Koronowana – mimo oporów panów małopol-

Orzeł z nagrobka Władysława Jagiełły

283

skich – obdarowała króla dwoma synami: Władysławem i Kazimierzem. Mimo że – jak przynajmniej sądził Jagiełło – miała mniej temperamentu od starszej siostry, nie ustrzegła się pomówień o przyprawianie rogów podstarzałemu mężowi. O bliższe stosunki z królową obwiniano aż sześciu rycerzy, a czterech nawet uwięziono. Sprawa była rozpatrywana przez sąd rady królewskiej. Zgodnie z ówczesną procedurą królowa oczyściła się z zarzutów przysięgą własną i współprzysiężników dobra-

Popiersie Władysława Jagiełły (fragment nagrobka z katedry wawelskiej)

nych spośród osób znanych jako zwolennicy Oleśnickiego, więc nie podejrzanych o stronniczość. Chodziło nie tylko o dobre imię królowej, ale o to, czy zrodzeni z niej synowie, jako pochodzący z prawego łoża, mają prawo do ojcowskiego dziedzictwa.

Od chwili narodzin pierworodnego Władysława (1424) głównym celem polityki wewnętrznej ostatnich dziesięciu lat panowania Jagiełły było zapewnienie swemu synowi tronu polskiego. Nie było to rzeczą prostą. Wykorzystując zasadę elekcyjności tronu stronnictwo możnowładcze ze Zbigniewem Oleśnickim na czele uzależniało zgodę na powołanie do rządów jednego z synów Jagiełłowych od dalszych przywilejów. Sformułowano je w akcie sporządzonym w Brześciu Kujawskim na zjeździe ogólnopolskim zwanym już wówczas „sejmem walnym wszego królestwa" (1425), ale kiedy król wzbraniał się go potwierdzić, w rok potem na sejmie w Łęczycy panowie mieczami posiekali pergamin, na którym go spisano.

Starając się przezwyciężyć opór rady królewskiej król szukał poparcia w miastach. Przychylne mu wystawiły dokumenty, że „nigdy innego ani innych panów sobie nie obiorą ani zażądają, jak długo ci (tj. synowie Jagiełły – przyp. J.B.) żyć będą". Sojusz króla i miast był jednak za słaby, by przeciwstawić się skutecznie możnowładcom i idącej za nimi szlachcie. Dlatego też wielką wagę miało w planach Jagiełły zapewnienie dla synów sukcesji Wielkiego Księstwa. Kiedy więc w 1429 roku na zjeździe w Łucku król rzymski, Zygmunt Luksemburczyk, pragnąc poróżnić Litwę z Koroną, zaproponował koronację Witolda na króla Litwy, Jagiełło poparł tę propozycję, licząc na to, że po śmierci bezpotomnego Witolda korona królewska przejdzie na jego syna. Ponieważ zaś – jak uważano wówczas powszechnie – Korona nie mogła być wcielona do Korony, Polska, by utrzymać związek między obu państwami, będzie musiała powołać na tron dziedzicznego króla Litwy. Zdecydowana opozycja rady królewskiej zmusiła jednak Jagiełłę, by odstąpił od tego projektu. Co więcej, za inspiracją rady, zgodził się on odstąpić tron polski Witoldowi, by ten otrzymując upragnioną godność królewską, zachował jednocześnie unię. Witold – lojalny wobec Jagiełły – tej propozycji nie przyjął.

Posłów Luksemburczyka do Witolda zatrzymali Wielkopolanie, a wysłanników jadących z koroną zmuszono do zawrócenia z drogi. Spowodowało to, że realizacja całego, bardzo zaawansowanego projektu, jako że goście już zjechali na koronację, spaliła na panewce. Była to porażka Witolda, który rychło zmarł (w październiku 1430 r.), ale i popierającego go Jagiełły. Zwyciężyli możnowładcy polscy reprezentujący interes państwowy sprzeczny tym razem z interesem dynastycznym.

Skoro nie dało się ani złamać, ani przechytrzyć możnowładczej opozycji, trzeba było się z nią porozumieć i pójść na ustępstwa w imię zapewnienia synowi sukcesji. W marcu 1430 roku na zjeździe w Jedlni król wydał przywilej powtarzający wszystkie prawa szlachty i dodający do nich słynną zasadę *neminem captivabimus nisi iure victum*. Odtąd nie wolno było uwięzić osiadłego szlachcica, zanim nie zostanie skazany prawomocnym wyrokiem. W zamian za to zgromadzona ,,cała społeczność Królestwa'' przyrzekała, że po śmierci Jagiełły powoła na tron tego z jego synów, który będzie zdatniejszy do rządów, pod warunkiem wszakże uprzedniego zatwierdzenia przywilejów i przestrzegania ich w praktyce.

Tak więc, choć dynastia Jagiellonów rządziła w Polsce przez blisko dwa wieki, rządy jej opierały się nie na prawie dziedziczenia, ale na

elekcji, która w praktyce nie wychodziła jednak poza krąg potomków Jagiełły. Był więc założycielem dynastii, która swe panowanie zawdzięczała stałej, przy każdej zmianie tronu ponawianej, zgodzie stanów. Podkreślano nieraz, że elekcyjność doprowadziła do osłabienia władzy królewskiej i władzy państwowej w ogóle. Z drugiej jednak strony przejawiający się w elekcjach konsens społeczny był ważkim elementem wykształcania się polskiej kultury politycznej.

Sprzyjało temu rozwojowi odnowienie w 1400 roku założonej przez Kazimierza Wielkiego wszechnicy krakowskiej. Przeznaczyła na ten cel przed śmiercią klejnoty swoje Jadwiga, ale zasługą Jagiełły była realizacja tego dzieła. Daje temu wyraz po dziś dzień nazwa uniwersytetu. Dla odnowionej wszechnicy, obok istniejących wcześniej wydziałów nauk wyzwolonych, medycyny i prawa, uzyskał Jagiełło zgodę papieża na otwarcie wydziału teologicznego, czego odmówiono ongiś Kazimierzowi, a co dopiero tworzyło w pełni zorganizowany uniwersytet. Uzasadnieniem powołania wydziału teologicznego była między innymi potrzeba kształcenia księży dla rozpowszechniania katolicyzmu na Litwie. Umiał też Jagiełło wykorzystać uczonych krakowskich dla obrony sprawy Polski i Litwy na soborze w Konstancji, gdzie zabłysnął Paweł Włodkowic rozwijając doktrynę suwerenności państw, również pogańskich, oraz przeprowadzając wnikliwe odróżnienie wojen sprawiedliwych i niesprawiedliwych. Te ostatnie prowadzili Krzyżacy napadając spokojnych Żmudzinów i Litwinów pod pozorem nawracania ich na wiarę chrześcijańską.

Wbrew niechętnemu Jagielle Długoszowi, który – jak wiemy – był rzecznikiem poglądów Oleśnickiego i nie żałował monarsze ciemnych barw, przedstawia się on współczesnemu historykowi jako wybitny mąż stanu i dowódca wojskowy. Jako mąż stanu potrafił rozgrywać pomyślnie wielkie zagadnienia polityki międzynarodowej mając za partnerów cesarza, papieża i najprzedniejsze dynastie Europy. Choć nie potrafił zlikwidować zakonu krzyżackiego, zdążał stale do jego osłabienia i izolacji.

Poprzez rozsądny kompromis potrafił zneutralizować separatyzm litewsko-ruski oraz ułożyć się z bratem stryjecznym i początkowo rywalem – Witoldem, czyniąc z niego lojalnego i cennego współpracownika. Przywiązany do swej ściślejszej ojczyzny – Litwy, dbał jak najtroskliwiej o interesy państwowe swojej drugiej ojczyzny – Polski i godnie ją zaprezentował. Że łączył to z widokami dynastycznymi, nie można brać mu za złe. Często uparty, rozumiał jednak, że polityka jest sztuką realizacji rzeczy możliwych, i rozgrywał trudne partie z mającym własne koncepcje polityczne możnowładztwem. Musiał nieraz ustąpić, by wygrać w następnej turze. Obcy religijnemu fanatyzmowi, dbał o pokojowe współżycie z ludnością prawosławną, choć jako neofita, dbały o to, by dać wyraz swej prawowierności, szedł nieraz – jak w stosunku do husytyzmu – daleko w tym kierunku. Sam niewykształcony, rozumiał dobrze potrzebę oświaty i nauki.

W życiu osobistym był bezpośredni i prosty. Jak zanotował Długosz, po zwycięskiej bitwie pod Koronowem (w parę miesięcy po Grunwaldzie) król odwiedził wszystkich rannych rycerzy, wynagradzając szczodrze tych, którzy się w bitwie odznaczyli. ,,Rzekłbyś –

napisał dziejopis – że to nie król, ale człowiek zwyczajny, który dla równego sobie żadnej nie szczędzi pomocy i usługi".

Jadał król niewyszukane potrawy, nie pijał piwa ani syconych miodów, a jedynie wodę. Działo się to może nie tylko ze względu na wstrzemięźliwość, bo potrawy podawał mu zawsze ten sam zaufany sługa. Bał się zapewne Jagiełło otrucia, a były w tej mierze precedensy wśród Giedyminowiczów. Ulubioną królewską rozrywką były polowania. Kochał przyrodę i do późnych lat zachował wrażliwość na jej piękno. Nawet śmierć jego, 1 czerwca 1434 roku, była skutkiem zapalenia płuc, kiedy to na wiosnę w Medyce (koło Przemyśla) ,,z upodobania i zwyczaju, jaki miał w całym życiu, a który był zachował jeszcze z czasów pogaństwa, poszedł do lasu dla słuchania słowika i ucieszenia się jego słodkim pieniem, a zabawiwszy na tym słuchaniu aż do późnej nocy, zaziębił się mocno [...] i od tego czasu zaczął na siłach zapadać".

Nie powstrzymał się Długosz, by i przy tej okazji nie wypomnieć królowi pogańskich upodobań, które jednak musiały budzić sympatię zarówno u współczesnych jak budzą je u potomnych.

Pozostawił po sobie Władysław Jagiełło związek dwóch państw jeszcze niespójny, ale liczący się do pierwszych potęg ówczesnej Europy. Od niego bierze początek dynastia Jagiellonów, z której panowaniem związane są czasy największej świetności Korony Królestwa Polskiego.

Rafał Karpiński

WŁADYSŁAW III WARNEŃCZYK

Krótkie, zaledwie dwudziestoletnie życie Władysława III króla Polski i Węgier, a szczególnie jego śmierć na przedpolach Warny były i są nadal oceniane całkowicie odmiennie w historiografii. Jedni widzą w nim niedorosłego młodzieniaszka, ulegającego w Polsce wpływom wszechpotężnego kardynała Zbigniewa Oleśnickiego, na Węgrzech zaś Jana Hunyady'ego, wojewody i potężnego magnata, marionetkę zgoła dającą się powodować sprytnemu legatowi papieskiemu Julianowi Cesariniemu; inni szlachetnego władcę, ostatniego krzyżowca przepojonego ideą walki o wiarę świętą, broniącego do ostatka chrześcijaństwa i cywilizacji europejskiej. Obok spiżowego posągu króla bez skazy, funkcjonował inny: władcy-krzywoprzysiężcy, który złamał po kilku dniach rozejm zawarty z Turkami, zapalczywego młokosa, winnego klęski warneńskiej. Na progu bieżącego stulecia, gdy świadomość historyczna zaczęła stanowić ważny element więzi szerszych warstw społecznych, walczono zajadle o Warneńczyka ubolewając, że podania o krzywoprzysięstwie króla ,,przeszły z uczonych dzieł do podręczników przeznaczonych dla użytku młodzieży, a nawet dziatek". Było więc imię Władysława wykorzystywane niejednokrotnie w rozlicznych utarczkach i polemikach ideowych: religijnych i narodowych przede wszystkim, a jego ,,życie pośmiertne", legenda o nim, jest równie ciekawa jak życie doczesne.

Władysław przyszedł na świat, kiedy tracono już nadzieję, że sędziwy król Jagiełło po-

zostawi męskiego potomka. Trzy pierwsze związki małżeńskie Władysława Jagiełły nie dały przecież dziedzica.

W takich okolicznościach, za poradą księcia Witolda, Jagiełło, liczący około siedemdziesięciu lat, pojął za żonę młodą Sońkę z Holszan. Długosz, niechętny Jagiellonom, pisze, że było to małżeństwo ,,niemiłe Polakom, a królowi nachylającemu się do starości niepotrzebne i niestosowne". Co więcej, oblubienica, kniaziówna litewska, spowinowacona z Jagiełłą w trzecim i czwartym stopniu, ,,kwitnąca na ów czas dziewica – bodaj siedemnastoletnia – była urodą więcej niż cnotami zalecaną". Odbyte w Nowogródku z wielką okazałością zaślubiny i wesele nierównych wiekiem małżonków dały wreszcie staremu królowi tak długo oczekiwanego syna. Zapewne w siedemnaście miesięcy po ślubie – dnia 31 października 1424 roku – przyszedł na świat pierworodny Jagiełły – Władysław. Z tego małżeństwa doczekał się król jeszcze dwóch synów: zmarłego w niemowlęctwie Kazimierza i kolejnego Kazimierza Andrzeja, zwanego Jagiellończykiem, następcy po Warneńczyku na tronie polskim.

Wiadomość o urodzinach pierworodnego zastała monarchę w Przemyślu. Uradowała go wielce, jak i cały naród. ,,Po jej otrzymaniu król przez cały dzień nie wychodził z kościoła, ale cały czas trawił na modlitwie, dziękczynieniu Boga i pobożnych uczynkach. Tak zaś pożądana dla wszystkich była ta wiadomość, tak radosna i uroczysta, że i opatrzność Boga uwielbiali, i podziwiali płodność sędziwego króla". Chrzest długo oczekiwanego królewicza odbył się w Krakowie 18 lutego 1425 r. (ojcem chrzestnym – *per procuram* – był papież Marcin); na tę uroczystość wielki książę litewski Witold przysłał bratankowi srebrną kołyskę. Jagiełło rychło rozpoczął starania o zapewnienie sukcesji Władysławowi. Na zje-

Władysław Warneńczyk (miniatura z tzw. Modlitewnika Władysława Warneńczyka)

ździe w Brześciu Kujawskim (1425), na prośbę i nalegania, król uzyskał zapewnienie na piśmie, że nowo narodzony syn obejmie po nim tron. Zobowiązanie to zostało opatrzone warunkiem potwierdzenia wolności i przywilejów oraz nowych zrzeczeń monarchy na rzecz rycerstwa. Od wypełnienia zobowiązań królewskich zależeć miało następstwo Władysława na tronie polskim. Nie spieszył się jednak Jagiełło z wypełnieniem obietnic. Przyciśnięty wreszcie w rok później na zjeździe łęczyckim oświadczył, ,,że ani dawnych praw nie potwierdzi, ani nowych nie da", co tak rozjuszyło tam rycerstwo, że ów akt określający sukcesję ,,natychmiast – i w oczach króla, nie bez trzasków i szczęku błyskających mieczów, które wszystkich nabawiły trwogi, na najdrobniejsze kawałki gołymi szablami rozsiekali" (ten fakt zakorzeni się w świadomości społecznej i przypominany będzie przez naród polityczny – szlachtę – monarchom nie wywiązującym się z obietnic bądź naruszającym prawa).

Sprawa sukcesji była więc otwarta, zwłaszcza że można było szachować króla sposobionym wcześniej do tronu Fryderykiem brandenburskim zaręczonym z córką Jagiełły – Jadwigą. Choć Jagielle udało się uzyskać – za cenę przywileju jedlneńskiego (1430) wprowadzającego zasadę *neminem captivabimus nisi iure victum* – zapewnienie, że po jego zgonie władzę obejmie któryś z jego synów, Władysław lub Kazimierz, rychła śmierć Jadwigi, przyrodniej siostry młodszych braci, dała podstawę do uporczywych plotek na dworze. Domyślano się otrucia, a zbrodnię przypisywano macosze, królowej Zofii, dążącej do zapewnienia tronu swym synom. Rzeczywiście ów zgon eliminował kandydaturę Fryderyka brandenburskiego, który liczyłby się poważnie jedynie jako małżonek Jadwigi. Jagiełło – zdaniem Długosza – przyjął śmierć córki nie z takim żalem, jak na ojca przystało, ,,na pogrzebie królewny nie widziano, żeby chociaż łzę uronił albo najmniejszy smutek okazał".

Sprawa objęcia tronu była więc w zasadzie przesądzona, nie rozstrzygnięto jedynie, który z królewiczów otrzyma koronę. Walka monarchy z możnowładztwem o zapewnienie dziedzicznej, silniejszej władzy zakończyła się niepowodzeniem. Ale warunek, jaki wpisano do aktu jedlneńskiego – elekcja dokonać się miała jedynie między synami Jagiełłowymi – zaspokajał ambicję monarchy. Jagiełło przed śmiercią (31 maja 1434) w Gródku polecił zebranym wokół niego panom ,,synów swoich, a osobliwie starszego Władysława, który z twarzy i przymiotów był do niego wielce podobny", być może nie dlatego jedynie, że zwyczajowe prawo opowiadało się za starszym, ale może dlatego również, że młodszy Kazimierz urodził się, gdy król ,,był w wieku zgrzybiałym raczej niż podeszłym, na co się często uskarżał". Do szybkiej koronacji Władysława parł

Zbigniew Oleśnicki w trosce o zachowanie swej potężnej pozycji, strasząc widmem domowej niezgody czy nawet wojny. Mimo to opozycja pod przewodnictwem Spytka z Melsztyna i Dzierżsława z Rytwian starała się przekreślić plany Oleśnickiego, nie godząc się na koronację bez elekcji. Najpierw na zjeździe w Opatowie, potem w przededniu i tak odłożonej koronacji w Krakowie, oponenci Oleśnickiego, wśród których obok Spytka najaktywniejsi byli Abraham Zbąski, sędzia poznański, i Jan Strasz z Kościelnik, starali się przeszkodzić w elekcji i nie dopuścić do koronacji.

Wybór dokonany został mimo protestów wymienionych trzech wielmożów, a uroczystość koronacyjna Władysława w katedrze krakowskiej zakłócona została przez Spytka z Melsztyna, tak że przeciągnęła się od południa aż

Pieczęć majestatyczna Władysława Warneńczyka według przerysu z XIX w.

do wieczora. Po koronacji dziesięcioletni król zaprzysiągł prawa, przywileje i wolności, formalnie rozpoczynając panowanie. Również i kolejny dzień nie był fortunny: oto nie doszło do odebrania hołdu od mieszczan i rajców krakowskich z powodu kłótni między biskupami i książętami mazowieckimi o pierwszeństwo w orszaku i miejsce po prawicy królewskiej. Wobec małoletności króla (za pełnoletniego został uznany Władysław, gdy ukończył lat 14, na zjeździe w Piotrkowie w 1438 r.) ustanowiono rządy namiestników-opiekadlników w poszczególnych prowincjach. O losach kraju decydował jednakże wszechwładny Zbigniew Oleśnicki i skupieni wokół niego możnowładcy. Swoista regencja Oleśnickiego napotykała na poważne przeszkody. Obóz możnowładczy nie był przecież jednolity. Na czele malkontentów, przeciwników biskupa krakowskiego, stał wybitny pan małopolski Spytek z Melsztyna. Zjednawszy sobie część średnio zamożnego rycerstwa, rzucił je przeciwko swemu rywalowi.

Spytek, uważany przez literaturę za przywódcę obozu husyckiego w Polsce, daleki był, jak się wydaje, od haseł ideowych tego złożonego ruchu. W swej agitacji wykorzystywał husyckie postulaty walki z obowiązkiem dziesięcinnym (co jednało mu stronników wobec kształtującej się koniunktury na zboże) i preponderancją Kościoła. Słabość aparatu wykonawczego i policyjnego, nasilająca się anarchia, która przekształcić się miała w otwartą wojnę domową, zakończoną klęską konfederatów Spytka (Grotniki, maj 1439) przyczyniała się do organizowania się społeczeństwa rycerskiego. Dążyło ono do zapewnienia krajowi niezbędnego pokoju i poszanowania praw. Ten proces konsolidacji średnio zamożnego rycerstwa zdyskontuje jednakże dopiero następca Władysława, Kazimierz Jagiellończyk, opierający się w walce o wzmocnienie władzy i podniesienie autorytetu monarszego właśnie na rycerstwie.

Czegóż mógł się nauczyć młody władca, jakie praktyczne nauki wynieść z doświadczeń wartko toczącego się życia politycznego, z obserwowanej walki o władzę, której był przecież bliskim, choć biernym obserwatorem? Trudno orzec. Nie wdając się w zbyt łatwe psychologizowanie, domniemywać można, że upór, ta cecha Władysława, która objawi się najpełniej w najważniejszym momencie jego życia – na polach warneńskich, określona została

Kościół Św. Katarzyny na Kazimierzu w Krakowie

przez pierwszy okres panowania, które nie było rządzeniem. Król, za którego sprawowano władzę, podejmowano decyzje, który był „malowanym królem", w zmienionej sytuacji chciał wreszcie zamanifestować swoją wolę, swą decyzję. Pamiętajmy, że zginął mając zaledwie ukończone lat dwadzieścia.

Ale epoka Władysława, zwanego później Warneńczykiem, niosła ze sobą nie tylko ważne przemiany społeczne w kraju. Europa środkowa, Europa tworzących się narodowych monarchii stanowych, stawiała przed Jagiellonami nowe, ciekawe problemy. Wśród meandrów ówczesnej polityki zagranicznej, w związku z otwartą wojną domową w Czechach, Jagiellonowie, Polska, mieli ważne atuty do wygrania. Husyci czescy proponowali przecież tron praski bratu Władysława, Kazimierzowi. Plany te, krzyżowane skutecznie prez Oleśnickiego, nie mogły być zrealizowane. Nowe możliwości otwierały się na Węgrzech. Projekt powołania króla polskiego na tron budziński nie zrodził się dopiero w 1440 roku, ale dwa lata wcześniej, u schyłku panowania Zygmunta Luksemburskiego (zm. 1437), kiedy to Oleśnicki, popierając antyhusycką politykę tego cesarza, starał się jednocześnie zapewnić sukcesję po nim Jagiellonom w Czechach i na Węgrzech. Obawiał się grożącego Polsce okrążenia luksembursko-krzyżackiego. Choć i te plany nie dały się zrealizować, a na Węgrzech tron objął zięć Zygmunta, Albrecht Habsburg, podjęte zostały przez stronę polską działania zbrojne w północnych Węgrzech (Słowacja) w celu osadzenia Władysława, syna Jagiełły, nad Dunajem. Z okresu tych walk pochodzą liczne oskarżenia Albrechta pod adresem Polaków o współpracę z Turkami. Śmierć Habsburga (1439), po dwuletnim panowaniu, postawiła znowu na porządku dziennym unię polsko-węgierską.

Węgry narażone coraz bardziej na niebezpieczeństwo tureckie starały się znaleźć sojusznika w celu podjęcia wspólnej akcji. Zdawano sobie sprawę, że era uniwersalizmu średniowiecznego i duch ogólnochrześcijańskiej krucjaty jest już anachronizmem, że walkę z Turcją podejmą krzepnące monarchie narodowe, zagrożone bezpośrednio agresją otomańską. Stany węgierskie, a zwłaszcza obóz narodowy, odpowiedziały przychylnie na polską inicjatywę unii. Jak się wydaje, stroną składającą ofertę była Polska, kontynuująca politykę Oleśnickiego sprzed lat kilku, a nie Węgry. Posłowie polscy na sejm węgierski dysponowali argumentami mocniejszymi niż przedstawiciele kandydatów serbskiego i austriackiego, ubiegających się również o panowanie nad Dunajem, choćby ze względu na sprawę turecką. W przygotowywanej unii najtrudniejsze było wyeliminowanie wdowy po Albrechcie, królowej Elżbiety, spodziewającej się dziecka, któremu chciała zapewnić tron. Przewaga była jednak po stronie zwolenników Władysława. Złamano, jak się okazało na krótko, opór królowej, która godziła się na małżeństwo z Władysławem i jego wybór nawet w wypadku, gdyby urodził się jej syn.

Poselstwo węgierskie, które przybyło do Krakowa, by przedstawić oficjalne warunki Władysławowi i zaprosić go na tron węgierski, znalazło się wkrótce w kłopotliwej sytuacji. Opór stawiali niektórzy wielmoże polscy wiążący swe aspiracje polityczne raczej ze sprawą czeską niż węgierską. Wskazywali oni, że przy braku obecności królewskiej, w państwie wzrośnie zagrożenie tatarskie. Również król wykazywał niechęć do małżeństwa ze znacznie odeń starszą Elżbietą. Zanim jednak zakończono rokowania, przybył wysłaniec znad Dunaju z wiadomością o urodzeniu się pogrobowca (nb. Elżbieta zapewniała stany, że z pew-

Denar Władysława Warneńczyka

nością urodzi syna). Wydawało się, że układy zostaną zerwane. Jednakże posłowie węgierscy wykazali stanowczość, przedstawili swe pełnomocnictwo na wypadek powicia przez Elżbietę syna i ponowili ofertę tronu węgierskiego dla króla Władysława. Rzecz znamienna, Węgry miały do rozwiązania prawie identyczne problemy wewnętrzne jak Polska. Szło o sprawę niebłahą, o wprowadzenie w życie zasady elekcyjności tronu, toteż nie uznano sukcesyjnych roszczeń Elżbiety, stąd też stanowczość poselstwa węgierskiego, reprezentującego opinie sejmu budzińskiego na temat wyższości decyzji sejmowych nad zasadą dziedziczności.

Elżbieta nie rezygnowała jednak łatwo. Najpierw chciała *via facti* ukazać bezzasadność starań zmierzających do osadzenia Jagiellona nad Dunajem. Przeprowadziła więc koronację kilkumiesięcznego syna koroną wywiezioną potajemnie z Wyszehradu już wcześniej (co świadczyło o nieszczerych od początku obietnicach ugody z Władysławem); następnie podjęła montowanie stronnictwa, które oparłoby się zbrojnie Władysławowi i nie dopuściło go na Węgry. Znalazła poparcie u wielmożów, liczących na to, że sprawować będą rządy w zastępstwie pogrobowca. Opowiedziało się za nią również kilkanaście miast, rzecz interesująca, leżących na terenach dzisiejszej Słowacji, a więc związanych wymianą handlową z Polską. Tak przygotowana koalicja wystąpiła zbrojnie przeciwko przyszłemu Warneńczykowi. Była jednak słabsza niż stronnictwo sejmowe, dążące do wprowadzenia elekcyjności tronu, popierające unię węgiersko-polską, widzące Jagiellona na tronie nad Dunajem. Zdobywszy przewagę, Władysław opanował Budę, gdzie w braku insygniów koronacyjnych uwieńczono go koroną zdjętą z relikwiarza zawierającego szczątki św. Stefana. Ale Elżbieta i jej stronnicy nie skapitulowali. Doszło do otwartej wojny domowej, tym groźniejszej, że nad Bałkanami wisiało niebezpieczeństwo tureckie. Dwuletnie zapasy Władysława z Elżbietą nie układały się początkowo pomyślnie dla stronników Jagiellończyka. Dysponował on ograniczonymi siłami, a rycerstwo polskie wspierające go w pierwszym okresie walk zniechęcało się do interwencji tym bardziej, że nie uzyskano znaczącego sukcesu. Wojna wyczerpywała siły obu przeciwników, zmęczyła poważnie społeczeństwo węgierskie, które szczerze pragnęło jej końca.

Otwarty konflikt domowy na Węgrzech nie był jedynie sprawą środkowoeuropejską. Ku Węgrom narażonym na ataki tureckie zwracał swe zainteresowania Kościół, przeżywający także trudne dni. Działało w owym czasie dwóch papieży: Eugeniusz IV i popierany przez sobór bazylejski Feliks V. Właśnie Eugeniusz IV dążył do zmontowania ligi antytureckiej, której potencjalny sukces wzmocniłby jego i tak mocno nadwątloną władzę i podbudował prestiż. Papież ten, przyglądający się

uważnie rozgrywkom na Węgrzech, podjął się akcji mediacyjnej. Wysłany nad Dunaj legat Julian Cesarini skłonił Elżbietę i Władysława do kompromisu, który nie był korzystny dla społeczeństwa węgierskiego, odpowiadał natomiast planom Eugeniusza IV. Historycy domyślają się, że hasła krucjaty, jakie przedstawił Władysławowi wysłannik papieża, trafiły na podatny grunt. Młodociany król zaangażował się, nie bacząc na interesy Węgier, Polski i dynastii Jagiellonów, w niebezpieczną wojnę z Turcją. Jej początek nie zapowiadał jednakże tragicznego końca. Wcześniej jeszcze, w trakcie toczącej się wojny domowej, udało się Węgrom odeprzeć napór turecki, a w 1442 roku działania zbrojne prowadzone przez Hunyady'ego przyniosły sukcesy, które zabezpieczały wcale dobrze królestwo Arpadów. Mimo to zorganizowano w następnym roku wyprawę zakończoną kilkoma istotnymi sukcesami. Wokół tych zwycięstw (zajęcie Niszu i Sofii, bitwy koło Kruszewca i pod Zlatnicą) rozwinięto propagandę znacznie wykraczającą poza ich realistyczną ocenę.

W takiej oto atmosferze zwycięstw, przy niechęci do wojny i na Węgrzech, i w Polsce, podjęto, z rezultatem wcale korzystnym dla państw chrześcijańskich, rokowania pokojowe z muzułmanami w Szegedynie. Jednak zawarty tu traktat pokojowy na dziesięć lat, zaprzysiężony, jak się wydaje, przez Władysława, został zerwany prawie natychmiast. Jeszcze raz wzięło górę doświadczenie dyplomatyczne Cesariniego i jego argumentacja za wojną. Tłumaczono Władysławowi, że traktat zawarty z niewiernymi Turkami jest nieważny, że papież uwalnia króla od przysięgi na pokój, że nie można sojuszników pozostawiać ich losowi (Burgundii i Wenecjan, przygotowujących flotę do zablokowania cieśnin czarnomorskich i odcięcia sił tureckich od pomocy z Azji

Mniejszej), że decydujące nad nimi zwycięstwo i wypędzenie ich z Europy jest już bliskie. Efektem było podjęcie nowej wyprawy. Ta zakończyła się tragicznie. Zawiodła flota wenecka, a armia chrześcijańska, mimo że faktycznie dowodził Jan Hunyady, jeden z wybitniejszych dowódców epoki, popełniła błędy, których następstw nie udało się uniknąć. Na polach Warny legł król, w odwrocie – *spiritus movens* jego antytureckiej polityki – Julian Cesarini, liczne zastępy rycerstwa, a jedynie zręczny manewr Hunyady'ego uratował wojska krzyżowe od całkowitego unicestwienia. Król padł w walce podczas szarży na obwarowane fortyfikacjami polowymi ugrupowanie janczarów osłaniających sułtana. Klęska 10 listopada 1444 roku przyniosła koniec ostatniemu krzyżowcowi Europy.

Jednak nie w całej Europie uwierzono w ciężką porażkę pod Warną. Do niektórych państw docierały wieści wręcz o zwycięstwie odniesionym przez wojska Władysława (Florencja). Kolportowano też uporczywie wieści, że król nie zginął, że ocalał z pogromu. Te wiadomości, zdaniem Kallimacha, szerzyli m.in. ci, którzy króla opuścili w bitwie; jest to aluzja do zachowania Hunyady'ego na polach warneńskich, obwinianego, zresztą niesłusznie, za zbyt szybkie wycofanie się z walki. Widziano więc Władysława na dworze konstantynopolitańskim, to znowu powtarzano, że król powrócił do kraju, gdzie przygotowuje Węgrów i Polaków do następnej wyprawy. Wenecja, Wołoszczyzna, Siedmiogród, Albania i Raszka (Stara Serbia) miały być miejscem pobytu Władysława po bitwie. To on przemierzając konno świat, organizował wyprawę wszystkich królów świata przeciwko Turkom. Obok tych optymistycznych wiadomości budzących nadzieję na rychłe pokonanie Turków krążyły także inne. Władysław miał co prawda ocaleć

cudownie, ale za pochopne zerwanie zaprzysiężonego traktatu z Turkami pokutował i oddawał się ascezie. Takim miał go widzieć niejaki Mikołaj Floris, podający się za niegodnego towarzysza niedoli króla. W 1466 roku Lew z Rożmitalu, wielmoża czeski, wędrujący po Hiszpanii, spotkał pustelnika liczącego wówczas około 70 lat (sic!), w którym towarzysz Czecha, Polak, rozpoznał Władysława po sześciu palcach u stóp. Ta wiara w szczęśliwe ocalenie króla była, jak się wydaje, powszechna. Kazimierz Jagiellończyk wykorzystywał do gry na zwłokę brak wiadomości o losach swego starszego brata, w czasie pertraktacji związanych z objęciem korony polskiej.

Nic więc dziwnego, że pojawiło się kilku pseudo-Warneńczyków. W kilka lat po bitwie jakiś obłąkany, w czeskiej miejscowości Stadice, podawał się za króla Artura i króla polskiego; przybywało doń „wielu szlachty, rycerzy i prostych ludzi ze wszystkich stron – dziwiąc się, co to takiego". W 1452 roku słychać było w Nadrenii o Warneńczyku, który musiał zyskać zwolenników, skoro książę Henryk Głogowski i wrocławianie dopytywali się w Polsce, czy król Władysław powrócił do kraju. W Międzyrzeczu, dokąd przybył ów Samozwaniec, rychło go zdemaskowano. Okazało się, że był to notoryczny oszust, znany włóczęga Jan z Wilczyny koło Ryczywołu, podający się wcześniej za księcia Leona, siostrzeńca Anny Mazowieckiej, a potem mianujący się księciem Ostrogskim. Zaś w Poznaniu koło roku 1460 niejaki Rychlik również „udawał się za króla polskiego". Zrazu miano go stracić, sprawa ta została odłożona do sądów królewskich: matka królowa, Zofia z Holszan, nie uznała w Rychliku swego syna. „kazano mu zatem zrobić koronę papierową, stać w niej pod pręgierzem i dwa razy na dzień smagać rózgami, a potem chowali go w więzieniu poczciwie aż do śmierci, aby nikt o nich nie mówił, że króla swego umorzyli".

O tym, jaki był prawdziwy Władysław, czym się charakteryzował, stwierdzić jest bardzo trudno. Zwykle przecież odczytujemy psychiczny obraz władcy i dokonujemy oceny analizując jego czyny i dokonania. Żył zbyt krótko, by ujawnić cechy swego nie w pełni zresztą ukształtowanego charakteru. Wydaje się, że często decydowali za niego ludzie, wobec których nie potrafił zdobyć się na stanowczość. Był uległy, niedoświadczony, ale przy tym dzielny, odważny, przepojony cnotami rycerskimi i chęcią obrony wiary, skromny. Potrafił jednać sobie ludzi miłym obejściem, mimo braku urody, co notowali współcześni.

Władysław należy z pewnością do najbardziej znanych władców średniowiecznej Polski. Zasługa to przede wszystkim wydarzeń, które przyszło mu kształtować, i propagandy, jaka się wokół nich rozwinęła. Legendy o jego czynach, o jego rycerskim i bogatym życiu zapładniały wyobraźnię współczesnych mu, jak i następnych pokoleń. Swą popularność za życia zawdzięczał Władysław nowożytnej już, a nie średniowiecznej propagandzie, jaką wokół jego postaci rozwijał dwór papieża Eugeniusza IV. Przykuwała uwagę także klęska warneńska przyczyniająca się do powstania legendy o władcy, który poległ w starciu dwu różnych cywilizacji. Przeszedł przeto Władysław do ludowego eposu słowiańskiego jako obrońca przed Turkami (nb. w ludowych pieś-

niach południowosłowiańskich Władysław występuje często jako Jan, Janko – znamienna to kontaminacja Jana Hunyady'ego, zasłużonego autora zwycięstw nad Turkami, i króla), do dramatów hiszpańskich z początku XVII wieku (m.in. Lope de Vegi „Król bez królestwa"), do tworzącej się ideologii przedmurza.

Jeszcze w XV wieku panegirysta Władysława, Kallimach, pisał o swoim bohaterze jako o jednoczycielu Słowiańszczyzny w obliczu niebezpieczeństwa muzułmańskiego, a do tej wczesnohumanistycznej koncepcji jedności słowiańskiej z zupełnie innych pobudek nawiąże car Rosji Mikołaj I. W 1828 roku po zdobyciu Warny wystąpi on jako mściciel Warneńczyka i rozkaże wysłać do Warszawy dwanaście dział zdobytych na Turkach, z których miał być odlany pomnik Władysława. I idea panslawistyczna, czytelna w carskiej decyzji, i chęć zjednania sobie społeczeństwa Królestwa Polskiego w przededniu wybuchu powstania listopadowego – oto m.in. składniki legendy o Jagiełłowym synu. Uczczony zbudowanym w 1935 roku mauzoleum, które odwiedzane jest przez turystów polskich, tak licznie spędzających urlopy w Bułgarii, zasługuje Władysław na przypomnienie jako władca mało szczęśliwy, tragiczny. Za życia toczono o niego walkę, której istotę nie zawsze chyba mógł przeniknąć, a po śmierci jego postać stanowiła ważny składnik tradycji historycznej, wykorzystywanej do bieżących celów politycznych przez różne prądy ideowe.

Juliusz Bardach

KAZIMIERZ JAGIELLOŃCZYK

Syn Władysława Jagiełły i Zofii Holszańskiej objął rządy na Litwie w wieku zaledwie lat trzynastu. Był rok 1440, gdy z Wilna nadeszła wiadomość o zamordowaniu przez spiskowców wielkiego księcia Zygmunta Kiejstutowicza. Wyprawiono wówczas pospiesznie na Litwę Kazimierza jako namiestnika jego starszego brata Władysława III – króla Polski i Węgier. Jednak dbali o samodzielność Wielkiego Księstwa litewscy panowie-rada obwołali od razu Kazimierza wielkim księciem litewskim. Stanowiło to formalne zerwanie unii.

Panowie polscy nie chcieli jednak zrezygnować ze związku z Litwą. Toteż w pięć lat potem, gdy upewniono się ostatecznie, że król Władysław III zginął rzeczywiście pod Warną, uroczyste poselstwo polskie z udziałem samego Zbigniewa Oleśnickiego stanęło w październiku 1445 roku w Grodnie przed obliczem Kazimierza, prosząc go o objęcie tronu polskiego. Wielki książę litewski uchylił się od natychmiastowej odpowiedzi, przyrzekając udzielenie jej w roku następnym. Nie znaczyło to, by nie pragnął zasiąść na tronie królewskim w Krakowie. Jeśli zwlekał, to dlatego, że panowie polscy z Oleśnickim na czele jako warunek powołania na tron wysuwali nie tylko żądanie potwierdzenia praw szlachty, ale również i dawnych aktów unii, które przewidywały, że Polacy będą mieli głos przy wyznaczeniu nowego wielkiego księcia oraz że Litwa będzie podporządkowana Królestwu Polskiemu. A na to Kazimierz Jagiellończyk nie chciał i nie mógł się zgodzić. Z poselstwami polskimi

rozmawiał jako dziedziczny władca, hospodar Wielkiego Księstwa, które stało wówczas u szczytu potęgi. Akcentował on mocno równouprawnienie Litwy w stosunku do Polski. Stanowisko to panowie polscy ostatecznie musieli zaakceptować.

W czterdziestych latach XV wieku Litwa nie obawiała się już agresji ze strony Krzyżaków. Interweniowała ona z powodzeniem w wewnętrzne walki o stolec wielkoksiążęcy w Moskwie, a jej granice obejmowały Wiaźmę, przebiegając o sto kilkadziesiąt kilometrów od Moskwy. Sprawowała też zwierzchnictwo nad Nowogrodem Wielkim i Pskowem – bogatymi republikami miejskimi Rusi północnej. Na południu Wielkie Księstwo sięgało aż po dniestrowe limany nad Morzem Czarnym.

Mając zapewnione poparcie większości magnatów litewskich, zwalczając z powodzeniem syna zabitego Zygmunta-Michała, zwanego Michajłuszką, który – w ślad za ojcem – usiłował zdobyć stolec wielkoksiążęcy, zaspokajając drogą rozsądnych kompromisów tendencje autonomiczne Żmudzi, Smoleńszczyzny, Wołynia i Kijowszczyzny, młody hospodar potrafił wykorzystać w pełni swoją pozycję. To nie on zabiegał o tron Królestwa, ale panowie polscy prosili, by zechciał na nim zasiąść. Dopiero we wrześniu 1446 roku wyraził zgodę na przyjęcie korony polskiej na podyktowanych przez siebie warunkach. Przed koronacją wydał przywilej dla stanów Wielkiego Księstwa, w którym zapewniał, że ,,państw, czyli ziem naszych Wielkiego Księstwa nie uszczuplimy, lecz jak było w swoich granicach za przodków naszych, a w szczególności jak je dzierżył Aleksander-Witold nasz stryj, tak i my będziemy je trzymali, dzierżyli i ochraniali w całości i nienaruszone, a nawet za Bożą pomocą będziemy się starali je rozszerzyć". Ta gwarancja nie tylko niezależności,

Pieczęć większa Kazimierza Jagiellończyka

ale i nienaruszalności terytorium Litwy dawała pełne zadośćuczynienie litewskim i ruskim kniaziom i panom. Koronowany 25 czerwca 1447 roku na króla Polski wystawił akt, w którym stwierdzał, że ,,za jednomyślnym obustronnym postanowieniem, wolą i zgodą załączyliśmy, nakłoniliśmy i przywiedli Królestwo Polskie i Wielkie Księstwo Litwy do braterskiego związku, chcąc być im panem i rządcą''.

Młody władca jako rezultat unii personalnej proklamował więc sojusz między obu państwami. Oznaczało to upadek koncepcji inkorporacyjnej. Wielkie Księstwo występowało obok Królestwa jako równorzędny partner. W większym niż jego ojciec stopniu Kazimierz Jagiellończyk dbał o interesy państwowe Litwy. Nieraz zatrzymywał się na całe lata w Wilnie. Sprawom litewskim poświęcał wiele czasu i uwagi. Był nie tylko nominalnym, ale i faktycznym hospodarem. Przez pięćdziesiąt dwa lata panowania na Litwie nie wyznaczył tam osobnego wielkiego księcia podległego królo-

wi, odrzucając idące w tym kierunku żądania Michajłuszki i będącego po jego stronie Oleśnickiego, który w ten sposób chciał osłabić Kazimierza, by następnie uzależnić go od rady królewskiej. Zwalczał też z powodzeniem opozycję części panów litewskich, którzy zmierzając do całkowitego uniezależnienia Litwy chcieli osadzić na tronie wileńskim osobnego wielkiego księcia. W dążeniach tych opozycja litewska nie cofała się przed zamachami na życie hospodara. W jednym z nich Kazimierz został ranny, ale nie zboczył z raz obranej drogi i bezpośrednie rządy nad Wielkim Księstwem utrzymał.

W nieobecności hospodara rządy na Litwie sprawowali zbiorowo panowie–rada działając w jego imieniu, co zapobiegało wyrośnięciu konkurenta skupiającego dużą władzę w swoim ręku. W aktach i wypowiedziach Kazimierz Jagiellończyk nawiązywał stale do tradycji Witolda, który dla kniaziów i panów litewskich był uosobieniem samodzielności politycznej Wielkiego Księstwa. Dbał o to, by uchodzić w ich oczach za ,,prawego i przyrodzonego dziedzica'' Litwy, Żmudzi i Rusi. Pod jego bezpośrednim wpływem został załagodzony w początku 1454 roku jątrzący długo stosunki polsko–litewskie spór o Wołyń, który pozostawiono Litwie wbrew interesom panów małopolskich upatrujących w tej ziemi teren swojej ekspansji.

Nie znaczy to, by Kazimierz Jagiellończyk zaniedbywał sprawy Polski, o czym można się było przekonać choćby w czasie wojny trzynastoletniej z Zakonem. Rozwijał też ożywioną działalność na południe od Karpat, by osadzić swoich synów na tronach Czech i Węgier. Kontynuując tradycje ojca, prowadził – w pełnym tego słowa znaczeniu – politykę europejską.

Ożeniony z Elżbietą z Habsburgów, zwaną

Szeląg pruski Kazimierza Jagiellończyka

w Polsce Rakuszanką, miał z nią Kazimierz Jagiellończyk trzynaścioro dzieci, z których dochowało się jedenaścioro, pięciu synów i sześć córek. Według tradycji Kazimierz Jagiellończyk nie umiał sam czytać ani pisać. Natomiast synów kształcił troskliwie. Ich poziom wykształcenia nie odbiegał od tego, jaki cechował ówczesnych monarchów Europy zachodniej.

Rakuszankę nazywano matką królów, bo czterech jej synów zasiadło na tronie. Władysław był królem czeskim i węgierskim, Jan Olbracht polskim, Aleksander wielkim księciem litewskim i królem polskim, podobnie najmłodszy Zygmunt I zwany Starym. Dwaj pozostali to zmarły w młodym wieku i kanonizowany z czasem Kazimierz, który został patronem Litwy, a którego kult wprowadzono już za życia jego brata Zygmunta I, oraz przeznaczony do kariery duchownej Fryderyk, który otrzymał – drugi w Polsce po Oleśnickim – kapelusz kardynalski. Litewska dynastia – niedawno jeszcze pogańska – wpisy-

wała się już nie tylko w dzieje Europy, ale i Kościoła.

Najdłuższą i najcięższą walką, jaką przyszło Kazimierzowi prowadzić, była wojna trzynastoletnia z zakonem krzyżackim. Toczyła ją Polska samotnie, Litwa bowiem nie zainteresowana – po odzyskaniu Żmudzi – w dalszej walce z Zakonem nie wzięła w niej praktycznie udziału. Zapowiadała się ona zrazu dla Korony korzystnie. Oto stany pruskie zwróciły się w 1454 roku do króla, by zechciał przyłączyć je do Królestwa Polskiego. Już samo sformułowanie petycji stanów zdawało się oznaczać koniec Zakonu. Po proklamowaniu przez Kazimierza Jagiellończyka – wbrew odosobnionemu oporowi Oleśnickiego na radzie królewskiej – inkorporacji Prus, wszystkie niemal miasta: Gdańsk, Toruń, nawet Królewiec uznały go za swego pana i władcę. Jedynie stolica zakonna Malbork oraz Chojnice i Sztum nie poddały się królowi.

Pod dobrymi auspicjami rozpoczęta kampania nie przyniosła jednak spodziewanego rychłego zwycięstwa. Pospolite ruszenie Wielkopolski pod wodzą króla poniosło ciężką klęskę pod Chojnicami. Przeważa pogląd, że w bitwie tej Kazimierz Jagiellończyk mimo osobistego męstwa nie sprawdził się jako dowódca. Nie była to jednak przyczyna jedyna. Na klęskę pod Chojnicami wpłynęły też przemiany, jakie zaszły w łonie stanu szlacheckiego. Od czasu Grunwaldu dawni rycerze przekształcili się w ziemian, dla których sprawy wojenne stały się dalekie, a nieraz i całkiem obce. Pospolite ruszenie szlachty utraciło więc niemało ze swych walorów bojowych, ale większe jeszcze znaczenie miały zmiany techniki wojennej. Coraz większe znaczenie zyskiwały zaciężne piechota i artyleria konieczne do zdobywania silnie ufortyfikowanych zamków. Przypomnijmy sobie zresztą, że już po Grunwaldzie

Popiersie Kazimierza Jagiellończyka

armia polsko–litewska oparta na chorągwiach rycerskiej jazdy okazała się niezdolna do zdobycia Malborka. Kazimierz zdał sobie rychło sprawę z potrzeby wojsk oblężniczych i rozwinął aktywną działalność, która miała dostarczyć mu środków finansowych potrzebnych na prowadzenie wojny. Walor powszechnodziejowy i niezależny od epoki ma klasyczne powiedzenie Napoleona I, który na zapytanie, czego mu potrzeba do zwycięskiego prowadzenia wojny, odpowiedział, że trzech rzeczy: „Pieniędzy, pieniędzy i jeszcze raz pieniędzy". Za uzyskane pieniądze Kazimierz nie tylko zaciągał żołnierzy, ale też zapłacił zaległy żołd nie opłaconym przez Krzyżaków żołnie-

rzom zaciężnym stanowiącym załogę Malborka, którzy w zamian otworzyli mu bramy zamku. Kazimierz Jagiellończyk wjechał uroczyście do stolicy Zakonu, której nie umiał zdobyć po Grunwaldzie jego ojciec.

Wojna toczyła się jednak dalej, ospale i ze zmiennym szczęściem. Dopiero gdy komendę nad wojskiem objął utalentowany dowódca Piotr Dunin, sprawy poszły lepiej. W bitwie pod Żarnowcem w 1462 roku wojska polskie pod wodzą Dunina rozbiły przeważające siły krzyżackie, a okręty z Gdańska i Elbląga zniszczyły w roku następnym flotyllę krzyżacką na Zalewie Wiślanym. Polskie zwycięstwa militarne, zdecydowanie antykrzyżacka pozycja stanów pruskich z Gdańskiem, Toruniem i Elblągiem na czele, które okazywały też wydatną pomoc finansową borykającemu się ze stałymi trudnościami w tym zakresie królowi, zmusiły Zakon do daleko idących ustępstw.

Zdaniem Stefana M. Kuczyńskiego wojna trzynastoletnia „została doprowadzona do pomyślnego dla Polski końca jedynie dzięki niezłomnej postawie króla". Mógł on ją wykazać dlatego, że znalazł dla siebie poparcie wśród rzesz średniej szlachty oraz w stanach pruskich, a zwłaszcza w większych miastach.

Pokój toruński zawarty przez Kazimierza z Zakonem w 1466 roku był kompromisem. Na mocy jego postanowień zachodnie ziemie państwa krzyżackiego, zwane odtąd Prusami Królewskimi – w odróżnieniu od Prus Zakonnych – oraz dominium biskupów warmińskich z Lidzbarkiem i Olsztynem, weszły w skład Królestwa Polskiego. Polska, i to była rzecz najważniejsza, zyskiwała dostęp do morza wraz ze znacznymi portami Gdańskiem i Elblągiem. W granicach Królestwa znalazł się cały bieg Wisły. Zmieniało to w zasadniczy sposób sytuację ekonomiczną, ale także i polityczno-militarną kraju. Wielki mistrz zachowywał władzę nad północno-wschodnią częścią Prus z Królewcem, ale już jako lennik króla polskiego. Z wojny trzynastoletniej Zakon wyszedł więc pokonany, ale nie zniszczony.

Umiejętność kompromisów, niechęć do rozwiązań krańcowych podkreślana jest nieraz jako charakterystyczna cecha polityki Jagiellonów. Jak każda taktyka nie może być jednak absolutyzowana. Czy była dobra, czy zła, zależało od tego, jakim celom służyła. Kompromis oceniamy pozytywnie, gdy przynosił złagodzenie konfliktów wewnętrznych czy zatargów między Koroną a Wielkim Księstwem. Tym razem dotyczył on przeciwnika, od którego – jak uczyło doświadczenie – niczego dobrego spodziewać się nie było można. Uzasadnieniem kompromisowego pokoju było wyczerpanie finansowe Korony i niechęć szlachty do ponoszenia dalszych uciążliwych ciężarów. Również klątwa, którą papież rzucił na Związek Pruski, powodowała określone trudności dla polityki polskiej, co skłaniało Kazimierza do ustępliwości. Miała ona poprawić stosunki z Rzymem.

Poddane władzy Kazimierza Jagiellończyka stany Prus Królewskich traktowały swój związek z Koroną jako rodzaj unii. Na mocy aktu inkorporacji utrzymały one osobne urzędy, własny sejm stanowy i skarb, odrębne prawo. Niemieckie w znacznej większości miasta zachowały duży zakres samodzielności. Dopiero w 1569 roku sejm lubelski, ten sam, na którym zawarto unię realną z Litwą, uchwalił realizację inkorporacji Prus Królewskich. Nie należy jednak czynić z tego zarzutu Kazimierzowi Jagiellończykowi. Poszanowanie odrębności wiązało mocniej Prusy Królewskie z Polską niż pospieszna, narzucona siłą unifikacja. Dowodem tego była choćby patriotyczna postawa Gdańska w dobie rozbiorów. Warto mieć na uwadze i to, że taka postawa mogła skłonić

pozostałą pod rządami Zakonu część Prus do przyłączenia się w przyszłości do Korony. Świadczy to raczej o politycznej dalekowzroczności Kazimierza. W wielonarodowościowym związku obejmującym Polskę, Litwę i liczne ziemie ruskie było miejsce również i dla autonomicznych Prus Królewskich.

Po objęciu tronu polskiego istotne znaczenie dla Kazimierza Jagiellończyka posiadała sprawa umocnienia jego pozycji wewnętrznej. Po latach rządów możnowładczych za czasów Władysława III przychodził młody monarcha, który nie chciał być „królem malowanym". Wykorzystując służące monarsze prawo nominacji na urzędy dające dostęp do rady królewskiej wprowadzał do niej, wykorzystując wakanse, ludzi sobie oddanych. Jednocześnie podjął zwycięską walkę o uzyskanie prawa nominacji biskupów. Miało to znaczenie nie

Kościół Św. Jana w Toruniu

tylko ze względu na wysoką pozycję tych, jak ich określano – książąt Kościoła, ale i dlatego, że biskupi wchodzili w skład rady królewskiej, zajmowali więc wysokie stanowiska w hierarchii państwowej. Walka, którą król stoczył o nominację biskupa krakowskiego, zakończyła się zwycięstwem jego kandydata i stała się precedensem na przyszłość. Warto jednak podkreślić, że i dwaj kontrkandydaci, jeden wysunięty przez papieża, drugi przez kapitułę, uzyskali infuły, ale w innych diecezjach. Król umiał godzić własne zwycięstwo z posunięciami, które, łagodząc gorycz porażki, nie przysparzały mu wrogów, ale jednały nowych stronników również spośród niedawnych oponentów. Zależało mu też na tym, by mieć Kościół jako całość po swej stronie.

Niektórzy historycy uważają, że polityka Kazimierza Jagiellończyka zmierzała do utworzenia w Polsce monarchii absolutnej. Stanowisko to nie wydaje się zasadne. Jak wiadomo, wczesny absolutyzm w Europie – bo o tym tu może być mowa – opierał się na rozbudowie administracji, realizującej politykę władcy, oraz armii zaciężnej, stanowiącej oręż w jego ręku. Jedno i drugie wymagało trwałych podstaw finansowych, które uzyskiwano z regularnie ściąganych podatków, ceł oraz dochodów domeny państwowej. Trzeba stwierdzić, że Kazimierz Jagiellończyk nie potrafił zagwarantować stałych źródeł dochodu, a domena królewska za jego rządów ulegała postępującemu zmniejszaniu. Król stale walczył z brakiem pieniędzy. Bywał on tak dotkliwy, że raz zastawił nawet drogocenne szaty swej żony w zamian za pożyczkę w gotówce. W tej sytuacji wojsko zaciężne był król w stanie utrzymywać tylko w czasie działań wojennych, kiedy sejm uchwalił na ten cel podatki. I tych pieniędzy zresztą często nie wystarczało, a rekwizycje niepłatnego żołnierza i troska o zaspo-

kojenie jego pretensji należały do stałych i poważnych kłopotów królewskich.

Z tezą o wczesno-absolutystycznych rządach Kazimierza Jagiellończyka pozostaje w sprzeczności fakt, że właśnie za jego panowania wykształciły się formy parlamentaryzmu szlacheckiego. Ich fundamentem były wydane przez króla w 1454 roku, pod naciskiem szlachty zgromadzonej na wyprawę wojenną, przywileje nieszawskie. Przewidywały one, że król nie zwoła pospolitego ruszenia ani nie wyda nowych praw bez uprzedniej zgody sejmików ziemskich.

W praktyce król zachował swobodę przedstawiania swoich propozycji bądź sejmikom ziemskim, zwoływanym dla każdego województwa (a czasem nawet ziemi) z osobna, bądź sejmom prowincjonalnym: małopolskiemu, który zbierał się w Korczynie, i wielkopolskiemu – w Kole. Mógł też wnieść sprawę od razu na sejm walny Królestwa, który najczęściej zbierał się w położonym centralnie Piotrkowie. Zdarzało się nieraz, że przedstawiciele ziem uchylali się od uchwały podatku na sejmie walnym i żądali przekazania jej sejmom prowincjonalnym bądź sejmikom ziemskim. Bywało też, że jedna prowincja uchwalała podatek, gdy druga go odmawiała. Zmuszało to króla do stałego paktowania ze szlachtą i utrudniało mu uzyskanie podatków, na które szlachta przyzwalała niechętnie i z oporami.

Dalekie również od modelu wczesnego absolutyzmu było istnienie opozycji, z którą król musiał się poważnie liczyć. Na początku jego rządów była tą opozycją część rady królewskiej kierowana przez Zbigniewa Oleśnickiego, z nią królowi udało się z czasem uporać. Wystąpienia Oleśnickiego przeciwko inkorporacji Prus izolowały go, a jego śmierć wiosną 1455 roku pozbawiła grupę możnowładczą przywódcy. Pojawiła się natomiast opozycja średniej szlachty. Kiedy po nadaniu przywilejów Małopolsce w 1456 roku Kazimierz wybierał się na Litwę, musiał przyrzec małopolskiemu sejmowi prowincjonalnemu w Korczynie, że po powrocie złoży specjalny sejm do naprawy stanu Rzeczypospolitej. W trzy lata później Jan Rytwiański, starosta sandomierski, na sejmie w 1459 roku – jak pisał Adolf Pawiński – „biorąc na siebie jakby rolę marszałka poselskiego [...] cierpkimi zarzutami zasypywał króla za jego nieudolność i niedbałość w zarządzie publicznym, winił go za rozszarpanie skarbu, dóbr koronnych, za nadmierny ucisk podatkowy, psucie monety, zaniedbanie wymiaru sprawiedliwości", wreszcie za sprzyjanie Litwie ze szkodą dla Korony. W odpowiedzi „Kazimierz pokornie mniemane winy usprawiedliwiał w odpowiedzi na głos trybuna szlachty małopolskiej..." Nawet jeśli jest w tym „pokornie" sporo przesady, to daleko stąd do absolutyzmu czy nawet jego namiastki.

Nie znaczy to, by król był bezsilny wobec opozycji. Nadawaniem urzędów, dóbr czy dochodów potrafił on zjednywać sobie nawet zaciętych przeciwników. Toteż w późniejszych latach spotykamy tegoż Rytwiańskiego już jako kasztelana, a potem wojewodę, w roli jednego z bardziej wymownych obrońców polityki Jagiellończyka. Dalekie to od metod, którymi posługiwali się władcy absolutni, likwidujący fizycznie swoich przeciwników. Nie wynikało to z jakichś szczególnych humanitarnych predyspozycji Kazimierza Jagiellończyka. W czasie walki o władzę z Michajłuszką na Litwie ścinał on bez pardonu głowy bojarom, którzy należeli do obozu jego przeciwnika. Podobnie rzecz się miała po wykryciu spisku w 1480 roku zawiązanego w porozumieniu z Moskwą i mającego na celu zamordowanie króla i królewiczów, a wyniesienie na tron litewski Michała Olelkowicza lub oderwanie części ziem ruskich od Litwy. Wówczas to na placu egzekucji nad Wilią spadły głowy kniaziów Michała Olelkowicza i Iwana Semenowicza Holszańskiego, bliskiego – dodajmy – krewnego matki Kazimierza. Stosunki polityczne w Koronie, kultura polityczna polskiego społeczeństwa szlacheckiego były jednak odmienne niż na Litwie. Nie było tu spisków na życie monarchy, ale z drugiej strony i on był ograniczony, gdy chodzi o środki zmierzające do realizacji swoich celów. Nie mógł stosować przymusu, nie mógł nikogo zastraszyć. Pozostawało kaptowanie zwolenników przy pomocy rozdawnictwa godności i dóbr.

Umocnienie władzy królewskiej było uzależnione od sojuszu z miastami, które w większości państw ówczesnej Europy występowały jako sojusznik monarchii. Rozumiał to – jak wiemy – Jagiełło i wykorzystywał w swoim dążeniu do zabezpieczenia tronu synom. Kazimierz Jagiellończyk nie poszedł jednak tą drogą. Przywileje nieszawskie dyskryminowały mieszczan poddając ich sądom szlacheckim w wypadku zranienia lub zabicia szlachcica w mieście. Również podatki nakładano na miasta, bez wysłuchania ich głosów, na podstawie uchwały szlacheckiego sejmu czy sejmiku. W 1463 roku zbiorowa kara śmierci orzeczona przez sąd królewski dotknęła burmistrza i dwu rajców oraz trzech innych mieszczan stołecznego Krakowa jako odwet za zabicie przez tłum mieszczan możnego pana, Andrzeja Tęczyńskiego, który w sporze kazał obić płatnerza. Było to oczywistym wyrazem pozycji zajętej przez monarchę, który stanął po stronie szlachty. Miasta w Polsce zostały zdominowane przez szlachtę, a monarchia utraciła potencjalnego sojusznika. Kazimierz Jagiellończyk nie wykazał tu umiejętności wykorzystania antagonizmów społecznych w interesie władzy królewskiej. I w tym względzie daleki był od innych władców doby wczesnego absolutyzmu.

Dużo uwagi poświęcał Kazimierz Jagiellończyk sprawom dynastycznym, w szczególności osadzeniu swoich synów na tronach Czech i Węgier. Z narodowym królem czeskim Jerzym z Podiebradu pozostawał w przyjaznych stosunkach umocnionych w 1462 roku zjazdem i ugodą w Głogowie. Opierał się nawoływaniom papieży do wojen z husytami, licząc, że takie postępowanie zapewni mu poparcie zarówno Jerzego jak i społeczeństwa czeskiego dla kandydatury jednego z jego synów na tron czeski. I rzeczywiście po śmierci króla Jerzego Czesi na sejmie w 1471 roku obrali królem syna Kazimierzowego Władysława. Nazywano go później *rex bene*, jako że podobno zwykł na wszystko odpowiadać: *bene* (dobrze). Chwalili go sobie magnaci czescy, a panowie węgierscy po śmierci rodzimego króla Macieja Korwina woleli powołać jego, a nie proponowanego przez Kazimierza Jagiellończyka Aleksandra na tron węgierski. Nie była to jednak osobowość zdolna do umocnienia pozycji dynastii na południe od Karpat, toteż Habsburgom, dzięki ulubionej przez nich polityce małżeństw, udało się już w początkach XVI wieku opanować trony w tych obu krajach, wcielając je do monarchii habsburskiej.

Polityka dynastyczna Kazimierza oceniana jest przez większość współczesnych historyków krytycznie. Podkreśla się zazwyczaj, że podporządkowanie sobie tak rozległych i zróżnicowanych krajów przekraczało możliwości Jagiełłowego syna. ,,Dynastyczne ambicje drogo kosztowały" konkludował Paweł Jasienica. Sądzę, że jest to dość typowe rozumowanie *ex post*. Historyk znający późniejszy przebieg wydarzeń z wyżyn doświadczeń historycznych skłonny jest pouczać króla, co winien,

a czego nie powinien był czynić. Warto tu przypomnieć słowa Tadeusza Manteuffla, który zalecał w tej mierze więcej skromności pisząc: ,,Razi mnie to, że historyk posuwa się do klepania po ramieniu opisywanych przez siebie ludzi i pouczania ich, że powinni byli postąpić tak, a nie inaczej. To zakrawa na śmieszność i należałoby z tym zerwać w całej rozciągłości, zwłaszcza że historyk nie jest najczęściej ani politykiem, ani mężem stanu".

Jagiellonowie na tronach w Pradze i Budzie niekoniecznie musieli osłabiać Polskę. Błąd, który popełniają krytycy (m.in. radziecka ,,Istorija Polszi" i P. Jasienica) polega na tym, że Kazimierzowi Jagiellończykowi przypisuje się zamiar utworzenia zuniowanego państwa polsko-litewsko-czesko-węgierskiego. W istocie sprawa unii bynajmniej nie stała na porządku dziennym. Kazimierz Jagiellończyk chciał osadzić na trzech tronach królewskich swoich synów, ale jako władców suwerennych. Więc pomiędzy państwami Jagiellonów miała stanowić nie unia, ale wspólnota dynastii. Zwracało się to, warto zauważyć, nawet przeciwko unii polsko-litewskiej. Kiedy bowiem po śmierci Kazimierza Jagiellończyka w 1492 roku na tron polski powołano Jana Olbrachta, w Wilnie, zgodnie z wolą ojca, zasiadł Aleksander, co oznaczało zerwanie unii personalnej między obu państwami.

Ostatnie lata Kazimierza Jagiellończyka były poświęcone sprawom Rusi. W ciągu XV wieku rosła potęga Wielkiego Księstwa Moskiewskiego. Wielki książę Iwan III Srogi ożenił się z potomkinią cesarzy bizantyńskich – Zofią Paleolog. Stało się to punktem wyjścia dla doktryny o Moskwie jako o trzecim Rzymie. Iwan III, kóry w 1480 roku zrzucił ostatecznie zwierzchnictwo chanów Złotej Ordy, dążył do zjednoczenia pod swymi rządami ziem ruskich, co musiało go doprowadzić do konfliktu z Litwą. Kazimierz Jagiellończyk miał przeciwko sobie nie tylko władcę moskiewskiego, ale i część własnych poddanych spośród kniaziów i bojarów ruskich, którzy orientowali się w kierunku Moskwy. U schyłku lat osiemdziesiątych XV wieku szereg kniaziów nad górną Oką podległych Litwie podporządkowywało się ze swoimi dzielnicami Iwanowi III. Inni, których dzielnice nie graniczyły ze wschodnim sąsiadem Litwy, opuszczając swoje siedziby, zbiegali do Moskwy. Jest to sprzeczne z zakorzenionym w polskiej świadomości historycznej poglądem, wedle którego wolności szlacheckie wywierały atrakcyjny wpływ na kniaziów i bojarów ruskich wiążąc ich z Jagiellonami i Litwą. Rzecz jednak w tym, że u schyłku XV wieku, a i później, Wielkie Księstwo Litewskie dalekie było jeszcze od modelu demokracji szlacheckiej. Wśród wielu przyczyn niemałe znaczenie miał fakt, że prawosławni kniaziowie i panowie czuli się dyskryminowani, bowiem prawo nie dopuszczało ich do udziału w najwyższych godnościach państwowych, rezerwując je dla katolików – Litwinów. Popychało to część spośród nich w kierunku Moskwy, o czym już była mowa w związku ze spiskiem z roku 1480. Zagadnienie to zbadał szczegółowo amerykański historyk O. P. Backus w rozprawie ,,Motives of West Russian nobles in deserting Lithuania for Moscow" (Kansas 1957), ukazując tę długo niedocenianą w nauce historycznej tendencję.

W polityce wschodniej Kazimierz Jagiellończyk utrzymywał przyjazne stosunki z chanem Ordy Nadwołżańskiej, co spowodowało, że chan krymski Mengli Girej związał się z Moskwą i pustoszył ziemie ukraińskie. Zaznaczyło się też u schyłku jego panowania niebezpieczeństwo ekspansji tureckiej, kiedy Turcy posuwając się na zachód zdobyli w 1476 roku znajdującą się pod protektoratem Kazimierza kolonię genueńską Kaffę na Krymie, a w dziesięć lat potem Kilię i Białogród. Wyjście na Morze Czarne, tak ważne dla handlu wschodniego, zwłaszcza Lwowa, ale także ziem południowo-wschodnich Wielkiego Księstwa, zostało w ten sposób opanowane przez mocarstwo, które przyporządkowało sobie Tatarów krymskich i zaciążyło na dziejach całego regionu w stuleciach następnych.

Umierając w 1492 roku pozostawił Kazimierz Jagiellończyk swoim następcom wiele nie rozwiązanych problemów. Nie jego w tym wina czy błąd. Ani wzrost znaczenia Moskwy, ani ekspansja turecka na kraje naddunajskie nie należały do spraw, które nawet najzręcz-

Płyta nagrobka Kazimierza Jagiellończyka

303

niejsza polityka mogła zahamować czy zneutralizować. W ówczesnych warunkach działał on w sposób rozsądny i rozważny. Powołując na stolec wielkoksiążęcy Aleksandra stwarzał na Litwie stały ośrodek władzy centralnej, który mógł skutecznie pokierować polityką wschodnią. Jagiellon na tronie w Budzie oraz zhołdowanie Wołoszczyzny i Mołdawii miały na celu stworzenie możliwie skutecznej zapory przeciw ekspansji tureckiej. Pomyślane to było dobrze, ale realny układ sił grał na niekorzyść polityki Jagiellonów, zarówno na południu jak i na wschodzie.

Gdy chodzi o osobowość króla, to współczesny Kazimierzowi historyk i kontynuator Długosza, Maciej z Miechowa, pozostawił taką oto charakterystykę króla: ,,Był zaś król Kazimierz postaci wyniosłej, twarzy podłużnej i pełnej [...] od młodości aż do końca życia zawsze myśliwy i łowca [...] zawsze trzeźwy, pił wodę, a win i sycery (miód sycony z wodą – przyp. J. B.) nie używał i nawet zapachu ich nie lubił i się brzydził. Do miłostek skłonny, lubił łaźnię. W biesiadach pobłażliwy i wytrwały, na trudy, zimno, dym i wiatr, upał najcierpliwszy. Kler szanował, od poddanych żądał pieniędzy, o przyrzeczeniach pamiętał, był prawdomówny, pożyczki zwracał''.

Polityczną ocenę króla najbliższą rzeczywistości dał znany historyk Jan Dąbrowski: ,,Młode lata Kazimierza – pisał – zdawały się zapowiadać w nim wielkiego monarchę, który dokona przebudowy państwa polskiego na nowych podstawach. Nie brakowało mu ani energii, ani silnej woli, ani zręczności w przeprowadzaniu swoich zamiarów. Druga część panowania nadzieje te zawiodła [...]. Nie miał Kazimierz zrozumienia dla doniosłości reformy finansowej i podatkowej ani dla organizacji armii stałej.'' W rezultacie też ,,państwa polskiego na nowożytne nie przetworzył''.

Nie jest to jednak opinia powszechna. Sądy potomnych o Kazimierzu Jagiellończyku są nader zróżnicowane. Monarchistyczny publicysta Cat Mackiewicz nazywał go największym z królów polskich, odmawiając jednocześnie tytułu – ,,wielkiego'' ostatniemu z Piastów. Konserwatywnego publicystę frapowała przypisywana przez niego Kazimierzowi Jagiellończykowi idea dynastyczno-imperialna mająca doprowadzić do utworzenia wielkiej federacji środkowoeuropejskiej. Inni mieli na króla bardziej krytyczne spojrzenie. Niemało przyczynił się do tego Jan Długosz, którego Kazimierz powołał na wychowawcę synów królewskich, mimo że musiał wiedzieć o tym, iż ten należał do bliskich współpracowników Oleśnickiego i reprezentował w znacznym stopniu poglądy przywódcy opozycji możnowładczej. W swojej ,,Historii Polski'' nie szczędził Długosz zarzutów polityce zarówno Jagiełły, jak i jego syna. Również osobowości obu Jagiellonów nie zarysowały się pod piórem dziejopisa nazbyt pochlebnie. Nie podważyło to jednak pozycji królewskiego pedagoga. Król cenił uczonego historyka, choć jego oceny dawały raczej negatywny – a na pewno stronniczy – obraz rządów Kazimierza Jagiellończyka. Nie żądał on – jak wielu innych władców – dytyrambów na swoją cześć. Zasada wolności słowa i nauki przekroczyła już w Polsce XV wieku wysokie progi królewskiego zamku. I choć dziś prostujemy niejeden sąd Długosza oddając sprawiedliwość Kazimierzowi Jagiellończykowi, dobrze jest zapamiętać, że umiejętność krytycznego widzenia przeszłości okazała się ważkim elementem edukacji królewiczów oraz innych czytelników dzieła Długosza. Przyczyniła się też ona do wykształcenia szlacheckiej elity politycznej, która będzie nadawała kierunek życiu politycznemu Polski doby Odrodzenia.

Rafał Karpiński

JAN I OLBRACHT

Jeden i jedyny związek małżeński Kazimierza Jagiellończyka z Elżbietą córką Albrechta króla rzymskiego, czeskiego i węgierskiego wydał liczne potomstwo. Pierworodnym był Władysław, który osiągnął tron praski i budziński, kolejnym dzieckiem Jadwiga wydana za księcia bawarskiego Jerzego, następnym Kazimierz, przedwcześnie *in odore sanctitatis* zmarły i wyniesiony na ołtarze (1602), trzecim zaś synem Jan Olbracht. Miał Olbracht i młodsze rodzeństwo: braci – Aleksandra, Zygmunta i Fryderyka (dwaj pierwsi dostąpili po nim kolejno godności królewskiej w Polsce, Fryderyk zaś został kardynałem i arcybiskupem gnieźnieńskim) oraz sześć sióstr – Zofię, trzy Elżbiety, Annę i Barbarę. Tak rozrodzona familia (razem trzynaścioro dzieci) i jej pierwsze sukcesy – powołanie najstarszego Władysława na tron czeski i węgierski – zapowiadać mogły jak najlepsze nadzieje na przyszłość. Wydawało się, że Jagiellonowie na trwałe opanują stolice środkowoeuropejskie, że utworzą pod swoim berłem blok państw, który będzie pierwszoplanową potęgą europejską. Rzeczywistość okazała się jednak inna. Niemniej w końcu XV wieku polityka dynastyczna Jagiellonów święciła sukcesy, a ekspansja domu litewskiego była w pełnym rozkwicie. Spodziewano się również, że większy dorobek zostawi swym następcom Jan Olbracht.

Trzeci syn Kazimierza Jagiellończyka urodził się 27 grudnia 1459 roku w Krakowie. Pierwsze więc imię, które nadano mu na odby-

tym w trzy dni później chrzcie, przyniósł patron dwudziestego siódmego dnia tego miesiąca, św. Jan Ewangelista, zaś drugie otrzymał najpewniej z inicjatywy matki, która nawiązywała tu do tradycji imperialnej na pamiątkę swego ojca – Albrechta II króla rzymskiego (niemieckiego), czeskiego i węgierskiego. Spolszczonej formy tego imienia – Olbracht, czy też łacińskiej Albertus, używali współcześni królowi, a także i następne pokolenia, znacznie częściej niż imienia pierwszego. I być może dzięki przypadkowemu, bądź co bądź, niepolskiemu imieniu, jak też i dla rymu związanego z największą klęską, jaką poniósł w czasie krótkiego panowania (Bukowina) – ,,za Jana Olbrachta wyginęła szlachta'' – nie pomija go i dzisiaj pamięć historyczna. Oto nasze społeczeństwo, tak zapatrzone w przeszłość, posiada jednak znikomą wiedzę historyczną. Zdarza się usłyszeć na egzaminie uniwersyteckim (szczęśliwie jeszcze nie na Wydziale Historycznym), że królem był Tarnowski czy Lubomirski; ale nawet tak właśnie znający przeszłość własnego kraju są w stanie, obok kilku najwybitniejszych naszych monarchów, wymienić Jana Olbrachta.

Królewicz Olbracht – ulubieniec matki – pod jej opieką pozostawał do ósmego roku życia. Zapewne ona, córka, żona i matka królów, rozbudziła w nim wyniosłą ambicję i dumę królewską. Jako dorosły już mężczyzna ,,zawsze wysoko nosił dostojeństwo rodu Jagiellonów''. W 1467 roku powierzono Janowi Długoszowi opiekę nad wychowaniem i wykształceniem synów Kazimierza Jagiellończyka. Długoszowi zawdzięczał wszechstronne, może trochę tradycyjne średniowieczne wykształcenie, w którym jednak znalazło się miejsce dla nowych, odrodzeniowych pierwiastków. Te właśnie szczególnie zaszczepiał Olbrachtowi i jego braciom emigrant politycz-

Pieczęcie Jana Olbrachta: większa, herbowa i sygnetowe (przerysy z XIX w.)

ny z Florencji, obywatel uroczego San Gimignano, Filip Buonaccorsi, zwany Kallimachem. Nie sposób precyzyjnie określić, jak znaczny był wpływ tego wybitnego humanisty, człowieka niespokojnego, obdarzonego trudnym charakterem, na wychowanków. Starsza literatura podnosiła przede wszystkim zasługi Długosza w kształtowaniu osobowości i wiedzy Olbrachta, nowsza stoi na stanowisku, że nie można tu pomijać wpływu Kallimacha. Na Wawelu, gdzie młody Olbracht spędzał większość czasu, żył w warunkach luksusu dworu królewskiego. Gdy Długosz zabierał synów królewskich ,,dla świeżego powietrza''

do Tyńca, Niepołomic, Sącza czy Lublina, stwarzał im tam surowsze warunki. Prostoty i szorstkości życia prowincjonalnego poznawanego w dzieciństwie nie wprowadził Olbracht na swój dwór królewski. Lubił wygody, a sztukę kulinarną cenił wysoko; nawet w gościnie, np. u Gdańszczan, ,,wymagał bardzo wybrednego stołu''.

Ze szkół Długoszowych wyniósł znajomość łaciny, układania mów po polsku – do dygnitarzy świeckich i po łacinie – do dostojników kościelnych. Jego nauczyciel – dający tym samym świadectwo o sobie – zanotował, że w 1474 roku Jan Olbracht, podobnie jak bracia, ,,wybornym głosem'' witał kardynała Marka, legata papieża Sykstusa IV. Znał również wcale dobrze niemiecki, także włoski. Ten ostatni zapewne dzięki Kallimachowi. Wiedza przekazywana królewiczowi nie ograniczała się tylko do książkowej. Gdy ukończył lat 15, wyszedł spod opieki Długosza i dalsza jego edukacja odbywała się publicznie, na dworze królewskim; wtedy bliżej dopiero poznał Kallimacha. Był to okres przygotowywania do rządów, a szczyciło się ówczesne polskie możnowładztwo tym, że ,,królewscy synowie zawsze publicznie otrzymują wychowanie i żadną miarą w ciemności wychować się nie mogą''. Widzimy więc go w Malborku w roku 1476 przy boku ojca, zaangażowanego w konflikt dotyczący obsady biskupstwa warmińskiego, i przy wszystkich ważniejszych wydarzeniach politycznych. Aktywniejsze jeszcze sposobienie Jana Olbrachta do rządów nastąpiło w roku 1484. Zajął drugie po królu miejsce w państwie, bowiem jego najstarszy brat został w 1471 roku królem Czech, zaś drugi syn Kazimierza Jagiellończyka – Kazimierz – zmarł.

Ambicji i żądzy władzy nie brakowało wychowankowi Długosza i Kallimacha. Gdy doszedł do lat sprawnych, w czasie zjazdu w Brześciu nad Bugiem „panowie litewscy nalegali na króla [...] z wielką usilnością, ażeby jednego z synów, których miał przy sobie, to jest Kazimierza lub Olbrachta, uczynił swoim namiestnikiem na Litwie (dla grożącego wówczas niebezpieczeństwa moskiewskiego – przyp. R.K.) [...] Tej prośby – chociaż jeden z królewiczów, Olbracht skrycie to opłakiwał – król nie przyjął". Długosz relacjonujący wydarzenia dorzuca od siebie złośliwie, że królewicz „wcześnie oglądał się na lata ojcowskie", tzn. wzdychał do lat ojcowskich, do godności ojcowskich.

Samodzielnego stanowiska doczekał się zapewne już w roku 1486. Autor monografii o Janie Olbrachcie Fryderyk Papée dowiódł, że w tym właśnie roku uzyskał królewicz godność zastępcy króla na Rusi z uprawnieniami wojskowymi i politycznymi i że była to jednocześnie pierwsza próba ubezpieczenia kresów południowo-wschodnich. Rzeczywiście z itinerarium wynika ścisły związek Olbrachta z tą prowincją. W rok po nominacji, w związku z konfliktami na pograniczu, pod Kopystrzynem nad Murachwą zniósł znaczny zagon tatarski. Uznano ten sukces Olbrachta jako „świetne prymicje rycerskiego zawodu i dzielności"; święcił je też cały kraj. Choć w następnych latach tego ruskiego namiestnictwa wybitniejszych zwycięstw nie odniósł, nie poniósł też porażek i zabezpieczał granice starannie. W ruskim okresie działalności zaczęła się kształtować opinia wysoko stawiająca cnoty i przymioty rycerskie Olbrachta: męstwo i odwagę przede wszystkim, także umiejętności dowódcze. W parze z tą szła zapewne i inna – o jego surowości, może także o bezwzględności i porywczości: rozkazał bowiem jednego z dowódców zagonu tatarskiego wziętego do niewoli pod Kopystrzynem ściąć na polu bitwy.

W sumie administracja Rusią przyniosła Olbrachtowi zdecydowane korzyści. Bernard Wapowski odnotował, że był odtąd powszechnie uważany za najgodniejszego następcę po ojcu.

Wiosną 1490 roku zakończyła się dla Olbrachta ruska szkoła samodzielności politycznej, otworzyła zaś perspektywa osiągnięcia korony węgierskiej. Oto 6 kwietnia tego roku zmarł wybitny król węgierski Maciej Korwin. Korona św. Stefana była elekcyjna i postanowił ubiegać się o nią Olbracht. Aspiracje do korony były oczywiście uzgodnione z ojcem i najwybitniejszymi możnowładcami wszystkich prowincji Korony. Wydawało się, że uzyska również Olbracht poparcie magnatów węgierskich z wpływowym wojewodą siedmiogrodzkim Stefanem Batorym i wybitnym wodzem Błażejem Magyarem. Jednak starania Olbrachta popierała przede wszystkim średnio zamożna i drobna szlachta, głównie górnowęgierska (z terenów dzisiejszej Słowacji). Zdecydowanie mu przeciwny był natomiast Stefan Zapolya konkurent Batorego, najpotężniejszy wówczas magnat na Węgrzech. Rozszerzano przeto uporczywie plotki o porywczości kandydata: miał on publicznie uderzyć w twarz wielmożę, który obraził króla Kazimierza. Akcja Zapolyi, układającego się już wcześniej z Władysławem Jagiellończykiem co do objęcia korony węgierskiej, zniechęciła zapewne magnatów popierających dotąd Olbrachta. I chociaż ogół szlachty węgierskiej okrzyknął go królem na polu Rakos (od nazwy tego pola polski „rokosz") unieważniono tę elekcję.

Magnaci, występujący teraz w miarę solidarnie, powierzyli koronę węgierską najstarszemu synowi Kazimierza – Władysławowi, nazywanemu „król dobrze". (Woleli mieć króla uległego, bez charakteru, by zań sprawować rządy). Jan z Głogowa, profesor Uniwersytetu

Krakowskiego, na wiadomość o konoracji Władysława na króla Węgier miał wykrzyknąć: *Ve vobis Hungari et totae Christiąnitati, quia istum bovem coronaverunt*, co znaczy: ,,Biada wam, Węgrzy, i całemu chrześcijaństwu, skoro ukoronowaliście tego wołu".

Dwór polski na wiadomość o elekcji Olbrachta natychmiast zorganizował wyprawę na Węgry. Jak zwykle brak pieniędzy utrudnił zaciągnięcie poważniejszych sił, przeto wyruszono z niewystarczającymi i niekarnymi, bo źle opłacanymi oddziałami. Akcję militarną prowadził Olbracht umiejętnie i z rozmysłem, uległ bez walki bratu Władysławowi, dysponującemu nieporównywalnie większymi siłami. Układ, jaki zawarł w tej sytuacji z Węgrami, przyznał mu księstwo głogowskie (Śląsk wówczas – przejściowo – należał do korony węgierskiej).

Z traktatu tego nie wywiązał się jednak i rozpoczął wojnę z bratem w Słowacji. Mimo początkowych sukcesów musiał, jako słabszy, zgodzić się z Władysławem na rokowania, w których próbowali pogodzić braci wysłannicy ojca – króla Kazimierza. Mocą podpisanego 20 lutego 1491 roku pokoju koszyckiego rozszerzono śląskie ukontentowanie Olbrachta za zrzeczenie się korony węgierskiej. Obiecywano mu też koronę węgierską po śmierci starszego brata. Rychło objął przez pełnomocnika głogowskie księstwo i pod pozorem, że Władysław (w tym czasie uwikłany w wojnę z Maksymilianem Habsburgiem zgłaszającym roszczenia do korony węgierskiej) nie wypełnia postanowień pokoju koszyckiego i nie przekazuje mu kolejnych ziem śląskich, odnowił wojnę. I te zmagania o panowanie na Węgrzech, prowadzone bezwzględnie, niszczące strasznie kraj (zaciężni Olbrachta pozostawili po sobie złą sławę) przynosiły Olbrachtowi sukcesy; finał był jednak żałosny. W decydującej bitwie

pod Preszowem w dzień Nowego Roku poniósł wyraźną klęskę. Sam walczył niezwykle mężnie, brawurowo, ,,dwa konie pod nim padły, trzeci ranę w brzuch odniósł, tak że mała tedy nie dostawało, że go dwaj Czechowie w pogonią zapuszczeni nie pojmali".

Przegrana przyczyniła się do okrojenia władztwa śląskiego przyznanego Olbrachtowi na mocy zerwanego przezeń pokoju koszyckiego. Pozostawiono mu jedynie księstwo głogowskie, które winien był zwrócić po objęciu korony polskiej, a mimo to używał tytułu *supremus dux Silesiae*, jaki przyjął po pokoju koszyckim, zaś Głogów oddał dopiero po klęsce bukowińskiej.

Sam Olbracht powierzonym mu Śląskiem się nie interesował. Zarządzali tu Jan Karnkowski, ,,mąż rycerski, lecz surowy i niesprawiedliwy", czy też zwyrodniały żołdak, awanturnik Jan II ks. żagański. Wymuszano od Głogowian podatki, ograniczano autonomię miejską, tak że władztwo Olbrachtowe w Głogowskiem kojarzyło się mieszkańcom z ,,twardymi obciążeniami, biedami i troskami".

Przedstawiony tu zbrojny konflikt między Jagiellończykami pokazuje, że jedność polityki dynastii to w większym stopniu wynik spekulacji historiograficznych niż rzeczywistość. Oczywiście pierwszą wyprawę Olbrachta i pierwszą wojnę (druga wojna prowadzona była przezeń zapewne na własną rękę, wbrew królowi) popierał Kazimierz widząc w młodszym synu sprawniejszego, operatywniejszego władcę, który lepiej potrafi rozwiązać narzucające się konflikty z Turkami. Ten wybitny władca myślał także o odrodzeniu unii polsko--węgierskiej. Siłą rzeczy musiał jednak pośredniczyć między walczącymi ze sobą synami.

Dwuletni okres walk o koronę węgierską ukazuje Olbrachta jako człowieka wielkich, lecz niezaspokojonych ambicji, otaczającego się awanturnikami, stosującego różnorakie środki, upartego, lecz także dobrego dowódcę i mężnego rycerza.

Czy sprawa węgierska i nadwerężona opinia utrudniły Olbrachtowi elekcję w Polsce? Tak przypuszczają, nie bez racji, niektórzy historycy. Wakans zaś na tronie polskim nastąpił rychło; 7 czerwca 1492 roku, około trzeciej nad ranem zmarł Kazimierz Jagiellończyk. Przed śmiercią, zgodnie z przysługującymi mu prerogatywami, na wielkoksiążęcy tron litewski wyznaczył kolejnego po Olbrachcie syna – Aleksandra. Kandydatura uzgodniona była z panami litewskimi, którzy zapewne obawiali się popędliwego, ulegającego wpływom zachodnim Olbrachta. W duchu antyolbrachtowskim można interpretować mowę Litawora Chreptowicza, który podczas uroczystości wyniesienia Aleksandra do godności wielkiego księcia Litwy miał doń powiedzieć: ,,Prosimy cię, abyś nie włoskim, które jest obłudne, ani czeskim albo niemieckim obyczajem, ale prawdziwym litewskim i Witołdowym przykładem nas rządził i sądził''. Kazimierz Jagiellończyk jednocześnie polecić miał na tron polski Jana Olbrachta.

Panowie polscy zrażeni samodzielną decyzją Litwinów, którzy nie przekonsultowali z Koroną obsady tronu litewskiego, nie byli jednak jednomyślni w zaakceptowaniu tej kandydatury. Nawet obawa, by decyzja Litwy nie stworzyła precedensu (tzn. by Litwa nie narzucała swych książąt jako jedynych kandydatów do korony), nie powstrzymała ich od oferty, jaką złożyli Aleksandrowi ,,przyjemniejszymi obyczajami i wrodzoną szczodrobliwością obdarzonemu''. Nie był jednak Aleksander jedynym konkurentem Olbrachta do korony polskiej. Zgłosił swą kandydaturę również Władysław Jagiellończyk, który myślał zrazu zapewnić tron polski sobie, później zaś popierał

Zygmunta (późniejszego króla), a także książę płocki Janusz II. Olbracht agitował wśród szlachty i mieszczaństwa. I choć przeciwni mu możnowładcy obruszeni byli ,,wielkomyślnością jego i wyniosłą dumą'', zaś zwycięstwa Olbrachtowe przypisywali wyłącznie ,,męstwu żołnierzy i fortunie'', zdołał mimo ,,rozpustnego i swawolnego postępowania Mazurów'' przeprowadzić sejm elekcyjny po swojej myśli. Zawdzięczał szczęśliwe rozwiązanie (27 sierpnia) i poparciu Aleksandra, i szlachty, i mieszczan (szczególnie większych miast: Krakowa, Lwowa, Gdańska, Torunia, Elbląga), i sporej grupie możnowładców, i wreszcie matki, która ceniła go spośród swych synów najbardziej, a w krytycznym momencie przysłała mu na piotrkowski sejm 1600 zaciężnych opłaconych funduszami mieszczan krakowskich.

Wedle przeważających opinii historiografii politykę wewnętrzną prowadził podobną jak ojciec. U bogacącej się na handlu zbożowym szlachty szukał poparcia. Już na sejmiku generalnym małopolskim w Nowym Korczynie (1493), potem na sejmie w Piotrkowie w tymże roku potwierdził dotychczasowe ogólnostanowe przywileje szlacheckie, formułując jednocześnie konstytucję wymierzoną przeciwko zbiegostwu chłopów. W interesie już nie tylko szlachty zawarował przywrócenie bezpieczeństwa publicznego nadwerężonego mocno w schyłkowym okresie rządów Kazimierza Jagiellończyka. Jednocześnie widać w jego działalności prawodawczej zapowiedzi zbliżającej się reformacji. Kościół jako instytucja był dla nabierającego coraz większego znaczenia stanu szlacheckiego groźnym konkurentem. Wydany więc zostaje zakaz sprzedaży i darowizn nieruchomości duchowieństwu świeckiemu i zakonnemu, wystąpiono także otwarcie przeciwko ingerencji duchownej w sądownictwo świeckie. Nie znaczy to oczywiście, by Olbracht – jak sądzili niektórzy historycy – był „wolnomyślny" czy też letni w sprawach wiary. Przywileje wydane na rzecz szlachty, ograniczające działanie Kościoła, były wynikiem ówczesnego układu sił w społeczeństwie, a także odbiciem stanowiska króla, który, podobnie jak jego ojciec, bronił swych uprawnień nominacyjnych.

Ale jego polityka wewnętrzna była także funkcją i wykładnikiem aspiracji międzynarodowych. Sejm piotrkowski 1496 roku poprzedzał przygotowywaną wyprawę przeciwko Turkom. Zapewnienie poparcia szlachty dla wojny musiało się wiązać ze zrzeczeniem pewnych uprawnień królewskich. Stąd ogólnostanowy przywilej piotrkowski szczególne możliwości stwarzał szlachcie, zapewniając jej wolności celne, ułatwiając spław zboża, ograniczając do minimum prawo wychodu chłopa ze wsi, jak też zakazując sezonowych migracji zarobkowych.

Owe wolności i przywileje, jakie uzyskała tu szlachta, nie oznaczają, że tylko tę warstwę król uważał za zaplecze władzy. Sojusz, przynajmniej z niektórymi rodami możnowładczymi, był koniecznością. W jego otoczeniu widzimy zarówno ludzi, których zjednał administrując Rusią (Spytek Jarosławski, Buczaccy, Mikołaj Kamieniecki, Mikołaj Lubrański), także utrzymujących się przy dworze od czasów jego ojca (Jan Ostroróg, Szydłowieccy, z którymi się wychowywał), wreszcie wybranych do współpracy (z Prus – Łukasz Watzel-

Barbakan w Krakowie

hrode; z Wielkopolski – Szamotulscy, Lubrańscy, Leszczyńscy, Kościeleccy, Ambroży Pampowski; z Małopolski – dwaj Mikołajowie: Firlej i Lanckoroński, Wacław Przerembski czy Maciej Drzewicki).

Najtrudniej jest jednak określić politykę Olbrachta wobec mieszczan. Jak wiemy, poparły go w czasie elekcji miasta. Niełatwo ocenić znaczenie tego sojuszu; sami mieszczanie uważali go za istotny. Nekrolog Olbrachta pomieszczony w księgach miejskich krakowskich zanotował: *Gratus in electione omni plebi* (,,Zawdzięczał elekcję plebejom"). Odwdzięczył się monarcha miastom potwierdzając ich przywileje i obok ciepłych słów za wierność zaznaczył, że ,,nikogo innego tylko nas z całym pragnieniem i całym afektem żądali". Interweniował u obcych monarchów w sprawie polskich kupców. I później także, obok potwierdzania starych, nadawał miastom nowe uprawnienia. Kraków odzyskał swój przywilej z roku 1306 dotyczący wójtostwa, utracony w związku z buntem wójta Alberta, oraz, podobnie jak Lwów, zwolnienia podatkowe. Ale ta linia postępowania nie jest konsekwentna. Pod naciskiem szlachty zakazano mieszczanom posiadania dóbr ziemskich, co dotyczyło nie tylko nabywania nieruchomości poza miastami, ale i obowiązku sprzedaży ziem już posiadanych; ograniczono poważnie dostęp plebejuszy do wyższych godności kościelnych. Mimo tych poważnych zmian, których istotę poznały naprawdę dopiero następne pokolenia, akta miejskie, zwłaszcza krakowskie, przechowały bardzo pochlebne opinie o królu. Na tym tle najgorzej rysuje się położenie chłopów.

O Olbrachcie jako gospodarzu powiedzieć możemy niewiele. Dbał o dochody skarbowe, niezbędne do prowadzenia polityki zagranicznej. Starał się naprawić monetę, co zrealizował tylko częściowo. W jego czasach budowano co prawda wiele: rozbudowano fortyfikacje krakowskie, wzniesiono liczne mosty w Toruniu, Sandomierzu, pod Krakowem i Malborkiem, ale czy te budowle można zapisać na konto zasług królewskich?

Wykazywał niejednokrotnie stanowczość i zdecydowanie, karząc konfiskatami (ok. 2000 osób) winnych niestawiennictwa na wyprawę mołdawską, czy też nadużywających zaufania administratorów mennicy. Jego doradca polityczny, Kallimach, zapewne podsuwał mu model scentralizowanego państwa, z silną władzą monarszą, nie można jednak – określając cele króla w polityce wewnętrznej – posługiwać się zbyt intensywnie traktatem określanym jako tzw. rady Kallimacha. Te bowiem w zachowanej postaci są moim zdaniem apokryfem prawdopodobnie z czasów wojny kokoszej. Jednak właśnie w roku 1493 – zgodnie ze stanowiskiem tradycyjnej historiografii – ukształtował się ostatecznie dwuizbowy sejm walny. Trudno więc przyjąć pogląd, że jego polityka wewnętrzna zmierzała ku budowie monarchii absolutnej.

Program rozwoju terytorialnego państwa określiła szlachta w Nowym Korczynie: ,,aby raczej Korona była rozszerzona niż uszczuplona". Król sfinalizował w 1494 roku ostateczne złączenie księstwa zatorskiego z Koroną, co było tym istotniejsze, że oddzielało ono od Polski wcześniej uzyskany Oświęcim. Rychło też nastąpiło przyłączenie Płocka. Już sąd lenny w 1468 roku przyznał Koronie ziemię płocką i wiską, jednakże pozostały one w ręku książąt mazowieckich. Kiedy zmarł bezpotomnie ich władca Janusz II – konkurent Olbrachta do tronu polskiego – Konrad III Rudy, jedyny wówczas książę mazowiecki (władca na Czersku, także Warszawie i Zakroczymiu), zagarnął ziemie po zmarłym bracie.

Właściwie tylko demonstracja Olbrachta, który zwołał pospolite ruszenie kujawskie i rawskie, i złupienie przez piechotę królewską dwóch wsi przygranicznych przesądziło sprawę: ,,wszyscy strachem przerażeni zapragnęli pokoju". Mimo złorzeczeń i płaczu Konrada, który wyzywał Olbrachta na pojedynek, włączono Płockie i Wiskie do Korony. Ukrócono też Konrada III, który jeszcze w 1492 roku próbował się sprzymierzyć z księciem Moskwy

Popiersie Jana Olbrachta (fragment nagrobka z katedry wawelskiej)

Iwanem III ,,na Kazimirowych ditiej". W zasadzie pozbawiono go wszystkich ziem, jakie posiadał, a jedynie ze względu na tradycję oddano mu w lenno ,,księstwo czerskie z prawem następstwa". Zobowiązano go też do ,,zerwania, przecięcia, zniesienia i unieważnienia" wszystkich zawartych układów.

Usiłował także Olbracht, ale chyba bezskutecznie, doprowadzić do hołdu Bogusława X księcia pomorskiego z racji posiadania przezeń dwóch starostw pruskich: Lęborka i Bytowa, które Korona od 1466 roku traktowała jako lenno.

Z Prusami Królewskimi postępował przezornie, nie zaogniał sporów o autonomię tych ziem, które charakteryzowały schyłek rządów jego ojca. Zdawał sobie bowiem sprawę i ze strategicznego, i fiskalnego znaczenia tej prowincji. Był w Prusach lubiany i już po jego zgonie zanotowano: ,,Ta śmierć całym Prusom wydała się największą ruiną, najlepiej bowiem sprzyjał sprawom pruskim, tak że niektórzy Polacy mówili: pruski to, a nie polski umarł król".

Stanowczość wykazał wobec Prus Książęcych, zmusiwszy wielkiego mistrza Jana von Tieffen do złożenia przysięgi wierności (1494), zaś w trzy lata później – jeden jedyny raz w naszych dziejach – musiał się stawić wielki mistrz na wyprawę wojenną jako lennik Polski. Po śmierci Jana mistrzem został Fryderyk saski, który korzystając z protekcji cesarza Maksymiliana i trudnej międzynarodowej sytuacji Polski odmawiał wykonania postanowień wieczystego pokoju toruńskiego. Szantażował Olbrachta stwierdzając, że ,,sławny Zakon przy św. Rzeszy i nacji niemieckiej ma pozostawać", a Olbracht zagroził mu wojną ubezpieczywszy się przymierzem z Węgrami i Francją. Te plany rozwiązania konfliktu z Zakonem przerwała śmierć króla. W każdym razie przeprowadził w kurii rzymskiej uznanie Prus za integralną część Korony Polskiej. Iluzoryczne natomiast były projekty przesiedlenia Krzyżaków na Podole lub do Mołdawii, przedstawione królowi przez Łukasza Watzelhrode.

Wobec Litwy postępował podobnie jak jego dziad Jagiełło przyjmując tytuł najwyższego jej księcia. Uważał się więc za zwierzchnika Aleksandra, kontrolując, ale też i uzgadniając z nim politykę zagraniczną. Był realistą i w ówczesnej sytuacji międzynarodowej wzywał Aleksandra do utrzymania pokoju z Moskwą. Starał się, by w przyszłości dylemat trapiący państwo polskie i litewskie – unia czy dziedziczność – był rozwiązany przez ograniczenie elekcji ,,do przesławnego domu jagiellońskiego''. Ostateczne rozwiązanie tej sprawy było jednak nieco odmienne: w 1499 roku uzgodnili panowie polscy i litewscy, że ,,w razie śmierci króla polskiego, bez wiedzy i rady panów i szlachty W. Księstwa Litewskiego do elekcji nowego króla nie przystąpimy, lecz z nimi pospołu, jeśli wezwani w należytym czasie przybyć zechcą, króla pana wybierzemy''. W praktyce jednak realizowano zasadę elekcji w obrębie potomków Jagiellonów, i to nawet gdy dynastia jagiellońska wygasła po mieczu.

Stosunki z Turcją i Tatarami nie układały się już tak pomyślnie. Na początku panowania wprawdzie zawarł Olbracht korzystny rozejm z Turkami, ci zaś zobowiązali się do powstrzymywania Tatarów. Jednak i klęska zadana wojskom polsko-litewskim przez Tatarów pod Wiśniowcem (1494), i dwa niszczące najazdy tatarskie z przełomu wieków uniemożliwiły, przy niechęci szlachty, aktywność Olbrachta na odcinku polityki tureckiej. Do organizowanej przeto przez papieża Aleksandra VI w jubileuszowym roku 1500, nieudanej zresztą, krucjaty nie przystąpił.

Pieczęć mniejsza Jana Olbrachta

Cień jednak największy na politykę zewnętrzną Olbrachta rzuca wyprawa mołdawska roku 1497. Wszak zacząć się już miała pod złymi auspicjami: utopił się koń królewski w niewielkim potoku, ,,grom pod namioty zabił jednego szlachcica i koni dwanaście'', pewien szlachcic, ,,któremu się głowa skaziła, wołał jawnie, iż naszy na złe idą''. Odradzano królowi tę wyprawę, m.in. duchowieństwo, tak że porywczy monarcha ,,złajawszy srogo jednego z biskupów kazał mu iść precz mówiąc, że księdzu mszej nie wojny patrzeć przystoi''. Zapewne celem tego wysiłku zbrojnego było opanowanie wybrzeży czarnomorskich, szczególnie zajętych przez Turków ważnych portów Kilii i Białogrodu. Nie jest to jednak wcale pewne. Współcześni uważali nawet, że atak na Turcję jest pozorem, że chodziło o opanowanie Mołdawii, by osadzić tu królewicza Zygmunta. Zużyto niemało papieru i atramentu spierając się zawzięcie o to, czy winnym dwulicowej polityki był król, który miał dążyć do destytucji hospodara mołdawskiego Stefana Wielkiego, czy to właśnie Stefana, który nie dotrzymał rozejmu z Polakami, należy obciążyć zdradą. Fryderyk Papée i Olgierd Górka, dwaj badacze tego fragmentu dziejów Olbrachtowych, dochodzili do wniosków całkowicie rozbieżnych. I obecna nasza wiedza nie ma w tym względzie jednoznacznego i precyzyjnego stanowiska. W każdym razie ta wyprawa ,,nierządna i niesławna", która ,,wiele smutku i żałości społu wszystkim w Polszcze przyniosła", nie była tak krwawa, jak oceniali to jeszcze do niedawna historycy. Klęskę w lasach bukowińskich, w wąwozie pod Koźmianem, ,,gdzie Wołosz drzewa spuszczała" na rycerstwo polskie, wykorzystywano do propagandy antykrólewskiej w następnych pokoleniach pokazując, jak to już rzekomo Olbracht podjudzany przez Kallimacha (nb. promotora wyprawy) dążył do wygubienia szlachty. Wykorzystywano też wyprawę 1497 roku do wystąpień przeciw cudzoziemcom. Niby pod adresem Olbrachta i Kallimacha, ale w rzeczywistości ku pamięci sobie współczesnych pisał Bielski, że ,,upadek przychodzi takim, którzy cudzoziemcom więcej wierzą i na nie przekładają sprawy wszelkie". Niepowodzenia mołdawskie były zaś w rzeczywistości kolejną kompromitacją pospolitego ruszenia.

Król ,,przyjechawszy do Krakowa z Wołoch po owej porażce sromotnej jakoby co dobrego sprawił, kolacje, biesiady, tańce strojąc, był wesół; powiadają, iż raz w nocy tylko samotrzeć po mieście ceklował, a gdy się pijany na pijaniców natrafił, powadził się z nimi, tamże go raniono, z której rany długo chorował, prawie go był Bóg tym szwankiem sromotnym skarał, gdy godności i urzędu swojego zabaczył". Są to wiadomości późniejsze o lat około dwadzieścia od wydarzeń, które opisują,

przekazane tu w formie jeszcze późniejszej (Maciej Stryjkowski), znajdują jednak potwierdzenie we współczesnych źródłach. I nawet obrońca Olbrachta pisał: ,,wszystkie ideały, w których się wychował i urósł, rozwiały się wniwecz. Nastąpiło tedy psychologiczne i moralne załamanie". Czy to załamanie było wynikiem ciężkich doświadczeń i rozgoryczenia wyniesionego z wyprawy mołdawskiej, swoistą reakcją nie najsilniejszego przecież charakteru, czy także powodowała je choroba datująca się co najmniej od schyłku lata 1497 roku? Czy był to *morbus gallicus*, który ,,niewiasta jedna z odpustu rzymskiego do Krakowa za upominek przyniosła, która niemoc w Polszcze jako osobliwa plaga Boża za wszeteczeństwem ludzi swowolnych prędko się rozniosła [...] zwłaszcza u tych, którzy radzi wino mocne, takież inne trunki piją, a niewiast przyglądają"? Nie obwiniajmy i nie osądzajmy tu króla ani go nie usprawiedliwiajmy, tym bardziej że przyczyna zgonu nie jest całkowicie pewna.

Czas uciech i zabawy minął, król zaś powrócił do stanowczego sterowania nawą państwową. I choć złożony chorobą, rozwijał udane projekty. Wtedy też, gdy gotował się do rozwiązania zbrojnie konfliktu z zakonem krzyżackim, zabrała go śmierć, w Toruniu 17 czerwca 1501 roku. Żył, jak skrupulatnie obliczył Miechowita, lat czterdzieści jeden, miesięcy pięć, dni dwadzieścia, panował lat osiem, osiem miesięcy i dwadzięścia cztery dni. Potomka nie zostawił, choć ,,na cielesną miłość był poniekąd natarczywszy (znamy nawet imię pewnej jego kochanki, niejakiej Wąsówny, mieszczanki krakowskiej – przyp. R.K.), a wżdy jednak nieżonatym umarł", choć swatano go i z jedną z Habsburżanek, potem z Germaine de Foix, kuzynką królowej francuskiej Anny.

„Był wysokiego wzrostu, oczu piwnych, na twarzy z pewnym wyrzutem i wysiękiem. Tęgi, kościsty i silny, około piersi, rąk i nóg gęstszym, na głowie rzadkim włosem okryty [...] W ruchach szybki, często u boku z mieczykiem przypasanym występował, namiętnościom i chuciom jako człowiek wojskowy folgował".

Pisano też jeszcze w XVI w., amplifikując i rozwijając charakterystyki kronikarzy czasów Olbrachta, Miechowity i Wapowskiego, że był „czujny, śmiały i opatrzny, w sprawach prędki, doskonałego rozumu, dowcipu wielkiego, w naukach, a osobliwie w historiach kochał się, krasomówca wielki w łacińskim i niemieckim języku, szczodrobliwością przeciwko ludziom rycerskim i wielkością umysłu wielu inszych celował". Ale obok tego wyidealizowanego portretu znajdują się i u współczesnych mu dziejopisów wysoce nieprzyjazne oceny jak ta, że mieszkańcom Królestwa był w najwyższym stopniu nienawistny. U współczesnych historyków doczekał się natomiast ocen zasadniczo odmiennych. Obok bezwzględnych sądów Jakuba Caro czy Olgierda Górki, poprzez bardziej umiarkowane Oskara Haleckiego, do życzliwych Fryderyka Papéego i z lekka już idealizujących Ludwika Kolankowskiego i Józefa Garbacika, którzy dopatrywali się w Olbrachcie władcy humanistycznego, starającego się realizować renesansową teorię władzy.

Nagrobek Olbrachta, wystawiony mu przez matkę w katedrze krakowskiej, składa się z gotyckiej jeszcze płyty i architektonicznej, kamiennej oprawy uważanej za pierwsze dzieło renesansu w Polsce. Może – z pewnym uproszczeniem – ten dwoisty stylistycznie monument sepulkralny odbija skomplikowaną osobowość króla.

Juliusz Bardach

ALEKSANDER

W roku 1492, kiedy po śmierci Kazimierza Jagiellończyka w Polsce powołano na tron Jana Olbrachta, w Wielkim Księstwie Litewskim objął władzę jego młodszy (urodzony w 1461 roku) brat Aleksander.

Biograf Aleksandra, Fryderyk Papée, tak przedstawia – w oparciu o Macieja z Miechowa – swego bohatera: „... przewyższał rodzeństwo swoje pod względem tęgości fizycznej, ale ustępował mu w zdolnościach umysłowych. Wyrastał na krępego młodzieńca, kościstego i muskularnego, jednak brakowało mu szczególnie tak cenionego wówczas daru wymowy, i to nie tylko w publicznych przemówieniach, ale i potocznych [...]. Jednakże miał zawsze szacunek dla ludzi wiedzy i miał [...] wiele cennych przymiotów jagiellońskich".

Na stolec wielkoksiążęcy przeznaczył go ojciec już w 1484 roku, kiedy rozpoczęto rozmowy w sprawie małżeństwa przyszłego hospodara z córką wielkiego księcia moskiewskiego Iwana III Srogiego i wywodzącej się z rodu cesarzy bizantyjskich Zofii Paleolog – Heleną. Na Litwę przybył Aleksander jesienią 1491 roku wraz z ojcem jako desygnowany przezeń następca i już pozostał w Wilnie.

Objęcie rządów przez Aleksandra dokonało się za zgodą potężnego możnowładztwa litewskiego. Stąd jednym z pierwszych aktów nowego hospodara było wydanie przywileju, w którym potwierdzał dotychczasowe prawa i wolności panów, ale jednocześnie rozszerzał je, by – jak czytamy w akcie – „przez nowe łaski, ustępstwa i wolności poddanych swoich pocieszyć". Odwoływał się w nim nieraz do tradycji swego wielkiego imiennika Aleksandra-Witolda, którego imię było symbolem niezależności i potęgi Wielkiego Księstwa. Odpowiadało to dążeniom litewskiego możnowładztwa, które pragnęło mieć monarchę na miejscu. Powstrzymało to Aleksandra nawet przed wyjazdem do Krakowa na pogrzeb ojca. Z chwilą jego powołania na stolec wielkoksiążęcy nastąpiło zerwanie unii personalnej z Koroną, choć z Janem Olbrachtem łączyły go nadal braterskie stosunki, umożliwiające utrzymanie przymierza między obu krajami. Suwerenność Wielkiego Księstwa podkreślał przepis przywileju z roku 1492 o samodzielnej dyplomacji Litwy w jej stosunkach z obcymi krajami. Największe wszakże znaczenie miało podkreślenie roli rady wielkoksiążęcej. W szczególności zastrzeżono, że uchwały rady nie mogą być później zmieniane przez hospodara. Zobowiązywał się on również, że nie będzie gniewać się na panów, którzy na radzie bronili odmiennego niż on stanowiska. Nie miał też odtąd nadawać wyższych urzędów bez wysłuchania opinii rady. Spotężniała za rządów Kazimierza Jagiellończyka oligarchia magnacka na Litwie umocniała swoje pozycje, ograniczając już prawnie władzę hospodara.

Najważniejszą sprawą, jaka stała przed wielkim księciem, było ułożenie stosunków z Moskwą, która w drugim roku panowania Aleksandra zdobyła Wiaźmę. Toczyły się też walki na pograniczu, gdzie podlegli dotąd Litwie miejscowi kniaziowie przechodzili do służby moskiewskiej. Na Litwie nie było ochoty do wojny. Hospodar i panowie-rada zdawali sobie sprawę, że więcej nie będą mogli rozszerzać swoich dziedzin, dlatego też byli za rozwiązaniem pokojowym. Układ zawarty w 1494 roku oparto na zasadzie uznania status quo, jakie powstało w wyniku działań wojennych. Iwan III wcielał do swego państwa Wiaźmę i część

316

grodów nad Oką. Jednocześnie obie strony zobowiązywały się nie przyjmować w poddaństwo książąt służebnych z ich dziedzinami, co miało przede wszystkim znaczenie dla Litwy chroniąc jej stan posiadania na granicy wschodniej. Po zawarciu pokoju doszło wreszcie do skutku małżeństwo Aleksandra z dziewiętnastoletnią już Heleną. Księżniczka była piękna i, jak zanotował kronikarz, posłowie litewscy „lubowali się jej krasą". Osiągnięte już porozumienie w sprawie małżeństwa, które miało utrwalić pokój zabezpieczający Litwę od wschodu, omal się jednak nie rozbiło o kwestię wiary. Iwan III zażądał od przyszłego zięcia zaręczenia, że nie będzie zmuszał

żony do zmiany wyznania i że zachowa ona swój „grecki zakon"; co więcej, że w żadnym wypadku wyznania swego nie porzuci. Biskupi katoliccy próbowali oponować przeciw temu, co dodatkowo przeciągnęło rokowania o blisko rok. Wreszcie musieli ustąpić przed oczywistą racją stanu.

Małżeństwo Aleksandra ułożyło się szczęśliwie, o czym pisała Helena w listach do rodziców. Okazała się ona nie tylko kochającą żoną, ale i lojalną współpracownicą polityczną męża, starając się o pokojowe ułożenie stosunków pomiędzy Litwą a Moskwą.

Aleksander umiał skupiać wokół siebie doradców i współpracowników najwyższej klasy,

Koronacja króla Aleksandra (miniatura z pontyfikału Erazma Ciołka)

co stanowi zaletę cenną, a u rządzących nieczęstą. Mógł on liczyć na lojalność swoich współpracowników, a ich osiągnięcia wzmacniały pozycję monarchy jak też służyły dobru publicznemu. Do najwybitniejszych spośród nich należy zaliczyć Erazma Ciołka – mieszczanina z pochodzenia, którego Aleksander ściągnął na Litwę na stanowisko swego sekretarza. Zdolny i wytrawny dyplomata, wykonywał on z powodzeniem trudne i delikatne misje w Rzymie i na dworze cesarskim w Ratyzbonie, zanim objął stanowisko biskupa płockiego. Drugim czołowym współpracownikiem Aleksandra, już po elekcji na króla Polski, był antagonista Ciołka – co nie jest też rzadkie – Jan Łaski, który rychło postąpił na stanowisko kanclerza, a potem prymasa, i był najwybitniejszym mężem stanu wczesnego Odrodzenia w Polsce.

Jako hospodar, Aleksander dbał o rozwój Wilna. Za jego to rządów zbudowano przepiękny kościół Św. Anny, o którym w trzysta lat potem Napoleon miał mówić, że chętnie przeniósłby to cacko do Paryża. Podjął też budowę murów miejskich i innych budynków, m.in. klasztoru dominikańskiego i dworu gościnnego dla kupców moskiewskich. Polityka Aleksandra zmierzała do wzmocnienia mieszczaństwa najpierw na Litwie, a potem, po elekcji na króla, i w Polsce. Uchylił on między innymi – niestety na krótko – przepis konstytucji koronnej z 1496 roku zakazujący mieszczanom posiadania dóbr ziemskich. Na Litwie takiego zakazu wówczas jeszcze nie było.

Równocześnie z troską o rozwój rodzimego mieszczaństwa i ściąganiem mieszczan niemieckich wydał Aleksander w 1495 roku edykt o wygnaniu Żydów z Wielkiego Księstwa. Było to w trzy lata po wygnaniu Żydów z Hiszpanii. Przykład okazał się zaraźliwy. Uzasadniał to władca względami religijnymi, ale w istocie chodziło o sprawy zgoła doczesne. Po wojnie skarb świecił pustkami, a sam hospodar i panowie byli przeważnie zadłużeni u bogatych Żydów wypożyczających pieniądze na procent. Wygnanie wierzycieli rozwiązywało radykalnie sprawę. Co więcej, majątki wygnańców przechodziły na rzecz monarchy, a to miało – jak spodziewał się – zasilić jego finanse. Ale majątki pożydowskie zostały rozdrapane przez możnych i dworzan, zaś zmniejszenie wpływów z podatków i ceł płaconych przez Żydów okazało się ciężkim ciosem dla skarbu. Stąd od 1503 roku pozwolono Żydom wrócić na Litwę.

Edykt o wygnaniu nie rozciągał się na Żydów, którzy przyjęli chrzest. Spośród nich rekrutował się bliski współpracownik Aleksandra, Jan Abraham Ezofowicz (używał on równolegle obu imion – chrześcijańskiego i żydowskiego). Nobilitowany, doszedł do wysokiej godności podskarbiego litewskiego, ciesząc się stałymi względami monarchy.

Małżeństwo z piękną Heleną nie na długo zapewniło spokój z Moskwą. W roku 1500 wybuchła wojna. Jedna armia rosyjska zajęła Zadnieprze z miastami Brańskiem i Putywlem. Druga pociągnęła na Smoleńsk, któremu na odsiecz pośpieszył Aleksander na czele głównych sił litewskich. Ich przedni hufiec pod wodzą księcia Konstantego Ostrogskiego zaatakował nierozważnie przeważające siły rosyjskie nad rzeką Wiedroszą i poniósł całkowitą klęskę, a liczni dostojnicy litewscy z Ostrogskim znaleźli się w niewoli. W tej krytycznej sytuacji Aleksander, nie ryzykując walnej rozprawy orężnej w polu, umocnił Połock, Witebsk i Smoleńsk oraz zacieśnił skierowany przeciw Moskwie sojusz z mistrzem zakonu inflanckiego. Równocześnie zawarł sojusz z chanem Ordy Nadwołżańskiej Szach Achmetem, gdy po stronie Moskwy występował jego przeciwnik – chan krymski Mengli Girej. Po obu stronach posługiwano się nadal tatarskimi sprzymierzeńcami.

Dnia 17 czerwca 1501 roku zmarł Jan Olbracht. Na wieść o tym Aleksander opuścił armię i podążył na Podlasie „nad granicę lacką". Stąd, z Mielnika, kierował akcją mającą na celu uzyskanie korony polskiej. W Polsce w czasie bezkrólewia władzę przejęli brat królewski kardynał-prymas Fryderyk wraz z kanclerzem Krzesławem Kurozwęckim i podskarbim Jakubem Szydłowieckim. Po uroczystym pogrzebie Jana Olbrachta na Wawelu zajęto się przygotowaniami do elekcji. Kandydatami do tronu poza Aleksandrem byli jego dwaj bracia: Władysław – król Czech i Węgier oraz najmłodszy Zygmunt – książę głogowski. Fryderyk, Kurozwęcki i Szydłowiecki mając za sobą większość panów-rady koronnej popierali kandydaturę Aleksandra licząc na to, że ten, zajęty sprawami litewskimi, a zwłaszcza wojną z Moskwą, przekaże całość władzy w Koronie w ich ręce. Za odnowieniem unii wypowiadali się tym razem również panowie litewscy. Trudności w wojnie z Moskwą, świeżo poniesiona klęska nad Wiedroszą skłaniały ich do szukania oparcia w Polsce. Dlatego też poparli oni gorąco kandydaturę Aleksandra na tron krakowski. Na sejmie elekcyjnym w Piotrkowie posłowie litewscy zwracając się do panów koronnych wyrażali nadzieję, że „takiej żałości wielkiemu księciu nie zrobicie, aby innego pana wybrać". Możnowładcy polscy godząc się na Aleksandra uważali jednak, że należy wykorzystać sytuację, aby wzmocnić swoją pozycję polityczną, a także zacieśnić więź pomiędzy Królestwem a Wielkim Księstwem. W tym celu sporządzili dwa akty, od zaakceptowania których przez Aleksandra uzależnili objęcie przez niego tronu polskiego. Dopiero po wyrażeniu zgody na nie Aleksander ze

swoim pocztem przekroczył granicę Królestwa, udając się do Krakowa. Dnia 12 grudnia 1501 roku został koronowany w katedrze wawelskiej przez swego brata kardynała-prymasa Fryderyka. Koronowano go samego, jako że biskupi – poparci przez Rzym – odmówili koronacji prawosławnej Heleny. Pisała się odtąd ona jako „żona króla Aleksandra, wielka księżna litewska", choć potocznie tytułowano ją królową, a i sama tak siebie nazywała. Odmowę koronacji żony Aleksander odczuł jako jeszcze jeden despekt.

Z punktu widzenia ustrojowego ważniejsze były ograniczenia, do których zobowiązał się wcześniej w Mielniku. Spośród zaaprobowanych i podpisanych tam przez elekta aktów

Król na majestacie (miniatura z pontyfikału Erazma Ciołka)

jeden dotyczył zacieśnienia unii, drugi stanowił przywilej zmierzający do skupienia całości władzy w ręku możnowładczej elity. „Czytając go – pisał Michał Bobrzyński – odnosimy wrażenie, jakbyśmy mieli przed sobą jakąś konstytucję rzeczypospolitej weneckiej. [...] Widzimy w nim nakreśloną wyrazistymi rysami formę rządu arystokratyczną, i to w najskrajniejszym tego słowa znaczeniu". Wstęp przywileju, przeciwstawiając osobiste rządy monarchy rządom arystokracji, stanowił teoretyczne uzasadnienie drastycznego ograniczenia władzy królewskiej. „Nie byłoby rzeczy pożądańszej na świecie – czytamy w nim – jak żyć pod dobrym i sprawiedliwym panującym; jednakże częste doświadczenia nauczyły, że panujący rządzić chcą jedynie dowolnością swoją, a gdy przedniejsi spośród panów sprzeciwiają się ich zamachom, wtedy srożą się niezmiernie, zwracając wszystkie swe siły i myśli przeciw ich prawu, osobom i mieniu. Lepiej więc być poddanym radzie ludzi roztropnych i prawych niż dowolności i namiętności panującego, a póki senat swoją powagą rozstrzyga i stanowi, póty państwo w sile swojej się utrzymuje".

Przywilej mielnicki składał całą władzę w państwie w ręce senatu. Królowi, którego stale – i nie bez kozery – tytułował *princepsem*, przyznawał tylko funkcję przewodniczącego senatu. We wszystkich sprawach król miał być poddany jego uchwałom, które winien był wykonywać. Na straży tego stała klauzula przewidująca, że gdyby król dopuścił się gwałtu przeciw osobie któregoś z senatorów lub okazał się nieposłuszny uchwałom senatu, cała społeczność Królestwa miała być zwolniona od przysięgi na wierność i miała go uważać nie za monarchę, ale za tyrana i nieprzyjaciela. Takie było sformułowanie przepisu znanego później jako artykuł o wypowiedzeniu posłuszeństwa, który w złagodzonej formie znalazł się w artykułach henrykowskich, przedłożonych w 1573 roku do zaprzysiężenia Henrykowi Walezemu, jako podstawa ustrojowa Rzeczypospolitej.

Gdy chodzi o unię z Litwą, przygotowany w 1501 roku akt przewidywał, że odtąd nie będzie ona posiadać osobnego wielkiego księcia, ale wspólny dla obu państw monarcha będzie wybierany za każdym razem na zjeździe elekcyjnym w Piotrkowie. Oznaczało to likwidację dziedziczności tronu w Wielkim Księstwie i składało decyzję o przyszłym wspólnym władcy w ręce panów polskich, którzy na elekcji mieli zapewnioną większość. Akt unii przewidywał ponadto w razie potrzeby wspólne narady oraz ujednolicenie systemu monetarnego. Akt ten przyjęty przez Aleksandra został również zaprzysiężony przez dwudziestu siedmiu przedstawicieli Litwy, którzy zobowiązali się, że sejm litewski przyjmie jego postanowienie. Ta ostatnia klauzula stała się furtką, która umożliwiła następnie uchylenie mocy obowiązującej aktu unii mielnickiej, gdyż nie odpowiadał on większości panów litewskich i ruskich ani samemu Aleksandrowi. Uzyskaną przejściowo przewagę panowie polscy starali się – jak widzieliśmy – oblec w formy prawne. Jak to jednak nieraz się zdarza, kiedy formułuje się w postaci prawa stan rzeczy nie odpowiadający realnemu układowi sił, życie rychło przeszło nad nim do porządku. Na tym przykładzie potwierdziło się raz jeszcze, że prawo musi odpowiadać wymogom społecznej i politycznej rzeczywistości. W przeciwnym razie staje się rychło martwą literą.

Zgodnie z przewidywaniami kardynała Fryderyka, po koronacji król powrócił wkrótce na Litwę, pozostawiając rządy w rękach kardynała-prymasa, kanclerza i podskarbiego. Jeśli uczynił to, by skompromitować rządy możnowładcze, nie mógł wybrać lepszej drogi. Okazało się rychło, że możnowładcza oligarchia nie umiała pokierować zarządem kraju. Panowie rozdrapywali między siebie dochody państwowe łącznie z podatkami i cłami, które uchwalił na cele obrony sejm koronacyjny. Skarb państwa świecił pustkami, a niepłatny żołnierz zaciężny dokonywał na własną rękę rekwizycji z wielkim uciemiężeniem dla ludności. Stan, jaki zapanował, oddaje najlepiej list podkanclerzego Macieja Drzewickiego, który tak charakteryzował sytuację w Królestwie: „Tutaj wszystko zostało rozdrapane bezwstydnie i z największą szkodą Rzeczypospolitej; każdy bowiem pragnie być bogatym, króla i państwo w tył odrzucając, ale dosyć doświadczyliśmy, co znaczą prywatne zasoby a publiczny niedostatek".

Nie był tu bez winy i sam Aleksander. Starając się wzmocnić swoją pozycję przez kaptowanie stronników, dokonywał licznych nadań, rozdawał dobra i sumy skarbowe między litewskich i polskich panów. Spotykało się to z opozycją szlachty, a rozrzutność królewska spowodowała, że po jego śmierci mówiono, iż „dogodnie i wedle czasu ze świata ustąpił pierwej, aniżeli Polskę i Litwę wszystką roztrwonił". Sam król bronił się przed zarzutami tym, że były to wydatki związane z elekcją, a wymuszone na nim przez panów.

W obliczu powtarzających się niszczących najazdów Tatarów krymskich, a także agresji wojewody mołdawskiego Stefana, który zajął Pokucie z Kołomyją, Polska pozostawała bezradna i niemal bezbronna. Nie zdołano nawet powołać pospolitego ruszenia. W tych opałach rządzący możnowładcy nie potrafili znaleźć innego wyjścia jak tylko wzywać króla, aby „niezwłocznie, jakby na skrzydłach" wracał do Królestwa. „Czyż może być wyraźniejsze

przyznanie się do zupełnego niedołęstwa kliki rządzącej?" – zapytywał retorycznie Fryderyk Papée.

Aleksander zajęty rokowaniem z Iwanem III sam przybyć nie mógł, ale wydał ordynację obrony Rusi. Przewidywała ona, że w wypadku najazdu tatarskiego obok pospolitego ruszenia szlachty mają być powoływani do obrony chłopi – po jednym z pięciu gospodarstw. Choć sejmik ruski liczbę chłopskich obrońców kraju dwukrotnie pomniejszył ograniczając do jednego z dziesięciu dymów, osiągnięto pozytywny rezultat w postaci aktywizacji obrony kraju.

W tym samym kierunku zmierzała wydana przez króla instrukcja, by na sejm walny zwołany do Piotrkowa w marcu 1503 roku obok szlachty wezwać przedstawicieli większych miast: Krakowa, Lwowa, Lublina i innych, żeby nie wymawiały się od udziału w obronie kraju. W tymże 1503 roku Aleksander doprowadził do zawarcia sześcioletniego rozejmu z Moskwą opartego na uznaniu stanu powstałego w wyniku wojny, oraz pięcioletniego z sułtanem tureckim, który zobowiązał się, że w tym czasie ani on sam, ani jego poddani – więc Tatarzy krymscy – nie będą czynili żadnych szkód w Koronie i Litwie. Pokojowa polityka Aleksandra zmierzała do zabezpieczenia wschodnich rubieży jego państwa, rezygnując z Zadnieprza i terenów na wschód od Smoleńska, które znalazły się pod panowaniem Moskwy.

Wiosną 1503 roku zmarł kardynał-prymas Fryderyk „długą niemocą francuską zemdlony". Świeżo przyniesiona do Polski choroba była wówczas bardzo zjadliwa, stając się bezpośrednią przyczyną licznych zgonów.

W tymże 1503 roku zmarł książę mazowiecki Konrad III Rudy, pozostawiając wdowę księżnę Annę, z domu Radziwiłłównę, i dwóch nieletnich synów – Stanisława i Janusza. Korzystający na Litwie z poparcia Radziwiłłów Aleksander pozostawił lenno mazowieckie wdowie i jej synom. Więcej zaważyła tu jednak postawa samych Mazowszan, a nie bez znaczenia mogła być i suma 30 tysięcy dukatów, którą zapisała Aleksandrowi księżna Anna.

W początku XVI wieku Mazowsze broniło jeszcze swej odrębności, a mieszczanie warszawscy zamknęli bramy miasta przed wysłannikami Aleksandra wyzywając Polaków od wisielców. „W takim razie – odpowiedzieli posłowie – sami siebie znieważyliście, bo ani Niemcami, ani Morawianami, ale Polakami

Kościół Św. Anny w Wilnie

jesteście". Umiarkowanie dało tu najlepsze skutki. W ćwierć wieku potem doszło do pokojowej inkorporacji Mazowsza do Korony, a od unii lubelskiej Warszawa stała się miejscem obrad wspólnego, polsko-litewskiego sejmu. Wreszcie od schyłku tegoż XVI stulecia została ona miastem „rezydencjonalnym" króla, czyli faktyczną stolicą zuniowanej Rzeczypospolitej. Urzędową pozostał Kraków, gdzie nadal dokonywano koronacji kolejnych władców.

Szczególne znaczenie za panowania Aleksandra miały sejmy piotrkowski w 1504 i radomski w 1505 roku. Określiły one model ustrojowy Polski na następne stulecia. Doszło do tego w rezultacie porozumienia między posłami szlacheckimi a monarchą, skierowanego przeciwko możnowładczej oligarchii. W Piotrkowie uchwalono, że odtąd król nie miał nadawać, zastawiać i sprzedawać dóbr koronnych bez zezwolenia senatu udzielonego na sejmie walnym, więc pod kontrolą posłów ziemskich. W razie zastawu ich zastrzeżono, że dochód zastawionych dóbr będzie policzony na spłacenie zaciągniętego długu. Starano się w ten sposób zapewnić powrót zastawionych dóbr do domeny królewskiej. Postanowienie to zwracało się przeciw możnowładcom, którzy otrzymywali nadania i zastawy dóbr koronnych, ciągnąc z nich ogromne dochody, gdy skarb państwa świecił pustkami.

Sejm 1504 roku unormował też organizację i kompetencje najwyższych urzędów państwowych, tzw. ministeriów. Zgodnie z konstytucją tego sejmu marszałek koronny był gospodarzem i mistrzem ceremonii na królewskim dworze. Do jego uprawnień należało też sądownictwo nad naruszającymi spokój w miejscu pobytu króla, a również ustanawianie cen produktów, co miało zapobiec drożyźnie związanej z pobytem dworu. Jego pomocnikiem

i zastępcą miał być marszałek nadworny. Podobnie ułożono stosunki między podskarbim koronnym a nadwornym. Ten ostatni dysponował samodzielnie tylko kwotami na potrzeby dworu. Inaczej rzecz się miała z kanclerzem i podkanclerzym. Co do nich, przyjmowano, że pełnią wspólnie swoje funkcje, które obejmowały zarówno sprawy polityki zagranicznej, jak i wewnętrznej. Zastrzeżono jedynie, że odtąd jeden z nich miał być świeckim, drugi duchownym. Każdy akt wychodzący z kancelarii monarszej winien być zaopatrzony w pieczęć kanclerza lub podkanclerzego. Ustalona wówczas organizacja najwyższych urzędów utrzymała się aż do schyłku szlacheckiej Rzeczypospolitej w XVIII stuleciu.

W początku 1505 roku na sejmie litewskim w Brześciu nad Bugiem – wbrew stanowisku grupy możnowładców związanych z panami polskimi – odmówiono zatwierdzenia aktu unii mielnickiej. Zwyciężyła partia, na czele której stał przywódca kniaziów i panów ruskich książę Michał Gliński i Radziwiłłowie, a która współdziałała ściśle z Aleksandrem. Przywódca partii przeciwnej, wojewoda trocki Zabrzeziński, stracił nawet przejściowo urząd, a biskup wileński Wojciech Tabor przestał być wzywany na radę hospodarską, gdzie z urzędu zajmował pierwsze miejsce. Odrzucenie paktu unii oznaczało nawrót do zasady dziedziczności w Wielkim Księstwie. Pozwoliło to Aleksandrowi desygnować w swoim testamencie na stolec wielkoksiążęcy brata Zygmunta, przyjętego zgodnie przez panów-radę, jako pochodzącego „z przyrodzonych hospodarów".

Rychło potem w Polsce na sejmie radomskim dokonano dalszego usprawnienia ustroju Królestwa. Wzięli w nim udział – jak czytamy w konstytucji tego sejmu – oprócz „panów rad duchownych i świeckich także posłowie ziem i miast rozkazem królewskim wezwani, którzy całe ciało Rzeczypospolitej imieniem obecnych i nieobecnych reprezentowali".

Zjazd był liczny, jak wynika z tego, że obecny w Radomiu chan tatarski Szach Achmet wyrażał zdziwienie, że król ma tak wielu ludzi do rady, a tak mało do wojny. Sejm radomski trwał dwa i pół miesiąca. Wśród jego postanowień na czoło wybija się konstytucja *Nihil novi*, sankcjonująca kompetencje ustawodawcze izby poselskiej i senatu, które wespół z królem tworzyły odtąd – jako tzw. trzy stany sejmujące – sejm szlacheckiej Rzeczypospolitej. „Ponieważ prawa ogólne i ustawy – czytamy w niej – dotyczą nie pojedynczego człowieka, ale ogółu narodu, przeto na tym walnym sejmie radomskim wraz ze wszystkimi królestwa naszego prałatami, radami i posłami ziemskimi za słuszne i sprawiedliwe uznaliśmy, jako też postanowiliśmy, iż odtąd na potomne czasy nic nowego (*nihil novi*) stanowionym być nie ma przez nas i naszych następców bez wspólnego zezwolenia senatorów i posłów ziemskich, co by było z ujmą i ku uciążeniu Rzeczypospolitej oraz ze szkodą i krzywdą

Król Aleksander na sejmie (drzeworyt ze „Statutów" Łaskiego)

czyjąkolwiek tudzież zmierzało ku zmianie prawa ogólnego i wolności publicznej". W miejsce monopolu władzy magnackich oligarchów wchodził model gwarantujący uczestnictwo we władzy królowi, możnowładczemu senatowi i reprezentacji szlacheckiego ogółu w postaci posłów ziemskich skupionych w zyskującej z czasem coraz większe znaczenie izbie poselskiej.

Zatwierdzając konstytucję Aleksander zastrzegł, że „gdybyśmy cokolwiek przeciw wolnościom, przywilejom, swobodom i prawom Królestwa uczynili, uznajemy to *ipso facto* za nieważne i żadne".

Klauzula ta, chroniąc prawa stanów, odbiegała jednak daleko od postanowień przywileju mielnickiego. Nie było w niej już mowy o wypowiadaniu posłuszeństwa królowi ani o możliwości traktowania go jako nieprzyjaciela czy tyrana. Związek ze szlachtą pozwolił Aleksandrowi w ciągu kilku lat odbudować w znacznym stopniu pozycję władzy monarszej.

Gorzej wiodło mu się w sprawach z lennami – Mołdawią i Prusami Zakonnymi, które przysparzały królowi wiele kłopotów, podobnie jak najazdy Tatarów krymskich rządzonych przez Mengli Gireja, który mścił się za popieranie jego przeciwnika, chana zawołżańskiego – Szach Achmeta, przez Aleksandra. Pokonany przez Mengli Gireja musiał Szach Achmet szukać azylu na Litwie, co stało się dodatkowym pretekstem dla mnożących się napadów.

Drugą, równie ważną, jak konstytucja *Nihil novi*, dla ustroju sprawą było zatwierdzenie przez Aleksandra na tymże radomskim sejmie zbioru praw ułożonego przez kanclerza Jana Łaskiego, stąd też zwanego popularnie „Statutem Łaskiego". Było to zebranie statutów i przywilejów szlachty, praw miejskich, częściowo przywilejów i statutów kościelnych obowiązujących w Królestwie. Nie była to jeszcze kodyfikacja prawa, a jedynie jego zebranie w jednej księdze. Znaczenie zasadnicze miał przede wszystkim fakt, że Statut Łaskiego został ogłoszony drukiem, a to – jak pisał król w zatwierdzającym go przywileju – ,,aby znajomość prawa z wyjątkowej powszechną stać się mogła". Powoływano się odtąd nań jako na fundament praw Królestwa. Wśród praw obowiązujących zawartych w Statucie nie znalazł się ani przywilej mielnicki, ani akt unii z 1501 roku. Stanowiło to przypieczętowanie klęski koncepcji rządów możnowładczych.

W roku 1506 na sejmie w Lublinie wybierający się na Litwę król powierzył zarząd Królestwem z tytułem wicesgerenta najwyższemu dostojnikowi świeckiemu, kasztelanowi krakowskiemu, Spytkowi z Jarosławia, obstawiając go oddanymi sobie osobami. Można przypuszczać, że wówczas już, po pierwszym ataku paraliżu, organizował on państwo na okres przyszłego bezkrólewia. Po kilku miesiącach – 19 sierpnia 1506 roku w Wilnie zmarł Aleksander bezpotomnie w wieku 45 lat. Do grobu sprowadziła go ta sama choroba, która przed kilku laty spowodowała zgon jego brata kardynała-prymasa. Jeszcze na kilka dni przed śmiercią doszła doń radosna wiadomość o walnym zwycięstwie odniesionym pod Kleckiem przez wojska litewskie pod wodzą kniazia Michała Glińskiego nad pustoszącym kraj najazdem Tatarów krymskich, którzy doszli aż pod Lidę.

W pozostawionym testamencie Aleksander zapisał młodszemu bratu Zygmuntowi nie tylko wszystkie swoje posiadłości i skarby, ale wręcz uczynił go ,,jedynym dziedzicem i sukcesorem swoim i swojej ojcowizny w Króles-twie i Wielkim Księstwie Litewskim". Była to desygnacja następcy na dziedziczny tron litewski oraz zalecenie elekcji na tron polski, co było nie bez znaczenia przy wyborze, stanowiąc istotny argument dla zwolenników Zygmunta.

Pochowano Aleksandra – mimo wyraźnego nakazu testamentowego – nie jak innych królów na Wawelu, ale w podziemiach katedry wileńskiej. Z czasem grób królewski popadł w zapomnienie i dopiero odkryto go na nowo po pierwszej wojnie światowej przy restauracji bazyliki wileńskiej. W tym pochówku znalazła – można sądzić – wyraz, obok innych motywów, również niechęć magnatów Królestwa oligarchów wobec władcy, który w sojuszu ze szlachtą ograniczał ich przewagę w państwie. Zmuszeni ustępować wobec żywego, brali odwet na nieboszczyku.

Pieczęć większa Aleksandra

Henryk Rutkowski

ZYGMUNT I STARY

Wcześnie postarzał się w swym usposobieniu, a panował długo, od roku 1506 do 1548, i dożył lat 81, ale nie tylko dlatego otrzymał przydomek Stary. Określenie to narodziło się wówczas, kiedy jego syn Zygmunt August został w dzieciństwie ukoronowany. Chociaż młody król był jedynie następcą tronu, odtąd należało odróżniać w Polsce dwóch koronowanych Zygmuntów, starego i młodego. Później zwykłe określenie utrwaliło się przy imieniu ojca jako przydomek, używany zamiennie z liczbą porządkową, gdy syna ostatecznie wyróżniało drugie imię.

Po śmierci Aleksandra Zygmunt I został najpierw ogłoszony wielkim księciem litewskim, a następnie wybrany królem polskim. Między grudniową elekcją a styczniową koronacją, w sam dzień Nowego Roku 1507 ukończył 40 lat. Miał już doświadczenie w sprawowaniu władzy, zdobyte dzięki swemu bratu Władysławowi, królowi czeskiemu i węgierskiemu, który osadził go na księstwach głogowskim i opawskim, a następnie mianował namiestnikiem całego Śląska. Wkrótce po elekcji Zygmunt rozesłał swoich poborców, aby w związku ze zbliżającą się koronacją zebrali podatek okolicznościowy od miast królewskich i kościelnych oraz od Żydów. Dobry gospodarz nie gardził żadnym groszem, zwłaszcza że obejmował skarb pusty i zadłużony.

Jak wiadomo, ówczesną sytuację polityczną w Polsce charakteryzowały m.in. szerokie uprawnienia sejmowej izby poselskiej, wprowadzone lub potwierdzone w 1505 roku przez konstytucję *Nihil novi*. Izba poselska ze swej natury była nieporównanie dalsza królowi niż senat złożony przede wszystkim z magnatów i stanowiący elitę władzy. Senatorowie włącznie z biskupami byli mianowani przez monarchę (co prawda dożywotnio, czyli możliwość manewru była ograniczona). Zupełnie inaczej przedstawiała się izba poselska, nawet w pierwszej połowie rządów Zygmunta Starego, kiedy obok delegatów niższej szlachty znajdowali się w niej jeszcze przedstawiciele senatorów. Na skład tej izby król nie miał wpływu, posłowie wybrani na sejmikach reprezentowali przed tronem anonimowe masy szlacheckie. Poprzedni władcy: Kazimierz Jagiellończyk, Jan Olbracht i Aleksander wbrew naturalnej bliższości możnych szukali oparcia w średniej szlachcie, gdyż to właśnie prowadziło ich do zamierzonych celów politycznych. Zygmunt jednak postępował inaczej, oparł swoje rządy na senacie i wybierał takie kierunki polityki, które zgadzały się z interesami magnatów lub tylko częściowo się z nimi rozmijały. Odpowiedzią na to była opozycja szlachty, pragnącej uczestniczyć w rządach i zmniejszyć przewagę gospodarczą magnaterii przez odebranie jej przywłaszczonych królewszczyzn, czyli przez tzw. egzekucję dóbr.

Wolno sądzić, że Zygmunt I miał wysoko rozwinięte poczucie królewskiej suwerenności, wynikającej z boskiego charakteru władzy „pomazańca". To przekonanie łączył z drugim, że jako potomek Jagiełły jest panem przyrodzonym Królestwa, czyli dziedzicem korony, a nie tylko wybrańcem swoich poddanych. Suwerenność monarchów polskich na zewnątrz, tj. zwłaszcza niezależność od cesarza rzymskiego panującego w Rzeszy Niemieckiej i od papieża, była faktem oczywistym. Inaczej natomiast widziano sprawę suwerenności wewnątrz państwa, tutaj z autorytetem królewskim współzawodniczyła suwerenność prawa, któremu podporządkowywano także króla. Zygmunt był praworządny, uznawał autorytet norm prawnych, tak samo jak i norm moralnych, a nawet odznaczał się wyjątkowym legalizmem i skrupulatnością. Mimo takich zasad nie chciał pogodzić się z tymi przywilejami szlacheckimi i ustawami, które oceniał jako sprzeczne z królewską suwerennością, i jeżeli musiał się stosować do nich, uważał to za skrępowanie złymi prawami. Dlatego też w pewnych wypadkach, kiedy nie groziły zbyt daleko idące konsekwencje, Zygmunt Stary łamał prawo. Przykładem może być nieprzestrzeganie ustawy zakazującej łączenia wysokich urzędów w jednym ręku. Monarcha nie uznawał tego zakazu, ponieważ aby zapewnić sobie wierną służbę najbliższych doradców i współpracowników oraz by ich sowicie wynagrodzić, dawał im przez łączenie urzędów bogate uposażenia. Dotyczyło to zwłaszcza kanclerza Krzysztofa Szydłowieckiego i podkanclerzego biskupa Piotra Tomickiego.

Na senatorski styl rządów miało istotny wpływ – jak się wydaje – przywiązywanie przez króla wielkiej wagi do hierarchii stanów i grup, którą zgodnie z tradycyjnym poglądem uznawał za wyraz ładu społecznego. Wiadomo, że Zygmunt I sam przyczynił się do awansu stanowego pojedynczych osób i rodzin (wystarczy przypomnieć nobilitację Bonerów), nie skąpił przywilejów dla poszczególnych miast oraz chronił poddanych wsi królewskich przed wzrostem obciążeń, a nawet w późnym okresie panowania przychylił się do projektu, żeby ujednolicić dla wszystkich karę za zabójstwo. To wszystko jednak nie zmienia faktu, że swoją polityką umacniał hierarchię społeczną. Dobitnym przykładem jest sądownictwo nad chłopami – w 1518 roku monarcha

Zygmunt Stary (popiersie według drzeworytu z kroniki Kromera)

odmówił rozpatrywania skarg chłopów przeciwko panom. Nawet jeżeli sprawy chłopskie rozpatrywano w sądach państwowych jeszcze długo po tej decyzji i nie wywarła ona dużego wpływu na zaostrzenie poddaństwa, to sama świadczy wymownie o stanowisku króla. Takiej postawy można się dopatrywać również w stosunku Zygmunta do sejmu. Posłowie szlacheccy byli dla niego izbą rzeczywiście niższą, z którą nie godziło się zawierać porozumienia sprzecznego ze stanowiskiem senatu, albo, co gorsza, wymierzonego przeciwko ludziom obdarzonym najwyższymi godnościami.

Był natomiast monarcha człowiekiem dla szlachty przystępnym i nie odmawiał – przeciwnie niż chłopom z dóbr prywatnych – słuchania skarg. Stanisław Orzechowski w tekście ogłoszonym jako ,,Mowa żałobna [...] do szlachty polskiej na pogrzebie Zygmunta Jagiellończyka, króla polskiego'' (oryginał po łacinie) tak pisał: ,,Wielka jest, Panowie a Bracia, sława tej łaskawości króla Zygmunta, nie wiem bodaj, czy nie największa na świecie. Chciał, by w wolnej Rzeczypospolitej obywatele mogli swobodnie głos podnosić, swobodnie wypowiadać swoje zdania, swobodnie wreszcie wysuwać żądania, upominać się, stawiać zarzuty. [...] Postanowił w tej Rzeczypospoli-

Zygmunt Stary (miniatura z modlitewnika)

tej postępować z wami nie jak z niewolnikami, lecz jak z dziećmi, nie jak z poddanymi, lecz jak z towarzyszami i przyjaciółmi, z największą życzliwością, aby zarówno on słuchał swoich, jak swoi jego''. Zygmunt I był sprawiedliwy i wyrozumiały, chciał panować patriarchalnie, budzić w społeczeństwie uczucia szacunku i miłości, a nie strachu albo lekceważenia. Na ogół mu się to udawało. W cytowanej mowie, która jest utrzymana w tonie przesadnej pochwały, lecz poza tym odpowiada obrazowi króla znanemu z innych źródeł, Orzechowski podkreśla, że Zygmunt zjednywał sobie wszystkich prawdziwie królewskim majestatem. Bywał jednak nie tylko dostojny i poważny, lecz także żartobliwy. Szeroko powtarzano jego dowcipne odpowiedzi; na przykład mówiono, że gdy pewien dworzanin prosił go o pieniądze słowami: ,,Najjaśniejszy królu, między wszytkimi dworzany to się rozsławiło, żeś mi dał dziesięć tysięcy złotych'', monarcha odpowiedział: ,,Powiadajże ty, żeś wziął, a ja będę powiadać, żem dał''.

Zygmunta Starego cechowała rozwaga i przezorność, umiał dostrzegać przeciwległe wartości i trzeźwo oceniać racje, często rezygnował z doraźnych korzyści na rzecz dalszych perspektyw. Miał wszakże cechę stanowiącą dla monarchy obciążenie nader ujemne: był niezdecydowany, przeważnie namyślał się długo przed podjęciem decyzji, a czasem nawet nie mógł samodzielnie na nią się zdobyć. Wskutek braku zdecydowania i nie zawsze wystarczającej stanowczości ulegał wpływom osób, które cenił i darzył zaufaniem, jak również bywał podatny na usilne naleganie innych. Te cechy, potęgujące się z biegiem lat, w pewnych sytuacjach stawały się równoznaczne ze słabością. Kiedy w 1524 roku ziemie południowo-wschodnie państwa zostały spustoszone przez najazdy turecki i tatarski, król zaś idąc za głosem części senatorów i posłów nie zebrał pospolitego ruszenia ani też nie zdołał w porę uzyskać od szlachty pieniędzy na wojsko, biskup-poeta Andrzej Krzycki, chociaż należał do ludzi najbliżej związanych z dworem, wołał o silniejszego monarchę.

W momencie wstąpienia na tron Zygmunt Stary był jeszcze nieżonaty, ale żył w nie zalegalizowanym związku z Katarzyną Telniczanką, szlachcianką albo mieszczką z Moraw, która mu urodziła syna i dwie córki. Później wydał ją za mąż za magnata Andrzeja Kościeleckiego, a synowi zapewnił godności kościelne: Jan „z książąt litewskich" był biskupem wileńskim, następnie poznańskim.

Pierwszą żoną króla została w 1512 roku Barbara Zapolya z możnowładczej rodziny węgierskiej, zaś po jej śmierci monarcha ożenił się w 1518 roku z Boną, młodszą od niego o dwadzieścia siedem lat księżniczką włoską z rodu Sforzów. Jak wiadomo, imię królowej Bony silnie się utrwaliło w naszej tradycji, ale jest to na ogół zła sława, z pomówieniami o trucicielstwo włącznie. Chociaż w nauce historycznej występują dość rozbieżne poglądy na rolę, jaką Bona odegrała w dziejach Polski, obecnie przeważa ocena raczej negatywna. Królowa była ambitna i zachłanna, dbała przede wszystkim o interesy osobiste i o dobro dynastii, z tego też punktu patrzyła na sprawy państwa. Wywierając na męża silny wpływ, chciała narzucić Polsce obce metody rządzenia, które nie odpowiadały tutejszym warunkom. Skrzętnie gromadziła majątek wykupując z zastawu i biorąc we własną administrację liczne dobra królewskie, a przez wpływ na rozdawnictwo urzędów tworzyła w senacie własne stronnictwo. Z jej inicjatywy odbyła się pośpieszna elekcja i koronacja nieletniego syna, co było sprzeczne z ustaloną tradycją i zupełnie zbędne, a rozjątrzyło opinię szlachecką.

Zygmunt Stary (medal Hansa Schwartza z 1527 r.)

Rola polityczna królowej Bony coraz bardziej rosła, w miarę jak starzejący się król tracił energię. W ostatnich latach jego panowania nie istniała w państwie jedna władza centralna i jedna polityka, król – według dzisiejszej terminologii – prawie odszedł na emeryturę, chociaż nie przekazał rządów następcy (w 1544 roku Zygmunt August został tylko namiestnikiem na Litwie).

Osiągnięcia Zygmunta Starego w polityce wewnętrznej dotyczyły głównie spraw skarbowych i wojskowych. Monarcha znacznie zwiększył dochody z dóbr królewskich wykupując wiele zastawionych majątków i zawierając nowe umowy dzierżawcze na korzystnych dla skarbu warunkach. Potrafił również prawie co roku skłonić sejm do uchwalenia podatku nadzwyczajnego, który stanowił podstawę utrzymania „obrony potocznej" na kresach południowo-wschodnich. Byli to żołnierze zawodowi, przeważnie w liczbie około dwóch tysięcy jazdy i kilkuset piechoty. W naszych czasach takie liczby są oczywiście znikome, ale wtedy miały znaczenie dla obrony przed Tatarami lub Wołochami (Mołdawianami). Za zgodę izby poselskiej na podatki król wielokrotnie płacił ustępstwami w sprawach, które w danej chwili uważał za drugorzędne, i w ten sposób szlachta otrzymywała dalsze przywileje, odbijające się niekorzystnie na położeniu niższych stanów. W rozgrywkach z sejmem Zygmunt I nie mógł wszakże zrealizować poważniejszych zamierzeń, zwłaszcza programu reform skarbowo-wojskowych (najbardziej radykalny projekt przewidywał zamianę obowiązku pospolitego ruszenia na podatek). Monarcha, chociaż potrafił iść na kompromis, nie był dość elastyczny, nie miał skłonności do gry politycznej i całkowicie brakowało mu przewrotności – stawiał sejmowi jasno swoje żądania i oczekiwał ich przyjęcia. Z drugiej zaś strony, jak w ogóle był nieskory do działania z pozycji siły, tak też nie umiał zmusić szlachty do posłuszeństwa. Nawet odwrotnie, kiedy wraz z senatem znalazł się w obliczu mas szlacheckich zgromadzonych na pospolite ruszenie, szedł pod naciskiem na większe ustępstwa. Tak było w latach wojny z Krzyżakami (1519–1521), tak zwłaszcza w 1537 roku pod Lwowem, gdzie doszło do pierwszego polskiego rokoszu. Magnaci nazwali ten rokosz pogardliwie wojną kokoszą (że to zamiast iść na wyprawę przeciwko Mołdawii i tam wycinać wroga, zarżnięto wiele kur), ale to wydarzenie nadwątliło ich przewagę polityczną. Zygmunt Stary, który uznawał masy szlacheckie za niedojrzałe do współrządzenia państwem i był przeciwnikiem wzmocnienia sejmu, już w 1522 roku ubolewał: ,,Wydawało nam się zawsze najzgubniejszym, że senatorowie nasi spierając się między sobą i bacząc na swoje sprawy prywatne, powodują stały wzrost autorytetu szlachty w prowadzeniu spraw Rzeczypospolitej". Aczkolwiek wbrew swej woli, także sam monarcha przyczynił się swoją polityką do wzmocnienia izby poselskiej i zarazem do osłabienia własnej pozycji.

Zygmunta I cechowała pobożność, z wiekiem jeszcze się pogłębiająca, ale oddzielał on sprawy polityczne od religii, bo przecież jako król musiał widzieć w papieżu przede wszystkim monarchę, a w polskich biskupach – senatorów. Do reformacji odniósł się negatywnie i wydawał przeciw luteranom edykty, których jednakże nie realizowano i faktycznie panowała w Polsce tolerancja. Nie naruszyła ona pokoju wewnętrznego, stanowiącego dla króla wartość nadrzędną. Rewolta protestancka, która wybuchła w Gdańsku w 1525 roku, została surowo stłumiona przez Zygmunta właśnie dlatego, że była rewoltą i przewróciła w mieście dotychczasowy porządek społeczny. Interesy państwa, a nie względy wyznaniowe decydowały również w polityce zagranicznej wobec protestantów i Turków. Monarcha wraz ze swymi doradcami prowadził politykę polską racjonalnie i realistycznie, unikając jednoczesnej walki z wieloma wrogami oraz wybierając rozwiązania korzystne, lecz nie ryzykowne. Zgodnie z tymi zasadami została załatwiona sprawa dwóch krajów lennych. Po zwycięskiej wojnie z Krzyżakami, lecz w niepomyślnej sytuacji międzynarodowej, przyjęto rozwiązanie kompromisowe: państwo niemieckie w Prusach nie zostało zniszczone, ale przekształcone w świeckie księstwo luterańskie, związane z Polską znacznie silniej niż poprzednio Zakon. Traktat ten, zawarty w 1525 roku w Krakowie i potwierdzony słynnym hołdem księcia Albrechta, przecinał związki państwa pruskiego z cesarzem i papieżem. Należy podkreślić, że był to pierwszy w Europie układ między królem katolickim a księciem protestanckim. Drugie lenno to Mazowsze: gdy ze śmiercią Janusza III w 1526 roku wygasła mazowiecka linia Piastów, księstwo to zostało wcielone do Korony wbrew tendencjom do podtrzymania jego odrębności.

Oprócz wojny pruskiej Polska toczyła za panowania Zygmunta Starego jeszcze wojny z Tatarami i z Mołdawią, broniąc się przed najazdami z tych stron, ale granice państwa pozostały niezmienione. Poza tym trzeba przypomnieć udział wojsk polskich w wojnach Litwy z Moskwą, prowadzonych ze zmiennym szczęściem, lecz w bilansie ujemnym dla Wielkiego Księstwa Litewskiego. Najważniejsze wydarzenia tego frontu przypadły na rok 1514: utrata Smoleńska, który był miastem dużym i ważnym strategicznie, oraz świetne zwycięstwo wojsk litewsko-polskich pod Orszą. Natomiast mimo nacisków zewnętrznych i wewnętrznych (ze strony Habsburgów i ich stronników w Polsce) udało się uniknąć wojny z Turcją, a nawet zawarto z nią trwały pokój (w miejsce wcześniejszych rozejmów), co oznaczało przełamanie średniowiecznej zasady solidarności chrześcijańskiej. Polska nie była wtedy bezpośrednio zagrożona przez Turcję, a porwanie się z powodów ideologicznych na wojnę byłoby w ówczesnych warunkach narażeniem się na prawie pewną klęskę.

W polskiej polityce zagranicznej największe znaczenie miały stosunki z dworem cesarskim, wpływające na sprawy z innymi krajami. Stosunki te przechodziły przez różne fazy, wahały się od związków niemal przyjaznych do stanu prawie otwartej wojny. Zygmunt I dążył do utrzymania równowagi politycznej z Habsburgami i starał się przeciwdziałać ich akcjom szkodzącym Polsce; na przykład popierał na Węgrzech przeciwnika Habsburgów Jana Zapolyę, a w 1515 roku na głośnym zjeździe z bratem Władysławem i z cesarzem Maksymilianem w Wiedniu, aprobując ustępstwa brata na rzecz rodziny cesarskiej w sprawach Czech

i Węgier, doraźnie poprawił sytuację międzynarodową własnego państwa. Taka była realna polityka króla polskiego wobec cesarstwa, ale na własny użytek prawdopodobnie zachował on jeszcze coś innego: odziedziczył po matce, Elżbiecie Habsburskiej zwanej Rakuszanką, marzenia o sukcesji na tronie wiedeńskim. Za przykładem starszego brata umieścił na swej wielkiej pieczęci koronnej m. in. herb Habsburgów. Jak sam nosił imię po pradziadku cesarzu, tak też synowi nadał imiona cesarskie; również następny syn, zmarły po przedwczesnym urodzeniu Olbracht, otrzymał imię po przodku-cesarzu Albrechcie.

Pozostaje jeszcze zwrócić uwagę na wkład Zygmunta Starego do kultury polskiej. Jest to przede wszystkim wkład pośredni, wniesiony

Kaplica Zygmuntowska

przez fundatora dzieł artystycznych i opiekuna twórców, ale można również powiedzieć o wkładzie bezpośrednim. Monarcha był współtwórcą wszystkich ważniejszych dzieł sztuki, wykonywanych na jego zlecenie, ponieważ osobiście kontrolował i zatwierdzał ich projekty, a nie były to tylko formalne akceptacje. Kiedy Bartłomiej Berecci sporządził model kaplicy, którą miano wybudować przy katedrze krakowskiej, i przedstawił królowi, ten napisał później do swego bankiera i doradcy Jana Bonera, że projekt mu się spodobał, ,,jednakże niejedno poleciliśmy w nim zmienić wedle naszego zamysłu".

Portret Zygmunta Starego ze zbiorów na Wawelu

Zygmunt Stary należał do najwybitniejszych mecenasów sztuki na tronie. Co więcej, żaden z władców polskich nie dorównał mu w tworzeniu takich dzieł, których najważniejszym celem było uprzytamniać ludziom współczesnym i potomnym majestat królewski. Już jako królewicz przebywając na Węgrzech zapoznał się z nowymi prądami w sztuce, napływającymi z Włoch, i wyrobił swój smak artystyczny. W tym też okresie spowodował wkroczenie renesansu do Polski: z jego inicjatywy Franciszek Florentczyk wykonał na Wawelu renesansową oprawę nagrobka Jana Olbrachta oraz przebudował północno-zachodnią część zamku (tj. od strony katedry). Gdy Zygmunt został królem, już w roku koronacji rozpoczęła się przebudowa i rozbudowa całego zamku wawelskiego, która po latach stworzyła znaną nam okazałą rezydencję. Wnętrze dzieliło się na kilka części użytkowych, wśród których było osobne mieszkanie króla na pierwszym piętrze skrzydła południowo-wschodniego i mieszkanie królowej w skrzydle północno-zachodnim. Jak wiadomo, atmosfera zamku królewskiego była pełna sprzeczności, gdy w jednej części panowała powaga i spokój, w drugiej ścierały się różne dążenia polityczne lub zawiązywały intrygi, a jeszcze gdzie indziej zbierali się na wesołe biesiady członkowie koła ,,ożralców i opilców" (co prawda czasy świetności tego koła, do którego należeli m. in. poeci Andrzej Krzycki i Jan Dantyszek, przypadały na początek panowania Zygmunta, kiedy zamek był dopiero we wczesnej fazie budowy).

W dekoracji zamku doszły do głosu m. in. treści filozoficzno-moralne, zwłaszcza o charakterze stoickim. Zgodnie z ówczesną modą na sentencje umieszczono nad wieloma drzwiami i oknami łacińskie napisy, pochodzące z utworów antycznych, a wybrane niewątpliwie przez samego króla lub z jego udziałem. Znalazły się wśród nich aforyzmy Seneki, z których jeden poucza: ,,Czego rozum nie może, często uzdrowi zwłoka", a inny w ówczesnym tłumaczeniu tak brzmi: ,,Łaskawie się każdemu ukaż, pochlebiać żadnemu nie masz, poznaj się (zaprzyjaźnij się – przyp. H.R.) nie z wielmi ludźmi, każdemu bądź sprawiedliwy". Treści polityczne zostały wyrażone m. in. przez liczne herby: Polski, Litwy (zarazem Jagiellonów), Habsburgów i Sforzów. Sprawiona wówczas wspaniała zastawa srebrna przedstawiała tradycję i wielkość dynastii jagiellońskiej, a wymalowany na drugim piętrze krużganków fresk z medalionami cesarzy starożytnych i średniowiecznych przypominał potencjalne uprawnienia Zygmunta do tronu imperialnego i podkreślał jego równorzędność z cesarzem.

Tę samą funkcję, co zamek wawelski, ale w znacznie mniejszej skali, miała spełniać rezydencja Zygmunta I w mieście sejmowym Piotrkowie. Zamek, a raczej pałac wybudowano w formie wieży mieszkalnej, górującej nad okolicą, gdzie król izolował się od szlacheckich poddanych i tym samym zaznaczał swoją nadrzędność. Dekoracja architektoniczna apartamentów królewskich na Wawelu i pałacu-wieży w Piotrkowie świadczy, że prywatne upodobania Zygmunta były po stronie sztuki gotycko-renesansowej, częściowo wyrosłej z rodzimych tradycji. Natomiast tam, gdzie chodziło o wystawienie pomnika, monarcha odwołał się całkowicie do stylu podziwianego w papieskim Rzymie lub we Florencji, z której przybywali do Polski architekci i rzeźbiarze. Zbudowana przez Berecciego kaplica Zygmuntowska nazywana jest perłą renesansu w naszym kraju. Została przeznaczona na mauzoleum Barbary Zapolyi i Zygmunta, a pełniąc funkcje grobowe i kultowe była równocześnie pomnikiem

Głowa Zygmunta Starego (fragment nagrobka z katedry wawelskiej)

chwały fundatora. Przedstawiono go w kaplicy kilkakrotnie – w posągu nagrobnym jako śpiącego króla-rycerza, w postaci Aleksandra Wielkiego i jako Salomona. Heroizacja dwóch pierwszych wyobrażeń oraz inskrypcje świadczą, że tytułem do chwały Zygmunta miały być przede wszystkim zwycięstwa wojenne, chociaż on sam w rzeczywistości nie był wodzem. W architekturze i dekoracji kaplicy Zygmuntowskiej zawarto tezę, że władza króla polskiego – jako pochodząca od Boga – jest suwerenna. Myśl tę wyrażono m. in. przez umieszczenie ponad kopułą i latarnią korony zamkniętej, czyli symbolu władzy suwerennej, jak władza cesarza. Pierwszy w Polsce umieścił ten symbol na pieczęci wielkiej Jan Olbracht, ale ostatecznie przyjęto koronę zamkniętą i upowszechniono ją w świadomości społecznej w czasach Zygmunta Starego.

Chociaż jego aktywność kulturalna przejawiała się głównie w architekturze i w sztukach z nią związanych, nie można pominąć roli Zygmunta jako mecenasa literatury. Dwór królewski stwarzał zapotrzebowanie na poezję, która miała uświetniać uroczystości rodzinne i upamiętniać wydarzenia polityczne, a także stał się na swój sposób ogniskiem poezji. Kancelaria królewska skupiała grono zdolnych humanistów, którzy znaleźli się pod wpływem myśli Erazma z Rotterdamu, nawiązali z nim bliskie kontakty i zainteresowali króla jego osobą. Monarcha zapraszał wielkiego Rotterdamczyka do Polski, a tamten wprawdzie nie przyjechał, ale porównywał Zygmunta Starego do Salomona, jak również pisał do Dantyszka (w liście z 1532 r.): ,,Przysłałeś mi też wizerunek króla, bezsprzecznie zajmującego pierwsze miejsce wśród monarchów tego wieku".

Zygmunt I fundował i współtworzył takie dzieła sztuki oraz używał takich symboli, które miały rozwijać w społeczeństwie kult króla-suwerena. W konfrontacji z rzeczywistością polityczną te zamysły raczej nie mogły odnieść zwycięstwa, ale jakieś ich odbicie w świadomości społecznej przecież musiało pozostać. Odbicie zgodne z tym wrażeniem, jakie wywierały dodatnie cechy króla Zygmunta. Mimo wszystkich zarzutów, które podnoszono przeciwko niemu, cieszył się do końca długiego panowania – aż do śmierci 1 kwietnia 1548 roku – dużym autorytetem osobistym i szeroką popularnością.

Jako spadek po Zygmuncie Starym dotrwały do nas przede wszystkim jego dzieła na Wawelu: zamek, kaplica Zygmuntowska, a wśród zabytków o mniejszych rozmiarach piękny miecz ceremonialny. Z polskich insygniów królewskich, które w roku trzeciego rozbioru Prusacy zrabowali i potem zniszczyli, ocalały i wróciły do kraju tylko dwa: Szczerbiec oraz miecz zygmuntowski, używany w ceremonii pasowania na rycerzy. Na jego srebrnej, złoconej oprawie widać napis: *Sigismundus rex iustus* (Zygmunt król sprawiedliwy). Monarcha zostawił potomności wielki dzwon, który zawieszony nad miejscem kryjącym poczet (niekompletny) prochów królewskich odzywał się w chwilach osobliwych. I zostawił król Stary swojego błazna. Stańczyk (inaczej prawdopodobnie Staś Gąska), którego uwieczniły najprzedniejsze pióra czasów zygmuntowskich, bawił monarchę facecjami, przede wszystkim politycznymi (zresztą co u króla nie było polityką?). Świetnie zorientowany w zawiłościach spraw publicznych Stańczyk bawił, ale nie otumaniał pochlebstwami, przeciwnie – był głosem krytyki. Dlatego, kiedy przeszedł do legendy, stał się symbolem gorzkiej mądrości politycznej i trzeźwego patriotyzmu.

Janusz Tazbir

ZYGMUNT II AUGUST

August Zygmuntów nie wydał też Taty,
Choć go nie doszedł dojrzałymi laty
(Ze lwa nie ryś, lecz także lew się rodzi;
Toż się nam o tym cnym królu rzec godzi)
Nie wydał w cnocie i w grzecznej dzielności,
Nie wydał w sprawach rycerskich,
w zacności

Tymi słowy śpiewnik historyczny z końca XVI wieku charakteryzował ostatniego przedstawiciela dynastii Jagiellonów na polskim tronie. Zawarta w nich została entuzjastyczna chwalba zmarłego przed pół wiekiem władcy („nie wydać rodzica" znaczyło bowiem w ówczesnej polszczyźnie dorównać mu, nie przynieść ojcu wstydu). Przez blisko czterysta lat miał też syn Bony i Zygmunta I Starego zdecydowanie „dobrą prasę" zarówno wśród historyków, jak literatów czy malarzy. Opromieniał go bowiem blask „złotego wieku", epoki odpowiadającej, przynajmniej w zakresie rozkwitu kultury, przełomowi XVI i XVII stulecia w Hiszpanii, czasom elżbietańskim w Anglii czy „grand siècle'owi" we Francji. Dopiero ostatnio zaczęto się bardziej krytycznie przyglądać Zygmuntowi Augustowi; doczekał się nawet osobistego wroga w postaci Pawła Jasienicy, który nie znosił zresztą całej dynastii Jagiellonów.

Również jednak i poważni badacze zaczęli się zastanawiać, czy król wyzyskał w pełni tę wyjątkowo pomyślną konfigurację, w jakiej znalazła się Polska w połowie XVI wieku. Koniunktura gospodarcza szła wówczas w pa rze z polityczną, na którą złożyła się zarówno pomyślna sytuacja międzynarodowa, jak i umiejętne sterowanie zagraniczną oraz wewnętrzną polityką państwa. Tak więc antagonizmy stanowe nie doprowadziły – mimo wszystko – do zaburzeń i rokoszów, które tak bardzo miały się dać w Polsce we znaki w następnym stuleciu. Z drugiej strony – mimo ostrych sporów wyznaniowych – uniknięto wojen religijnych. Dlatego też z dumą patrzono na zachód Europy w takich właśnie walkach pogrążony. Wewnętrznej koniunkturze politycznej odpowiadała zagraniczna; po unii lubelskiej Rzeczpospolita stała się najpotężniejszym państwem środkowo-wschodniej Europy. Państwo krzyżackie, przekształcone w świeckie księstwo, a przez to samo izolowane od popierającego je dawniej papiestwa i cesarstwa, będzie przez cały okres panowania Zygmunta Augusta szukać poparcia w Polsce. Nadając w roku 1550 inwestyturę bratankom księcia Albrechta Hohenzollerna, a następnie (1563) wyrażając zgodę na przejście lenna pruskiego we władanie elektorów brandenburskich, król popełnił niewątpliwie poważny błąd polityczny, którego skutki trudno jednak było wówczas przewidzieć (zaważyły tu rodzinne powiązania domu Jagiellonów z ks. Albrechtem). Jeśli idzie o innych sąsiadów, to walki z Moskwą toczono na peryferiach olbrzymiego państwa, z ostatecznie pomyślnym dla Polski wynikiem. Stosunki ze Szwecją, pomimo niezałatwienia sporu o Estonię, polepszyły się zdecydowanie, gdy w roku 1568 tamtejszy tron objął Jan III Waza, ożeniony z siostrą Zygmunta. Wreszcie do rozprawy z Turcją Polska, mimo zabiegów Habsburgów (oraz Rzymu), nie dała się wciągnąć.

W związku z tą tak pomyślną sytuacją, ma się królowi za złe, iż nie przyczynił się do stworzenia form ustrojowych, które by odpo-

Medal dwunastoletniego Zygmunta Augusta wykonany przez Gian Marię Padovano w 1532 r. (awers i rewers)

wiadały potrzebom nowożytnego państwa i zapewniły stabilność instytucji politycznych na następne dziesiątki lat. Istotnie, pochłonięty początkowo sporem o koronację Barbary, nie zajmował się zbytnio sprawami reform ustrojowych państwa; związany w pierwszym okresie swoich rządów z magnaterią nie pragnął też realizacji postulatów ruchu egzekucyjnego. Aktywizacja zarówno wewnętrznej jak i zagranicznej (udział w walce o Bałtyk) polityki Zygmunta Augusta nastąpiła dopiero w latach sześćdziesiątych XVI wieku. Na sejm 1562 roku Zygmunt August polecił swemu dworowi ubrać się w szare kubraki („barwę tę ziemiańską nazywając"), co trafnie odczytano jako demonstrację polityczną. Odtąd też, przy ścisłym współdziałaniu z posłami, którzy reprezentowali ogólno szlachecki ruch egzekucji praw, przeprowadzono wiele pożytecznych reform podatkowych i gospodarczych, wzmacniających zasoby finansowe państwa i króla. Wyraziło się to m. in. w uregulowaniu sytuacji

dóbr Rzeczypospolitej (królewszczyzn), z których wiele powróciło do skarbu państwa, oraz w utworzeniu stałego wojska kosztem części dochodów z tych majątków. Zniesiono też odrębności prowincjonalne Prus Królewskich, jak również przeprowadzono wreszcie unię z Litwą (1569), co pociągnęło za sobą zrzeczenie się przez Zygmunta Augusta dziedzicznych praw dynastii Jagiellońskiej do ziem Wielkiego Księstwa.

Sporo tego jak na jedno panowanie; przymało, jeśli założymy, iż pod berłem Zygmunta Augusta miano przeprowadzić wszystkie konieczne reformy, wyrażające się w usprawnianiu funkcjonowania sejmu czy zaprowadzeniu sprężystej i kierowanej odgórnie administracji. Wiele inkaustu wylano także w dyskusjach nad unią, przypisując jej zgubne dla przyszłości skutki. Wyważone i bezstronne stanowisko zajął w tej sprawie Juliusz Bardach pisząc, iż zawarta w Lublinie ugoda nie była ponurym aktem przemocy, lecz świadczyła „dowodnie

o atrakcyjności polskiego wzorca polityczno-
-kulturowego dla szlachty litewskiej i ruskiej.
Duża też była w jej realizacji zasługa Zygmunta Augusta, który potrafił w sposób realistycz-
ny oceniać istniejącą sytuację, układ sił i mode-
rując tendencje skrajne – przeprowadzać to, co
leżało we wspólnym interesie szlachty obu
krajów".

Podobnie można by określić również i stosunek ostatniego z Jagiellonów do sporów religijnych, toczonych wówczas z tak wielkim zacie-
trzewieniem. Dość wcześnie zaczął się interes-
sować poglądami przywódców reformacji; już
w roku 1536 legat papieski, Pamfil Strasoldo,
pisał z oburzeniem, iż młodziutki następca
tronu polskiego jest bliski odstępstwa. Spo-
wiednik matki, mnich-apostata, Franciszek
Lismanino, podsuwał mu książki protestanckie, na dworze zaś Zygmunta Augusta jako
wielkorządcy Litwy (1543–1548) pełno było
mniej lub bardziej jawnych zwolenników nowej wiary. W tym też duchu głosili swe nauki
nadworni kaznodzieje, Jan z Koźminka i Wawrzyniec z Przasnysza, których zresztą ściągnął później z Wilna do Krakowa. Już jako
król przyjmował łaskawie dedykowane mu
przez przywódców reformacji dzieła (Luter
poświęcił Zygmuntowi egzemplarz swego
przekładu Biblii, a Kalwin jeden z komentarzy
do Nowego Testamentu). Nie brakło wśród
nich i przedstawicieli polskiej reformacji; Rej
dedykował królowi swą „Postyllę", Jan Seklu-
cjan zaś przekład Nowego Testamentu, pióra
Stanisława Murzynowskiego, utrzymany
w duchu luterańskim. Zygmunt August zabiegał też u Albrechta Hohenzollerna o inne dzieła protestanckie; wszystko to świadczyło, iż nie
mają racji złośliwcy sugerujący, jakoby ostatni
z Jagiellonów wolne chwile poświęcał wyłącznie sprawom łoża lub kontemplacji bogatej
kolekcji klejnotów.

Portret Zygmunta Augusta z pracowni Łukasza Cranacha

Jego stosunek do reformacji stanowi do dziś
dnia przedmiot ożywionych sporów wśród badaczy, z których jedni posądzają Zygmunta
Augusta, iż był cichym zwolennikiem protestantyzmu, z czym jednak ze względów koniun-
kturalnych wolał się nie ujawniać, drudzy
natomiast widzą w nim szczerego katolika,
pragnącego burzę reformacji po prostu prze-
czekać. Jego skłonność do ciągłego odkładania
decyzji (przez co współcześnie nazywali króla
„dojutrkiem") i do pozostawiania spraw religijnych ich własnemu losowi miała być faktycznie „opowiedzeniem się za katolicyzmem,
którego zwycięstwo już od początku przewidywał" (H.D. Wojtyska). Rozbieżne opinie łą-
czy mimo wszystko przekonanie o realizmie
politycznym władcy, który na spory wyznaniowe patrzył przede wszystkim pod kątem
interesów państwa i dynastii. Król nie był
skłonny do zmiany konfesji; niewiele by mu to

Zygmunt August według miedziorytu Virgiliusza Solisa

dało, skoro i tak trzymał w swoich rękach sprawy nominacji biskupów oraz szafunku beneficjów duchownych. Sekularyzacja dóbr kościelnych, połączona – jak świadczył przykład angielski – z ich rozdawnictwem między magnaterię i szlachtę, niezbyt musiała go pociągać. Łudzili się więc przywódcy polskiej reformacji, widząc w Zygmuncie Auguście kandydata na swego Henryka VIII.

Pewne jest natomiast, iż przemocy w sprawach wiary używać nie chciał, pragnął być raczej „królem wszystkich Polaków", mediatorem stojącym ponad skłóconymi ze sobą wyznaniami, przede wszystkim zaś pozostał realistą do szpiku kości. Z dużym sceptycyzmem musiał więc Zygmunt August słuchać rad nuncjusza Alojzego Lippomano, który podczas swojej misji w Polsce (1556–1557)

miał mu doradzać, aby dla okiełznania „hydry reformacji" ściął ośmiu czy dziesięciu jej czołowych magnackich protektorów.

W olbrzymim państwie współżyły ze sobą, nie bez tarć, różne nacje: szlachta wodziła się za łby z magnaterią, wielcy panowie najeżdżali wzajemnie. Większość wystąpiłaby jednak zgodnie przeciwko naruszaniu zasadniczych przywilejów stanowych pod pozorem walki z „herezją". Pachołkowie porywający szlachtę z majątków i wlokący ją do trybunałów duchownych – na taki widok wyciągnęłyby się z pochew szable najbardziej nawet zawziętych katolików. Ostatni z Jagiellonów był wierny linii politycznej całej tej dynastii, która za wszelką cenę pragnęła uniknąć zamieszek i wojen domowych. Jakiekolwiek akty przemocy nie mieściły się zaś zarówno w polskim, jak i litewskim modelu ustrojowym: „ścinanie głów" mogłoby doprowadzić wręcz do odpadnięcia Wielkiego Księstwa, w którym magnateria odgrywała tak poważną rolę. Wystarczy przypomnieć, iż w radzie wielkoksiążęcej wodzili rej Radziwiłłowie, będący zarazem protektorami reformacji.

Naruszenie zasad tolerancji groziło więc rozpadem całej tej wspólnoty nie tylko różnojęzycznych, ale i różnowyznaniowych grup ludzkich, które składały się na polsko-litewską Rzeczpospolitą (bo przecież już w XV wieku wyznawcy prawosławia sąsiadowali na jej ziemiach ze zwolennikami islamu czy monofityzmu). Swoboda wyznania dotyczyła zresztą nie tylko magnaterii i szlachty (które to warstwy wywodziły ją ze swoich przywilejów stanowych), ale częściowo również i miast. Jeśli zamożnym ośrodkom miejskim Prus Królewskich monarcha nadał prawo wyznawania luteranizmu, to i względy finansowe odegrały tu pewną rolę. Czy jednak podpisując analogiczne przywileje dla zborów kalwińskich w Krakowie i Wilnie ulegał Zygmunt August wyłącznie naciskowi ich magnackich protektorów? W roku 1556 doniesiono mu, iż sochaczewscy Żydzi namówili Dorotę Łazęcką do kradzieży komunii, a następnie mieli jakoby wytoczyć z niej krew. Czterech z nich (na interwencję Lippomana) spalono za to, wraz z Łazęcką, na stosie. Król, który dowiedział się o wszystkim po fakcie, polecił pozostałych oskarżonych wypuścić. Egzekucja sochaczewska ściągnęła gromy na i tak nie cierpianego przedstawiciela Rzymu, tym bardziej że jego propozycji załatwienia ,,przez szafot'' problemu reformacji różnowiercy nie omieszkali rozgłosić szeroko po kraju. Lippomano musiał opuścić Polskę,

żegnany urągliwym wierszykiem Jana Kochanowskiego. Pospieszył do Rzymu z donosem, iż polski monarcha sprzyja ,,heretykom''. Nie była to dla papieża rewelacja, skoro w tym samym roku 1556 Paweł IV usłyszał z osłupieniem od posła królewskiego (Stanisława Maciejowskiego), iż dla uspokojenia umysłów w Polsce konieczne jest wprowadzenie komunii pod dwiema postaciami, języka polskiego do nabożeństw oraz zniesienie celibatu księży i zwołanie soboru narodowego.

Na dobrą opinię Zygmunta Augusta u potomnych złożyło się również jego życie osobiste. Romans z Barbarą, uwieńczony małżeństwem, które wymagało przezwyciężenia licz-

Dziedziniec zamku wawelskiego

nych a poważnych przeszkód, zafascynował zwłaszcza wyobraźnię romantyków. Posłużył on za kanwę wielu dramatów i powieści, trafił do filmu, ma wreszcie szanse przedostania się w charakterze serialu na ekrany naszej telewizji. Nieśmiertelny temat „trędowatej", miłości zdolnej przezwyciężyć bariery stanowe, lecz zaszczutej przez zawistne otoczenie, może zawsze liczyć na wdzięcznych odbiorców. Zgodnie z motywem brukowego romansu obok ukochanej-anioła winien się pojawić demon zła, który czyni wszystko, co może, by przeszkodzić połączeniu kochających serc. W przypadku Zygmunta aniołem miała być oczywiście Barbara, wdowa po Stanisławie Gasztołdzie, szatanem matka, Bona, niekiedy przedstawiana nawet w roli trucicielki. Jej to przypisują jeszcze niektórzy współcześni nam autorzy chęć do zdeprawowania młodego królewicza niemal już od kolebki. Bona miała mu jakoby umyślnie podsuwać łatwe dziewczęta i piękne konie, uczyć próżnowania po to, „aby nie obudziło się w nim pragnienie władzy, aby się jego energia rozpłynęła w pieszczotach uroczych młodocianych kochanek" (E. Gołębiowski).

Z biegiem lat jednak, gdy opadła romantyczna gorączka, a badacze lepiej poznali źródła, zdjęto z Bony odium demona. Nie znaleziono również dowodów, aby z rozkazu królowej podsunięto komukolwiek truciznę; sama Bona natomiast padła jej ofiarą, otruta w dalekim Bari przez niegodziwego Papacodę, który działał w interesie króla Hiszpanii, Filipa II. Jej działalność polityczna w Polsce do dziś dnia jest oświetlana krytycznie przez niektórych historyków. Przyznają oni wprawdzie matce Zygmunta Augusta wiele zalet cechujących kobiety włoskiego renesansu, jak rozum, odwagę czy inicjatywę. Z drugiej jednak strony zarzuca się jej brak zrozumienia dla polskich realiów politycznych oraz przenoszenie do nowej ojczyzny włoskiego czy francuskiego systemu rządów, który w odmiennych zgoła warunkach ustrojowych okazywał się wręcz szkodliwy (rozdawnictwo urzędów drogą sprzedaży, wysuwanie na plan pierwszy interesu materialnego monarchii). Wbrew Władysławowi Pociesze, który był wielbicielem Bony, chwilami nawet bezkrytycznym, podkreśla się ostatnio, iż nie posiadała ona własnego programu politycznego; Anna Sucheni-Grabowska zwraca zaś słusznie uwagę, że próby oderwania Mazowsza jako udzielnego księstwa dynastii Jagiellonów czy też walkę z koncepcjami unii trudno uznać za fortunne w okresie, gdy unifikacja stanowiła główną potrzebę państwa.

Również i gwałtowny sprzeciw wobec koronacji Barbary Radziwiłłówny jest uważany obecnie przez niektórych badaczy za jedną z tragicznych pomyłek Bony. O ile bowiem można zrozumieć doskonale powody, dla których nie chciała dopuścić do tego małżeństwa, to formalna wojna matki z synem, jaka toczyła się w latach 1548–1550 (a więc już po jego zawarciu), w znacznym stopniu podkopała autorytet młodego monarchy. Ludzie Bony występujący przeciwko niemu na sejmach i sejmikach wypowiadali się równocześnie przeciwko wzmocnieniu władzy monarszej, koncepcjom unifikacji ustrojowej czy projektom zacieśnienia unii z Litwą. Jednocześnie zaś starali się zdyskredytować młodą królową, przedstawiając ją jako „nierządnicę", która miała rzekomo aż 38 kochanków. Warto jednak przypomnieć, iż Gasztołda poślubiła w bardzo młodym wieku, od śmierci męża nie upłynął zaś nawet i rok do chwili, gdy w życie Barbary wkroczył Zygmunt August. Trudno uwierzyć, aby w ciągu tego czasu zdążyła mieć aż tylu amantów (bo najgorsi nawet paszkwilanci nie zarzucali Radziwiłłównie „cudzołóstwa"). Jedynym niemal źródłem do jej „nieobyczajnego" prowadzenia się jest niesłychanie cnotliwy, surowy i wietrzący wszędzie rozpustę kanonik Stanisław Górski, który adoratorów młodej wdowy utożsamiał z jej kochankami. Inni szli jeszcze dalej, twierdząc, jakoby była nieślubną córką Zygmunta I Starego, co pozwalało niechętnym nazywać jej związek z Zygmuntem Augustem wręcz kazirodczym. O bezeceństwach Barbary rozpisywano się długo i z upodobaniem; po kraju krążyły na jej temat pornograficzne rysunki, Mikołaj Rej zaś atakował „pana szalonego", on to bowiem zawinił,

Kładąc złoto na parszywe ciało,
Które płodu już nie będzie miało,
Bo ten żywot czart zapieczętował,
Iż nie według Boga postępował.

Bezpłodność żony Zygmunta Augusta przypisywano zresztą „francuskiej chorobie", którą miała zarazić również i swego królewskiego małżonka. Zdaniem niektórych historyków medycyny Barbara zmarła na raka szyjki macicznej; dyskusja na ten temat trwa zresztą nadal (por. t. 39 „Archiwum Historii Medycyny" 1976). Dość powszechny jest jednak sąd, że leki na bezpłodność, jakie stosowała, spowodowały infekcję, która pociągnęła za sobą dalsze poważne komplikacje. Również zresztą i obecnie Barbara znajduje obrońców, dopatrujących się w posiadaniu przez nią licznych amantów pierwszych przejawów emancypacji kobiet oraz prekursorstwa „nowych form i reguł obyczajowych". Wolno jednak wątpić, czy swobodne pod względem seksualnym obyczaje wielkiej miłości Zygmunta prowadziły w prostej linii do laicyzacji życia. Trudno też zaprzeczyć, iż w Polsce, gdzie na sprawy etyki

płciowej ludzie byli zawsze szczególnie uczuleni, taka królowa nie mogła budzić zbytniego entuzjazmu ani szacunku u poddanych. Echem powszechnej opinii stał się anonimowy publicysta wyrażający zaniepokojenie, iż „każdy teraz za przykładem króla zechce sobie brać za żonę nierządnicę; każda żona będzie mogła łamać wiarę małżeńską, zapatrzona w Gasztołdową żonę". I choć współcześnie żyjąca Małgorzata de Valois zmieniała kochanków jak rękawiczki, czym się we Francji nikt specjalnie nie gorszył, to w renesansowej Polsce na rewolucję obyczajową było stanowczo za wcześnie.

Przez długi czas przypuszczano, że właśnie owa lekkomyślna Barbara posłużyła za model do jednego z najbardziej w Polsce czczonych obrazów. Niektórzy historycy sztuki utrzymywali bowiem, że rysy jej odnajdujemy na obrazie Madonny Ostrobramskiej, który – jak pisał ksiądz Piotr Śledziewski – „jest uderzająco podobny do portretu królowej Barbary Radziwiłłówny [...] Ten sam nos, ta sama broda i usta, te same oczy i oczodoły, ta sama budowa ciała". Obecnie jednak powyższa hipoteza nie znajduje już zwolenników; wycofał się z niej m. in. Zbigniew Kuchowicz, który jeszcze przed siedmioma laty widział w wielkiej miłości Zygmunta Augusta pierwowzór obrazu wiszącego w Ostrej Bramie.

W atakach na Barbarę pewną rolę odgrywała, skądinąd nie pozbawiona realnych podstaw, obawa, że jako małżonka królewska wzmocni ona poważnie „grupę nacisku", którą na Litwie stanowił możny ród Radziwiłłów. Potajemne odwiedziny króla u siostry były im początkowo nie na rękę. Duma rodowa nie pozwalała bowiem, aby Radziwiłłówna stała się kochanką monarchy. Wymusili więc na Zygmuncie Auguście przyrzeczenie, iż zerwie znajomość z Barbarą i zaprzestanie potajemnych nocnych odwiedzin. Kiedy jednak obietnicy nie dotrzymał, aby ułagodzić braci, postawił sprawę na płaszczyźnie matrymonialnej; odtąd też Radziwiłłowie uczynili wszystko, by skłonić króla do ślubu z ich siostrą. Jeden z ówczesnych kronikarzy przedstawił to nawet w taki sposób, jakoby zaskoczonego niemal in flagranti monarchę zmusili do ślubu w ekspresowym tempie (,,i natychmiast przyzwali plebana, który był na to przygotowany, i zaślubili króla z swą siostrą w tajemnicy, tak że nikt [...] o tem nie wiedział, z wyjątkiem Radziwiłłów, Kieżgajłła i księdza, który ślub dawał"). Zapewne ślub nastąpił w kilka dni po opisywanym wydarzeniu.

Kiedy tajemnica wyszła na jaw, powstał, jako się rzekło, niemały huk w całej Rzeczypospolitej. Ostatecznie król wygrał ,,bitwę o Barbarę", a zależało mu na niej tak bardzo, iż celem pozyskania biskupów dla tej sprawy wydał nawet w roku 1550 ostry dekret antyreformacyjny, którego – jak często w Polsce bywało – nikt nie wziął na serio. Już przedtem zresztą członkowie episkopatu oddawali jej – z polecenia papieża – honory należne królowej. Poszedłszy za głosem serca Zygmunt August zawiódł się jednak srodze, ponieważ umiłowana żona nie tylko szybko zmarła, ale nie obdarzyła go upragnionym potomkiem. Nie miał go również z pierwszą i trzecią małżonką (Elż-

Arras z monogramem Zygmunta Augusta

342

bietą i Katarzyną), które – podobnie jak później żony Zygmunta II Wazy – pochodziły z dynastii Habsburgów i również były siostrami. Z ostatniej kochanki królewskiej, jaką była warszawska mieszczka Barbara Giżanka, urodziła się królowi córeczka, za co uszczęśliwiony władca ofiarował kochance olbrzymią sumę pieniędzy. Poza samym Zygmuntem Augustem mało kto jednak wierzył w to ojcostwo; dynastia spokrewniona z wszystkimi rodami królewskimi, jakie dziś panują tu i ówdzie w Europie, schodziła do grobu bezpotomnie. Z trzech wielkich pasji ostatniego Jagiellona: koni, klejnotów i kobiet, stanowczo najgorzej wyszedł na tej ostatniej. Warto jednak dodać, że miał piękną bibliotekę, która zachowała się częściowo w zbiorach Biblioteki Uniwersytetu Warszawskiego, a w Wilnie założył galerię obrazów. Lubił też muzykę i utrzymywał na dworze stałą kapelę.

Historyk przeprowadzający bilans jego panowania winien pamiętać o jakże słusznej konstatacji Władysława Konopczyńskiego, który przed czterdziestu laty napisał: ,,Odkąd nazwano okres 1506–1572 wiekiem złotym, żąda się od jego koronowanych wyobrazicieli świetności i sukcesów na wszystkich polach, a gdy ich rzeczywistość historyczna nie okazuje, Zygmuntowie nasi maleją w opinii, rosną zaś ich kosztem rzekomo więcej obiecujący, Jagiellonowie poprzednicy". Tenże sam Konopczyński wyrażał jednak opinię, że w roku 1548 Zygmunt August mniej był jeszcze przygotowany do rządów w państwie niż Stanisław August Poniatowski w roku 1764. I w związku z tym nasuwa się smutna refleksja, że gdyby panowanie kochanka carycy przypadło na epokę ,,złotego wieku", przeszedłby zapewne do historii jako jeden z najprzedniejszych naszych monarchów, znakomity protektor nauki i sztuki. Wolno natomiast wątpić, czy Zyg-

Zygmunt August według drzeworytu z kroniki Kromera

munt August przeniesiony w epokę rozbiorów wykazałby podobną małoduszność i brak charakteru, co budujący Łazienki zamiast fabryk armat Stanisław Poniatowski. Ostatni z Jagiellonów fundował natomiast ludwisarnie (w Krakowie i Wilnie), interesował się produkcją dział oraz współczesną sztuką wojskową. Był wreszcie założycielem pierwszej polskiej marynarki wojennej na Bałtyku. Organizowana początkowo przez gdańskich żeglarzy miała z czasem przejść pod bezpośredni zarząd króla, który w roku 1568 powołał w tym celu specjalną Komisję Morską. W chwili śmierci Zygmunta Augusta na wykończeniu była pierwsza ,,galeona", zbudowana już własnymi siłami. Królewska flota wojenna miała służyć walce o panowanie nad Morzem Bałtyckim (*dominium maris Baltici*), prowadzonej przez Polskę z Danią, Szwecją i Moskwą.

Zygmunt August nie należał do władców, którzy musieli długo czekać na schedę po ojcu. Koronowany w dziesiątym roku życia (ku słusznemu skądinąd zgorszeniu szlachty, bo tron już wtedy był obieralny), objął panowanie w wieku lat dwudziestu ośmiu. Zmarł jednak również młodo, zaledwie po pięćdziesiątce, 7 lipca 1572 roku w Knyszynie. Łączył ,,litewski upór dziadka Kazimierza z włoską subtelnością Sforzów; gospodarność matki i babki z jagiellońską hojnością i polskim humanitaryzmem" (Władysław Konopczyński). Dodajmy, że czuł się niewątpliwie władcą dziedzicznym, a nie obieralnym. Zygmunt August rządził zręcznie, ale jak autokrata, umiał też w razie potrzeby zdobyć się na surową stanowczość, co dobitnie wykazała postawa zajęta w czasie zatargu z Gdańskiem. Nawet magnaterię król traktował jako sojusznika, lecz nigdy współrządcę państwa.

Ostatni z Jagiellonów zostawił po sobie testament, wydany pięknie przed czterema laty (jako VIII tom źródeł do dziejów Wawelu). Zygmunt sporządził go po łacinie, przekładu na piękną polszczyznę dokonał sam Piotr Skarga. Dokument ten nosi wiele cech indywidualnych; na uwagę zasługuje m. in. główny adresat testamentu, którym jest cała Rzeczpospolita. Jej też (po śmierci sióstr królewskich) miała przypaść bogata kolekcja arrasów, zbroje i armaty. Wyprzedził więc Zygmunt August znacznie epokę, której władcy traktowali swoje zbiory jako prywatną własność, bez skrupułów sprzedawaną lub rozdawaną. Nasz pierwszy hymn państwowy (,,Modlitwa za Rzecz Pospolitą naszą i za króla"), napisany przez Andrzeja Trzecieskiego młodszego, był poświęcony ostatniemu z Jagiellonów. Protestancki poeta prosił w nim Boga:

Króla Augusta z jego poddanymi
Chowaj w łasce twej miłościwie z nimi.

Wydana przed dwudziestu laty piękna książka Konstantego Grzybowskiego o polskim parlamentaryzmie doby Odrodzenia została przez autora zaopatrzona w pełną wyrazów czci i uznania dedykację dla ostatniego z Jagiellonów. Jego działalność – osiągnięcia i pomyłki – zasługują bez wątpienia na nową monografię.

Janusz Tazbir

HENRYK WALEZY

Przebywał w Polsce niespełna pół roku; współtwórca „nocy św. Bartłomieja" niedługo wytrwał na tronie „państwa bez stosów". Jego krótkie panowanie nie obfitowało w interesujące wydarzenia polityczne, przyniosło za to niezwykle ciekawą i powodującą różnorakie konflikty konfrontację odmiennych stylów rządzenia i sprzecznych ze sobą obyczajów. Mowa tu oczywiście o trzecim synu Henryka II de Valois i Katarzyny Medycejskiej, znanym w dziejach Francji jako Henryk III, w historii Polski zaś jako Henryk Walezy. Był człowiekiem odważnym (czemu dał dowód w zwycięskich bitwach z hugenotami, jakie stoczył w roku 1569 pod Jarnac i Moncontour), jeszcze bardziej jednak ambitnym i nie przebierającym w środkach politykiem. Nie darmo w skład rozległego wykształcenia, które odebrał, wchodziła między innymi uważna lektura Makiawela. We Francji Henryk de Valois czuł się dobrze; niemal wszystkie jednak stronnictwa pragnęły się go możliwie szybko pozbyć z ojczyzny. Hugenotom zawadzał, ponieważ był zwolennikiem polityki antyhiszpańskiej i przy ich zwalczaniu sięgał raczej po miecz niż po pióro. Zasiadający na francuskim tronie brat Henryka, Karol IX, widział w nim przeciwnika bardziej elastycznej polityki wobec protestantów i zazdrościł mu miejsca, które najmłodszy syn Katarzyny Medycejskiej zajmował w jej sercu. Tej zaś pilno było do ziszczenia proroctwa, jakie kiedyś usłyszała, a mianowicie przepowiedni, że wszystkich swoich synów ujrzy po kolei na tronie. Każdy był tu dobry; skoro nic nie wyszło ze swatów z królową angielską Elżbietą czy z zamiarów poślubienia Marii Stuart, Katarzyna Medycejska zaczęła się nawet całkiem serio zastanawiać nad możliwościami zdobycia dla swego pupila tronu... Algierii, pozostającej pod protektoratem Turcji.

Kiedy wszystkie te plany spaliły na panewce, zwrócono (za radą przywódcy francuskich hugenotów, admirała Gasparda de Coligny i dyplomaty Jeana de Monluca) uwagę na Polskę, kraj w oczach Francuzów równie egzotyczny, jak Algieria, i także pozostający w dobrych stosunkach z Wysoką Portą. Monluc był katolickim biskupem Walencji, co mu nie przeszkadzało zresztą ani w posiadaniu syna, ani też w żywieniu gorących sympatii dla kalwinizmu. Synem tym był Jean de Balagny, który tuż przed śmiercią ostatniego z Jagiellonów zjawił się w Knyszynie, aby uzyskać zgodę Zygmunta Augusta na małżeństwo jego siostry Anny z Henrykiem de Valois. Do umierającego króla posła nie dopuszczono, po zgonie zaś Zygmunta zjawił się w Polsce wysłany w tej samej misji ojciec niefortunnego dyplomaty, Jean de Monluc.

Biskup z Walencji wyjechał z Paryża na tydzień przed rzezią tamtejszych hugenotów, jaka miała miejsce w nocy z 23 na 24 sierpnia 1572 roku. Nowiny rozchodziły się wówczas wolno, ale i podróże nie trwały zbyt szybko; tak więc niemal równocześnie z pojawieniem się Monluca nad Wisłą doszły tu pierwsze informacje o przebiegu „nocy św. Bartłomieja". Rozpowszechniali je nie tylko protestanci, wśród których nie brakło cudem niemal ocalonych świadków rzezi paryskiej. Tak znakomitego argumentu nie omieszkali bowiem również wykorzystać agenci polityczni dynastii Habsburgów, którzy zachwalając swego kandydata na tron polski (arcyksięcia Ernesta),

Henryk Walezy (portret ze szkoły Fr. Cloueta)

przeciwstawiali go stale ,,głównemu sprawcy rzezi paryskiej", jakim miał być Henryk de Valois. Niemal co tydzień napływały z różnych stron do Rzeczypospolitej szlacheckiej rysunki i sztychy, ukazujące tortury zadawane hugenotom oraz – obu braci Walezjuszy. Polacy mogli więc oglądać pretendenta do ich korony, jak – obok Karola IX – zachęca ,,lud rozjuszony do krwi rozlewu", karcąc uczestników zajść za nie dość okrutne postępowanie. Wszystko to wzburzyło ówczesną opinię publiczną tak bardzo, że – jak donosił do Paryża sekretarz Monluca, Jean Choisnin – ,,nie godziło się prawie wspominać imion króla, królowej [Katarzyny Medycejskiej] i księcia andegaweńskiego [Henryka de Valois]". Damy zaś, rozprawiające o popełnionych w dalekiej Francji

zbrodniach, płakały podobno tak rzęsistymi łzami, jak gdyby ,,tych dziejów okropnych naocznym były świadkiem".

Polemika na temat rzezi paryskiej, która zresztą zasługuje w przyszłości na obszerną monografię, stanowiła nie tylko fragment wielkiego sporu o tolerancję. Na gruncie polskim była ona bowiem zarazem integralną częścią debaty na temat, kto ma objąć tron opróżniony po śmierci ostatniego z Jagiellonów. Przeciwnicy francuskiej kandydatury, pragnąc pozbawić Henryka de Valois jakichkolwiek szans, tłumaczyli szlachcie przy każdej okazji, że jest on z natury nieprzejednanym, okrutnym i podstępnym wrogiem nie tylko samych protestantów (czego dowiódł w pamiętną noc sierpniową), ale i tolerancji religijnej jako takiej. W pamfletach określano najmłodszego z Walezjuszy mianem Heroda i tyrana, który gdy tylko zasiądzie na polskim tronie – to niezwłocznie urządzi nad Wisłą drugą ,,noc św. Bartłomieja".

Nic więc dziwnego, iż zrozpaczony Monluc pisał cynicznie do Paryża, że jeśli naprawdę chciano, aby francuski królewicz objął ten tron, to rzeź hugenotów należało przynajmniej odłożyć. Oficjalnie jednak w licznych pisemkach poseł francuski przedstawiał wydarzenia paryskie jako następstwo spisku kalwińskiego mającego na celu obalenie samego monarchy. Doradcy Karola IX mieli mu wówczas zalecić wybranie – dla dobra ojczyzny – mniejszego zła, a mianowicie egzekucję przywódców sprzysiężenia bez sądu i postępowania dowodowego. Zarówno Monluc jak jego kolega, Guy de Pibrac, z polskich zaś publicystów Jan Dymitr Solikowski starali się przekonać szlachtę, iż Henryk Walezy pragnął rzekomo za wszelką cenę zapobiec wypadkom paryskim, a gdy mimo to doszło do ,,nocy św. Bartłomieja", przeciwstawiał się furii oraz okrucieństwu tłumów, a nawet jakoby ukrywał zagrożonych hugenotów. Zwłaszcza Monluc nie krępował się w doborze argumentów; wszystkie uważał za dobre, byle tylko prowadziły do celu. Śmiano się nawet, że „gdyby żądano od niego, aby most złoty na Wiśle postawił, to fraszka – odpowie zaraz". Obiecywał wszystko i wszystkim, na prawo i na lewo; nic więc dziwnego, że później zewsząd czyniono mu wyrzuty o niedotrzymanie większości z tych obietnic. Wśród jego zobowiązań były jednak i takie, z których później nie tylko sam biskup Walencji, ale i jego mocodawca, już jako król polski, nie mógł się wycofać. One też, a nie zdolności propagandowe Monluca, sprawiły, iż szlachta zdecydowała się w końcu na obiór Henryka „Gaweńskiego", jak go nazywali Mazurzy, w oczach których zaćmił zupełnie „Rdesta" (arcyksięcia Ernesta). Wyrazicielem ogólnych nastrojów był podskarbi koronny, kalwinista Hieronim Bużeński, który francuskiemu dyplomacie powiedział wprost, aby nie silił się przekonywać, iż jego kandydat „nie brał udziału w rzezi i nie jest wcale okrutnym tyranem", gdyż rządząc w Polsce i tak „będzie musiał raczej on się bać poddanych, a nie poddani jego".

Pewność siebie, która pozwalała powołać na tron Rzeczypospolitej zwolennika nietolerancji religijnej, czerpano przede wszystkim z gwarantujących tolerancję ustaw, uchwalonych jeszcze za życia ostatniego z Jagiellonów. Pod niewątpliwym wpływem wydarzeń „nocy św. Bartłomieja" uchwalono potwierdzającą dotychczasowy stan rzeczy konfederację warszawską (1573). Jej sygnatariusze zobowiązali się nie tylko nie przelewać krwi z powodu różnic w wierze ani nie karać inaczej wierzących, ale i przeciwstawiać się zwierzchności (czyli przede wszystkim władzy monarszej), gdyby chciała podobne kary stosować.

Echa niedawnych wydarzeń paryskich odzywają się zarówno w samym tekście tej ustawy, powołującej się na wojny i zamieszki, które „po inszych królestwach jaśnie widzimy", jak i w wystąpieniach katolików, usprawiedliwiających akces do konfederacji faktem, iż – jak to pisał biskup Franciszek Krasiński – „świeże francuskie przykłady" wskazują, do czego prowadzi nietolerancja religijna.

Co więcej, małopolscy magnaci protestanccy, zachęceni zresztą do tego po cichu przez samego Monluca, postawili przyszłemu elektowi warunki (*postulata polonica*) mając na celu zaprowadzenie również i w jego ojczyźnie tolerancji religijnej. Tak więc polscy kalwiniści domagali się, aby Karol IX ogłosił powszechną amnestię dla ich francuskich współwyznawców, przyznał swobody religijne tamtejszym zwolennikom Genewy, przywrócił potomkom pomordowanych „w miesiącu sierpniu w Paryżu, a następnie w innych miastach francuskich" hugenotów godności, dobra i urzędy. Karol IX miał również zwinąć oblężenie ich twierdz, pozostawiając je w rękach kalwińskich. Pod jedną z takich twierdz (La Rochelle) wieść o elekcji na tron polski (maj 1573) zastała zresztą Henryka de Valois, który bezskutecznie próbował zdobyć to znakomicie ufortyfikowane miasto. Stojąc na czele zdziesiątkowanego przez głód i zarazę wojska przyjął on z radością polskie warunki, stwarzające możliwość honorowego zwinięcia oblężenia. Już wcześniej jednak, nie porozumiewając się w tej sprawie z dworem paryskim, zaprzysiągł te warunki Jean de Monluc, co w niemałym stopniu przyczyniło się do uwieńczenia skroni Henryka polską koroną.

O ile jednak historycy współcześni pozytywnie oceniają naszą ingerencję w wewnętrzne sprawy obcego państwa, jaką *postulata polonica* bez wątpienia stanowiły, to już inne ustępstwa Monluca budzą dziś zasadnicze wątpliwości. Jak wszyscy z podręczników wiemy, polegały one nie tylko na ,,paktach konwentach", w których – obok obietnicy zbudowania eskadry wojennej i podźwignięcia Akademii Krakowskiej – znalazła się również zapowiedź sprowadzenia na obronę Polski piechoty gaskońskiej oraz otwarcia mieszkańcom Rzeczypospolitej dostępu do terytoriów zamorskich, będących w posiadaniu Francji. Co ważniejsze jednak, Monluc wstępnie zaprzysiągł, a nowy elekt ostatecznie potwierdził, artykuły henrykowskie. O··reślały one ogólne zasady ustroju państwa polsko-litewskiego w sposób znacznie ograniczający władzę monarszą (gwarancja wolnej elekcji, stała kontrola ze strony senatorów-rezydentów, potwierdzenie zasad konfederacji warszawskiej). W razie przekroczenia tych artykułów naród szlachecki zastrzegł sobie prawo do rokoszu, król zwalniał bowiem ,,obywatele koronne od posłuszeństwa i wiary".

Jak widać politycy szlacheccy poszli całkowicie za radą wojewody krakowskiego Jana Firleja, który na sejmie elekcyjnym 1573 roku tłumaczył im, że ,,mając do czynienia z królem cudzoziemskim, otoczonym bogactwami i fortelami francuskimi", należy go mocno skrępować ustawami strzegącymi złotej wolności. Warstwa tak przywiązana do swoich praw i przywilejów brała sobie na panującego przedstawiciela dynastii dążącej do absolutyzmu. Rozprawiając nieustannie o korzyściach mogących płynąć z ,,Piasta" na tronie, wieńczyła koroną skroń cudzoziemca, i to w okresie, gdy nie tylko we Francji, ale i w większości krajów europejskich następował stały wzrost władzy centralnej. Rozmiłowana w swoich wolnościach, spodziewała się, że król zechce je ograniczać. Co więcej, uważała to za całkiem naturalną dla niego tendencję, podobnie jak naturalną dążnością szlachty miało być ciągłe temu przeciwdziałanie. W ten sposób elekcja Henryka Walezego zapoczątkowała z jednej strony tak charakterystyczną dla szlacheckiej Rzeczypospolitej nieufność warstwy rządzącej wobec jej ,,dożywotniego prezydenta", z drugiej zaś panowanie królów traktujących tron polski jako odskocznię dla realizacji własnej polityki dynastycznej. W przypadku syna Katarzyny Medycejskiej nie chodziło jednak tylko o sprzeczności natury polityczno-ustrojowej czy o rozbieżne poglądy na temat tolerancji.

Dwudziestodwuletni król, który 24 stycznia 1574 roku przekroczył polską granicę pod Międzyrzeczem, musiał szokować swoich nowych poddanych zarówno wyglądem, jak i... zapachem. Ambasador wenecki w Paryżu, Morisoni, donosił we wrześniu poprzedniego roku swoim mocodawcom, iż Henryk wydawałby się nawet poważny, gdyby nie ubiór i ozdoby, ,,w których się lubuje", te bowiem ,,nadają mu pozory miękkości i prawie kobiecej delikatności". Oprócz wspaniałych strojów, zdobionych w drogie kamienie i perły, nosi jeszcze naszyjnik ze złota i bursztynu, który wydziela zapach niezwykle miły, uszy ma zaś przekłute ,,na wzór mody damskiej. Nie zadawała się on noszeniem jednego kolczyka w każdym z nich, potrzeba mu aż podwójnych wraz z wisiorkami, ozdobionymi drogimi kamieniami i cennymi perłami". Podobnie ubierało się też jego otoczenie, w którym nie brakło ulubieńców Henryka Walezego (tak zwanych *mignons*), malujących sobie twarze bardziej od kobiet, używających obficie perfum i strojących się w klejnoty oraz koronki. Również i do Polski przenikały zresztą plotki, iż niektórzy z nich odgrywali rolę królewskich kochanek. Do tak ponętnego oskarżenia (pierwszy pederasta na polskim tronie!) nawiązywała aluzyjnie i nasza publicystyka, w której czytamy, że Walezy nie tylko sprowadzał sobie ,,do pięknego ogrodu blisko Zwierzyńca francuskie rozpustnice", ale ,,nadto włoskim ohydnym nałogom nie przepuścił".

Materiałów do oskarżeń nie brakowało; nudząc się bowiem w Polsce niemiłosiernie Henryk wypełniał wolny czas w sposób, który nie mógł mu zyskać aprobaty szlachty, skoro wieczory i noce spędzał na rozrywkach, a dnie najchętniej na spaniu. Od czasu do czasu przebywał pod pozorem choroby i po dwa tygodnie w łóżku, aby w ten sposób uniknąć przyjmowania interesantów. Zachowywał się, słowem, jak rozkapryszone dziecko, które, choć na rozkaz matki przyjęło na siebie pewne obowiązki, to jednak postanowiło na przekór całemu światu pokazać, jak bardzo go one nudzą.

Tańce czy grę w karty znano już dobrze na dworach dwóch ostatnich Jagiellonów; woltę jednak, którą młody król wprowadził do Polski, nie tylko jego nowi poddani uważali za szczególnie wyuzdaną, skoro autor ,,Żywotów pań swawolnych" (Pierre Brantôme) twierdzi, iż figury tanecznic były tam tak śmiałe, że każdy z widzów odkrywał dla siebie ,,coś przyjemnego". W karty zaś Henryk Walezy nie tylko przegrywał olbrzymie sumy, czerpane ze skarbu państwa, który uciekając pozostawił pustym, ale i czynił to najchętniej mając za partnerki dziewczęta w stroju Ewy. Tak przynajmniej utrzymuje Reinhold Heidenstein; pisze on, iż ,,król bez żadnego dozorcy zostawiony, razem z otaczającymi go Francuzami oddawał się polowaniu, grze w karty, tańcom i rozpustnym ucztom, na które – jak powiadano – nagie dziewczęta były wprowadzane" (notabene w dziewiętnastowiecznym tłumaczeniu tego fragmentu skromnie opuszczono słowo ,,nagie"). Podczas gdy król ,,uprawiał na po-

Henryk Walezy (miedzioryt włoski)

kojach rozpustę ze swymi Francuzami", senatorowie daremnie czekali na posłuchanie.

Szczególnie się oburzano, iż woltę śmiał Walezy tańczyć w obecności czcigodnych matron i samej Anny Jagiellonki, która – bidulka – uważała się prawie za narzeczoną młodszego od niej o lat blisko trzydzieści amanta. Wręczony skrycie przez sprytnego Monluca portret urodziwego kandydata przeważył podobno sympatię podstarzałej – nawet jak na nasze pojęcia – panny na stronę kandydatury francuskiej. Nie zadbano jednak o wstawienie warunku małżeństwa do ,,paktów konwentów", a i sam Walezy ujrzawszy infantkę nie kwapił

Henryk Walezy (miedzioryt H. Wierixa)

się do pojęcia jej za żonę. Gorszyło to szlachtę na równi niemal z personalną polityką (jak byśmy dziś powiedzieli) młodego monarchy. W rozdawnictwie dóbr ulegał bowiem sugestiom swoich faworytów, wskutek czego oburzano się, że rozdaje je „ludziom młodym, a także niegodnym". Sytuację pogorszyła awantura Samuela Zborowskiego z Janem Tęczyńskim, w trakcie której Zborowski śmiertelnie zranił senatora Andrzeja Wapowskiego, usiłującego zapobiec starciu. Wyrok, jaki Walezy wydał w tej sprawie, nie zadowolił nikogo; król skazał bowiem sprawcę tylko na banicję, bez utraty czci i dobrej sławy, samych zaś Zborowskich dalej wynosił na zaszczytne stanowiska.

Odbiła się tu nieznajomość miejscowego prawodawstwa oraz izolacja od otoczenia (war-

to dodać, iż Henryk poza rodzimym znał tylko język włoski, nic więc dziwnego, iż na posiedzeniach senatu nudził się niepomiernie i szybko z nich wychodził). Pamiętano mu również dobrze opór, jaki usiłował stawiać przy potwierdzaniu raz ustalonych praw. Już podczas zaprzysięgania artykułów henrykowskich w katedrze Notre-Dame w Paryżu magnaci protestanccy musieli mu wręcz powiedzieć, że jeśli nie potwierdzi zasad tolerancji, to nie zostanie królem (przeszło to do historii jako słynne *si non iurabis, non regnabis*). Podobna scena powtórzyła się zresztą i w katedrze wawelskiej podczas koronacji (21 lutego 1574). Królewska odmowa przysięgi na każdy z artykułów henrykowskich z osobna sprawiła zaś, że sejm koronacyjny rozszedł się bez powzięcia jakichkolwiek uchwał. Pod wpływem jego uczestników w wielu województwach zaczęto mówić o detronizacji „tyrana", ten zaś z kolei nie krył się przed otaczającymi go Francuzami (był wśród nich i ojciec przyszłego kardynała Richelieu) z odrazą do „dzikich Scytów". Dawał jej zresztą wyraz zapewne i w korespondencji, a warto dodać, iż Henryk Walezy z jedną pocztą potrafił wysłać do Francji pół setki listów! Musiał też tęsknym okiem spoglądać na rodaków, opuszczających śpiesznie i całymi gromadami szlachecką Rzeczpospolitą. W 1574 roku poseł francuski, Arnaud du Ferrier, donosił Katarzynie Medycejskiej: „Drogi są tu pełne Francuzów już wracających z Polski", którzy – pragnąc usprawiedliwić swój nagły wyjazd – narzekają na grubiaństwa i złe traktowanie, jakie ich miało spotkać ze strony mieszkańców tego kraju. W rzeczywistości zaś wyjechali, ponieważ myśleli, że „im wolno żyć w Polsce rozpustnie jak we Francji i za to zostali tam ukarani". Jeszcze gorszą opinię miał na ten temat pastor Krzysztof Trecy, który pisał, iż przybyszom znad Sekwany, przyzwyczajonym do rozkosznego życia, nie podobał się ,,znakomity ustrój naszej Rzeczypospolitej, gdyż oni uznają tylko tyranię''.

W rzeczywistości jednak, jak to wynika ze współczesnych pamfletów oraz później ogłoszonych pamiętników, u podłoża tego rozczarowania leżały zarówno różnice klimatu jak i obyczaju, złączone nieraz ściśle ze sobą. Przyjazd Walezego nastąpił bowiem w trakcie dość ostrej zimy; ubrani lekko Francuzi musieli na mrozie wysłuchiwać długich oracji oraz wystawać dla powitania i oglądania tłumów szlachty, witających nowego króla. W tych warunkach brak futra mógł nieraz przesądzać o trwającej później przez całe życie niechęci do ciepło ubranych Polaków. Po drodze cudzoziemcy nocowali nie zawsze po dworach, które przecież nie były w stanie pomieścić tak znacznej liczby gości, lecz niekiedy i w kurnych chatach chłopskich. Już do Poznania Francuzi dotarli ,,pół żywi, pół umarli, bez porządku i wystawności'', w znacznej mierze pieszo, ,,cali zabrudzeni''. Po drodze do Krakowa nękały ich gwałtowne śnieżyce, kiedy zaś przybyli do ówczesnej stolicy państwa i ujrzeli liche kwatery (większość domów zajęła już tłumnie przybyła szlachta), ,,rozwściekleni, najgorszymi przekleństwami obsypywali cały naród polski''. Odtąd też prawie nic się już im nie podobało. Krytykowali długie i wystawne uczty, na których pijaństwo było przeplatane nie kończącymi się oracjami, oraz wybrzydzali na kuchnię, mało urozmaiconą, za to pieprzną i tłustą. Krytyka objęła także i nasz charakter narodowy: francuscy pamfleciści pomawiali więc Polaków o skłonność do anarchii, gniewu, pychy i gadulstwa.

Ci zaś ze swej strony nie pozostali dłużni. Już wkrótce po przyjeździe Walezego zaczęły bowiem krążyć pamflety ostro atakujące zarówno nowego elekta, jak i jego rodaków. Warto zaś dodać, iż Walezy należał do osób, które nie wymagały ,,literackiej lub plastycznej deformacji, same przez się bowiem swym autentycznym wyglądem tworzą karykaturę'' (H. Dziechcińska). Piętnowano w tych pamfletach ,,francuskie obyczaje, lekceważenie przysięgi, prześladowanie uczciwych ludzi, łudzące obietnice królewskie oraz wiele innych zdrożności'' (Stanisław Orzelski). Walka toczyła się nie tylko na pióra; raz po raz w Krakowie dochodziło bowiem do zbrojnych starć, ,,tak iż rzadki dzień, kiedy kilku Francuzów abo naszych nie zabito'', jak pisze Joachim Bielski. Henryk, który znajdował utwory antyfrancuskie podobno nawet w łóżku, musiał więc czuć się coraz bardziej nieswojo w tym obcym mu pod każdym względem państwie. Poweselał dopiero wtedy, gdy otrzymał wiadomości o ciężkiej chorobie brata. Pragnąc pozostawić jak najlepsze wrażenie w kraju, który miał zamiar niebawem opuścić, zaczął udawać, iż się przekonał do miejscowych obyczajów. Posunął się przy tym do takich wyrzeczeń, że pił krajowe piwo, którego nie cierpiał, i nadskakiwał Annie Jagiellonce. Infantka przyjęła to widać za dobrą monetę, skoro poleciła haftować na sukniach francuskie lilie...

W parę dni jednak po otrzymaniu wiadomości o śmierci brata umknął, jak wiadomo, nocą (z 18 na 19 czerwca 1574) potajemnie z Polski w asyście tylko kilku rodaków. W pogoń puścił się Andrzej Tęczyński i to na czele oddziału Tatarów, jakby pragnąc jeszcze na końcu utwierdzić Francuzów w przekonaniu, że uchodzą z naprawdę barbarzyńskiego kraju. Daremnie błagał króla o powrót: Henryk Walezy poprosił go tylko o dwie rzeczy, a mianowicie, żeby listy do senatu i szlachty, które król ukrył za piecem w swoim pokoju, oddał adresatom. Druga prośba dotyczyła zajęcia się losem pozostałych w Krakowie Francuzów. Istotnie, wielu z nich uwięziono lub ograbiono, innym przetrzepano skórę, pragnąc choć w ten sposób zemścić się za ucieczkę rodaka. Wzięła ich jednak w obronę niepomna urazy Anna Jagiellonka, która wytłumaczyła krakowianom, iż nie należy ,,niebożęta krzywdzić'' za niegodne zachowanie się Walezego. Jego ucieczka wywołała nową falę publicystyki antyfrancuskiej, zwłaszcza że dopiero wtedy dotarły do Polski nieprzychylne krajowi i mieszkańcom utwory ludzi z otoczenia Henryka. Na zawarte w nich zarzuty odpowiedział godnie Jan Kochanowski pięknym wierszem łacińskim. Poeta z dumą przeciwstawiał polską tolerancję wydarzeniom ,,nocy św. Bartłomieja'', porównując rodzime uczty z francuskimi, ,,gdzie oknami wyrzucają okrwawione trupy ludzi''.

A nasz Polak nie cierpi pysznego Francuza,
Hardemu hardy będzie, by mu dostać guza.
Toć mi jest prawy barbar, co hardy,
                                    złośliwy,
I cokolwiek z nim poczniesz, odmienny
                                    a łżywy

– pisano w anonimowym wierszu ,,Odpowiedź przez Polaka wszetecznemu Francuzowi''. Tak więc pierwsza konfrontacja obu narodów nie wypadła zbyt pomyślnie. Zawdzięczamy ją Walezemu, który długo jeszcze starał się zwodzić szlachtę możliwością powrotu. Także i francuskie berło nie przyniosło mu szczęścia. Burzliwe panowanie Henryka III Walezjusza,

rozmaicie oceniane przez historyków, zakończyło się – jak wiadomo – po piętnastu latach tragicznym zgonem króla. Z niejaką satysfakcją odnotował to anonimowy poeta ze schyłku XVI wieku, w pierwszych polskich ,,śpiewach historycznych'' pisząc:

Gdy milczkiem zjechał wnet francuski panic,
Odbiegłszy polskich tłustorolnych granic,
Tę zdradę zdradą mnich mu też nagrodził
Gdy nie pohybnym nożem w brzuch ugodził.

Inny ze współczesnych (Aleksander Gwagnin) pisał zaś, że gdyby Walezy nie uciekł z Krakowa

Chwały by był dostąpił, dostąpił i sławy
Ochroniłby był gardła i uszedł osławy.

W ,,barbarzyńskiej'' mroźnej i tak pod każdym względem dla Walezego obcej Polsce mógłby on umrzeć z nudów, ale nigdy od sztyletu.

W obu krajach długo pamiętano o tym krótkim epizodzie, jakim były półroczne rządy zniewieściałego władcy, który zresztą do końca życia używał tytułu króla Polski. Echa pobytu Walezego nad Wisłą znajdujemy nawet w ,,Próbach'' Montaigne'a, nie mówiąc już o licznych wzmiankach u francuskich i polskich historyków. Także i w grafice temat ten dość często występował, że wymienimy choćby znany sztych, na którym szlachcic polski rozbija tarczę herbową wiarołomnego monarchy.

Janusz Tazbir

STEFAN BATORY

Po Walezym objął tron polski człowiek stanowiący pod wieloma względami jego przeciwieństwo. Tamten był zniewieściałym młodzieńcem, ten mężczyzną po czterdziestce, znanym ze swych sukcesów na polach bitew. Henryka wprowadziła na tron magnateria, nie tylko zresztą katolicka, Batorego wyniosły głosy szlachty. Ona to 15 grudnia 1575 roku okrzyknęła królem Annę Jagiellonkę, ,,przydając jej za małżonka'' siedmiogrodzkiego księcia. W Walezym widziano współautora ,,nocy św. Bartłomieja'', za Stefanem ożywioną agitację prowadzili arianie. Do grona zwalczanych przez wszystkie Kościoły panujące antytrynitarzy należeli bowiem zarówno jego agenci polityczni w Polsce, Hieronim Filipowski i Jerzy Blandrata, jak i popierający go gorliwie marszałek izby poselskiej, Mikołaj Sienicki. Nic więc dziwnego, iż ten sam Jan Kochanowski, który pełnymi szyderstwa słowami żegnał uciekających z Polski, wraz z królem-rodakiem, Francuzów, o Stefanie Batorym w roku 1578 pisał:

Serce nieomylnie tuszy, że cię z Bolesławy
Równo Polska kłaść będzie, a ty nie ustawaj,
Ale dobrych początków coraz dokonawaj
Jeszcze lepiej!...

Na początku panowania niemal wszystko zapowiadało idyllę; szczególny entuzjazm szlachty wywoływało nie tylko rycerskie usposobienie nowego władcy, ale i to, iż tak często wykazywał je właśnie w walce z powszechnie przez nią nie cierpianymi Habsburgami, którzy go zresztą przez trzy lata więzili w Wiedniu. W czasie swoich krótkich rządów w Siedmiogrodzie, gdzie panował od maja 1571 roku, Batory musiał toczyć ciężkie walki z popieranym przez nich Kasprem Bekieszem. Dopiero niedługo przed objęciem polskiego tronu udało mu się rozbić Bekiesza w krwawej bitwie pod Sanpaul. O mało co również i w nowej ojczyźnie nie musiał prowadzić wojny o koronę z cesarzem Maksymilianem, którego na trzy dni przed elekcją Batorego prymas Jakub Uchański, przy poparciu magnaterii, zwłaszcza litewskiej, ogłosił królem polskim. Na szczęście dla Rzeczypospolitej rychła śmierć Maksymiliana zażegnała groźbę wojny domowej.

Elekcja Habsburga oznaczała w pojęciu szlachty nieuchronny konflikt z Turcją, którego chciano za wszelką cenę uniknąć. Szczególnie mieszkańcy Rusi Czerwonej (na czele ze swoim przywódcą politycznym, starostą bełskim, Janem Zamoyskim) ,,się wysiedzieć w pokoju za obraniem tego pana nie spodziewali, w gardle zwłaszcza nieprzyjacielowi będąc''. Powszechnie natomiast wiedziano, iż Batory nie tylko był lennikiem Wysokiej Porty, ale i umiał utrzymywać dobre stosunki z sułtanem. Nie chciano zaś przyjąć do wiadomości faktu, że *le Transylvain, dit roi de Pologne* (Siedmiogrodzianin, zwany królem polskim – jak go z przekąsem nazywali Francuzi) nigdy w gruncie rzeczy nie pogodził się z podziałem jego ojczyzny na podległe Habsburgom królestwo węgierskie, ziemie okupowane przez Turcję i uzależniony od niej Siedmiogród. Za swego głównego wroga uważał Batory ciągle i stale Wysoką Portę; stąd też brała się jego energia wykazana w walce z Moskwą. ,,Wszak, mając już jeden tron na Wawelu, drugi na Kremlu, wyparłby łatwo Turków

Stefan Batory według portretu M. Koebera

Inflant oraz przyłączenia ziem białoruskich należących do Wielkiego Księstwa Litewskiego. Trudno jednak nie wspomnieć, że walce o Połock, Psków czy Wielkie Łuki król Polski podporządkował jej żywotne interesy na północy. Wykazała to dowodnie przede wszystkim sprawa Gdańska, który najdłużej z miast pruskich trzymał się stronnictwa ,,cezarianów'' (zwolenników cesarza Maksymiliana), aby pod tym pozorem nie dopuścić do ograniczenia swej autonomii. Zbuntowane miasto wezwało na pomoc flotę duńską, która uniemożliwiła jego blokadę od strony morza; siły lądowe wzmocniła zaś zaciężna piechota szkocka. Starcie zakończyłoby się jednak sukcesem militarnym Batorego, gdyby nie to, iż szykując się do wojny na wschodzie poszedł na daleko idący kompromis (,,nie były to – pisze Władysław Konopczyński – warunki, odpowiadające godności wielkiego państwa i dzielnego króla'').

Polska zrezygnowała ze ścisłego podporządkowania sobie ,,Chłańska'' (jak wówczas nazywali satyrycy nasz największy port nad Bałtykiem), Stefan Batory zyskiwał natomiast 200 tys. złotych polskich kontrybucji, które miały posłużyć na walkę z Moskwą. Dokładnie drugie tyle wpłynęło do kasy królewskiej tytułem zapłaty za zgodę na przyznanie Hohenzollernom brandenburskim opieki nad umysłowo chorym Albrechtem Fryderykiem pruskim. Ten niebezpieczny w skutkach układ wiązał z jednej strony Prusy Książęce z Brandenburgią, z drugiej zaś stanowił pierwszy krok na drodze do odpadnięcia pruskiego lenna od Polski. Jak wiemy choćby z obrazu Matejki, który wisi dziś w Muzeum Narodowym w Warszawie (,,Batory pod Pskowem''), sumy pruskie oraz wysiłek militarny społeczeństwa szlacheckiego umożliwiły przeprowadzenie zwycięskiej kampanii na wschodzie. Król pokiero-

znad Cisy i przywdział jeszcze trzecią koronę – św. Stefana!'', stwierdza słusznie Wacław Sobieski.

Jeśli więc znaczną część jego panowania wypełnił zbrojny konflikt na wschodzie, stało się to z jednej strony dlatego, że król uważał, iż droga do zjednoczenia Węgier wiedzie przez Moskwę; z drugiej zaś, starcie militarne Rzeczypospolitej z państwem Iwana IV Groźnego było nieuniknione, skoro car dążył do zaboru

wał nią w sposób świadczący o jego talentach wojskowych, armia była dobrze przygotowana zarówno do akcji w polu (silne oddziały jazdy), jak i do działań oblężniczych.

Stefan Batory dał się też poznać w roli utalentowanego stratega, skoro zamiast wkroczyć bezpośrednio do Inflant, uderzył na graniczące z nimi ziemie wielkoruskie, przez co i Inflanty odciął stopniowo od Moskwy, i samą ofensywę uczynił o wiele skuteczniejszą. Nie zapomniał także i o propagandzie wojennej; służyły jej najświetniejsze pióra, z Janem Kochanowskim (*Orfeusz Sarmacki*) na czele. W czasie wypraw przeciw Gdańskowi i Moskwie towarzyszyła Batoremu drukarnia obozowa, zwana potocznie latającą, która wypuszczała komunikaty o kolejnych zwycięstwach. Doceniał więc król Stefan znaczenie szybkiej informacji.

Nic więc dziwnego, że w tak nowoczesny sposób prowadzona kampania zakończyła się zwycięskim dla Rzeczypospolitej rozejmem w Jamie Zapolskim (styczeń 1582), przyznającym jej Inflanty oraz ziemię połocką. Król polski mógł się czuć w pełni usatysfakcjonowany takim wynikiem paroletnich zmagań, zwłaszcza że i społeczeństwo szlacheckie nie widziało potrzeby prowadzenia dalszych walk na wschodzie. Batory czuł się jednak nadal również i księciem Siedmiogrodu (nie zrezygnował zresztą ani z tytułu, ani też z władzy, sprawowanej tam za pośrednictwem brata, Krzysztofa Batorego). Stąd rozejm zawarty na okres dziesięciu lat gotów był naruszyć nawet przed ustalonym terminem, byleby tylko szybciej, po podporządkowaniu Rosji, móc uderzyć na Turcję. Szukał przeciwko niej sojuszników zarówno w Rzymie, jak i w Hiszpanii; aby pozyskać sobie Filipa II, starał się ograniczyć dostawę zboża do zbuntowanych Niderlandów, a tamtejsze stany pouczał o obo-

wiązku posłuszeństwa wobec władcy. Nie darmo więc mieszkańcy walczącego z Batorym Gdańska wznosili okrzyki na cześć Gezów.

W Rzeczypospolitej nie sposób było prowadzić wojny bez poparcia, a przynajmniej zgody, ze strony szlachty. Stąd też brały się posunięcia w polityce wewnętrznej króla, które – jak zauważa słusznie Andrzej Wyczański – ,,były dodatkiem do projektów polityki zagranicznej monarchy i jego otoczenia, środkiem, a nie celem działalności''. Skoro pieniędzy gdańsko-pruskich okazało się za mało na prowadzenie aktywnej militarnie polityki na wschodzie, król musiał sięgnąć do poborów nakładanych na szlachtę. I ta jednak nie uchwaliła ich za darmo; cenę, i to dość wygórowaną, było powołanie (1578) trybunału koronnego dla szlachty, który przejmą później Litwa, Prusy Królewskie i Ukraina. Przyniosło to znaczne uszczuplenie władzy królewskiej, podobnie zresztą jak stałe odwoływanie się Batorego od sejmów do sejmików osłabiało pozycję centralnych instytucji państwa.

Zapoczątkowana przez egzekucjonistów za Zygmunta Augusta reforma wewnętrzna Rzeczypospolitej nie była więc kontynuowana, ponieważ król nie miał ani chęci, ani też czasu na bliższe zajęcie się tą kwestią. Również i Jan Zamoyski, druga po Stefanie Batorym osoba, niewiele w tym zakresie zdziałał. Przychylny temu tandemowi Konopczyński pisze, iż ,,wielki kanclerz'' dopiero ,,stopniowo wyzwalał się z wielbiciela elekcji *viritim* i demagoga na prawdziwego męża stanu'', podczas gdy niektórzy współcześni nam badacze zarzucają Zamoyskiemu, iż był przede wszystkim pochłonięty robieniem kariery oraz powiększaniem majątku (zacząwszy od paru wsi umierał jako właściciel dóbr obejmujących obszar 6400 km^2, nie licząc trzymanych w dzierżawie królewszczyzn). Sądy takie wy-

Stefan Batory (miedzioryt współczesny)

dają się jednak mocno przesadne, zważywszy choćby na zasługi kulturalne twórcy ordynacji zamojskiej czy stanowczą postawę, jaką umiał zachować w walce z narastającą anarchią. Jego współpraca z królem przebiegała harmonijnie, a trudno powiedzieć, aby Zamoyski w niej dominował. Batory nie należał zresztą do ludzi, którzy daliby sobą rządzić.

Zarówno króla, jak i jego przyjaciela obrzucano też błotem za doprowadzenie do ujęcia i kaźni Samuela Zborowskiego. Ścięcie dumnego banity na dziedzińcu wawelskim (maj 1584) wywołało istną burzę protestów na sejmikach i sejmie. Brat straconego Krzysztof nazywał monarchę „psem węgierskim", wiele też pisano o zajadłości Batorych na krew ludzką, wywodząc to z trzech smoczych zębów znajdujących się w ich herbie. I choć na sądzie sejmowym przedstawiono niezbite dowody zdrady stanu ze strony obu Zborowskich (Krzysztofa i Samuela), to jednak przekonanie o okrucieństwie króla utrwaliło się w świadomości szlachty. Nawet Joachim Bielski czyni

Medale Stefana Batorego i Jana Zamoyskiego

do tego chyba aluzję, gdy go porównuje z wyglądu do Attyli. Kronikarz miał tu być może na myśli fakt, iż w Siedmiogrodzie wielu magnackich przeciwników Batorego·spotkał los Samuela.

Posada ,,dożywotniego prezydenta Rzeczypospolitej" nie należała bez wątpienia do najwdzięczniejszych. W trakcie debat nad sprawą Zborowskich nawet przywykły do burzliwych sesji sejmu siedmiogrodzkiego Batory chwytał czasem za kord, gdy mu Mikołaj Kazimirski groził zerwaniem obrad. Na nazwanie go *nebulo* dumny trybun szlachecki odparł, że nie jest hultajem czy nicponiem, ale obrońcą wolności oraz pogromcą tyrana. Daremnie też Batory przypominał Jakubowi Niemojewskiemu, iż jest królem nie malowanym, lecz rzeczywistym. Wszystkie te krótkie spięcia odbywały się po łacinie, ponieważ monarcha nigdy nie nauczył się języka swoich poddanych tak dobrze, aby móc w nim zabrać głos publicznie. Kiedy więc jednemu z dostojników duchownych wypomniał, że nie zna łaciny, chociaż jest

biskupem, ten od razu zareplikował, iż jeszcze dziwniejszy jest król Polski nie mówiący po polsku.

Zborowscy, jak również Niemojewski, byli kalwinami; jeden z najgłośniejszych i najbardziej dokuczliwych krzykaczy sejmowych, wspominany już przez nas Kazimirski, należał do zboru ariańskiego. Ludzi tych w szeregi antybatoriańskiej opozycji popchnęła przede wszystkim chęć obrony zagrożonych jakoby przez króla przywilejów szlacheckich. Polityka wyznaniowa Batorego, oparta na doświadczeniach siedmiogrodzkich, była bowiem nacechowana umiarkowaniem i dążeniem do zachowania tolerancji religijnej. Sejm w Torda już na pięć lat przed uchwaleniem konfederacji warszawskiej (w roku 1568) zezwolił na swobodne wyznawanie, obok katolicyzmu, trzech innych konfesji, a mianowicie kalwinizmu, luteranizmu i unitarianizmu, którego wyznawcy stanowili tamtejszy odpowiednik braci polskich zwanych arianami. Zarówno w Siedmiogrodzie, jak i w Rzeczypospolitej szlachec-

Stefan Batory (portret)

burgów, że skompromitowany musiał w roku 1576 na rozkaz Batorego opuścić Polskę. Niechętne mu stanowisko zajęli także jezuici; mimo to król w czasie swego dziesięcioletniego panowania okazywał zarówno temu zakonowi, jak całemu duchowieństwu znaczne (przede wszystkim materialne i moralne) poparcie w walce z reformacją. Świadczą o tym hojne dotacje na zakładanie kolegiów i kościołów, fundacja akademii jezuickiej w Wilnie (1579), polityka wyznaniowa na terenie Inflant, wyraźnie idąca na rękę kontrreformacji. U genezy tej polityki leżało przekonanie, że zwycięski katolicyzm może stać się siłą wzmacniającą zarówno samo państwo, jak i władzę rządzącego w nim monarchy.

Równocześnie jednak w Wielkim Księstwie Litewskim, Prusach Królewskich czy Koronie Batory konsekwentnie przestrzegał postanowień konfederacji warszawskiej. Swemu tolerancyjnemu usposobieniu dawał też parokrotnie wyraz: w roku 1577 król ostro potępił ekscesy krakowskich studentów, którzy sprofanowali tamtejszy cmentarz protestancki. W dwa lata później Stefan Batory wydał rozporządzenie nakazujące stawianie przed sąd wszystkich winnych jakichkolwiek rozruchów w mieście; za napady na świątynie i domy różnowierców władca polecił karać śmiercią. Widząc w tumultach przejaw anarchizacji życia publicznego, z którą tak usilnie walczył na sejmach, doprowadził do tego, iż podczas jego rządów w stolicy państwa nie doszło po roku 1577 do żadnych rozruchów religijnych.

Kiedy zaś w roku 1581 widownią ich stało się Wilno, a tamtejszy biskup, Jerzy Radziwiłł, gorliwy jak każdy konwertyta, dokonał uroczystego *auto-da-fé* z książek protestanckich (bo o paleniu kacerzy nie mogło być w Polsce mowy), król w surowym mandacie ostro potępił nie tylko studentów biorących

kiej stronnictwa polityczne były tworzone ponad głowami walczących ze sobą Kościołów, a nie na zasadzie przynależności wyznaniowej.

Batory przybywał więc z kraju, w którym paryską rzeź hugenotów potępiano podobnie mocno jak i nad Wisłą. Co więcej, obiór swój, jak już wspominaliśmy, zawdzięczał agitacji prowadzonej głównie przez różnowierców. Stąd też po Polsce krążyły nawet pogłoski, że również i nowy król jest ,,heretykiem''; nic więc dziwnego, że kiedy tu wjeżdżał, wysłano kogoś ze specjalną misją, aby sprawdził, czy Stefan Batory bywa na mszy. Większość episkopatu, jak również jezuici oglądali się tu w dużym stopniu na Rzym, który uznał jego elekcję dopiero po śmierci Maksymiliana. Nuncjusz papieski, Wincenty Laureo, tak dalece zaś zaangażował się w popieranie Habs-

udział w rozruchach, ale i samego biskupa. Monarcha podkreślił, że nie ścierpi, aby wiarę szerzono „przemocą, ogniem i żelazem, zamiast nauczaniem i dobrymi przykładami". Stwierdził też, że zaprzysiągł przestrzegania konfederacji i pragnie tej przysięgi dotrzymać; daremnie więc Hieronim Powodowski doradzał mu, aby w stosunku do braci polskich nie cofnął się przed „rózgi żelaznej użyciem". Kiedy w roku 1585 uwięziono i oddano pod sąd drukarza ariańskiego, Aleksego Rodeckiego, król polecił go zwolnić, oświadczając, iż nie będzie prześladowaniami rozszerzał wiary, „chociaż bym tego nie był poprzysiągł, sam rozum, ustawa Rzeczypospolitej i francuskie przykłady dostatecznie by mię tego nauczyły".

Na tolerancyjną postawę władcy będą się powoływać polscy protestanci przez cały XVII i XVIII wiek. Współcześni Batoremu kalwini i arianie uważali jednak, iż zdecydowanym popieraniem kontrreformacji źle spłaca dług wdzięczności, jaki u nich zaciągnął w trakcie zabiegów o tron polski. Będąc zaś przede wszystkim szlachtą, a dopiero w dalszej kolejności członkami tego czy innego Kościoła, podzielali też narastającą w społeczeństwie szlacheckim niechęć do „nie malowanego" króla. Nie umiał on nawiązać dialogu z izbą poselską, która, pozostając dość obojętną na sukcesy militarne swego władcy, podejrzewała go o dążenie do „despotyzmu" i chęć ograniczenia swobód szlacheckich. Zdaniem Jana Czubka, wybornego znawcy staropolskiej publicystyki politycznej, zgon Batorego „nie tylko nie obudził żalu po sobie, ale nawet wywołał u ogromnej większości ówczesnej szlachty coś w rodzaju ulgi". Istotnie, jeśli nawet pominiemy jako skrajnie tendencyjne gwałtowne napaści sprzedajnych paszkwilantów, do których należał między innymi Bartosz Paprocki, czy ataki ze strony rodziny Zborowskich (oraz ich przyjaciół), to przecież zarówno Bielski, jak nuncjusz Spannocchi, a nawet przychylny królowi Heidenstein, wszyscy oni poświadczają zgodnie niechęć ku niemu istniejącą.

Podobnie jak przedtem, za czasów Bony i Henryka Walezego, tak i teraz głównym zarzutem było forytowanie przez władcę jego rodaków. Ci sami Węgrzy, nad których losem pod rządami Habsburgów szlachta tak ubolewała, widząc w nim groźne memento dla siebie, gospodarujący teraz u boku Batorego, obdarzeni przez niego zaufaniem, stanowiskami w wojsku i nadaniami, stawali się przedmiotem najzacieklejszych ataków. Spannocchi

Nagrobek Stefana Batorego w katedrze wawelskiej

pisał, iż przybysze z Siedmiogrodu „tak dalece oburzyli na siebie umysły szlachty", iż ta za nic w świecie nie wybierze ponownie żadnego z Madziarów na tron. „Sądzą bowiem Polacy, że aczkolwiek wielkie mieli pożytki ze sprawiedliwych rządów Batorego, większych doznali szkód, znosząc wyuzdaną (jak wówczas mówili) swawolę wojska węgierskiego".

Sporo było bez wątpienia w tych wszystkich narzekaniach przesady. Najczęściej wypowiadali je ludzie mający z królem osobiste porachunki. „Jakie mordy, gwałty żon, ubogich dziewczek, wyłupywanie sklepów, wydzieranie pospolitemu człowiekowi żywności na drogach i dóbr od nich się dzieje" – taki oto obraz przemarszu piechoty węgierskiej roztaczał na sejmie Krzysztof Zborowski, któremu krzywda „pospolitego człowieka" najmniej oczywiście leżała na sercu. Współcześni historycy węgierscy twierdzą zresztą, że ich rodaków na dworze Batorego nie było tak znowu dużo. Przy ówczesnym systemie aprowizacji i zakwaterowania armii, każde wojsko dawało się cywilnej ludności mocno we znaki, choć oczywiście w apokaliptycznej wizji Zborowskiego jest sporo zrozumiałej skądinąd przesady. Szlachta nie mogła jednak darować królowi tego, co w lapidarnym skrócie ujął na sejmie 1585 roku Prokop Pękosławski, a mianowicie że „bierze chleb przed syny koronnemi, dawa go postronnym". Nawet Heidenstein pisze, że podczas wyprawy moskiewskiej na tle podziału łupów „kłótnie między Polakami i Węgrami tak zawzięte urosły, że się z orężem na siebie porwali". Jak widać, łatwo jest żyć w zgodzie uwiecznionej w przysłowiu o „dwóch bratankach", kiedy każdy mieszka u siebie, a oba kraje dzielą wysokie góry...

Bezpośrednia konfrontacja musi prowadzić do rozczarowań; przeżyła je również Anna Jagiellonka, która niewielką zdaje się miała ze Stefana Batorego jako z męża pociechę. Początkowo zresztą i to współżycie zapowiadało się na podobną idyllę jak stosunki króla z narodem szlacheckim, który go na tron powołał. Młoda stażem, bo nie wiekiem, małżonka była pełna iluzji, skoro w tydzień po ślubie kasztelan miński Jan Hlebowicz pisał: „widzę chłopa dopadła, gębę nosi wysoko i hardo, ale widzę po samym, że go rządzić nie będzie, bo prawy chłop!" Annie Jagiellonce nie szło może tyle o rządzenie, co o zwyczajne kobiece szczęście. Cóż z tego, kiedy młodszy o dziesięć lat małżonek unikał wyraźnie swej leciwej oblubienicy. Gdy zaś próbowała odwiedzać go w jego komnacie, począł wymykać się na noc z sypialni. Dotknięta do żywego królowa dostała tak dużej gorączki, że musiano jej nawet krew puszczać. Podobnych afrontów było wiele; Batory spędzał sporo czasu w rozjazdach, nie zawsze zresztą dyktowanych potrzebami państwa. Jeśli nie na wojnie, to na polowaniu, słowem wszędzie, byle z dala od zaniedbywanej żony, której tłumaczył wykrętnie, iż nie stać go na kosztowny, dworski styl życia. Mogła w tym być zresztą świadoma ironia króla nie pozbawionego poczucia humoru. Posiadał je zapewne, skoro twierdził, iż prosię może zostać kanonikiem (która to godność duchowna była w Polsce zastrzeżona tylko dla szlachty), ponieważ wołają na nie „maluśki", a więc ma nazwisko kończące się na -ski.

Batory potrafił też być wielkoduszny: ukarał wprawdzie surowo magnackich przywódców prohabsburskiego powstania w Siedmiogrodzie, ale Bekieszowi, który stanął na jego czele, przebaczył. Człowiek, którego nazwisko pozostało w naszym języku jako nazwa płaszcza, należał później do grona najbliższych, zaufanych przyjaciół króla. Nie przeszkadzało królowi ariańskie wyznanie Bekiesza, uważanego zresztą przez współczesnych niemal za ateusza. Równocześnie zaś Batory chętnie rozmawiał ze Skargą, który towarzyszył mu w trakcie oblężenia Połocka. Prawdziwą pasją jego życia nie były bowiem sprawy wyznaniowe, lecz wojna, rozumiana jako sposób realizacji głównego celu, a mianowicie wyzwolenia Węgier spod tureckiej okupacji.

Śmierć Batorego (12 grudnia 1586) zastała go w trakcie gorączkowego montowania ligi antytureckiej oraz przygotowań do nowego pochodu na Moskwę. Zgon przyszedł tak niespodziewanie i nie w porę, iż rozeszły się nawet pogłoski o otruciu króla. Jeszcze dziś niektórzy (jak H.Z. Scheuring) biorą je na serio, twierdząc, jakoby sprawcami zbrodni byli agenci bliżej nie określonej konspiracyjnej organizacji protestanckiej, która nie chciała dopuścić do triumfu katolickiej Europy. Istotnie, po śmierci Batorego dwaj lekarze królewscy, a mianowicie Mikołaj Bucella (arianin) i Szymon Symoniusz (konwertyta-katolik, zbliżony chyba do wolnomyślicielstwa) wszczęli gwałtowną polemikę, w której oskarżali się nawzajem o spowodowanie śmierci pacjenta. Uczeni mężowie zarzucali sobie ignorancję, ale nie świadomą złą wolę; warto też przypomnieć, iż ówczesny poziom wiedzy medycznej był tak niski, że wystarczyło słuchać jednego lekarza, aby zostać wyprawionym na tamten świat. Stefan Batory zaś trzymał ich dwóch przy sobie i co gorsza, miał zgubny zwyczaj słuchania na przemian rad Bucelli i Symoniusza; dało to zgoła katastrofalne skutki.

Jeśli już jednak mamy powtarzać krążące współcześnie na jego temat plotki, to warto dodać, iż nieślubnym synem Batorego z piękną córką borowego z litewskich lasów miał być rzekomo Dymitr Samozwaniec (legendę tę uwieczniła Zofia Kossak-Szczucka w ,,Złotej wolności''). Byłby to drugi, obok Aleksandra Kostki-Napierskiego, bastard królewski o wielkich ambicjach i tragicznym końcu.

Jarema Maciszewski

ZYGMUNT III

Nie pływał nigdy po morzach statek nazwany jego imieniem. Nie był nigdy patronem pułku kawalerii ani drużyny harcerskiej. Na próżno szukać by w polskich miastach jego ulicy, placu czy alei. Na jego sarkofagu w podziemiach katedry wawelskiej żadna ręka nie składa kwiatów.

Pozostała tylko kolumna na placu Zamkowym w Warszawie, bardziej symbol miasta niż świadectwo pamięci o osobie, której wizerunek utrwalił ongiś w spiżu artysta. Pozostały wzmianki w podręcznikach historii i powszechna wiedza o tym, iż jego to decyzją prowincjonalne, nie stanowiące wówczas ważnego centrum życia gospodarczego i kulturalnego miasto mazowieckie stało się stolicą państwa.

A przecież władca ten zasiadał na tronie Rzeczypospolitej prawie czterdzieści pięć lat – spośród królów polskich dłużej od niego panował tylko Władysław Jagiełło. Był najważniejszym decydentem i uczestnikiem wydarzeń, brzemiennych w dalekosiężne skutki. Borykać się musiał z nader trudnymi problemami politycznymi, społecznymi, gospodarczymi czy religijno-wyznaniowymi. Sterował lub sterować usiłował nawą państwową w burzliwych czasach. Prowadził liczne wojny, czynnie włączał się w politykę europejską.

Dlaczego przeminął prawie bez echa w legendzie? Dlaczego w niewielu tylko utworach literackich spotykamy jego imię? Dlaczego utrwalił się w powszechnym przekonaniu pogląd, iż był to „król niewielkich zasług i sławy"?

Bo przecież – wydawałoby się – czasy Zygmunta III to jeszcze okres świetności dawnej Rzeczypospolitej. Wtedy to właśnie – dokładnie w roku 1618 – wypada apogeum eksportu polskiego zboża, co jest jakimś syntetycznym dla owych czasów wskaźnikiem zamożności kraju i jego mieszkańców. Za jego panowania od rozejmu w Deulinie (1619) do utraty Rygi (1621) państwo polsko-litewskie osiągnęło swój największy w historii rozmiar terytorialny.

Z panowaniem króla Zygmunta złączone są takie wydarzenia dziejowe jak Byczyna, Kircholm, Kłuszyn, Chocim, Puck i Trzciana, jak zwycięstwo polskiej floty wojennej pod Oliwą.

Literatura przeżywała swój wiek srebrny, a język ojczysty doskonalił się jako sprawne narzędzie trudnej sztuki przekonywania i argumentowania, ostatecznie wypierając łacinę z życia publicznego. Nieprzerwanie trwał proces formowania się polskiego ogólnonarodowego języka literackiego, w czym niemały udział mieli wybitni pisarze wywodzący się z rodzin mieszczańskich.

Kontrreformacja nie zdążyła jeszcze dokonać spustoszeń w umysłach ludzkich. Poziom szkół – także jezuickich – był wciąż wysoki. Oficyny drukarskie miały co i dla kogo drukować, wznawiać.

Nigdy przedtem i nigdy potem – aż do czasów rozbiorów – kraj nie dysponował równocześnie, czy niemal równocześnie, tak licznym orszakiem wybitnych ludzi: znakomitych wodzów, przewidujących polityków, wytrawnych parlamentarzystów, świetnych mówców. Niech za dowód wystarczy jakże zresztą niepełna lista znakomitości tamtych czasów: Jan Zamoyski, Jan Karol Chodkiewicz, Stanisław Żółkiewski, Stanisław Koniecpolski, Krzysztof Radziwiłł, Stanisław Lubomirski, Lew Sapieha, Feliks Kryski, Zbigniew i Jerzy Ossolińscy, Stanisław Karnkowski, Krzysztof Arciszewski.

Prawdą jednak jest również, że Zygmunt III zastał Rzeczpospolitą mocarstwem, a zostawił – jak to bliska przyszłość miała wykazać – państwo osłabione, nie umiejące czy nie mogące rozwiązać żadnego ze swych najistotniejszych problemów wewnętrznych i zagranicznych. To właśnie w ciągu owych długich czterdziestu pięciu lat na wszystkich niemal odcinkach życia społecznego i państwowego dokonywał się, z wolna, lecz wyraziście, regres. Były w tym czasie wygrane bitwy i przegrane wojny, wygrane wojny i zaprzepaszczone szanse polityczne okresu pokoju. Były także klęski. Było politycznie bezproduktywne trwonienie środków materialnych i sił moralnych społeczeństwa w działaniach sprzecznych z dalekosiężną racją stanu państwa.

Osąd historii był surowy. Przytłaczająca większość polskich historyków odnosiła się krytycznie do decyzji Zygmunta III, do jego polityki i bez sympatii do jego osoby. Dopiero Władysław Konopczyński, a po nim Stanisław Herbst i Władysław Czapliński starali się osłabić krytyczny sąd o tym władcy, wskazując na szereg pozytywnych cech i korzystnych wyników działania Zygmunta III.

Zygmuntowi III przyszło żyć i działać w epoce przełomu. Czasy renesansu i reformacji przechodziły w barok i kontrreformację. W Europie następowała stopniowa zmiana

Orszak weselny Zygmunta III i królowej Konstancji (karton przypisywany G. Drinkowi)

Zygmunt III (miedzioryt J. Orlandiego)

nie, czy rzeczywiście obiektywne uwarunkowania i czynniki zewnętrzne determinowały taki właśnie, a nie inny bieg wydarzeń. Czy polityka króla dysponującego potężnym jeszcze arsenałem środków sprawowania władzy i znacznymi jeszcze możliwościami działania, przy względnej słabości sąsiadów, nie była jedną z przyczyn pogłębiania się regresu zamiast jego zahamowania? Choćby w jednej, jakże podatnej świadomemu działaniu jednostki wysuniętej na kluczowe w państwie stanowisko dziedzinie – polityce zagranicznej – mógł Zygmunt III pozostawić po sobie spuściznę lepszą, korzystniejszą dla przyszłości państwa. Miraż korony szwedzkiej (tu zresztą trudno mu się dziwić – była to wszak w jego mniemaniu należna mu ojcowizna. Złożony śmiertelną chorobą, pozbawiony mowy, przekazał uroczyście i ze wzruszeniem koronę Wazów najstarszemu synowi Władysławowi. Prawowitym królem szwedzkim uważał się do końca swych dni) przesłaniał mu – z oczywistą szkodą dla interesów Rzeczypospolitej – realia polityczne.

Nie potrafił lub nie chciał wybiec wyobraźnią poza doraźne skutki takiej czy innej decyzji, patrzeć dalej niż rok lub dwa naprzód. Może, gdyby zdobył się na bardziej dalekosiężne spojrzenie, gdyby słuchał rad mądrych ludzi, których w jego otoczeniu nie brakowało – nie wiązałby się tak ściśle i tak bezkompromisowo z domem habsburskim. Może nie wsparłby urojonych roszczeń zbiegłego mnicha do korony carów i nie rozpocząłby – gwałcąc rozejm – zbrojnej interwencji w Moskwie. ,,*Passim* (powszechnie) jest to w rozumieniu ludzkim – pisał otwarcie do króla Stanisław Żółkiewski – że WKM (Wasza Królewska Mość) nie *in rem* (sprawom) Rzeczypospolitej, ale sobie *privatim* (osobiście) pożytku z tej ekspedycji patrzysz".

układu sił prowadząca do wyraźnej polaryzacji politycznej, której apogeum miała stać się wojna trzydziestoletnia. Ostrzej zarysowały się różnice w tempie rozwoju ekonomiczno-społecznego krajów, w których formowały się elementy układu kapitalistycznego, i krajów, w których przeważały formy gospodarowania oparte na pańszczyźnie i osobistym poddaństwie chłopów.

Błędem byłoby obarczać Zygmunta III za wszystkie niepowodzenia, omyłki, stracone szanse i zmarnowane wysiłki. Otaczały go bez wątpienia szczególne uwarunkowania – społeczne, ustrojowe, obyczajowe, a nade wszystko ekonomiczne.

Nieodparcie jednak nasunąć się musi pyta-

Może nie posyłałby lisowczyków na pomoc nadwątlonemu ciosami węgierskich i czeskich powstańców Cesarstwu lub też za pomoc tę kazałby sobie zapłacić choć częścią polskiego przecież etnicznie Śląska. „Przyjdzie na pewno czas – pisał Stanisław Łubieński na początku wojny trzydziestoletniej – kiedy albo Ślązacy pamiętni na to, od kogo się odłączyli, wrócą do swych ojców, albo też Polakom nie braknie racji do przypomnienia swych praw [...], co do których nie może zajść przedawnienie" (cyt. wg W. Czaplińskiego). Może pojąłby, że awantury mołdawskie muszą na Rzeczpospolitą ściągnąć nawałnicę turecką (Cecora, Chocim), jeżeli wszczyna je sojusznik Habsburgów. Na działania Jana Zamoyskiego – wroga Habsburgów – w Mołdawii i Wołoszczyźnie Turcy nie odpowiadali użyciem siły.

Może wreszcie nie dawałby król Zygmunt – wbrew opinii dużej części szlachty, a także dużej części mieszkańców Prus Książęcych – kurateli, a potem lenna w tym księstwie elektorowi brandenburskiemu, wpuszczając – jak pisał sędziwy prymas Karnkowski – „węża w zanadrze". To, przed czym chcieli ubezpieczyć się traktatowo statyści polscy doby Zygmunta Starego – zrealizował konsekwentnie i do końca Zygmunt III. Połączenie pod jedną

Zygmunt III pod Smoleńskiem (portret T. Dolabelli)

władzą Brandenburgii i Prus Książęcych stało się za jego panowania faktem dokonanym.

Zygmunt III przed długie lata nie był w stanie zrozumieć Polski, jej racji państwowych i mentalności jej obywateli. Nie chciał poddać się tej prawdzie, że podstawowe założenia ustrojowe Rzeczypospolitej miały już swą długą historię, swe skomplikowane uwarunkowania i że wszelkie próby włoczenia państwa polsko-litewskiego w schemat ustroju politycznego lansowany przez ideologów kontrreformacji, Roberta Bellarmina przede wszystkim, i praktycznie realizowany w państwach habsburskich musi prowadzić do ostrych starć wewnętrznych i do sparaliżowania lub tylko osłabienia możliwości działania władzy.

Nie chciał Zygmunt III przyjąć do wiadomości, że ustalone formy życia politycznego w Rzeczypospolitej wyznaczał fakt, że w odróżnieniu od wszystkich pozostałych krajów europejskich dziesięć procent jej mieszkańców cieszyło się – przynajmniej formalnie – szerokimi prawami politycznymi. Było to dla monarchy na pewno ciężkie ograniczenie, ale był to równocześnie potężny atut, który umiał wykorzystywać jego wuj Zygmunt August i jego znakomity poprzednik Stefan Batory. Wykorzystując bowiem masy szlacheckie, a także posługując się umiejętnie wcale jeszcze nie najsłabszym mieszczaństwem, mógł król polski skutecznie przeciwstawiać się presji magnackiej lub też kanalizować ją zgodnie ze swymi koncepcjami i swą wolą.

Nie rozumiał Zygmunt III, że Polacy wytworzyli w XVI wieku sobie właściwą i dość wysoką kulturę polityczną, chociaż jej tylko zawdzięczał, że korona polska na jego głowie nie podzieliła losu szwedzkiej.

Jednym z podstawowych wyznaczników polskiej kultury politycznej była tolerancja religijna, element niezbędny w polityce wewnętrznej wielonarodowego i wielowyznaniowego państwa. Przesadą byłoby twierdzić, że Zygmunt III chciał wzorem hiszpańskiego Filipa II czy też cesarza Ferdynanda II rozprawiać się z innowiercami przy pomocy stosu i miecza. Przesadnie też niektórzy historycy oceniali nietolerancyjność Zygmunta. Toć rodzona jego siostra, Anna Wazówna, wychowana w wierze luterańskiej, cieszyła się przywiązaniem i miłością brata, który nie zabraniał jej dyskretnego organizowania nabożeństw luterańskich nawet na zamku wawelskim. Umiał też Zygmunt przeciwstawić się sugestiom politycznym Kościoła katolickigo – w pewnym momencie zaczął prowadzić elastyczną politykę wobec prawosławia. Szkoda natomiast, że nie okazał się skrajnym ultramontaninem, gdy decydował się na nadanie kurateli i lenna w Prusach Książęcych Brandenburczykowi.

Ale równocześnie spokojnie grał w piłkę w Krakowie na dziedzińcu zamkowym, gdy w mieście rabowano sklepy i warsztaty mieszczan-protestantów i bezczeszczono ewangelickie cmentarze. Starał się ograniczyć dostęp do urzędów i godności niekatolikom. Godził się milcząco na tumulty religijne. Wspierał cenzurę kościelną. Nie dopuścił – za namową spowiednika – do kompromisowego rozstrzygnięcia na sejmie 1606 roku sporu o tzw. proces konfederacji warszawskiej (czyli o prawne zabezpieczenie pełnego przestrzegania przepisów o tolerancji religijnej). Był jednym z głównych orędowników unii brzeskiej i policyjnych metod wdrażania jej w życie, co w istocie zmusiło hierarchię prawosławną do walki z państwem i zaostrzyło konflikty społeczne. W ten sposób, aczkolwiek długie jeszcze lata tolerancja była niezaprzeczalną wartością polskiego życia społecznego, król Zygmunt III dopuszczał do pierwszych przejawów wichrowania i unicestwiania trwałych wartości polskiej kultury politycznej, stworzonej w czasach renesansu. Wpływało to wprost na osłabienie spójni wewnętrznej olbrzymiego państwa.

Uwierzył w pierwszych latach swego panowania – pewnie tego potem gorzko żałował – że *victor leges dabit* (zwycięzca nada prawa), i wszedł w ostry konflikt z ,,narodem szlacheckim'', który bał się już nie tylko wzmocnienia władzy królewskiej w ogóle, lecz władzy królewskiej tego konkretnego króla, który przecież na początku ostatniego dziesięciolecia XVI wieku po prostu kupczył koroną polską z Habsburgami.

Zadowalanie się półśrodkami było cechą jego metody działania w polityce wewnętrznej. Nie rokosz Zebrzydowskiego sam przez się był nieszczęściem kraju (zgódźmy się w tym miejscu – wyjątkowo – z Michałem Bobrzyńskim), ale sposób jego przezwyciężenia. Nie było bowiem ani zwycięzcy, ani pokonanego. Pokonanym okazał się autorytet władzy, a perspektywicznym zwycięzcą – magnateria. Jedyny prawny skutek rokoszu – to takie objaśnienie przepisu *de non praestanda oboedientia* (o prawie wypowiedzenia posłuszeństwa), by w praktyce nikt nie mógł zeń skorzystać.

Po takich faktach, jak sejm inkwizycyjny 1592 roku i rokosz sandomierski (Zebrzydowskiego) w latach 1606 i 1607 – gruntowna ,,naprawa Rzeczypospolitej'' była już chyba niemożliwa. Stale, aż do końca panowania Zygmunta brakowało po temu wystarczającej dozy zaufania społeczeństwa szlacheckiego do króla i jego polityki. Owszem, stosunki szlachty z tronem uległy potem pewnej poprawie – począwszy od roku 1616 wszystkie sejmy kończyły się powzięciem uchwał, ataki opozycji znajdowały tylko umiarkowany posłuch w społeczeństwie. Uważano, że mimo swoich wad i błędów król jest przecież czynnikiem

ładu wewnętrznego i porządku w państwie. Dopiero jednak w ostatnich latach panowania rysować się zaczęła jakby pewna możliwość pełniejszej i zgodniejszej współpracy króla i stanów Rzeczypospolitej. Król bowiem w ostatnim dziesięcioleciu swych rządów lepiej wczuwał się w rolę konstytucyjnego monarchy, trafniej dostrzegał interes państwa. ,,W wielu przypadkach to liczenie się króla nie tylko z realną sytuacją – pisze Jan Seredyka – ale także z interesami państwa, powoduje decyzje wręcz dramatyczne, bo sprzeczne z jego osobistymi poglądami i dążeniami''. Niemniej żadne istotniejsze reformy nie zostały przeprowadzone. A kto wie, może właśnie czasy Zygmunta III były już ostatnią chwilą na dokonanie skutecznej reformy systemu działania organów państwowych, chociaż bez wszelkiej wątpliwości nie było już żadnych warunków po temu, by w Rzeczypospolitej mógł się ukształtować absolutyzm na wzór czy to francuski, czy hiszpański. Były natomiast wszystkie szanse po temu, by naprawić system skarbowy, unowocześnić armię, oprzeć obronę państwa na zdrowych i mocnych zasadach, umocnić stan bezpieczeństwa wewnętrznego, ulepszyć sposób obradowania i konkludowania sejmu, przeprowadzić reformę elekcji. Innymi słowy – bez uciekania się do rozwiązań ekstremalnych były możliwości trwałego umocnienia systemu ,,monarchii mieszanej'' (*monarchia mixta*) opierającej się na zasadzie silnej władzy królewskiej ograniczonej sprawnie działającym organem reprezentacji stanowej, tj. sejmem walnym i sejmikami.

Za mało już jednak wówczas miał król Zygmunt czasu, by dokonać choć częściowej naprawy państwa, skoro nie wykorzystał go wcześniej. Jego zbliżenie z ,,narodem szlacheckim'' nastąpiło zbyt późno. A przecież wisiało nad nim przez czas cały – długie czter-

Zygmunt III (portret nieznanego malarza z galerii Pittich)

dzieści pięć lat – domniemanie, że w ojczyźnie swej matki czuje się obco, że jej nie miłuje. Niepokojąco dla uszu zatroskanych o dobro kraju obywateli (a takich jeszcze nie brakło) brzmieć musiały testamentalne niejako wezwania starego kanclerza i hetmana wielkiego koronnego Jana Zamoyskiego, który na sejmie 1605 roku, a więc w niespełna trzy miesiące przed swą śmiercią, mówił do króla Zygmunta: ,,Miłujże tę ojczyznę naszę, bo jest ci to tak, że cię Szwecja *genuit* (urodziła), ale cię ta *excepit* (przyjęła) i *genus* (ród, pochodzenie) twe *maternum* (macierzyste, matczyne) i cie-

bie ozdobiła, ubogaciła, wsławiła, na głowach naszych posadziła". Jeśli o uczucie trzeba było apelować – znaczy to, że go nie dostawało.

Otaczał się przez długie lata Niemcami. Królewicza Władysława – ukochanie i nadzieję narodu – wychowywali Niemka Urszula Gienger-Meierin i całkowicie zniemczony kasztelan gdański Michał Konarski. Na dworze królewskim trudno było odetchnąć swojskością. Rychło widać zapomniał król Zygmunt, że podczas swego pierwszego uroczystego wjazdu do Krakowa – a było to 8 grudnia 1587 roku – zyskał serca tak dostojników, jak i gawiedzi swą w polskim języku wygłoszoną odpowiedzią na mowę powitalną.

Witano w nim nie tylko nowego króla, którego koronacja kładła kres okresowi niepokoju wewnętrznego, niepewności i wręcz wojny domowej z udziałem sił obcych, rozstrzygniętej na polach Byczyny. Witano w nim siostrzeńca ostatniego Jagiellona, syna wydanej za morze do Szwecji królewny Katarzyny, witano ostatnią latorośl domu Jagiełłowego.

Doświadczenia trzech wolnych elekcji wzbudzały tęsknotę do własnej dynastii, do jednoznaczności personalnej w czasie bezkrólewia, do sytuacji oczywistych, że po ojcu następował syn, a po bracie brat, formalnie jedynie potwierdzani wolą zbiorową stanu szlacheckiego.

Miał zatem na starcie olbrzymie szanse. Przeciwnicy zostali pokonani, a główny rywal – Maksymilian Habsburg – wzięty do niewoli przebywał pod strażą w Krasnymstawie.

Wystartował źle. ,,Jakie żeście nam nieme diablę przywieźli" – miał się wyrazić po pierwszym spotkaniu z młodym monarchą Jan Zamoyski. Zygmunt III bowiem zraził do siebie kolejno tych wszystkich, którym zawdzięczał tron. Być może chciał wyzwolić się od razu spod wpływów potężnego kanclerza – by tego jednak dopiąć, musiał dokonać gruntownej reorientacji politycznej. Wybrany został królem jako kandydat antyhabsburski, jako król zapragnął prowadzić politykę prohabsburską, co oznaczało konieczność dopuszczenia do łask i zyskania poparcia większości byłych maksymilianistów. Trzeba przyznać, że stosując umiejętnie politykę rozdawnictwa dóbr i urzędów potrafił w sposób niesłychanie zręczny doprowadzić w ciągu niewielu lat do dekompozycji istniejących ugrupowań politycznych. Wpływy Zamoyskiego w elicie władzy skurczyły się niepomiernie. Wielu jego dotychczasowych stronników – zwłaszcza duchownych, jak Piotr Tylicki czy Wojciech Baranowski – przeszło do obozu królewskiego.

Za to Zamoyski ponownie sięgnął po rząd dusz szlacheckich. Inicjatywy, a raczej pomysły i zamiary króla, były w samym zarodku sparaliżowane. Ustrój Rzeczypospolitej umożliwiał konstruktywne działanie tylko drogą współdziałania tronu i szlachty. Każdy inny układ polityczny powodował sytuację ,,politycznego pata'' i torował drogę rosnącym wpływom magnaterii.

Tak też w konsekwencji się stało. Zygmunt III potrafił wprawdzie stworzyć zależne od siebie stronnictwo, składające się z kilkunastu oddanych mu senatorów – z czasem nawet liczba ich zwiększała się wyraźnie – lekceważył natomiast masy szlachty, nie szukał w nich oparcia i poparcia. Mogła więc znaleźć je tym łatwiej opozycyjna grupa magnatów, umiejęt-

Zamek królewski w Warszawie, stan sprzed drugiej wojny światowej

Zygmunt III (fragment kolumny na placu Zamkowym w Warszawie)

nie wykorzystująca zawsze dla szlachty aktualny straszak absolutystyczny.

Ale uproszczeniem byłoby sprowadzać problemy polityczne pierwszych dziesięcioleci rządów Zygmunta III tylko do układów personalnych czy metod rządzenia. Różnice między Zygmuntem i jego stronnictwem a Zamoyskim i innymi odłamami opozycji były głębsze i bardziej zasadnicze. Dotyczyły one zarówno polityki zagranicznej (Zamoyski był zdecydowanie przeciwny wszelkim związkom z Habsburgami) jak i wewnętrznej. Obóz Zamoyskiego reprezentował ideały tolerancji religijnej, obce mu były idee kontrreformacji, przeciwstawiał się rosnącym wpływom Kościoła i zakonu jezuitów. Inaczej Zygmunt. W restytucji wpływów i znaczenia Kościoła widział cel nad-

rzędny. Chciał rządzić na wzór władcy absolutnego. Ludzie, którymi się otaczał, nie należeli do najpopularniejszych, a nade wszystko – poza kilkoma chlubnymi wyjątkami – do najwybitniejszych. Ci ostatni, aczkolwiek nie angażowali się w walkę z królem, dość często pozostawali na uboczu. Wszystko to nie mogło nie prowadzić do konfliktów, tym bardziej że swoim postępowaniem w pierwszych latach panowania (zakulisowe rozmowy ze swym ojcem królem Szwecji Janem III w Rewlu, próby kupczenia koroną polską z Habsburgami, zamiar wyjazdu na długo lub na stałe do Szwecji itd.) ujawnionym wobec opinii publicznej na sejmie inkwizycyjnym 1592 roku utracił lub poważnie naruszył możliwości działania, jakie początkowo posiadał.

Być może nie rozumiał klimatu politycznego i kulturalnego ówczesnej Polski, być może postawa jego wynikała ze szczególnych warunków, w których wychowywał się w Szwecji. Urodził się wszak w więzieniu (20 czerwca 1566 roku w Gripsholm), do którego wtrącił jego rodziców – księcia finlandzkiego Jana i Katarzynę Jagiellonkę – szalony i okrutny stryj, król Szwecji Eryk XIV. Wychowywał się – już jako królewicz szwedzki od roku 1569 – w cieniu okropności, które działy się za rządów Eryka. Matka, a także znajdujący się na szwedzkim dworze jezuici, wpajali mu zelotyzm katolicki i niechęć do różnowierców. Uczono go, że powołaniem króla-katolika jest stać się świeckim mieczem św. Piotra. Tron polski przyjął niechętnie, bliższa mu była ojczysta Szwecja. Utrata jej (1598/99) była dla niego najcięższym ciosem, z którym nigdy nie pogodził się do końca. Szwedzi po prostu go nie chcieli – bliższy im był stryj Zygmunta, książę Södermanlandu Karol. ,,Przymierze polsko--szwedzkie – pisał Władysław Konopczyński – było ze stanowiska geopolitycznego równie racjonalne, jak unia była nienaturalna [...]. Żądać w XVI wieku od króla, aby wiódł do zbawienia luteran i katolików, aby dogadzał życzeniom stanów na sejmach polskich i szwedzkich, aby bywał na zawołanie w Krakowie i Sztokholmie, aby Estonię uczciwie zachował dla Szwecji i uczciwie oddał Polakom, to było w wytworzonym związku nonsensem".

Zapewne przesadą jest twierdzić, że długoletnie wojny polsko-szwedzkie ciągnące się z przerwami aż po rok 1660 były li tylko skutkiem zerwania unii personalnej i polityki dynastycznej polskich Wazów. Stawka była poważniejsza: *Dominium Maris Baltici*. Nie ulega wszakże wątpliwości, że spory dynastyczne dodawały walkom polsko-szwedzkim zaciętości, uniemożliwiały kompromisowe rozwiązanie sprzeczności, a nade wszystko wykluczały inną niż stan wrogości alternatywę polityczną.

Na działanie Zygmunta III sprawa szwedzka wywierała przez długie lata wpływ oczywisty. Są historycy, którzy nawet motywów podjęcia przez Zygmunta decyzji wojny z Moskwą (,,Okropna i długa wojna; jeżeli ją uważać będziemy w względzie słuszności i moralności [...] najniesłuszniej od Polaków zaczęta". – napisał Julian Ursyn Niemcewicz) dopatrują się w sprawie szwedzkiej sądząc, iż król Zygmunt poszukiwać pragnął drogi do Sztokholmu przez Moskwę. Nie można także zaprzeczyć, że sprawa korony szwedzkiej uniemożliwiała mu w początkowym stadium wojny trzydziestoletniej znalezienie innych rozwiązań, jak faktycznie prohabsburska polityka.

Nie był jednak człowiekiem ciasnym, ograniczonym doktrynerem. Wykształcenie odebrał staranne, władał biegle – poza ojczystym szwedzkim i macierzystym polskim – językami włoskim, niemieckim, łacińskim, a także zapewne ruskim. Posiadał swoiste hobby: zaj-

mował się złotnictwem i alchemią. Sprawował skuteczny mecenat artystyczny w duchu manieryzmu: na dworze jego przebywali malarze, (najwybitniejszy: Tomasz Dolabella), muzycy, złotnicy. Wzbogacił własnym sumptem kolekcję arrasów, przebudował zamki w Warszawie, Krakowie i Łobzowie. Życie rodzinne miał raczej udane. Wprawdzie pierwsza żona Anna Habsburżanka zmarła młodo po kilkuletnim pożyciu pozostawiając mu jedynego syna Władysława (dwoje dzieci z tego małżeństwa zmarło w niemowlęctwie), jednak drugie małżeństwo z rodzoną siostrą zmarłej żony arcyksiężniczką Konstancją (1605) było uważane za szczęśliwe i dobrane. Dochowała się też para królewska pięciorga dzieci, które dożyły lat dojrzałych: czterech synów i córkę. Fatum jednak ciążyło nad polską linią Wazów: poza zmarłym w dzieciństwie synkiem Władysława IV pozostali synowie Zygmunta III (dwóch z nich zresztą zmarło młodo) nie pozostawili dziedzica.

Zygmunt III miał zaciekłych przeciwników. Obrzucano go w anonimowych utworach obelgami, pisano paszkwile. Zarzucano mu – najcnotliwszemu chyba z królów polskich – zepsucie i rozwiązłość. Zrażał ludzi swym zimnym zachowaniem, milczeniem, nadmiernym dystansem, a także powolnością w podejmowaniu decyzji. ,,Osławiona powolność w podejmowaniu decyzji – stwierdza Władysław Czapliński – była niewątpliwie jakimś brakiem charakteru królewskiego, płynęła jednak z chęci podejmowania decyzji przemyślanych, najwłaściwszych oraz z pewnej podejrzliwości wobec swych doradców". Styl bycia monarchy, który zresztą nie stronił od uciech stołu, myślistwa, teatru i innych rozrywek, nie odpowiadał jednak szlachcie. Krążyło również przekonanie, groźne dla autorytetu monarchy, że nie ma on szczęśliwej ręki, owego łutu szczęścia towarzyszącego podejmowanym przedsięwzięciom. „Wszędzie gdziekolwiek się jeno ludzie KJM (króla jegomości) obrócą, z łaski Bożej szczęśliwy progres i koniec – pisał w czasie jednej z wypraw wojennych bliski królowi Jakub Zadzik – tu (tzn. tam, gdzie król przebywa – przyp. J.M.) tylko wszystkie przedsięwzięcia nasze wstręt biorą". Dwukrotnie w ciągu czterdziestu pięciu lat niechęć do osoby króla wywołała działanie ekstremalne. Raz – w dobie rokoszu – w skali masowej, kiedy to pod Jeziorną grupa nieprzejednanych rokoszan podpisała akt detronizacji, drugi raz w skali indywidualnej w roku 1620. Mało wtedy brakowało, a Norwid nie mógłby napisać „żaden król polski nie stał na szafocie". Przypadkowi i niezręczności zamachowca, a także pomocy syna Władysława zawdzięczał Zygmunt III (i Rzeczpospolita), że Michał Piekarski nie wpisał się wówczas na listę królobójców.

Ale miał także zagorzałych stronników i admiratorów. Umiał, wykorzystując swe królewskie prerogatywy, stworzyć grupę ludzi całkowicie od siebie zależnych. Wielu z nich zapoczątkowało błyskotliwe kariery swych rodów. Szczególnej łasce i szczególnej polityce Zygmunta III w zakresie rozdawnictwa dóbr i urzędów zawdzięczają swe kariery rodowe Potoccy, Sapiehowie, Ossolińscy, Koniecpolscy, Lubomirscy. Dopiero od czasów Zygmunta III kariery indywidualne zaczęły przekształcać się w kariery rodowe.

Miał także autentycznych zwolenników. Jednym imponowała iście monarsza godność, spokój w chwilach trudnych, upór i stanowczość, innym odwaga osobista w chwilach decydujących. Dał jej wyraz choćby w czasie bratobójczej bitwy pod Guzowem (1607). Potrafił swym majestatem, ale i łaskawością, uginać tak dumne i nieposkromione charakte-ry jak Jan Karol Chodkiewicz, który na znak szczęścia z odzyskania królewskiej łaski rozbijał o czoło drogocenne puchary. Nie był mściwy – dopuszczał do łask swych dawnych przeciwników, nie karał stanowczo wyraźnych wykroczeń przeciw porządkowi publicznemu. Nie chciał? Nie mógł? Wydaje się, że jednak bardziej to pierwsze, co w tym przypadku nie stanowiło zalety władcy. Znany z dzieła Władysława Łozińskiego „Prawem i lewem" stan bezprawia i gwałtów na ziemi przemyskiej i sanockiej uległ przecież zasadniczej poprawie, gdy starostą tam został Marcin Krasicki. Można więc było w tamtych czasach bardziej stanowczo tępić warchołów, łupieżców, gwałcicieli porządku publicznego i prawa. Nie było to jednak przedmiotem szczególnej troski króla Zygmunta.

Był człowiekiem obowiązkowym i pracowitym. Nawet w ostatnich latach i miesiącach swego życia (zmarł w Warszawie 30 kwietnia 1632 roku) powinności swe królewskie wykonywał mimo choroby dokładnie i starannie. „Orłem nie był – pisał Władysław Konopczyński – swe rzemiosło króla konstytucyjnego spełniał poprawnie, nie żałował nerwów na męczące sesje sejmowe [...] żył trzeźwo, przystojnie, kulturalnie, w zgodzie z sumieniem i na poziomie idei swego wieku". Zadania jednak przerosły jego możliwości. W każdym innym czasie człowiek na tronie polskim wyposażony w te właśnie cechy charakteru i osobowości co Zygmunt III być może dobrze zapisałby się w pamięci narodu. Zygmunt nie był w stanie sprostać epoce. Trudności i problemy, które nań napierały, wymagały na tronie orła. Zygmunt nim nie był. I dlatego pozostał w pamięci narodu takim, jakim przedstawił go mistrz Matejko: zimnym, dalekim, nieprzystępnym, a nade wszystko obcym.

Władysław Czapliński

WŁADYSŁAW IV

Zanim o jakimś człowieku powiemy, czym nie był,
powinniśmy sobie uświadomić, czym był.

Tomasz Carlyle

Idąc za wskazówką angielskiego pisarza zapytajmy wpierw, kim był Władysław Zygmuntowicz, jak go nazywano, zanim został królem. Powszechnie wiadomo, że był ten polski Waza pierwszym męskim potomkiem Zygmunta III, króla Polski i Szwecji, oraz Anny Habsburżanki, urodzonym na ziemi polskiej w Łobzowie pod Krakowem dnia 9 czerwca 1595 roku. Od początku widziano w nim dziedzica ojca, albowiem było wysoce prawdopodobne, że po śmierci Zygmunta III wybór szlachty padnie na tego najstarszego syna królewskiego.

Wcześnie też zwrócili na niego uwagę obserwatorzy krajowi i zagraniczni. Gdy miał 18 lat, poseł króla hiszpańskiego pisał o nim jako o młodzieńcu ,,wielkich nadziei'', wyposażonym ,,w wszystkie dary natury, zapalonym żołnierzu''. Dzięki sukcesom odniesionym przez hetmana Stanisława Żółkiewskiego wybrano go jako piętnastoletniego młodzieńca wielkim księciem moskiewskim. Odtąd, chociaż nigdy nie nałożył na głowę czapki Monomacha, nosił aż do roku 1635 ten tytuł, nie zważając na to, że Rosjanie zrażeni polityką jego ojca rychło wybrali swym władcą Michała Romanowa.

Udział w kolejnych wyprawach przeciw Rosji w latach 1617–1618, przeciw Turkom w roku 1621, wreszcie przeciw Szwedom w latach 1626–1629 sprawił, że królewicz pogłębił swą początkowo tylko teoretyczną wiedzę wojskową. W czasie podróży europejskiej w latach 1624–1625 zapoznał się również z sztuką wojenną państw zachodnich, przypatrzył sposobom dowodzenia wybitnych dowódców hiszpańskich, aby zdobyte wówczas doświadczenia wykorzystać, gdy mógł już samodzielnie dowodzić wojskami. Można też chyba bez obawy popełnienia omyłki stwierdzić, że w czasie jego panowania sprawy wojskowe były mu najbliższe, podobnie jak bliscy mu byli słudzy Marsa: oficerowie i żołnierze. Toteż w jego najbliższym otoczeniu, nawet w latach pokojowych, widzimy zdolnych oficerów.

Znajomość rzeczy wojskowych zademonstrował Władysław w całej pełni dopiero po roku 1632, kiedy to, wybrany jednomyślnie królem Polski i wielkim księciem litewskim, objął rządy. Już w czasie pierwszej wojny toczonej w latach 1632–1634 przeprowadził ważną zmianę w wojsku polskim kładąc większy niż dotąd nacisk na rozbudowę piechoty i artylerii. Stworzone wówczas przez niego i wyposażone na sposób nowożytny oddziały piechoty, tak zwanego cudzoziemskiego autoramentu, tworzyły w czasie tej wojny ponad 60 procent całej armii. Budziło to podziw współczesnych. Kazimierz Leon Sapieha pisał wówczas: ,,Król bierze przed sobą Gustawową manierę wojowania, chce mieć więcej w wojsku cudzoziemskim obyczajem ćwiczonego ludu, aniżeli polskiego husarza''. Tym jednak zmianom zawdzięczał Władysław IV swe sukcesy w kampanii smoleńskiej.

Równocześnie przystąpił król do rozbudowy polskiej artylerii. Rezultaty tej działalności pokazały się dopiero w późniejszych latach. Pod koniec bowiem jego panowania stało w budowanych przez króla arsenałach, jak je wówczas nazywano cekhauzach, ponad 300 armat, w tym wiele wyprodukowanych w kra-

Władysław IV jako młodzieniec (miedzioryt W.A. Kiliana według Ph. Holbeina)

jowych, popieranych przez króla ludwisarniach.

Dodajmy, że Władysław posiadał jeszcze pełne zrozumienie dla sprawy marynarki wojennej i w okresie przygotowań do wojny ze Szwedami stworzył niemal z niczego flotę wprawdzie złożoną jedynie z dwunastu okrętów, zdolną jednak do rozbudowy i osiągnięcia planowanej przez króla liczby dwudziestu czterech jednostek bojowych. Niestety, jedynie w sferze pomysłów pozostał ciekawy plan króla założenia w Zatoce Puckiej nowego portu, który w jakimś stopniu miał ograniczyć potęgę Gdańska.

Czy Władysław IV był również zdolnym wodzem? Współcześni nam historycy wojsko-

wości oceniają na ogół wysoko umiejętność młodego władcy operowania jazdą i piechotą. Pisząc o kampanii smoleńskiej, jeden z nich stwierdza: „W wybitnym umyśle Władysława IV stopiła się harmonijnie tradycyjna polska sztuka wojenna z nowymi możliwościami, jakie niosła ze sobą piechota cudzoziemskiego autoramentu i artyleria regimentowa". Cieplej pisze o nim wybitny historyk wojskowości, Marian Kukiel: „W poczuciu swych talentów strategicznych i organizatorskich król Władysław czyhał na okazję uwikłania Rzeczypospolitej, usposobionej na wskroś pokojowo, w wielką wojnę zaczepną. [...] Największy może wódz, jakiego Polska od czasów Chrobrego miała na tronie [...], nie znalazł upragnionej sposobności dokonania zamierzonych czynów".

Drugą dziedziną, która przyciągała umysł króla i w której wyznawał się dobrze, to sztuka. Dopiero badania historyków XX wieku, Stanisława Windakiewicza, Hieronima Feichta, Karoliny Targosz wydobyły na jaw w całej pełni zasługi Władysława IV w dziedzinie propagowania muzyki, przede wszystkim zaś twórczości operowej. Dla tej dziedziny sztuki utrzymywał Władysław na swym dworze muzykę i chór, stworzył pierwszą stałą salę widowiskową na zamku warszawskim, wreszcie opłacał szereg wybitnych śpiewaków, śpiewaczek, kompozytorów. Wśród tych ostatnich zabłysnęli: Adam Jarzębski, Marcin Mielczewski, Wincenty Lilius i inni. W czasie panowania Władysława IV wystawiono też dziesięć oper, urządzono dwanaście przedstawień operowych i kilka baletowych.

Zainteresowania sztuką nie ograniczały się jednak do opery i muzyki. Gromadził Władysław IV chętnie obrazy, sprowadzał rzeźby i produkowane w Belgii kobierce (tzn. opony), interesował się architekturą, wreszcie podarował Warszawie jeden z najpiękniejszych do dnia dzisiejszego pomników, kolumnę Zygmunta III, która, górując nad Starym Miastem, stała się niemal symbolem naszej stolicy.

Czy przy tym wszystkim ten król czytający chętnie dzieła historyczne, poezje, interesujący się dysputami naukowymi i doświadczeniami fizycznymi posiadał również i głębsze zainteresowania naukowe, jak to chcą niektórzy historycy kultury? Czy można o nim mówić jako o królu uczonym? Sądzę, że raczej nie. Nie należy brać zbyt dosłownie zdawkowych wypowiedzi dyplomatów zjawiających się na jego dworze. Jeśli do każdego źródła trzeba podchodzić ostrożnie, to specjalnie do takich wypowiedzi, zwłaszcza że ludzi skłonnych do chwalenia władców nie brak nigdy i nigdzie.

Nietuzinkowy jest stosunek Władysława IV do spraw religijnych. Wychowany w okresie triumfującego katolicyzmu potrydenckiego przez gorącego katolika Zygmunta III, przez zelotkę, ochmistrzynię królewską, Urszulę Maierin, był Władysław IV, może częściowo przez przekorę, władcą tolerancyjnym, przewyższającym pod tym względem innych współczesnych mu władców, gorliwych katolików czy protestantów, przeważnie nie mających zrozumienia dla obcych wyznań. Przeniknięty rodzącymi się wówczas ideami irenicznymi marzył Władysław IV przez całe życie o pogodzeniu Kościoła katolickiego z Cerkwią wschodnią, snuł również marzenia o jakimś porozumieniu wszystkich wyznań chrześcijańskich. Toteż pod koniec swego panowania zorganizował w Toruniu rozmowę braterską (*colloquium charitativum*) między katolikami a protestantami różnych odcieni, naturalnie bez widocznego rezultatu. Początkowo, trzeba przyznać, to tolerancyjne usposobienie króla łączyło się z pewnym jego indyferentyzmem w sprawach wiary i moralności, z czasem

jednak stało się wyrazem głębszego zrozumienia spraw religijnych. Na jego dworze przebywali protestanci: arianin Eliasz Arciszewski młodszy, kalwin Gerard Denhof, ale też i szermierz odrodzonego katolicyzmu Walerian Magni, wielki poeta jezuicki Maciej Sarbiewski. Utrzymywał też król dobre stosunki zarówno z arcykatolikiem Albrychtem Stanisławem Radziwiłłem, jak z przywódcą protestantów wielkopolskich, Rafałem Leszczyńskim, oraz z wodzem kalwinów litewskich Krzysztofem Radziwiłłem.

Objąwszy rządy po elekcji na podwarszawskiej Woli w roku 1632 i po koronacji na Wawelu z początkiem roku 1633 umiał Władysław z godnością i umiejętnie piastować władzę królewską. Budził też respekt nie tylko u szlachty, ale i u senatorów, których w razie potrzeby umiał strofować i upominać. Dla pozostałej rodziny, najpierw czterech braci i siostry, starał się być zastępcą ojca. ,,Zniewalasz, Miłość Wasza – pisał do Jana Alberta, młodszego swego brata – serce nasze braterskie do tym większej ku sobie miłości, gdy w peregrynacji dozwolonej zachowujesz daną sobie od nas informacji i z tym się odzywasz, że w dalszej drodze trzymać się chcesz woli naszej''. W podobnym tonie pisywał do pozostałego rodzeństwa, nawet do dygnitarzy koronnych i litewskich.

Z szacunkiem odnosili się też do niego posłowie obcych państw, tym bardziej że ten urodzony pyknik umiał łatwo nawiązywać kontakt z obcymi, umiał ich sobie pozyskiwać. Nuncjusz Visconti stwierdzał też, że król posiada ,,sztukę zadziwiającą czy dar przyrodzony jednania sobie umysłów''. ,,Ci nawet – pisał dalej – co go znają, nie mogą uniknąć jego czarującej wymowy, ci zaś, co go zrazu ze wstrętem i uprzedzeniem słuchają, odchodzą ujęci i przekonani''. Podobnie i posłowie innych państw podkreślali z naciskiem tę serdeczność, którą król umiał okazywać tym, którzy się do niego zbliżali. Przebywający z nim wiele jego lekarz nadworny Maciej Vorbek-Lettow przyznaje w swym pamiętniku, że nigdy u króla ,,zmarszczonego przeciw sobie nie widział czoła". Było to o tyle dziwne, że w przeciwieństwie do swego ojca Władysław nie znalazł szczęścia w małżeństwie ani z nieładną Habsburżanką Cecylią Renatą, ani potem z księżniczką Gonzagą de Nevers, Ludwiką Marią. Jak się zdaje, silniejsze uczucia żywił jedynie do swej nałożnicy Jadwigi Łuszkowskiej. Skoro zaś potem musiał ją wydalić z dworu i wydać za

Władysław IV (portret nieznanego malarza)

dworzanina Wypyskiego, szukał pociechy i zapomnienia w ramionach różnych niewiast lekkiego prowadzenia.

Zdawało się, że człowiek, który umiał sobie pozyskiwać ludzi, a równocześnie, jak stwierdza wspomniany Visconti, troskliwie kryć najgłębsze tajniki swego serca, winien był być dobrym politykiem. Sprawa ta jednak nie przedstawia się prosto. Władysław IV, jak większość polityków, miał przed oczyma przez całe niemal życie jeden cel – odzyskanie korony szwedzkiej. Był to jednak cel osobisty, w żadnym stopniu nie zespolony z interesem państwa i narodu, przeciwnie – odczuwany wówczas przez szlachtę jako coś obcego. ,,Żeby król nie myślał o Szwecji, tego on nie tylko dla Polaków, ale dla nieba nie uczyni" – pisał o nim jego podkanclerzy Trzebieński. Istotnie tak było. Temu celowi gotów był król podporządkować wszystko, wpędzić naród swój w wojnę, pocieszając się chyba jedynie tym, że wojna ułatwia utrzymanie karności w narodzie. Rozumiejąc zaś, że zrealizowanie w pełni tego celu może napotkać na zbyt poważne trudności, gotów był król zadowolić się rozwiązaniem połowicznym, gotów był przyjąć, za cenę zrzeczenia się pretensji do korony szwedzkiej i wszelkich działań przeciw północnemu sąsiadowi, rekompensatę w postaci jakiejś prowincji, chociażby Inflant szwedzkich, oddanych mu w dziedziczne władanie.

By zrealizować swój cel w pełni czy też połowicznie, próbował Władysław różnych sposobów. W pierwszych miesiącach królowania usiłował narzucić się stronom walczącym w Niemczech, cesarzowi i Szwedom, w charakterze uczciwego pośrednika. Bez rezultatu. Następnie w roku 1635, gdy upływał termin rozejmu Rzeczypospolitej ze Szwecją, usiłował porwać naród do wojny uważając, że szlachta zainteresowana w zniesieniu blokady handlowej Gdańska poprze jego zamiary. Nieoczekiwanie jednak Szwedzi pod naciskiem sojuszniczej Francji zwolnili bez walki wybrzeża pruskie i król musiał pod naciskiem zadowolonej szlachty i magnaterii zgodzić się na przedłużenie rozejmu. W roku 1639 usiłował Władysław sprowokować wojnę ze Szwecją rzucając na Inflanty szwedzkie oficera cesarskiego Botha na czele dość silnego oddziału. Napad jednak nie udał się, zajęta zaś wojną w Niemczech Szwecja ograniczyła się do ,,poważnego ostrzeżenia''. Parę lat później starał się król skłonić króla duńskiego Chrystiana IV do uderzenia na Szwecję, czyniąc mu nadzieję na pomoc ze strony polskiej. Chrystian IV istotnie myślał wówczas o wojnie ze Szwecją, a ewentualna pomoc Polski mogła stanowić dla niego poważną zachętę. Nieoczekiwanie jednak, gdy wszystko było przygotowane do spotkania na wysokim szczeblu w celu omówienia szczegółów, Duńczyk rozmyślił się i zerwał dalsze rokowania z królem polskim. Nie udały się też próby króla Władysława nakłonienia cesarza do naruszenia granic polskich, by w ten sposób sprowokować Szwecję do uderzenia na Rzeczpospolitą. Niepowodzeniem skończyły się też próby wciągnięcia Rosji do wojny ze Szwecją.

Obserwując te uporczywe a kończące się niepowodzeniem próby wszczęcia wojny z Szwecją lub też dojścia z nią do porozumienia na drodze pokojowej, trudno oprzeć się wrażeniu, że król był raczej marzycielem, a nie politykiem. Ostrzej rzecz biorąc można by go wręcz określić jako fantastę. Czy rzeczywiście Władysław IV nim był? Analizując poszczególne pomysły króla przekonujemy się, że nieraz były one nierealne, nie brały pod uwagę owych okoliczności, niemniej przy bliższym badaniu ich przekonujemy się, że w większości wypadków chodziło tu jeszcze o co innego.

Władysław IV (portret ze szkoły Rubensa)

Oto królowi brakowało tego przysłowiowego łutu szczęścia, bez którego nie ma powodzenia w życiu. Któż bowiem mógł przewidzieć, że Szwedzi ustąpią bez walki z Prus, kiedy przecież porty pruskie zapewniały im tak poważne dochody? Nie można było spodziewać się, że palący się do wojny ze Szwecją Chrystian IV tak kapryśnie przerzuci ster swej polityki. Przy tym wszystkim jednak nie twierdzimy, jakoby w poszczególnych wypadkach król był bez winy. Zbyt mało uwagi poświęcał on rozpoznaniu sytuacji, nie starał się o pozyskanie szczegółowszych informacji, wreszcie nie zawsze był konsekwentny. Obserwujemy to zwłaszcza przy próbach realizacji mniejszych, ale ważnych planów królewskich. Tak na przykład wiemy, że gdyby w czasie rokowań z Gdańskiem w roku 1636 okazał więcej wytrwałości, osiągnąłby wówczas swój cel i uzy-

Władysław IV w stroju koronacyjnym (portret nieznanego malarza)

skał zgodę miasta na nałożenie ceł w porcie gdańskim. W związku z tym aczkolwiek nie określiłbym Władysława IV jako politycznego fantastę, to jednak nie mogę go uznać za wybitnego polityka.

Gdy chodzi o rządy w państwie dążył król z uporem, chociaż nie zawsze konsekwentnie, do wzmocnienia swej władzy. Wychowany w okresie tworzenia silnych monarchii absolutystycznych na Zachodzie czuł się źle w republikańskiej, parlamentarnej Polsce. Niewiele pomógł tu fakt, że urodzony w Polsce od piętnastego roku życia uczestniczył w obradach sejmów, że szlachta obdarzała go początkowo sympatią i zaufaniem. Mimo oficjalnego

podkreślania swych związków z Polską, w gruncie rzeczy marzył król o tym, by posiadać jakiś kraj, chociażby niewielki, w którym mógłby rządzić absolutnie, nie skrępowany przez tę gadatliwą, burzliwą szlachtę, która ze swej strony nie myślała wcale o tym, by ugiąć się pod jarzmo władzy absolutnej, wiedząc na ogół dobrze, jak wygląda życie w państwach absolutnych: Turcji, Rosji czy Francji. Toteż nic dziwnego, że król widząc, iż na drodze pokojowej nie dogada się z szlachtą, marzył o wszczęciu jakiejkolwiek wojny, by na czele zwycięskich wojsk narzucić swą wolę poddanym. Nic dziwnego jednak, że szlachta orientująca się w tym dobrze kładła się w poprzek zamierzeniom królewskim tak w roku 1635, gdy chodziło o wojnę ze Szwecją, jak i w roku 1646, kiedy król chciał rozpętać wojnę z Turcją.

Nie umiał też Władysław IV dogadać się z większością swych doradców i ministrów, którzy przeważnie nie myśleli o tym, by popierać zamysły króla, wówczas gdy nie były one akceptowane przez szlachtę. Wszystko to razem sprawiło, że schodząc przedwcześnie do grobu Władysław IV nie tylko nie zrealizował żadnego z swych wielkich celów politycznych, ale zostawił po sobie w spadku nie rozwiązany problem kozacki, który też rychło miał się okazać zgubny dla Rzeczypospolitej.

Śmierć jego, zwłaszcza że przypadła na pierwsze miesiące powstania Chmielnickiego, wywołała w kraju wielkie wrażenie. Początkowo jednak chyba nieliczni żałowali szczerze zmarłego i gotowi byli wraz z jego medykiem Vorbek-Lettowem westchnąć z głębi serca: ,,Niech Bóg Jego Królewskiej Mości duszy miłościw będzie".

Tadeusz Wasilewski

JAN II
KAZIMIERZ

Wybitny znawca historii nowożytnej Polski
Wiktor Czermak stwierdził w 1901 roku, że
Jana Kazimierza trudno zaliczyć do tych
trzech tylko królów elekcyjnych: Stefana Batorego, Władysława IV i Jana Sobieskiego,
w których postaciach jest coś, co na pierwszy
rzut oka czy na pierwsze wspomnienie usposa-
bia do nich sympatycznie, a bliższe poznanie
się z nimi pierwszego tego wrażenia nie rozpra-
sza. Janowi Kazimierzowi mamy zbyt wiele do
zarzucenia, a zbyt mało umiemy powiedzieć
na jego usprawiedliwienie, abyśmy się wobec
niego zdołali zdobyć na uczucie żywsze i serde-
czniejsze od współczucia i pobłażania.

Zarzucił mu Czermak uleganie lada czyim
wpływom, a przede wszystkim żony Ludwiki
Marii, zręcznej i przebiegłej kobiety, która
uczyniła z niego powolne dla siebie narzędzie.
Krytykował też pieszczenie w sercu przez lat
kilkanaście myśli, aby porzucić Rzeczpospolitą i życia dokonać na obczyźnie z dala od
swoich, Charakter miał chwiejny i kapryśny,
usposobienie dziwaczne i dziwnie drażliwe,
inteligencję i zdolności dosyć mierne. Wychowywała go głównie Urszula Maierin, ulubieni-
ca jego rodziców, nie posiadająca sama odpowiedniego wykształcenia, oraz jezuici z otoczenia króla i królowej.

Powyższy osąd Czermaka jest powtórze-
niem, w złagodzonej nieco formie, jeszcze
surowszej charakterystyki króla Jana Kazimierza przedstawionej przez Józefa Kazimierza Plebańskiego w książce wydanej w Warszawie w roku 1862 ,,Jan Kazimierz Waza. Maria
Ludwika. Dwa obrazy historyczne".

Obaj historycy zarzucili mu nawet wrogi
stosunek do własnego narodu powtarzając bezkrytycznie zarzut arianina Samuela Grądzkie-
go, sługi Jerzego Rakoczego, że Jan Kazimierz
miał powiedzieć w młodości, iż woli patrzeć na
psa niż na Polaka.

Skrajnie odmiennie charakteryzował Jana
Kazimierza Karol Szajnocha stwierdzając, że
był w pierwszych latach panowania królem
rządnym, czynnym, szczęśliwym. Przedstawiał go jako doskonałego i odważnego wodza
i wytrwałego męża stanu, który potrafił wysiedzieć po trzydzieści cztery godziny jednym
ciągiem w sali sejmowej, aby tylko odejściem
swym nie dopuścić do zerwania ostatniej sesji
i rozchwiania tym całego sejmu. Dopiero bunt
pospolitego ruszenia po zwycięstwie pod Beresteczkiem i jego konsekwencje, klęska pod
Batohem, a następnie odstępstwo narodu w latach ,,potopu", do reszty złamały króla i uczy-
niły go bezwolnym narzędziem w ręku królowej. Umarł w sześćdziesiątym trzecim roku
życia na obczyźnie wkrótce po wiadomości
o wzięciu Kamieńca Podolskiego przez Turków. Szajnochowską koncepcję postaci Jana
Kazimierza zaaprobował w swych pracach Antoni Walewski, przyjął następnie i spopulary-
zował Henryk Sienkiewicz w ,,Potopie". Historycy polscy ulegający często sugestiom wielkiego pisarza poszli jednak raczej za osądem
Plebańskiego i Czermaka powtórzonym następnie przez Kubalę i Konopczyńskiego. Polemika wokół oceny postaci Jana Kazimierza
trwa nadal, gdyż w ostatnim trzydziestoleciu
w obronie jego wystąpili przede wszystkim
historycy sztuki wojskowej podkreślający jego
talent wojskowy, a nawet uzdolnienia jako
polityka, i zwracający uwagę na mocną więź
między królem a środowiskiem żołnierskim.

Oceniając wypowiedzi współczesnych należy staranniej niż dotychczas odciąć się od
osądów wypowiadanych u schyłku życia króla
lub po jego śmierci, przenoszących nawet do
lat jego młodości oskarżenia i zarzuty formułowane w latach największych niepowodzeń,
w okresie rokoszu Lubomirskiego i po abdykacji.

Jan Kazimierz urodził się z matki Konstancji, arcyksiężniczki austriackiej, drugiej żony

Konstancja Austriaczka z królewiczem Janem Kazimierzem (portret nieznanego malarza w galerii Pittich)

Zygmunta III, 22 marca 1609 roku w Krakowie. Gdy miał lat siedem i osiem, uchodził przez czas krótki za przypuszczalnego następcę ojca na tronie, gdyż jego starszy, przyrodni brat Władysław wyprawił się wówczas na Moskwę po tron carski. U schyłku życia Zygmunta III królowa Konstancja intrygowała na rzecz syna usiłując skupić wokół niego obóz ultrakatolicki w Polsce, tak zwaną fakcję austriacką lub hiszpańską, aby przeciwstawić go jako kontrkandydata do tronu pasierbowi, znanemu z tolerancji religijnej Władysławowi, szukającemu niejednokrotnie oparcia w obozie protestanckim i we Francji. Zamierzenia te przecięła śmierć Konstancji poprzedzająca o rok zgon Zygmunta III. Młody królewicz pozostał jednak nadal sztandarową postacią „fakcji austriackiej" w Polsce. Nic zatem dziwnego, że pozycja jego na królewskim dworze starszego brata była co najmniej dwuznaczna, mimo przywiązania, jakie okazywał mu Władysław; ogół szlachecki i środowisko żołnierskie faworyzujące swego ulubieńca królewicza Władysława było mu nieżyczliwe. Król francuski Ludwik XIII polecił 2 grudnia 1635 roku swemu ambasadorowi w Polsce Claude de Mesmes d'Avaux wykorzystanie podejrzeń króla Władysława wobec brata Kazimierza, faworyzowanego przez Hiszpanów, w celu związania go z Francją.

Młode lata spędził Jan Kazimierz w dużej mierze na wyprawach wojennych. Wziął udział w wyprawie smoleńskiej brata, gotował się do wojny z Turcją, a następnie wyruszył do Wiednia, aby dowiedzieć się, jakich posiłków może Polska oczekiwać w razie wojny ze Szwedami. Zaciągnął się tam w służbę cesarską jako dowódca czterotysięcznego oddziału lisowczyków zwerbowanego w Polsce. Generał cesarski Gallas oddał mu dowództwo pułku kiryśników, na czele którego wziął udział w niefor-

tunnej dla siebie i żołnierzy cesarskich potyczce z Francuzami pod Metz. Po zawarciu rozejmu ze Szwedami w Sztumskiej Wsi król Władysław odwołał brata z Niemiec. Powrócił do Polski na czele trzech tysięcy wygłodzonych w spustoszonych Niemczech lisowczyków, a cały obradujący wówczas sejm przywitał go śmiechem.

W Polsce nie zdołał uzyskać dla siebie ani pozycji należnej bratu królewskiemu, ani bogatych starostw zapewniających duże dochody. Wyruszył więc w 1638 roku do Hiszpanii, mając tam przyobiecane stanowisko wicekróla Portugalii i być może także godność admirała floty. W drodze zaaresztowali go na rozkaz kardynała Richelieu Francuzi pod nieoczekiwanym i hańbiącym zarzutem szpiegostwa i więzili przez dwa lata, do lutego 1640 roku. Powróciwszy do Polski przebywał w niej do maja 1643 roku, po czym udał się do Włoch, aby nieoczekiwanie, wbrew woli oburzonego na jezuitów brata, wstąpić w Loretto do ich zakonu w charakterze braciszka–nowicjusza. Gdy król Władysław po roku pogodził się z powołaniem brata, Jan Kazimierz wystąpił nieoczekiwanie z zakonu otrzymując jednocześnie kapelusz kardynalski. Nowej godności nienawidził, nosił się po świecku i powróciwszy do Polski zaczął myśleć o małżeństwie. Perypetie te ugruntowały opinię o nim jako o człowieku niestałym i niepewnym.

Po śmierci Władysława IV wystąpił jako główny kandydat do tronu i uzyskał go 20 listopada 1648 roku dzięki poparciu kanclerza Jerzego Ossolińskiego i królowej wdowy Ludwiki Marii, za którą kryły się wpływy francuskie. Ukoronowany 17 stycznia 1649 roku, ożenił się w maju tego roku z Ludwiką Marią uzyskawszy uprzednio dyspensę papieską.

Dzieje wewnętrzne Rzeczypospolitej w latach 1649–1655, poprzedzających bezpośrednio katastrofę „potopu", należną do najsłabiej opracowanych. Tym trudniej jest ocenić rolę, jaką odegrała w tym czasie para królewska. Przemożny wpływ miała na dworze królowa Ludwika Maria, Jan Kazimierz nie był jednak bezwolnym narzędziem w jej ręku. Krzysztof Opaliński doniósł 2 maja 1650 roku bratu Łukaszowi w liście pisanym w Warszawie, że „król królowej ulega jako służka. Co ta chce, to się stanie, bo go już i łaje". Gdy król sprzeciwiał się odebraniu starostw Konstancji Grudzińskiej, królowa „ledwo go nie wypchnęła z Nieporętu". Z listu tego wnosić możemy, że król próbował nieraz przeprowadzić swą wolę wbrew królowej i dochodziło między nimi do częstych sprzeczek.

W polityce wewnętrznej zauważyć możemy wielką dbałość pary królewskiej o własne dochody płynące z ekonomii, ceł i kopalń soli. Zarząd ich odbierano magnatom narażając się na ich gniew. Również w polityce nominacyjnej para królewska prowadziła bardzo przemyślaną politykę. „Król i Królowa rzekli, że biskupami ich kreacji nie będą chyba ludzie Boga się bojący" pisał Krzysztof Opaliński do brata Łukasza.

Król, według Opalińskiego, z dumą twierdził, że popiera cnotę i rzetelność i takich tylko ludzi przybiera do senatu. Wyraźnie kłóciła się z tą piękną zasadą inicjatywa królowej Ludwiki Marii podniesienia wysokości podarunków, przeważnie składanych w pieniądzu, wymaganych w zamian za otrzymywanie urzędu lub łaski królewskie. Od księcia Bogusława Radziwiłła zażądano w roku 1663 aż 110 tys. złotych za województwo smoleńskie (nie dające dochodów, gdyż pozostawało we władzy Rosji), buławę polną i arendę ekonomii mohylewskiej. Na taki wydatek nie było stać nawet magnata, a cóż dopiero przedstawicieli średniej szlachty. Mimo zasady sprzedawania godności Jan Ka-

zimierz chętnie wprowadzał do senatu i mianował ministrami „ludzi nowych" nie należących dotąd do górnej warstwy magnaterii. W ten sposób weszli do grupy rządzącej krajem nie tylko Hieronim Radziejowski, krajczy królowej, lecz także kilku następnych kanclerzy lub podkanclerzy: Stefan Koryciński, Andrzej Trzebicki, Mikołaj Prażmowski, referendarz Jan Wydżga, podskarbi wielki Jan Andrzej Morsztyn, regimentarz Stefan Czarniecki, a na Litwie kanclerz Krzysztof Pac oraz podskarbi wielki i hetman polny Wincenty Gosiewski. Dwóch z nich – Morsztyna i Paca – określić możemy mianem „zięciów dworu królewskiego", gdyż poślubili cudzoziemskie dworki Ludwiki Marii.

Jako naczelny dowódca armii wykazał się Jan Kazimierz wielką odwagą w czasie wyprawy pod Zborów (1649) na odsiecz oblężonym zbarażczykom, podjętej po przyniesieniu listów ze Zbaraża przez Mikołaja Skrzetuskiego, towarzysza chorągwi kozackiej. Według „Opisania zborowskiej bitwy" pióra Młockiego, stolnika wyszogrodzkiego, gdy orda tatarska zmusiła do odwrotu jazdę polską, król przypadł z dobytym rapierem wołając: „Panowie, nie odstępujcie mnie i Ojczyzny wszystkiej, a kiedy już w pół obozu naszych wspierano, król uchodzących za chorągwie i wodza chwytał, animował, drugich zabijać chciał, aby nie uciekali [...]. Nocą musiał z zapalonymi pochodniami po obozie chodzić mówiąc: nie uciekajcie wy ode mnie, ja od was nie uciekam, straże i pułki obiegał".

W dwa lata później wykazał pod Beresteczkiem uzdolnienia strategiczne i duże zaangażowanie osobiste. Według Albrychta Stanisława Radziwiłła sam król „radą i ręką tą bitwą kierował". Na wyprawę żwaniecką wyruszył w 1653 roku osobiście, gdyż bez niego żołnierze zawiązaliby konfederację. Umiał z nimi nawiązać bezpośredni kontakt, cieszył się wśród nich uznaniem, wymieniał z nimi psy i konie. Już po abdykacji ujęło się za nim 1 listopada 1671 r. pod Bracławiem w czasie wyprawy koło generalne dywizji koronnych pisząc w instrukcji dla swych posłów wysyłanych do króla Michała: ,,nie wygasną z serc naszych widziane i dzielone przez wodza z żołnierzem za całość Ojczyzny w tak wielu okazyjach prace, dzieła odwagi i heroiczne czyny, przykrości pogody ponoszącego, w bezsennych nocach z żołdatem prawie na nagiej rozłożonego ziemi, równo z prostym żołnierzem w krwawych bojach, w każdej godzinie fortunę wyzywającego". Sympatią obdarzał Jana Kazimierza towarzysz husarski i zarazem znany historyk i poeta Wespazjan Kochowski, mimo swych powiązań z Lubomirskimi.

Jan Kazimierz uchodził, w przeciwieństwie do swego starszego brata, za gorliwego wyznawcę katolicyzmu. Nienawidzący go Janusz Radziwiłł nazywał króla jezuitą. W rzeczywistości jednak jego wielka gorliwość jako katolika wiązała się najpierw z proaustriacką orientacją polityczną, a później z wojną prowadzoną przez Rzeczpospolitą wyłącznie z krajami protestanckimi lub prawosławnymi, względnie z Tatarami, wyznawcami islamu (do 1653 r.).

W czasie dwudziestu jeden lat panowania Jan Kazimierz odbył co najmniej dziewięć pielgrzymek do Częstochowy, a ponadto odwiedzał inne miejsca kultu maryjnego: Czerwińsk, Sokal i Żyrowicze. Przed wyprawami składał śluby, a po zwycięstwie wota dziękczynne. W ciągu roku nieraz obchodził kościoły miejskie i odbywał rekolekcje na warszawskich Bielanach. Wbrew rozpowszechnionej opinii podobne zachowanie było w wieku kontrreformacji dość powszechne nie tylko u magnatów i szlachty, lecz także u władców. Nawet Władysław IV, uchodzący powszechnie za obojętnego wobec religii, w czasie piętnastu lat swego panowania aż sześć razy odwiedził Częstochowę, był więc tam niemal tak samo często jak jego młodszy brat i następca na tronie.

Opinię władcy niezwykle religijnego zawdzięcza Jan Kazimierz złożonym przez siebie 1 kwietnia 1656 roku ślubom lwowskim, w których zobowiązał się poprawić dolę ludu walczącego wówczas ze szwedzkimi najeźdnikami i oddawał kraj pod opiekę Matki Boskiej Częstochowskiej. Akt ten, wywołany trudną ówczesną sytuacją kraju, nie był niczym niezwykłym w ówczesnej Europie. Król Ludwik XIII oddał 10 lutego 1638 roku Francję pod opiekę Matki Boskiej w związku ze spodziewanym potomkem, przyszłym królem Ludwikiem XIV. Po złożeniu ślubów lwowskich, jezuita Jan Chądzyński nawoływał w swych kazaniach magnaterię i szlachtę, aby ulżyła doli nie tylko chłopów i mieszczan, lecz także ubogiej szlachty. Król Jan Kazimierz stawiał jednak zawsze wyżej rację stanu (lub może raczej własne interesy dynastyczne) niż interesy Kościoła jako całości i klasztoru jasnogórskiego jako siedziby czczonego przez siebie cudownego obrazu maryjnego. Gdy paulini w czasie bitwy stoczonej 4 września 1665 roku nie udzielili schronienia za murami fortecy częstochowskiej rozbitym przez Jerzego Lubomirskiego oddziałom armii królewskiej, rozgniewany Jan Kazimierz po przybyciu do klasztoru usunął z niego załogę klasztorną, wprowadził na jej miejsce własnych żołnierzy i objął swą administracją wszystkie dobra i dochody klasztoru. Nie wiemy niestety, jak długo utrzymał w mocy te zarządzenia.

Dwór królewski przedkładał również własne interesy nad dobro Rzeczypospolitej. Dla Jana Kazimierza ważniejszy był tytuł szwedzki niż możliwość uzyskania pomocy szwedzkiej

Jan Kazimierz (portret nieznanego malarza)

w walce z carem Aleksym Michajłowiczem. W czasie wojny z Rosją w 1654 roku większą wagę przykładał do sprawy popierania opozycji antyradziwiłłowskiej na Litwie i tworzenia odrębnej dywizji wojska pod dowództwem Wincentego Gosiewskiego niż do należytego przygotowania armii do kolejnej kampanii wojskowej.

Dwór królewski okazał się bezsilny wobec potężnej koalicji magnackiej, do której weszły około 1652–1653 roku cztery najpotężniejsze rody: Opalińscy, Lubomirscy, Leszczyńscy i Radziwiłłowie. Opozycja nie zdołała wprawdzie przeprowadzić detronizacji króla, wykorzystała jednak sprzyjający moment – najazd szwedzki, aby przejść na stronę króla Karola X Gustawa.

Niewiele umiemy powiedzieć o zachowaniu króla w czasie tej katastrofy i pobytu na wygnaniu. Nie wiemy, czy zamierzał abdykować. Według anonimowego, plotkarskiego dziełka wydanego po raz pierwszy w 1679 roku w Paryżu „Casimir Roy de Pologne", w czasie pobytu w Głogówku król Jan Kazimierz kochał się bez pamięci w dwórce swej żony Annie Schönfeld i zajęty był głównie tym romansem. Wobec zazdrości małżonki postanowił wydać swą kochankę za Jana Zamoyskiego, aby widywać ją nadal i być przez nią kochanym. Ludwika Maria potrafiła pokrzyżować mu te plany, gdyż wydała za Jana Zamoyskiego swą dwórkę francuską Marię d'Arquien, mimo że była ona zakochana już wtedy w Janie Sobieskim. Jak dotąd badacze nie potrafili wykazać nieprawdziwości tej opowieści. Anna Schönfeld była dwórką Ludwiki Marii już w 1654 roku, gdyż wymienił ją poeta dworski Jan Andrzej Morsztyn w wierszu „Balet królewski" jako jedną z „nimf myśliwych". Do grona tańczących należały również „pasterka" Katarzyna Denhoffowa, późniejsza kochanka króla, być może już od 1659 roku, oraz „żniwiarka" Maria d'Arquien, przyjaciółka Anny Schönfeld. Romans króla z piękną Niemką miał według powyższej biografii wiele momentów farsowych. Pośrednik, dworak królewski baron Saint–Cyr spuszczał dla króla drabinkę przez okno, aby ten mógł dostać się do ukochanej, a raz gwardziści wzięli króla, przekradającego się cicho nocą przez korytarz zamkowy do ukochanej, za jakiegoś złoczyńcę i nie poskąpili mu razów.

Po powrocie do kraju ze śląskiego wygnania zajął się dwór królewski sprawą reformy sposobu sejmowania i przeprowadzaniem elekcji następcy za życia króla. Miał nim zostać początkowo arcyksiążę Karol Habsburg, jako przyszły mąż siostrzenicy Ludwiki Marii. Licząc na to królowa dość łatwo zgodziła się na nalegania ambasadora austriackiego Lisoli i wymogła na królu zrzeczenie się w 1657 roku praw do lenna pruskiego. Interes dynastyczny już nie króla, lecz królowej, ważniejszy był niż dobro Rzeczypospolitej. Wpływ żony na króla niewątpliwie stale wzrastał. Według pana Cail-

leta, wysłanego przez księcia Kondeusza do Polski jesienią 1662 roku, król Jan Kazimierz, który był dotąd bardzo mocnego zdrowia, zaczął obecnie słabnąć. Unika trudów panowania i chętnie chroni się na wieś, nie dlatego, że jest miłośnikiem wsi i łowów, lecz dla uniknięcia zgiełku i interesów. Brak mu zupełnie

Jan Kazimierz (sztych Clementa de Jonghe)

Jan Kazimierz (sztych według W. Hondiusa)

wytrwałości i w każdej sprawie chce jak najprędzej dotrzeć do jej końca. Według słów sekretarza królowej, wyraźnie nieżyczliwego Janowi Kazimierzowi Piotra de Noyers, król nigdy nie umiał się do niczego przyłożyć, nie przeczytał w życiu ani jednej całej książki, lubił samotność i otaczał się chętnie karłami, psami, małymi ptaszkami i małpami.

Dzięki podobnemu usposobieniu króla królowa kierowała jego krokami nie na zasadzie zaufania i miłości, lecz dlatego, że król, gdy żona zbyt długo mu dokucza, ,,woli wreszcie ustąpić, niż żyć w ustawicznej niezgodzie''. Do tych środków nacisku należały według ambasadora brandenburskiego Hoverbecka

,,nieustanne naleganie, naprzykrzanie się, skargi, płacze i inne sztuczki''. Ambasador francuski, biskup betereński de Béziers, stwierdzał, że ,,król i królowa sprzeciwiają się sobie we wszystkim i królowa wymusza na królu wszystko, więcej nużąc go niż przekonując. Stąd pochodzi, że najczęściej tają się ze swymi działaniami''. Królowa zawsze jednak zwyciężała w tych starciach i zawsze narzucała swą wolę. Jej wpływ był tak wielki, że nie potrafili mu skutecznie przeciwdziałać nawet zaufani dworzanie Jana Kazimierza, wywierający również duży wpływ na niego – dwaj kolejni podkomorzowie Wilhelm Butler i Teodor Denhoff, mąż królewskiej kochanki. Według historyka Wawrzyńca Rudawskiego Ludwika Maria wodziła męża ,,jak mały Etiopczyk słonia'', a pamiętnikarz Jerlicz nienawidzący królowej stwierdza, że ,,jako niedźwiedzia za nos króla zwodziła''.

Tym razem próby reform wewnętrznych wywołały nie ogólne odstępstwo magnaterii na rzecz obcego monarchy, lecz wojnę domową zwaną rokoszem Lubomirskiego. Klęska poniesiona z rąk rokoszan w 1666 roku pod Mątwami na Kujawach bardzo króla dotknęła. Po śmierci królowej, od 1667 roku Jan Kazimierz myślał już tylko o abdykacji. Nie zatrzymała go na tronie i w kraju nawet Katarzyna Denhoffowa, podkomorzyna koronna, w której się podobno kochał i która jeszcze za życia Ludwiki Marii cieszyła się wielkimi wpływami na dworze. Gdy przybył do Francji, król Ludwik XIV obdarzył go zgodnie z wcześniej zawartą umową siedmioma opactwami, w tym opactwem paryskim Saint Germain des Prés, w którym dotąd znajduje się jego grobowiec. We Francji wstąpił, według plotek rozpowszechnionych po jego śmierci, w związek małżeński z dawną praczką z Grenoble Marią Mignot, wdową od 1660 roku po Franciszku de l'Hopital, marszałku Francji. Zachował do końca życia żywą pamięć o Ludwice Marii, gdyż w 'testamencie datowanym 12 i 13 grudnia 1672 roku w Nevers ustanowił swą dziedziczką jej siostrę księżnę palatynową Annę Gonzagę.

Przed śmiercią zamierzał powrócić do Polski. Na ostatnią śmiertelną chorobę zapadł jesienią 1672 roku na wieść o upadku Kamieńca Podolskiego. Zwracał się wówczas do papieża Klemensa X z prośbą u udzielenie pomocy Rzeczypospolitej przeciwko Turkom. Francu-

zi, stykający się z nim we Francji, zdziwieni byli tak wielką uczuciowością króla, który nie pamiętał o stracie swego królestwa, a tak troszczył się o stratę jednej tylko miejscowości.

Zmarł Jan Kazimierz 16 grudnia 1672 roku w Nevers. Ciało przewieziono do Polski i pochowano uroczyście 31 stycznia 1676 roku na Wawelu, jednocześnie z ciałem króla Michała Korybuta. Serce Jana Kazimierza znajduje się do dziś w kościele Saint Germain des Prés w Paryżu.

Oblężenie Jasnej Góry (sztych niemiecki)

Adam Przyboś

MICHAŁ KORYBUT WIŚNIOWIECKI

Kiedy po tak ciężkich klęskach politycznych, jak utrata lenna Księstwa Pruskiego, niepomyślny pokój oliwski czy też nieudane próby przeprowadzenia elekcji za swego życia i niezrealizowanie reformy państwa, a wreszcie po krwawej wojnie domowej w czasie rokoszu Lubomirskiego – Jan Kazimierz zdecydował się w 1668 roku zrezygnować z tronu, gwałtownie ożywiły się działania obcych dworów oraz rodzimych stronnictw, by osadzić swego kandydata na polskim tronie. Niezwykła i nieprzewidziana, wręcz ,,cudowna" elekcja dotychczas mało znanego księcia Michała Korybuta Wiśniowieckiego w czerwcu 1669 roku rozpętała w kraju zaciętą walkę stronnictw magnackiej frankofilskiej koncepcji i prohabsburskiej orientacji, głównie liczącej na szable wielotysięcznej braci szlacheckiej – elektorów.

Wielu kandydatów ubiegało się o złożoną przez Jana Kazimierza koronę, choć nie błyszczała już tak jak dawniej i była tylko koroną z wyboru. Francuskie stronnictwo, wychowane przez ambitną, rozsądną, ale i bezwzględną w realizacji swych planów Ludwikę Marię, forsowało w porozumieniu z Ludwikiem XIV pozornie księcia neuburskiego Filipa Wilhelma, a właściwie księcia Ludwika Wielkiego Kondeusza lub jego syna Henryka d'Enghien. Cesarskie stronnictwo prohabsburskie wysuwało księcia lotaryńskiego Karola. Kandydował też car rosyjski Aleksy Michajłowicz albo

jego syn Fiodor. Obfita ulotna literatura polityczna zalecała nadto m.in. różnych książąt włoskich, a również wiarołomnego elektora brandenburskiego Fryderyka Wilhelma Hohenzollerna, emigrantkę królową szwedzką Krystynę Wazównę oraz następcę tronu angielskiego księcia Jakuba Stuarta.

19 czerwca 1669 roku królem został ,,Piast" – Michał Korybut Wiśniowiecki. Zawdzięczał on tron nie tyle świetności swego nazwiska, ile propagandzie i rozbiciu opinii szlacheckiej, głównie na dwa wspomniane obozy. Jego kandydaturę wysunął biegły dyplomata i energiczny mąż stanu, biskup chełmiński i podkanclerzy koronny w jednej osobie, Andrzej Olszowski. To on rozesłał na przedelekcyjne sejmiki ulotne pismo pt. ,,Censura candidatorum", w którym krytykując różnych kandydatów do tronu uzasadniał potrzebę elekcji rodzimego króla ,,Piasta" i tylko jakby mimochodem wspomniał o Michale. Nie można stwierdzić, czy Olszowski wcześniej porozumiewał się ze swym kandydatem, raczej należy przypuszczać, że działał bez zgody Wiśniowieckiego.

Pomysł wyboru króla-rodaka nie był nowy. Warto przypomnieć, że już podczas pierwszej wolnej elekcji wymieniano kilku ,,Piastów" jako kandydatów do polskiego tronu (marszałka litewskiego Mikołaja Krzysztofa Radziwiłła, wojewodę sandomierskiego Piotra Zborowskiego, wojewodę ruskiego Jerzego Jazłowieckiego). A po ucieczce z Polski Henryka Walezego zgłaszano wojewodę bełskiego Andrzeja Tęczyńskiego i sandomierskiego Jana Kostkę. Trybun szlachecki, Jan Zamoyski, mocno wtedy propagował ideę obioru rodaka; i obrano rodaczkę Annę Jagiellonkę, ,,przydając jej na małżonka" Stefana Batorego. W 1587 roku Zamoyski powrócił do swej koncepcji, wykluczył Habsburgów i przeprowadził wybór ,,Piasta" po kądzieli, Zygmunta Wazy. Władysław IV i Jan Kazimierz również tron swój zawdzięczali m.in. i temu, że byli już Polakami, tu urodzonymi i wychowanymi, ,,ciało z ciała, kość z kości królów rządzących szczęśliwie od tylu lat w Rzeczypospolitej". Po abdykacji Jana Kazimierza odżyły plany wyboru ,,Piasta". Jeszcze przed konwokacją w 1668 roku obcy korespondenci omawiali możliwości obioru Dymitra lub Michała Wiśniowieckich; wspominano też o ordynacie Aleksandrze Januszu Ostrogskim-Zasławskim, synu Katarzyny Sobieskiej, siostry wielkiego hetmana i marszałka. Wówczas za ,,Piastem" wypowiedział się też znany i wpływowy pisarz polityczny, kasztelan lwowski Andrzej Maksymilian Fredro.

Ale najdobitniej i najlepiej przemówił do szlacheckich umysłów wspomniany podkanclerzy Olszowski, używając argumentów, że ,,Piastowie" dobrze rządzili naszym krajem,

Koronacja Michała Korybuta Wiśniowieckiego

a obcy nieszczęśliwie w Polsce panowali. Elekcja ,,Piasta" byłaby potwierdzeniem wolności szlacheckich, bo magnaci woleliby wybrać cudzoziemca. Michał jest niebogaty, a więc nie niebezpieczny, nieżonaty, młody (ma 28 lat), katolik, bez doświadczenia politycznego i większych ambicji, dlatego niegroźny dla ,,złotej wolności".

Wynik elekcji był dla wszystkich dużym zaskoczeniem, zarówno dla stronnictwa francuskiego jak i habsburskiego; chyba najbardziej zdziwiony był sam elekt, który siedział wśród swoich braci sandomierzan ,,pokorniusieńki, skurczył się nic nie mówiąc", kiedy zewsząd już rozlegały się okrzyki na jego cześć i spieszono doń z gratulacjami. Przecież do nowej roli był zupełnie nieprzygotowany. Sama elekcja była burzliwa. Już wcześniej wykluczono od tronu Kondeusza, a celowo przeciągane przez francuskich stronników obrady przerywały tłumy zniecierpliwionych pospolitaków, uderzając na obradujących w szopie senatorów, strzelając do nich, wymyślając panom od zdrajców i grożąc im wycięciem oraz wybraniem innych senatorów, ale wynik głosowania był do ostatniej chwili niepewny. Zachowało się kilka relacji, zresztą sprzecznych, o tym, jak doszło do powszechnej zgody 19 czerwca 1669 roku na wybór Michała, kto pierwszy w polu elekcyjnym zawołał: *Vivat Michael rex!* Wiadomo, że elektorem króla ,,Piasta" był też znany powszechnie Jan Pasek, i on to również przekazał nam opis tej niezwykłej elekcji. Trudno zdobyć się na jednoznaczną opinię Na ogół przyjmuje się (Tadeusz Korzon, Władysław Konopczyński), że pierwszy wzniósł ten okrzyk Marcin Dębicki, chorąży sandomierski, a więc z Sandomierskiego, znany przywódca szlachecki i oponent przeciw projektowanym na wzór francuski reformom państwa. Nie jest to jednak istotne,

kto pierwszy dał sygnał do powszechnej zgody. Słuszne zapewne będzie stwierdzenie, że przy dwóch zwalczających się koncepcjach, francuskiej i habsburskiej, zwyciężyła trzecia, **podkanclerzego Olszowskiego, zwłaszcza że** nie była niebezpieczna, jak się wydawało, dla nikogo, i że on sam ją kilka miesięcy wcześniej zaprojektował.

Zdaje się nie ulegać wątpliwości, że Michał był przede wszystkim elektem szlachty, szerokiej rzeszy panów braci, a nie grupy magnatów. Jeden z dawnych historyków określił tę elekcję jako ,,zdziałaną wpływem przemocy szlacheckiego gminu"; inny nazwał ją ,,szaleństwem szlacheckiej ochlokracji", która krzycząc za ,,Piastem" terroryzowała senatorów. Ale były też głosy, że masa szlachecka była bezkrytyczna i krótkowzroczna, gdyż pozwoliła się wykorzystać pewnym koteriom magnackim.

Zbyt długo drażniono szlachtę elekcją Francuza, wyrobiła się więc w niej niechęć do obcej dynastii. Z pewnością była to pewnego rodzaju manifestacja ksenofobii. Nie wszyscy zresztą poprzednicy Michała na tronie byli popularni w szlacheckim narodzie. Dlatego tak tłumnie zebrana na elekcji szlachta wolała wybrać własnego króla, nie skompromitowanego podejrzanymi konszachtami z obcymi agentami. On miał być wyrazem zwycięstwa mas szlacheckich nad magnackimi partiami. Z pewnością nie mógł budzić obaw o dążenie do absolutyzmu, w przeciwieństwie do każdego z obcych kandydatów, który z pomocą oligarchów mógł zagrozić ,,złotej wolności". Idea walki z reformą, zmierzającą do wzmocnienia tronu, sprzęgła się tu na polu elekcyjnym z obroną zasad ,,złotej wolności" szlacheckiej, które wyjaśniał Andrzej Maksymilian Fredro, a bronił tak jeszcze niedawno marszałek Jerzy Lubomirski. Współcześni polscy pisarze, zarówno pamiętnikarze i historycy, jak również poeci, przyjęli elekcję króla „Piasta" z uznaniem, a niektórzy nawet z entuzjazmem, jak np. pamiętnikarze Pasek, Mikołaj Jemiołowski, Joachim Jerlicz, Jan Antoni Chrapowicki czy poeta Wacław Potocki, który w „Wojnie chocimskiej" zwał króla Michała orłem i wiązał z jego elekcją najlepsze nadzieje, lub inny poeta i historyk Wespazjan Kochowski, dający wyraz swej radości w wierszu „Muza słowiańska" i zwący Wiśniowieckiego „Wielkim Michałem". Olszowski umiał odwołać się do panujących wśród szlachty nastrojów i sprytnie zaproponować w atmosferze podejrzeń i szafowania obcymi na elekcji pieniędzmi wybór króla rodaka. Nie ulega wątpliwości, że Olszowski był autorem tej elekcji; on też głównie ponosi odpowiedzialność za losy panowania króla Michała. Trzeba jednak przyznać mu mimo wszystko tę zasługę, że krokiem swym uchronił Rzeczpospolitą od wojny domowej.

Nie do przyjęcia jest pogląd niektórych historyków, że właśnie wojna domowa mogłaby wówczas oczyścić i rozładować niepewną atmosferę; wszak u wrót Rzeczypospolitej stała Turcja z całą swą potęgą, a na czynną pomoc sąsiadów nie można było liczyć.

Kim był ten elekt polskiej krwi? Zapewne w znacznej mierze zawdzięczał tron rycerskiej sławie ojca, wojewody ruskiego, Jeremiego Michała, tak rozsławionego przez Sienkiewicza. Król „Piast" bowiem niczym nie wyróżnił się przed swą elekcją. Wcześnie osierocony przez ojca (1651), wychowywał się pod opieką matki Gryzeldy z Zamoyskich, wnuczki wielkiego kanclerza Jana, najpierw w Zamościu, potem na polskim królewskim dworze. Dzięki studiom w Pradze, Dreźnie i Wiedniu zdobył pewne wykształcenie i znajomość kilku języków, ale doprawdy niewiele miał w nich do powiedzenia. Rycerskiej sławy ojca nie powię-

kszył, w życiu politycznym przed 1669 rokiem nie brał udziału; nie piastował żadnego urzędu; chyba nie miał szczególnych kwalifikacji do roli króla i to w tak trudnej sytuacji kraju, zagrożonego przez Turcję, pozbawionego sojuszników i wewnętrznie nie skonsolidowanego. Czyż sam był na tyle bezkrytyczny, że nie rozumiał swej nieudolności i braku zalet tak potrzebnych dla rządzenia państwem? Dlaczegóż więc nie zrezygnował, dlaczego przyjął tę ciężką koronę? Może znalazł się pod naciskiem szlachty, może nie umiał oprzeć się silnej woli Olszowskiego; nie umiemy odpowiedzieć. Już na wstępie panowania dał się ponieść fali.

Zrazu partia francuska oraz inni obcy agenci mogli być zadowoleni, że nie został wybrany żaden z ich możnych konkurentów, ale niegroźny dla nich Michał. W każdym jednak razie elekcja „Piasta" była, zwłaszcza dla francuskiej dyplomacji, zupełną klęską tym dotkliwszą, że dwór francuski nie tylko stracił z górą dwa i pół miliona liwrów, ale przede wszystkim dlatego, że naród szlachecki pogardził królewską krwią Kondeusza.

Oporni polscy magnaci długo ociągali się z ogłoszeniem króla, a potem przeszli do opozycji, aż do planów detronizacji włącznie. Marzyła się im monarchia na wzór państwa Ludwika XIV, a tymczasem musieli kłaniać się ubogiemu książątku, które jeszcze przed elekcją pożyczało pieniądze od obcych dyplomatów, a teraz „cudem" zostało wyniesione na tron. Z pogardą wyrażali się o nowym królu: „Coście to za króla obrali, który szóstaka nie miał, za co sobie grzebienia kupić".

A groźna to była opozycja, nazwana przez jej uczestników obozem malkontentów; należały do niej pierwsze nazwiska w kraju: prymas Mikołaj Prażmowski, marszałek i hetman wielki koronny Jan Sobieski, znany poeta, a jednocześnie podskarbi wielki koronny Jan

Celsissimus ac Excellentissimus Princeps, DD. Michaël Thomas Korybouth, Dux in Wisniowietz et Lubnie, Princeps Wisnirvieccius terrarum Rußia Palast in Alma Cæsarea, Regia; Vniversitate Pragensi stadium Philosophicum A. 3636 ingressus, cursum feliciter consummavit A. 3659. Ætatis suæ 36ᵒ Sub Professore R. P. Bartholomæo Christelio Societ. IESV, AA. LL. et Phil. Doctore Curia Sereta. an.

Michał Korybut Wiśniowiecki (miedzioryt M. Küsella według C. Sereta)

Andrzej Morsztyn, magnaci małopolscy: stolnik koronny Jan Wielopolski i wojewoda krakowski Aleksander Lubomirski, kanclerz wielki koronny Jan Leszczyński, z Litwy szwagier Sobieskiego, podkanclerzy i hetman polny Michał Kazimierz Radziwiłł, liczni wojewodowie i kasztelanowie. A więc pierwsi w Rzeczypospolitej senatorowie i ministrowie, ludzie inteligentni, ruchliwi, bogaci, tym bardziej niebezpieczni, bo wpływowi.

Michał mógł liczyć przede wszystkim na swych wyborców – ogół szarej szlachty, która w pospolitym ruszeniu, w generalnej konfederacji, stanowiła groźny oręż malkontentów. Ale pospolite ruszenie trzeba było dopiero zwoływać, urabiać i przekonywać sejmiki, a słaby i mało przedsiębiorczy król wymagał

bliskiej opieki i stałej rady ze strony przyjaciół. Król Michał nie umiał jednak zgromadzić wokół siebie oddanego sobie stronnictwa, partii dworskiej. Otaczali go nieraz ludzie, którzy wprawdzie bronili go, ale nie współdziałali ze sobą, raczej współzawodniczyli, zazdrośni o wpływy na króla. Do najbardziej oddanych królowi należał autor „Cenzury" i główny sprawca elekcji, podkanclerzy Olszowski. Ale i on z czasem wdał się w spory z popierającymi króla na Litwie Pacami, kanclerzem Krzysztofem i hetmanem Michałem Kazimierzem i po prostu zawiódł nadzieje; może potem zobaczył swój błąd w forowaniu na tron tak przeciętnego kandydata? Do przyjaciół króla zaliczano jego krewniaka, butnego i ambitnego Dymitra Wiśniowieckiego, hetmana polnego koronnego, rywalizującego z Olszowskim i bardziej działającego z nienawiści do Sobieskiego niż z przekonania do racji królewskich. Popierało też króla kilku biskupów: chełmski Krzysztof Żegocki, poznański Stefan Wierzbowski i krakowski Andrzej Trzebicki, zwolennik prohabsburskiej orientacji. Trudno zaliczyć do obrońców króla kilku szlacheckich krzykaczy, demagogów i zrywaczy opozycyjnych sejmików.

Wspomniana opozycja malkontentów jeszcze na polu elekcyjnym najpierw usiłowała mocno skrępować króla tzw. egzorbitancjami, tj. nadmiernymi żądaniami naprawy tego wszystkiego, co przekraczało ustalony porządek prawny, a potem przez narzucone *Pacta conventa* nie dopuścić do ewentualnego wzmocnienia jego władzy. Sejm koronacyjny w październiku i listopadzie 1669 roku stał się następnym polem walki. Wprawdzie oponenci musieli uczestniczyć w akcie koronacji króla Michała w Krakowie, ale doprowadzili do pierwszego w dziejach polskich zerwania sejmu koronacyjnego posługując się tzw. egzulantami, czyli posłami z ziem odstąpionych Rosji na mocy rozejmu andruszowskiego (1667). Już wtedy porozumieli się z Francją za pośrednictwem nadzwyczajnego posła Ludwika de Lionne, knuli spisek detronizacyjny, nie chcieli dopuścić do nie odpowiadającego ich planom królewskiego małżeństwa. A król Michał nie przejawiał żadnej energicznej działalności. Zdał się całkowicie na Olszowskiego. Bywał wtedy w kościołach i na ucztach, nie wpływał na tok obrad sejmowych, ożywiał się tylko wówczas, kiedy krewniacy Zamoyscy upominali się o ordynację po jego wuju wojewodzie Janie, dzielnie bronioną przez matkę królewską Gryzeldę.

Małżeństwo króla miało zdecydować, która polityczna koncepcja zwycięży – francuska czy habsburska, a może jeszcze inna. Matka królewska od dawna snuła plany ożenienia syna to z siostrzenicą Sobieskiego Teofilą Ostrogską, to z inną „Piastówną". Wspominano też o księżniczkach francuskich, hiszpańskich, nawet o carównie. Zgodnie z sugestią Olszowskiego i jego zabiegami w Wiedniu król Michał ożenił się w lutym 1670 roku w Częstochowie z młodziutką arcyksiężniczką habsburską Eleonorą Marią Józefą, siostrą cesarza Leopolda I, „nieszpetną i dobroci nieporównanej[...] i piękną, i bardzo dobrą". Sam król nie przejawiał większej inicjatywy, zdał się na wolę doradców, głównie Olszowskiego, „żeby było z wygodą i waszmościów, i pożytkiem Rzeczypospolitej". To polityczne małżeństwo związało króla i Polskę z Habsburgami i niewątpliwie wzmocniło stanowisko Michała wobec opozycji. W żonie zaś zyskał król wierną i przywiązaną towarzyszkę, która nie opuściła męża nawet w najtrudniejszych chwilach, a podsuwane jej przez malkontentów propozycje rozwodu zawsze zdecydowanie odrzucała; zwłaszcza kiedy szkalowano króla posądzając

go (zresztą niesłusznie) o impotencję, a nawet różne zboczenia. Szybko też młoda królowa umiała zjednać sobie sympatię i szacunek w nowej ojczyźnie dzięki osobistym zaletom, nawet wśród malkontentów. Polska królowa nie spełniła jednak pokładanej w niej przez habsburską dyplomację nadziei, gdyż do polityki nie rwała się.

Malkontenci już na pierwszym zwyczajnym sejmie wiosną 1670 roku przystąpili do generalnych ataków. Znaleźli sobie wówczas nowego kandydata do tronu w osobie siostrzeńca Kondeusza, księcia Karola de Longueville. Króla Michała oskarżyli o szereg uchybień prawom (małżeństwo bez zgody sejmu, obcy rezydenci na dworze, łamanie paktów konwentów) i doprowadzili do zerwania sejmu. Po chwilowej konsternacji na królewskim dworze, skoro sejmiki, niemal wszystkie, opowiedziały się za królem i groziły malkontentom pospolitym ruszeniem, na niektórych (np. na sejmiku średzkim), doszło nawet do „huczków", szabel i obuchów, a nawet pogębków, jesienią 1670 roku doprowadzono do szczęśliwego sejmu, zalegalizowania elekcji Michała, koronacji królowej Eleonory; utrzymano zasadniczą linię polityczną, prohabsburską, nie tyle dzięki energii czy uporowi króla, ile konsekwencji jego doradcy Olszowskiego. Malkontenci musieli na razie pogodzić się z sytuacją, nie zrezygnowali jednak z walki.

Sytuacja króla o tyle była trudna, że trzeba było zwalczać opozycję i równocześnie rozwiązywać bardzo skomplikowane problemy polityki zagranicznej. Jednym z nich było uregulowanie stosunków z elektorem brandenburskim i księciem pruskim, Fryderykiem Wilhelmem Hohenzollernem, jeszcze lennikiem z ziemi lęborsko-bytowskiej i przywłaszczycielem starostwa drahimskiego (Czaplinek). Potwierdzenie paktów bydgoskich z 1657 roku i odnowienie lenna napotkało na zasadniczą przeszkodę. Oto mieszkańcy Prus Książęcych, szlachta i mieszczanie, od lat ciążyli ku Polsce, buntowali się przeciw uciskowi ze strony brandenburskich urzędników, w Rzeczypospolitej szukali opieki i obrony. Ale kiedy przywódcę pruskiej opozycji, Krystiana Ludwika Kalksteina-Stolińskiego, kazał elektor 28 listopada 1670 roku porwać spod boku króla z Warszawy i po dwuletnim więzieniu 8 listopada 1672 roku ściąć w Kłajpedzie, sterroryzowani mieszkańcy Prus musieli skapitulować, a Rzeczpospolita zagrożona tureckim niebezpieczeństwem okazała się bezsilna wobec tego gwałtu. Wprawdzie król Michał osobiście interweniował, słał poselstwa z protestem do Berlina, oburzała się szlachta na sejmikach,

zbrodnia elektora pozostała jednak nie ukarana, a król był zmuszony zgodzić się na tzw. rekognicję lenna i na odnowienie paktów bydgoskich.

Natomiast dzięki licznym i konsekwentnym zabiegom polskiej dyplomacji, nie bez zaangażowania króla, udało się utrzymać przyjazne i względnie dobre sąsiedzkie stosunki z Rosją, na podstawie zresztą niekorzystnego dla Polski rozejmu andruszowskiego (1667). Ale i w tych sprawach wewnętrzna słabość Polski, jej zagrożenie ze strony Turcji i problem kozacki tak dalece utrudniały działalność, że nie udało się Polsce odzyskać za Michała Kijowa i otrzymać konkretnej pomocy przeciw Turkom i Tatarom, pomimo wysiłków polskich poselstw i długotrwałych pertraktacji.

Kościół w Wiśniowcu

Jeszcze bardziej skomplikowany był problem kozacki, odziedziczony przez Michała po poprzednikach, nie tylko wewnętrzny, ale bardziej związany z ościennymi państwami, głównie Turcją i Rosją. Skoro Piotr Doroszenko poddał się Turcji, król starał się przeciwstawić mu mało popularnego wśród Kozaków i o miernych zdolnościach politycznych i wojskowych humańskiego pułkownika Michała Chanenkę. W zbrojnej konfrontacji sił polskich z Kozakami Doroszenki i nawałą turecką w 1671 roku jedynym obrońcą, prawdziwym salwatorem ojczyzny okazał się hetman Sobieski. On to w błyskotliwych uderzeniach rozbił wojska kozacko-tatarskie pod Bracławiem, Winnicą, Mohylowem, Ładyżynem i jesienią 1671 roku zakończył swą triumfalną kampanię. Król i jego doradcy nie umieli zdobyć się na choćby tymczasowe rozwiązanie kozackiego problemu, a w chwili niebezpieczeństwa nie wykazali potrzebnej energii, a nawet nie bardzo chcieli wierzyć w śmiertelne zagrożenie. Król niby wybierał się do obozu, ale wciąż opóźniał wymarsz. Oglądał się na pomoc cara Aleksego, to cesarza Leopolda, słał błagalne uniwersały do szlachty na sejmiki, ale na teren walki dotarł dopiero jesienią 1671 roku, już po zwycięskiej wyprawie Sobieskiego na czambuły tatarskie, by po kilku tygodniach powrócić do Warszawy. Chyba zdawał sobie jednak sprawę z dużej odpowiedzialności za losy kraju, kiedy usprawiedliwiał się, że ,,będzie nam świadkiem *praesens et postera aetas*, żeśmy tak często[...] ostrzegali, zagrzewali...''

Kiedy bezpośrednie niebezpieczeństwo tureckie zawisło nad Rzecząpospolitą i czausz turecki w grudniu 1671 roku ,,przyniósł nam wojnę'', trzeba było uciec się do ostatecznej pomocy – szlachty w pospolitym ruszeniu. Ale dwa sejmy, zimowy i wiosenny 1672 roku, zostały zerwane, a opozycja z prymasem Praż-

mowskim na czele nawiązawszy jeszcze ściślejsze związki z paryskim dworem (kręciło się w Polsce wielu francuskich agentów) wręcz zażądała od króla Michała w czerwcu 1672 roku abdykacji, wysunęła plan małżeństwa królowej Eleonory, po rozwodzie z Michałem, z księciem de Longueville. Wobec sprzeciwu cesarza Leopolda prymas 25 czerwca 1672 roku zaproponował królowi Michałowi złożenie korony dla dobra ojczyzny. Wiśniowiecki nie umiał walczyć; obradami sejmów zbytnio nie interesował się, nie potrafił sobie pozyskać wojska koronnego, wiernego więcej hetmanowi Sobieskiemu niż królowi, zrażał sobie sejmiki otaczaniem się cudzoziemcami, posługiwaniem się obcymi rezydentami w zagranicznych misjach, nawet swym cudzoziemskim strojem. Ale zuchwałe żądanie Prażmowskiego oddania korony spotkało się ze zgoła nieprzewidzianym oporem króla i z po męsku wygłoszoną ripostą: ,,Wiem, żeś waszmość mnie jeden koronował, ale nie jeden obierał. Jeżeli wszyscy na to pozwolą i zgodzą się, barzo rad do tychże ręku oddam, z których wziąłem koronę, przez co przynajmniej ujdę *tantam servitutem* od was, którzy mnie nie tylo ani jako pana, ale nawet ani jako księcia starożytnej familii, ani jako równego sobie traktujecie''. Żachnął się na to prymas: ,,To W.K.M. chcesz, żeby się krew niewinna przelewała?'' Odrzucił król tę inwektywę: ,,Sam waszmość tego chcesz i chcesz ręce kapłańskie kąpać we krwi niewinnej''. Prymas próbował, zresztą niesłusznie, zrzucić całą odpowiedzialność za przyszłe wypadki na króla: ,,*Protestor* przed Bogiem, że co się tylko stanie to się za powodem W.K. Mci stanie''. Król zakończył tę przykrą rozmowę stanowczą i znamienną odpowiedzią: ,,Po tysiąckroć razy przed tymże Bogiem protestuję, że cokolwiek było, jest i będzie złego, to wszystko jest i będzie z waszmości". Audiencja trwała półtorej godziny, rzecz naturalna, nie mogła przynieść porozumienia. Zaimponowała nam tak dzielna i niespodziewana postawa Michała, chyba po raz pierwszy.

Nie ulękł się też król próby wojskowego zamachu stanu w Warszawie przez sprowadzenie do stolicy oddanych Sobieskiemu chorągwi, ani ogłoszonego 1 lipca 1672 roku przez malkontentów manifestu, w którym za wszystkie nieszczęścia Rzeczypospolitej obwiniali przede wszystkim króla, ani wiadomości o podpisaniu w tym dniu przez kilkudziesięciu opozycjonistów konfederacji czy też spisku przeciw legalnemu przecież królowi, a powołaniu na tron francuskiego kandydata. Obrońców miał znaleźć król Michał w szeregach szlachty, która w czasie sejmu zawiązywała prowincjonalne konfederacje przy swym królu, a na sejmikach posejmowych murem za nim stawała.

Tymczasem groza niebezpieczeństwa tureckiego już bezpośrednio zawisła nad krajem, nie bez zgoła fałszywych pogłosek, że to opo-

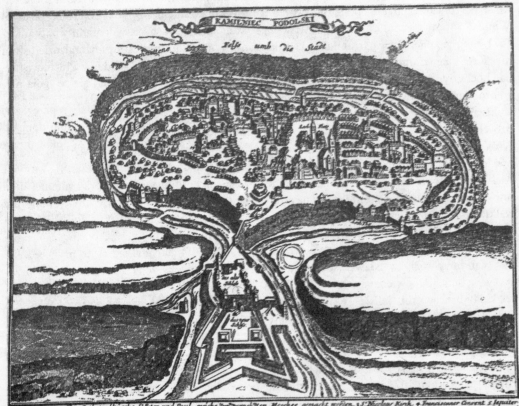

Kamieniec Podolski (miedzioryt niemiecki nieznanego autora)

zycja magnacka sprowokowała tę inwazję. Bez większego oporu wojska sułtańskie stanęły pod potężnym Kamieńcem Podolskim i 27 sierpnia 1672 roku zmusiły jego bohaterskich obrońców do kapitulacji. Obronił się Lwów, padły miasta i zamki: Zborów, Złoczów, Buczacz. Znowu jedynie Sobieski swą świetną, błyskawiczną kampanią na tatarskie czambuły jesienią tego roku uchronił kraj od ostatecznego zniszczenia, wyzwolił tysiące jasyru i na szlaku rusko-podolskim rozbił szereg ich koszy. Król na wieść o postępach Turków i tragicznym upadku Kamieńca słał błagalne listy o posiłki do papieża Klemensa X, do cesarza i cara. Wprawdzie ruszył w sierpniu z Warszawy do pospolitego ruszenia pod Gołąb nad Wisłą, ale nie zdobył się na jakiś własny plan działania. Osaczony przez opozycję, wydawał sprzeczne rozkazy, przez co paraliżował rozpaczliwe poczynania Sobieskiego. Bez wojska, pieniędzy i obcej pomocy musiał zdecydować się na podpisanie przez komisarzy 18 października 1672 roku haniebnego pokoju w sułtańskim obozie pod Buczaczem nad Strypą w ziemi halickiej. Jak wiadomo, Polska utraciła wówczas całe Podole wraz z Kamieńcem Podolskim i musiała się zgodzić na opłacanie sułtanowi corocznego ,,podarunku" w kwocie 22 tys. złotych; prawobrzeżną Ukrainę pozostawiono w rękach Kozaków.

Tymczasem szlachta zebrana w kilkadziesiąt tysięcy (najwyżej 30 000) pospolitym ruszeniem pod Gołębiem, a potem Lublinem, zamiast iść przeciw Turkom, 14 października 1672 roku zawiązała generalną konfederację w obronie króla, srogie wydając wyroki na malkontentów i odsądzając ich od czci, urzędów i majątków. Autorami konfederacji byli biskup Stefan Wierzbowski i wojewoda Feliks Potocki. Król Michał nie wykazywał w konfederackim obozie żadnej inicjatywy, nie poprowadził szlachty na wroga, jedynie zadbał o swój tron. Malkontenci ostro zareagowali na ich oskarżenia i kary, zawiązując w Szczebrzeszynie 23 listopada związek żołnierski pod wodzą hetmana Sobieskiego w obronie obalonych przez konfederatów praw. Zanosiło się na wojnę domową. Na szczęście na tzw. kontynuacji konfederacji i jej generalnym zjeździe (od 4 stycznia 1673 r.) dzięki pośrednictwu królowej Eleonory, nuncjusza Buonvisiego i rozsądniejszych senatorów (biskupa krakowskiego Andrzeja Trzebickiego, wojewody witebskiego Jana Antoniego Chrapowickiego) doszło pod grozą tureckiego niebezpieczeństwa do pojednania między zwaśnionymi stronami, a sejm pacyfikacyjny (do 8 kwietnia 1673 r.) uchwalił program obrony, tak pięknie i skutecznie zrealizowany w zwycięskiej bitwie pod Chocimiem 11 listopada 1673 roku. Ale król był już ciężko chory; od dłuższego czasu niedomagał, cierpiąc na wrzody w przewodzie pokarmowym; jeszcze we wrześniu dotarł do Lwowa, jeszcze 8 października dokonał przeglądu wspaniałej czterdziestotysięcznej armii; w przeddzień zwycięstwa umarł bezpotomnie we Lwowie. Jego szczątki w 1676 roku spoczęły w podziemiach katedry wawelskiej.

Król Michał panował z górą cztery lata (ściśle cztery lata i pięć miesięcy), w jednym z najtrudniejszych okresów naszych dziejów. U współczesnych wzbudzał różne uczucia, od przywiązania i wierności do bezwzględnej wrogości i chęci usunięcia go z tronu za wszelką cenę. Trudno rozważyć, ile w tym było powiązań z samą osobą króla Michała, a ile rozważań w związku z interesem państwa lub własnym.

Poniższy wiersz, anonimowy złośliwy paszkwil, z pewnością napisany już po zgonie monarchy, sumuje poglądy opozycji na osobę Michała:

Obranie cudem, Królestwo kłopotem,
Szkodą złe rady, a szelągi złotem,
Sejmy niezgodą, Żona urąganiem,
Dwór nieporządkiem, słudzy oszukaniem,
Senat niedbalstwem, Warszawa więzieniem,
Wiedeń pedantem, obóz uprzykrzeniem,
Prymas skaraniem, Kamieniec niesławą,
Izba pociechą, strojenie zabawą,
Turczyn nieszczęściem, Gołąb głupstwa
                                    świadkiem,
Lwów śmiercią, a śmierć nieszczęścia
                                    ostatkiem.
To był mój żywot, więcej nic nie znałem,
Nie wiem, czym królem, wiem, żem był
                                    Michałem.

Historiografia poczynając od Karola Wyrwicza, poprzez dzieła Józefa Szujskiego, Tadeusza Korzona, Władysława Konopczyńskiego aż do publicystyki Pawła Jasienicy, surowo w mniejszym lub większym stopniu oceniała działalność tego króla „Piasta". Jedni zarzucali mu brak energii, inni talentu; wytykali mu brak planu, jakiejś koncepcji politycznego działania, nieumiejętność postępowania z ludźmi, zrażanie sobie wiernych, chorobliwą podejrzliwość, mściwość i pewnego rodzaju wygodnictwo.

Bezsprzecznie król Michał nie należał do wybitnych naszych panujących. Największą jego tragedią był fakt, że przyszło mu panować w najtrudniejszym okresie. O tron nie zabiegał, wysunął go podkanclerzy Olszowski, sprytnie wykorzystując dwa zwalczające się stronnictwa, profrancuskie i prohabsburskie, i dobrze wyczuwając niechęć ogółu szlachty do cudzoziemskich kandydatów. A skoro Michał znalazł się na tronie, otoczony często zwalczającymi się wzajemnie doradcami, skrępowany ich inicjatywami nie umiał, czy nie mógł, zdobyć się na samodzielność działania. Zgo-

dził się na sojusz z Habsburgami zniechęcając tym samym o wiele potężniejszą i bardziej mogącą Polsce pomóc Francję Ludwika XIV. Uwierzył w porozumienie z Rosją nie uzyskując w zamian konkretnych rezultatów. Nie umiał zapobiec wojnie z Turcją, chociaż nastręczali się pośrednicy ugody w osobach chana czy też naddunajskich książąt. Postawił na mało ważnego i ostatecznie zdradliwego Chanenkę, zrażając sobie inteligentnego i mocnego na Ukrainie Doroszenkę. Wobec elektora brandenburskiego okazał daleko idącą pobłażliwość i słabość, nie umiejąc wykorzystać akcji Kalksteina. W polityce wewnętrznej popełnił jeden z największych błędów, skoro nie dowierzał, nie doceniał Sobieskiego.

Ale pomimo tych bardzo poważnych zarzutów nie można nie docenić i pewnych jego stron dodatnich. Brał często żywy i bezpośredni, nawet ofiarny udział w sejmach i posiedzeniach senatu, ciągnących się nieraz całymi godzinami. Nie nastawał bezwzględnie na swych przeciwników malkontentów (np. po sejmie z 1670 r.), a czasem szukał nawet pojednania, choć się to nie zawsze mu udawało (związki rodzinne Wiśniowieckich z Sobieskimi). Pilnował spraw państwowych, o czym świadczy jego liczna dyplomatyczna korespondencja oraz długi wykaz przywilejów dla miast i osób prywatnych. Z całym uporem wysyłał raz po raz uniwersały do szlachty i wojska, często nawet błagalne, kiedy zagrażało bezpośrednie niebezpieczeństwo. Marzył o sławie rycerskiej na czele zgromadzonego pod Lwowem wojska jesienią 1673 roku i gotów był pomimo choroby maszerować na Turka. Nie był też pozbawiony poczucia królewskiej godności, kiedy tak stanowczo odpowiedział prymasowi w czerwcu 1672 r. na jego żądanie dobrowolnej abdykacji.

Zbigniew Wójcik

JAN III SOBIESKI

„Król ten pochodził ze znakomitego i starożytnego rodu, bynajmniej jednak nie z najbardziej znaczącego ani z najbogatszego w Królestwie" – tak pisał o Sobieskim jego lekarz nadworny Irlandczyk Bernard Connor, autor bardzo interesującego dzieła o Polsce, który przebywał w naszym kraju pod koniec panowania Jana III. Zdanie to, jak wiele zresztą innych w tej książce, trafne i zmuszające do refleksji.

Rzeczywiście, jak to się stało, że owym drugim „Piastem" na tronie Rzeczypospolitej w XVII wieku był nie Radziwiłł, Lubomirski, Potocki, Pac czy Sapieha, lecz właśnie Sobieski? Jego nieudolny poprzednik na tronie Michał Korybut Wiśniowiecki nie był wprawdzie bogaty w chwili, gdy wkładano mu na głowę koronę królewską, ale do czasów powstania kozackiego na Ukrainie Wiśniowieccy byli właścicielami olbrzymich, bajecznych wprost dóbr z 230 tysiącami poddanych i 600 tysiącami złotych polskich dochodu rocznego, co było sumą na owe czasy ogromną. Poza tym był synem wielkiego Jaremy, idola szlachty w okresie powstania Chmielnickiego.

Czy koronę na głowę Sobieskiego włożyły tylko zręczne rączki Marysieńki, pełne ponadto pieniędzy odziedziczonych po pierwszym małżonku, Janie Zamoyskim? Tak uważali i uważają nadal niektórzy historycy. Czy tylko dziwny zbieg okoliczności i nieudolność dyplomacji zagranicznej doprowadziły do jego wyboru w roku 1674? Wszelka jednostronna interpretacja tego faktu jest, moim zdaniem, niesłuszna.

Urodzony 17 sierpnia 1629 roku na zamku w Olesku prawnuk po kądzieli hetmana Żółkiewskiego, dzieciństwo i młodość spędził Jan Sobieski podobnie jak wielu chłopców z rodzin magnackich. Ojciec jego Jakub, późniejszy kasztelan krakowski, a więc pierwszy świecki senator Rzeczypospolitej, miał wyjątkowe zrozumienie dla spraw edukacji, sam był zresztą człowiekiem gruntownie wykształconym. Konieczność zdobycia wszechstronnej wiedzy wyłożył obu synom, starszemu Markowi i młodszemu Janowi w prostych i dosadnych słowach: „Głupimi szlachcie starożytnej [...] szpetnie zgoła być [...]. Ludzie więcej sobie ważą chudego pachołka uczonego, aniżeli pana wielkiego [...] a błazna, co go sobie więc palcem ukazują".

Studiowali młodzi Sobiescy w Krakowie w słynnej szkole Nowodworskiego, później, w latach 1643–1646 na Wydziale Filozoficznym Akademii Krakowskiej, następnie zaś udali się za granicę, gdzie spędzili prawie dwa i pół roku (1646–1648). W czasie wojaży zagranicznych braci zmarł ich ojciec. Synowie wrócili do kraju na wieść o śmierci króla Władysława IV i wybuchu powstania na Ukrainie. Wkrótce obaj przeszli chrzest bojowy, a w słynnej bitwie pod Beresteczkiem (czerwiec 1651) przyszły król Polski został ciężko ranny. Brata spotkał los gorszy – zginął od noża tatarskiego w rzezi jeńców polskich pod Batohem w roku następnym. Cały okres po powrocie do kraju aż do drugiej połowy lat pięćdziesiątych, jeśli nie liczyć krótkiego epizodu dyplomatycznego w roku 1654, kiedy to znalazł się w orszaku posła wielkiego do Turcji Mikołaja Bieganowskiego, spędził Jan w szeregach. A w tych burzliwych czasach oznaczało to właściwie bezustanne wojowanie. Niestety,

Jan Sobieski według staloritu J. Thomsona

młody magnat nie zawsze walczył w szeregach polskich.

W czasie najazdu szwedzkiego, 16 października 1655 roku, jako pułkownik wojsk kwarcianych przeszedł do obozu zwycięskiego Karola Gustawa. Różnie ten jego krok starali się i nadal starają się wyjaśnić historycy. Jedni uważają, iż w decyzji jego nie było żadnej głębszej motywacji politycznej. Zrobił to, co zrobiło całe prawie wojsko i olbrzymia większość szlachty. Inni sądzą, że bliskie pokrewieństwo ze zdrajcą podkanclerzym Hieronimem Radziejowskim skłoniło go do opuszczenia prawowitego króla, jeszcze inni, że być może pociągnął go przykład bliskiego przyjaciela Jana Sapiehy.

W końcu marca 1656 roku porzucił z kolei Szwedów, za co Karol Gustaw kazał przybić jego nazwisko do szubienicy.

Okres wojen – kozackiej, moskiewskiej i szwedzkiej – rozszerzył znakomicie horyzonty wojskowe Sobieskiego, konfrontując jego wiedzę książkową z praktyką pól bitewnych w Polsce, na których krzyżowały się różne szkoły i metody ówczesnej sztuki wojennej. Wiele nauczył się pod Beresteczkiem, wiele przebywając w obozie szwedzkim i obserwując z bliska jedną z najlepszych ówczesnych armii europejskich, wiele w wielkiej trzydniowej bitwie pod Warszawą (28–30 lipca 1656), w czasie której atakował Szwedów i Brandenburczyków stojąc na czele sprzymierzonych wówczas z Polską oddziałów... tatarskich.

W obozie Jana Kazimierza przyjęto go z otwartymi ramionami, a w nagrodę za znakomitą postawę bojową w najbliższych miesiącach otrzymał godność chorążego koronnego, która otwierała widoki na buławę hetmańską. Poznał też na dworze królowej Ludwiki Marii Marię Kazimierę d'Arquien, kobietę, która miała się stać wielką miłością jego życia, ,,niepokonaną pasją", jak sam mówił, a która ,,ani sercem, ani umysłem nie dorosła go nigdy", jak surowo stwierdził jeden z biografów Sobieskiego. Nie wchodząc bliżej w szczegóły tego romansu, nie uwieńczonego na razie małżeństwem, trzeba stwierdzić przede wszystkim, że literatura staropolska zawdzięcza mu jeden z najświetniejszych jej zabytków epistolograficznych. Listy bowiem zakochanego Sobieskiego do pani jego serca to istne perły pięknej siedemnastowiecznej stylistyki.

Wielka miłość do Marysieńki miała również swe poważne reperkusje polityczne. Chorąży koronny związał się przez swą ukochaną, na razie cudzą żoną, całkowicie z dworem królewskim. A dwór ten pod przewodem królowej dążył wówczas coraz wyraźniej do reform, przede wszystkim do elekcji nowego króla za życia Jana Kazimierza (*electio vivente rege*).

Okres ten był prawdziwą szkołą wielkiej polityki dla Sobieskiego. Ze szkoły Ludwiki Marii wyniósł bez wątpienia jedno – zrozumienie konieczności reformy Rzeczypospolitej, które odtąd będzie mu towarzyszyć niemal do schyłku życia.

Związawszy się z obozem reformy stanął też, po długich zresztą wahaniach, po stronie dworu w jego walce z rokoszem (1665–1666), kiedy to masy fanatycznie przywiązanej do „złotej wolności" szlachty wystąpiły pod wodzą marszałka wielkiego i hetmana polnego koronnego Jerzego Lubomirskiego do walki z próbami jakichkolwiek reform, zwłaszcza z elekcją *vivente rege*. Serce kierowane przez Marysieńkę, a także rozum wiązały go z dworem, poczucie honoru żołnierskiego – z dawnym dowódcą Lubomirskim. Nie można zgodzić się z twierdzeniem, że tylko wpływ Marysieńki i nagłe szczęście jej posiadania zadecydowały o tym, iż Sobieski ostatecznie opowiedział się za królem, królową i ich stronnictwem. Złożyły się na to i te czynniki, o których mówiliśmy.

Sobieski otrzymał po Lubomirskim oba urzędy (marszałkostwo wielkie i buławę pol-

Hetman Jan Sobieski pod Chocimem według akwaforty R. de Hooghe

Jan III Sobieski (portret J.E. Siemiginowskiego)

ną koronną). Szlachta znienawidziła go za to, ale rozwój wydarzeń po zakończeniu rokoszu i śmierci dwóch głównych *dramatis personae* – Ludwiki Marii i Lubomirskiego, a zwłaszcza zwycięskie odparcie najazdu kozacko-tatarskiego pod Podhajcami w październiku roku 1667 przysporzyło mu z kolei ogromnej popularności. Zdecydowany już na abdykację Jan Kazimierz nadaje mu wkrótce wakującą buławę wielką koronną (5 lutego 1668). Nowo kreowany hetman wielki staje się niewątpliwie najpotężniejszą osobistością polityczną w Rzeczypospolitej.

Na elekcji 1669 roku popierał bez zastrzeżeń kolejne kandydatury francuskie. Niespodziewany dla wielu wybór „Piasta" Wiśniowieckiego był dla Sobieskiego i zaskoczeniem, i ciosem. Wraz z prymasem Prażmowskim i grupą innych jeszcze „malkontentów" przeszedł do zdecydowanej opozycji przeciwko „małpie", jak pogardliwie nazywał nieudolnego króla. Oficjalnie jednak nigdy z nim nie zerwał. Wkrótce sytuacja stała się niezwykle groźna. Na kraj zwaliła się potęga turecka. Padł Kamieniec Podolski. Turcy narzucili Polsce haniebny traktat pokojowy w Buczaczu (październik 1672) spychający Rzeczpospolitą właściwie do roli wasala Porty Ottomańskiej, a obłędy stronnicze nie wygasły. Konserwatywna szlachta utworzyła w obronie króla konfederację w Gołębiu, na co malkontenci z Sobieskim na czele, mając oparcie w wojsku, odpowiedzieli zorganizowaniem innej – w Szczebrzeszynie (jesień 1672). Malkontenci dążyli jawnie do detronizacji Michała Korybuta.

Trudny to okres w życiu Sobieskiego. Jeszcze trudniej historykowi okres ten ocenić. Hetman wielki nie był już wówczas tylko zacietrzewionym politykiem, lecz mężem stanu i wodzem, który miał nie tylko obowiązek obrony kraju, ale i prawo podejmowania decyzji o jego losie. Bronił zresztą tego kraju w momencie jego największego poniżenia, gdy komisarze polscy prowadzili beznadziejne negocjacje z Turkami, w momencie, gdy pałający ku niemu nienawiścią konfederaci gołąbscy żądali odebrania mu buławy hetmańskiej. Ten mąż stanu występował nie tylko przeciwko swemu nieudolnemu monarsze, nie tylko kierował niepodzielnie obroną Rzeczypospolitej, ale potrafił jednocześnie kreślić dalekosiężne plany rozwoju jej polityki zagranicznej, przedstawiając na dwóch kolejnych sejmach (wiosennym 1672 i zimowym 1673) dwa warianty tego rozwoju. Wotum hetmana przysłane na pierwszy z powyższych sejmów stanowiło rzeczywiście nie tylko znakomity przegląd aktualnych stosunków między Rzecząpospolitą i imperium osmańskim przedstawiony w odpowiednim kontekście sytuacji międzynarodowej, ale i konkretny plan działania, wizjonerskie spojrzenie w przyszłość. To chyba wówczas po raz pierwszy tak wyraźnie sformułował Sobieski swą wielką myśl polityczną, że Polska nie jest nieuchronnie skazana na wojny z Turcją i Tatarami i może szukać innych, korzystniejszych dla siebie rozwiązań, na przykład sprzymierzyć się z nimi przeciw Rosji.

Przeciwwagą tych planów było tzw. *consilium bellicum* na sejmie w czerwcu 1673 roku.

Pokazywało ono alternatywę ówczesnej polityki polskiej na arenie międzynarodowej. Alternatywą tą była wojna z Turcją w sojuszu z innymi jej wrogami. W jakąś nową krucjatę państw chrześcijańskich hetman wielki nie wierzył, sprowadzał więc rzecz do realnych sojuszów, a więc przede wszystkim z Austrią i Moskwą, a także z szyicką Persją, odwiecznym politycznym i religijnym wrogiem Turków. Radził też poruszyć Wołochów oraz ludy chrześcijańskie na Bałkanach, znajdujące się w niewoli tureckiej.

Bitwa pod Wiedniem według obrazu M. Altamontego

Jan III Sobieski pod Wiedniem (miedzioryt C. de la Haye według rysunku J.E. Siemiginowskiego)

Gdy Sobieski przedstawiał swój drugi memoriał, w Polsce panował już spokój, a zwaśnione obozy pogodziły się w obliczu wielkiego niebezpieczeństwa tureckiego. Zwycięstwo chocimskie (1673) i równoczesna niemal śmierć króla Michała otworzyły nowe bezkrólewie. Elekcja przyniosła nowy sukces „Piastowi”, tym razem Sobieskiemu, mimo początkowej zaciekłej opozycji Litwinów.

Wysunięcie jego kandydatury było niewątpliwie wypadkową wielu czynników politycznych, takich jak np. niezdecydowanie polityki francuskiej wobec nowej elekcji polskiej i, wspomniana już na wstępie, aktywność Marysieńki. Trzeba jednak zdecydowanie podkreślić, iż żadne najzręczniejsze nawet poczynania pani hetmanowej i sprzymierzonej z nią ostatecznie dyplomacji francuskiej nie wprowadziły-

by jej męża na tron, gdyby nie ogromna popularność Sobieskiego, zwycięzcy spod Chocimia, zbawcy ojczyzny, zarówno wśród szlachty jak i żołnierzy.

Na tronie polskim zasiadł nie tylko znakomity wódz, ale i wybitny mąż stanu. Pierwsze lata panowania upływają mu na ciężkiej wojnie z Turkami, z powodu której odkłada nawet uroczystą koronację swoją i żony. Równocześnie próbuje realizować dalekosiężne, wielkie plany polityczne, zarówno zewnętrzne jak i wewnętrzne. Świadczyły one, że ster rządów Rzeczypospolitej objął człowiek o tak szerokich horyzontach, jakich nikt z Polaków na długo przed nim i długo po nim nie miał. „Jan III[...] nie będąc z krwi królewskiej miał duszę królów” – napisze o nim jego osiemnastowieczny biograf, Francuz ksiądz Coyer.

Sobieski rozumiał, że konieczne są zasadnicze zmiany w polityce polskiej na arenie międzynarodowej i poważne wewnętrzne umocnienie państwa. Mimo głębokich tradycji antymuzułmańskich zakorzenionych w jego rodzie, nazajutrz niemal po. obiorze na tron usiłuje dokonać radykalnego zwrotu w polityce zagranicznej – pragnie zakończyć przy pośrednictwie Francji wojnę z Turcją, a następnie w oparciu o sojusz z Francją i Szwecją wszcząć akcję zbrojną przeciw Brandenburgii w celu zdobycia Prus Książęcych, by tym samym mocniej usadowić się nad Bałtykiem. Mając znakomite rozeznanie w układzie sił w Europie i rozumiejąc dogłębnie położenie międzynarodowe Polski, Jan III orientował się doskonale, że Brandenburgia i Rosja stanowiły dla Polski już wówczas poważne zagrożenie, a na przyszłość były o wiele bardziej niebezpieczne niż Turcja. W tej sytuacji – rozumował Sobieski – wojny z Turcją są szkodliwe dla Polski, a korzyść z nich mogą odnieść tylko Brandenburgia i Rosja.

Realizacja wspomnianych zamierzeń królewskich wzmocniłaby ogromnie pozycję Rzeczypospolitej wobec Rosji, z którą Polska nie miała jeszcze wówczas trwałego pokoju, zmuszając państwo carów do ustępstw w ciągnących się latami rokowaniach i zaniechania ekspansywnej polityki w stosunku do Polski.

Ta nowa polityka królewska, zwana w historiografii polskiej polityką bałtycką Sobieskiego, nie była bynajmniej utopijna, była osadzona na gruncie jak najbardziej realnym, miała bowiem całkowite poparcie pierwszej potęgi ówczesnej Europy – Francji Ludwika XIV. Państwo to prowadziło wtedy wojnę z koalicją, w której elektor brandenburski Fryderyk Wilhelm odgrywał czołową rolę. Związanie się Jana III z Francją i jej sojusznikiem Szwecją stwarzało też możliwości odzyskania dla Polski Śląska, znajdującego się pod panowaniem Habsburgów, dziedzicznych wrogów Walezjuszy i Bourbonów.

Perspektywy zaiste oszałamiające! Można je chyba śmiało porównać tylko z tymi w przeszłości, które otworzyły się przed Polską po unii z Litwą i po zwycięstwie nad zakonem krzyżackim.

Opozycja, z jaką spotkały się te plany w polityce zagranicznej wewnątrz kraju, zmusiła króla do prowadzenia całkowicie tajnej dyplomacji. Podstawowe dla realizacji założeń polityki bałtyckiej traktaty – jaworowski z Francją (11 czerwca 1675) i gdański ze Szwecją (4 sierpnia 1677) – zostały podpisane przez Jana III w zupełnej tajemnicy. Jedynie rozejm z Turcją w Żurawnie (17 października 1676) i nieszczęsny traktat pokojowy zawarty przez wojewodę chełmińskiego Jana Gnińskiego w Stambule (1678) były oficjalne, legalne.

Zamierzenia na arenie międzynarodowej wiązał ściśle Sobieski z planami reform wewnętrznych. Zdobyte na elektorze Prusy Książęce miały się stać, według zamysłów Jana III, dziedzicznym księstwem we władaniu rodu Sobieskich. Dawałoby to rodowi temu szansę również na elekcyjną czy dziedziczną koronę polską, a to już wiązało się z królewskimi planami reform wewnętrznych. Król wiedział, że dalszy postęp anarchii w życiu politycznym kraju, której najjaskrawszym przykładem były wówczas sejmy, może doprowadzić Polskę do katastrofy. W październiku 1674 roku, a więc w kilka miesięcy po elekcji, zwierzył się dyplomatom francuskim, iż gotów jest przeprowadzić w Polsce absolutystyczny zamach stanu. Absolutystyczny oczywiście na miarę polską, a nie francuską, nie zamierzał bowiem zlikwidować instytucji przedstawicielsko-stanowych szlachty, takich jak sejm, sejmiki czy trybunały. Nie zamierzał też zbudować w Warszawie Bastylii ani wprowadzić polskich *lettres de cachet*. To na pewno! Przecież zwiedziwszy w czasie swych młodzieńczych peregrynacji Francję nabrał głębokiej niechęci do absolutyzmu burbońskiego, któremu, jak sam mówił, ,,zgnoić największego w Bastylii wolno człowieka". Z drugiej strony chciał jednak znacznie wzmocnić władzę centralną, wprowadzić dziedziczność tronu, znieść zgubne *liberum veto*, ukrócić gadulstwo sejmów. Autor pisma propagandowego, które ukazało się w końcu grudnia 1678 roku w okresie sejmu grodzieńskiego, pisma bez najmniejszej wątpliwości inspirowanego przez króla i jego otoczenie, biadoli nad stanem państwa i dochodzi do wniosku, że nieodzowna jest Rzeczypospolitej ,,możność rządzenia i konieczność posłuszeństwa, czego wszystkiego już u nas nie masz, bo sekret jest w tym, że władza jest za mała".

Jakiekolwiek wzmocnienie władzy królewskiej w Polsce było w pojęciu szlachty i kierujących nią magnatów równoznaczne z *absolu-*

Jan III Sobieski według medalu J. Hohna

tum dominium, a o nim słyszeć nie chciano, nienawidzono go wręcz patologicznie. Jak zauważył trafnie jeden z cudzoziemców, zastraszająco działały tu przykłady turecki i moskiewski. Szczególna zaciekłość opozycji skierowała się zarówno w pierwszych latach panowania Jana III jak i później przeciwko próbom zapewnienia pierworodnemu królewskiemu Jakubowi korony polskiej jeszcze za życia ojca.

Bezwzględna i uporczywa działalność opozycji zachęcanej do czynu przez obce dwory wrogie Sobieskiemu i przede wszystkim zmiana w międzynarodowej sytuacji politycznej doprowadziła do całkowitego załamania się wielkich planów królewskich. Decydujący cios zadał niewątpliwie sojusznik francuski. *Le Roi-Soleil* przestał popierać swego alianta nad Wisłą z chwilą, gdy w latach 1678–1679 udało mu się przeprowadzić pacyfikację Europy zachodniej, w wyniku czego jego dotych-

czasowy wróg elektor Fryderyk Wilhelm stał się jego klientem i przyjacielem zarazem. Jednocześnie i w swej polityce wschodniej – wobec Turcji i Rosji – poniósł Jan III zdecydowaną porażkę. Nie udało mu się, nie z jego zresztą winy, znaleźć jakiś rozsądny *modus vivendi* z Portą ani współdziałać z nią przeciw Moskwie. Nie udało mu się pozyskanie tejże Moskwy dla idei „złączenia sił" (tj. przymierza wojskowego) przeciw imperium osmańskiemu, mimo że gorąco namawiał do tego cara Fiodora Aleksiejewicza, snując przed nim, między innymi, śmiałe i znakomicie przemyślane plany podboju chanatu krymskiego (1679).

Plany króla polskiego runęły niczym domek z kart. Sobieski – mąż stanu poniósł wielką, niepowetowaną klęskę, a wraz z nim takąż klęskę poniosła i Polska. Wspaniała, jakaś neojagiellońska wizja wskrzeszenia mocarstwowej Rzeczypospolitej rozwiała się raz na zawsze. Klęska nie załamała go jednak. Zdecydował się na zerwanie z polityką profrancuską i powrót do tradycyjnej w tym stuleciu polityki przymierza z Habsburgami. Mimo ogromnych trudności zdołał rozbić, na krótko zresztą, opozycję magnacką. Cesarz Leopold I, traktujący zrazu swego nowego sojusznika bez entuzjazmu, znalazł się wkrótce w sytuacji, która zmusiła go do zawarcia natychmiastowego przymierza z królem polskim. Armie tureckie pod wodzą wielkiego wezyra Kara Mustafy stanęły pod murami Wiednia.

W wyniku traktatu podpisanego nieco wcześniej (31 marca 1683) z cesarzem, po kilku tygodniach Jan III znalazł się na czele wojsk polskich pod obleżoną stolicą. 12 września tego roku połączone siły polskie, cesarskie i książąt Rzeszy odniosły wspaniałe zwycięstwo nad armią osmańską. Głównym autorem zwycięstwa był bezsprzecznie król polski, który po mistrzowsku, ze znakomitym wykorzystaniem warunków topograficznych zaplanował i przeprowadził decydujący atak husarii ze szczytów podwiedeńskich. Tej roli Polaków i ich króla nie chce po dzień dzisiejszy uznać część historyków w niektórych krajach.

Zwycięstwo wiedeńskie przyniosło Janowi III i orężowi polskiemu wiekopomną chwałę i odbiło się głośnym echem w całej Europie. Wszyscy niemal monarchowie słali zwycięzcy listy z gratulacjami i wyrazami niekłamanego podziwu. Zwycięstwo weszło do wielkich tradycji narodowych Polski, szczyci się nim każdy Polak, któremu nie jest obojętna przeszłość własnego narodu. Ale z perspektywy historycznej trudno ograniczyć się tylko do takiego stwierdzenia. Załamanie potęgi ofensywnej Turcji i związanie się następnie z Habsburgami, Wenecją i papiestwem tzw. ,,Ligą Świętą" (1684) nie przyniosło Polsce właściwie żadnych korzyści. W toku dalszej wojny z Turkami oręż polski ponosił coraz więcej porażek, blask zwycięstwa wiedeńskiego bladł z roku na rok, z miesiąca na miesiąc... Bladła też aureola polskiego władcy. W roku 1686 Polska zmuszona została zostala, w znacznym stopniu pod wpływem sojuszników z Ligi, pójść na ustępstwa wobec Rosji i zawrzeć z nią niekorzystny pokój.

Powiedeńska polityka zagraniczna Sobie-

Pałac w Wilanowie

A son eminence.
Monseigneur le Cardinal de Forbin de Janson, Evesque et Comte de Beauvais, Pair de France, Commandeur de l'ordre du S.t Esprit ...

Jan III z rodziną (miedzioryt B. Fariata według obrazu H. Gascara)

skiego ujęta w „jarzmo Ligi Świętej", jak to świetnie określono w historiografii polskiej, nie miała niestety już nic wspólnego z wielkimi perspektywami polityki bałtyckiej. Były w niej jeszcze przebłyski szerszego spojrzenia, gdy król usiłował znaleźć sprzymierzeńców w swej walce z Turcją poza ramami Ligi, w świecie islamu (Tatarzy, Persja) lub gdy myślał o zhołdowaniu Polsce księstw naddunajskich, znajdujących się w wasalnej zależności od Turcji. Próbował też wrócić do starej przyjaźni francuskiej. Wszystko bezskutecznie...

Sytuacja wewnątrz kraju pogarszała się systematycznie. Magnateria, przerażona ogromnym wzrostem autorytetu króla w Europie po triumfie wiedeńskim, nasilała akcję przeciw niemu, pociągając za sobą swą klientelę szlachecką. W nienawiści do Sobieskiego oraz jego planów dynastycznych i reformatorskich złączyli się wszyscy niemal, bez względu na orientację w polityce zagranicznej. I „Francuzi", i „Austriacy" rozpoczęli przeciw niemu bezpardonową, zaciekłą walkę. Nie było oszczerstwa ani kłamstwa, do którego by się nie zniżyli, byle tylko zaszkodzić królowi. Sejmy (np. 1685, 1688/89) stały się widownią gorszących zajść i właściwie obrazy majestatu. Jan III podejmuje jeszcze rzuconą mu rękawicę. Miał poparcie najbliższych powierników, wśród których czołowe miejsce zajmował jego sekretarz, późniejszy referendarz koronny, Stanisław Szczuka. Za Sobieskim stała w tym czasie także część, i to spora, szlachty. Rzecz ciekawa i godna odnotowania, że większość czołowych regalistów tego okresu wywodziła się ze średniej, nie zaś z najbogatszej szlachty.

Sytuacja tak się wkrótce ukształtowała, że król mógł próbować zawiązać konfederację części szlachty i rozpocząć walkę zbrojną z opozycją magnacką. Zachęcał go do tego gorąco jeden z jego zwolenników, kasztelan sandomierski Stefan Bidziński, nawołując, by puścił krew Rzeczypospolitej. Na tragicznym sejmie warszawskim 1688/89 większość posłów żądała tzw. sejmu konnego i konfederacji wojskowej w celu bezwzględnego rozprawienia się z opozycją. Poważna część szlachty zadeklarowała na sejmikach relacyjnych całkowite poparcie królowi i prosiła go, aby mimo wszystko ,,tej obłąkanej Rzeczypospolitej nawą[…] raczył kierować”.

Król nie potrafił jednak być konsekwentny i zdecydowany na wszystko. Popełniał wiele błędów. Jeden chyba z najjaskrawszych na Litwie, gdzie zwalczając znienawidzonych Paców i opierając się początkowo na Sapiehach doprowadził do tak niebezpiecznego wzrostu tego rodu, że w konsekwencji doprowadziło to, już po śmierci Jana III, do wybuchu wojny domowej w Wielkim Księstwie. Sobieski nie podjął w końcu ryzyka wojny domowej, nie zdecydował się na zniszczenie opozycji siłą. Na pytanie, dlaczego, można by zaproponować niejedną odpowiedź, każda z nich zawierałaby na pewno elementy prawdy, nie byłaby jednak pełna. Jeżeli z tych ewentualnych odpowiedzi wysunę tu na czoło dwie, to zdaję sobie całkowicie sprawę z subiektywnego charakteru mej propozycji. Wydaje mi się jednak, że nie był

on już wówczas zdolny psychicznie, po goryczy tylu niepowodzeń i klęsk, do podjęcia tak wielkiej i brzemiennej w skutki decyzji. Poza tym przegrał walkę z opozycją również dlatego, że nie potrafił zapomnieć o tym, iż sam był jednym z magnatów, nie potrafił wznieść się ponad nich. I z jednej jeszcze rzeczy należy zdawać sobie sprawę. Sobieski był wielkim wizjonerem, wielkim strategiem politycznym, taktykiem natomiast słabym. Nie potrafił dobrze na co dzień prowadzić gry politycznej.

Na radzie senatu w marcu 1688 roku wygłosił Sobieski pełne tragizmu przemówienie. ,,Zdumiewa się i słusznie – mówił z boleścią – cały świat nad nami i nad rządami naszemi, zdumiewa się Rzym z głową chrześcijaństwa, zdumiewają się sprzymierzeńcy, zdumiewa się pogaństwo, ale zdumiewa się sama natura, która najmniejszemu i najlichszemu zwierzęciu dawszy sposób obrony, nam tylko samym odejmuje nie jakaś przemoc albo nieuniknione przeznaczenie, ale jakoby z umysłu jakaś nasadzona złośliwość. O, dopieroż zdumieje się potomność, że po takowych zwycięstwach i tryumfach, po tak szeroko na świat rozgłoszonej sławie, spotka nas teraz, ach, żal się Boże, wiekuista hańba i niepowetowana szkoda, gdy się tedy widzimy bez sposobów i prawie bezradni albo niezdolni do rady (rządzenia – przyp. Z.W.)”. Kapitulując przed przeciwnikami dodał jeszcze król na zakończenie mowy złowieszcze proroctwo: ,,Jeszcze czterdzieści dni, a Niniwe zniszczoną zostanie”.

Pełen goryczy, przeraźliwie osamotniony i w kraju, i w pewnym stopniu także we własnej rodzinie, Jan III przedwcześnie starzał się, stawał się małostkowy, zdziwaczały i przede wszystkim chciwy tak, że mamy prawo postawić pod znakiem zapytania jego uczciwość.

Szkicując sylwetę króla Jana skoncentrowa-

dziedziny jak jego wspaniała sztuka wojenna, którą podziwiali i nadal podziwiają specjaliści historii wojskowości, jego mecenat artystyczny, jego zamiłowania do lektury, jego ciekawa doprawdy osobowość intelektualna. A dzieje jego wielkiej miłości, Marysieńki, którą historycy chyba jednak trochę skrzywdzili. A legenda króla Jana, a polemiki wokół jego postaci i ewentualna rozprawa ze znaną książką Boya... To może przy innej okazji.

Tu chciałbym jedynie dodać coś innego. Za niewzruszony niemal dogmat uchodzi twierdzenie, że w polityce liczą się tylko rezultaty i tylko nimi mierzy się wielkość polityków i mężów stanu. Przy ocenie postaci wybitnych w naszej historii jest to kryterium nie do przyjęcia. Wolno nam przeto stwierdzić, że Sobieski był nie tylko wielkim wodzem, ale również wybitnym politykiem i mężem stanu. Nakreślił plan zasadniczej reformy wewnętrz-nej państwa, pomyślanej w ten sposób, by wzmocniwszy władzę królewską, nie wprowadzała ona do Rzeczypospolitej absolutyzmu nie tylko typu moskiewskiego czy tureckiego, lecz nawet francuskiego czy habsburskiego. Walki o reformę państwa nie podejmował Jan III ze straconych pozycji, przeciwnie, istniejące ścisłe *iunctim* między poczynaniami na forum międzynarodowym i zamierzeniami wewnątrz kraju, dawało mu w pierwszych latach panowania wielkie szanse. Później niestety brakło mu już konsekwencji w działaniu. A zresztą przeszkód, które wyrosły przed nim nie pokonałby chyba nikt...

W jednym z diariuszy z końca XVII wieku czytamy pod datą 18 czerwca 1696 roku: ,,Dzisiejszej nocy hora 10 (czerwiec – przyp. – Z.W.) oddał Panu Bogu ducha król jegomość[...] z ciężkim krzykiem na on świat poszedł''.

Andrzej Zahorski

AUGUST II

Elektor saski Fryderyk August I z rodu Wettinów, który jako król Polski przyjął imię Augusta II, a zwany był przez współczesnych Mocnym ze względu na herkulesową siłę, wśród wielu Polaków ma opinię najgorszego spośród wszystkich władców, jacy zasiadali na tronie Rzeczypospolitej. Sporo osób sądzi, że był to potwór, który zniesławił poczet królów polskich, osobnik o miedzianym czole, władca bez czci, honoru, charakteru, zdrajca i przeniewierca, oszust i szalbierz. Nie szczędzili Augustowi słów twardych i ocen surowych dwaj sumienni badacze jego dziejów Władysław Konopczyński i Józef Feldman, ale dostrzegli w jego charakterze również cechy dodatnie. Najwybitniejszy współczesny badacz czasów saskich Józef Andrzej Gierowski spojrzał na króla Augusta II inaczej, w jego ujęciu cechy diaboliczne tego władcy zniknęły, pojawił się natomiast dramat polityka inteligentnego, bystrego, o zdumiewającej energii i odporności, człowieka bezwzględnego i upartego, który popełnił ogromne błędy, ale i nie był pozbawiony zasług. Istota niepowodzeń tkwiła i w charakterze Sasa, i w czynnikach odeń niezależnych, których żadną miarą przezwyciężyć nie mógł. Książki Gierowskiego pokazały czytelnikowi, jak niezmiernie trudna była epoka, w której przyszło Augustowi II rządzić, i jak często rzekomo wielkie jego błędy były wynikiem fatalnego zbiegu okoliczności. Dysponując bogatym i różnorodnym dorobkiem historiografii polskiej, a także niemieckiej odnoszącej się do tego władcy, spróbujmy możliwie najbezstronniej ocenić rolę jego jako króla Polski.

Jak się wyżej rzekło, był to człowiek atletycznej budowy, łamał podkowy i giął żelazo, jako mężczyzna był piękny i pociągający, o ogromnej sile witalnej i niewiarygodnej odporności na trudy fizyczne. Biesiady, hulanki, pijaństwo to upodobania, które towarzyszyły mu do ostatnich dni życia. Cóż to był za smok na kobiety! Ilość pań, które przesunęły się przez jego królewsko-elektorskie łoże, nie została wprawdzie dokładnie zliczona, bo przerasta to możliwości historyków, ale wiadomo, że były wśród nich księżne i hrabiny, mieszczki i podrzędne aktoreczki, a także zwyczajne plebejki. Żadnych narodowościowych czy klasowych przesądów tu August nie przejawiał, byle pani była ponętna. Ktoś tam się później podśmiewał, że August przyczynił się swym nieokiełznanym temperamentem do wzrostu ludności w Warszawie i Dreźnie. Natomiast te wszystkie damy, stanowiące o urodzie jego życia, na sprawy polityczne miały wpływ minimalny; te rzeczy rozgrywał wyłącznie ,,między nami, mężczyznami''.

Co do wykształcenia saskiego Herkulesa, to było ono typowe dla ówczesnych rodzin panujących, określić je można jako wykształcenie dworskie, dające ogólne i powierzchowne rozeznanie w ówczesnym stanie wiedzy. Uzupełnił je August, co wówczas było typowe, podróżami po dworach europejskich. Jego uroda, piękna prezencja, temperament i nieograniczona pewność siebie wytworzyły w nim wiarę we własne niezmierzone możliwości i chorobliwie wygórowały ambicję. Ciekawość jego wzbudzały modne wówczas: alchemia, kabalistyka i astrologia. Pozbawiony metafizycznych skłonności, w sprawach religijnych prezentował już oświeceniowy sceptycyzm.

Urodzony w 1670 roku przeżył lata młodzieńcze w okresie największego rozkwitu wpływów Ludwika XIV. Młody August zapatrzył się z uwielbieniem najwyższym w „Króla Słońce" i pozostał wierny do końca temu zachwytowi. Król Francji stanowił dlań model władcy. Absolutyzm w duchu francuskim stał się dlań jako dla elektora saskiego i króla polskiego wzorem do naśladowania. Po objęciu rządów pragnął wprowadzić silną absolutną władzę królewską i stało się to ideowym fundamentem, na którym opierał główne zręby swego programu politycznego. Zresztą Francja Ludwika XIV imponowała mu nie tylko jako model ustrojowy, ale również w dziedzinie kultury. Francuski klasycyzujący barok i wykwintne rokoko przy poparciu Augusta łatwo mogły się zakorzenić w jego saskiej stolicy w Dreźnie, a na skutek dalszych wydarzeń politycznych Drezno oddziaływać zaczęło na Warszawę stając się w wielu dziedzinach pomostem kultury między Paryżem a stolicą Rzeczypospolitej. Doświadczenia wojskowego nabrał August na różnych szczeblach dowodzenia w walce przeciwko Francji w Niderlandach i nad Renem (1689–1693). A już po objęciu tronu elektorskiego w Saksonii w 1694 roku w ciągu dwóch następnych lat nauczył się sztuki dowodzenia na najwyższym szczeblu jako wódz armii cesarsko-saskiej przeciw Turkom na terenie Węgier. W bitwach odznaczał

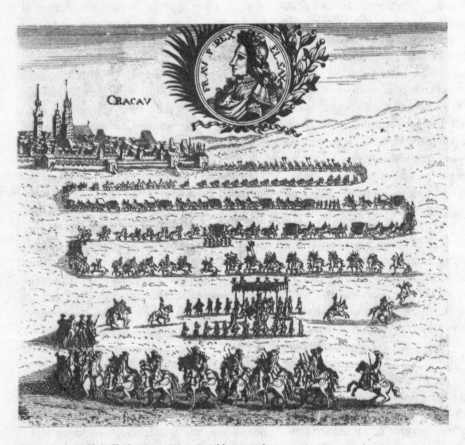

Wjazd Augusta II do Krakowa na uroczystości koronacyjne

412

się wielką brawurą i odwagą, natomiast nie miał uzdolnień operacyjnych i nigdy nie zabłysnął talentem jako wódz.

Gdy objął rządy nad Saksonią, był to kraj rozwinięty gospodarczo, jeden z przodujących na terenie Niemiec. Duża zamożność panowała wśród mieszczaństwa i szlachty, Lipsk był jednym z większych ośrodków handlu tranzytowego w Europie. Reprezentacja polityczna klas uprzywilejowanych – stany saskie – nie aprobowała programu wzmocnienia władzy elektora, nie pragnęła wcale, aby August przeszczepił system rządów Ludwika XIV do Saksonii. Mimo różnych manewrów i gwałtów ze strony Augusta nie potrafił on złamać jej prerogatyw. Stanowiło to przyczynę, dla której August nie mógł bez ograniczeń czerpać z zasobów Saksonii do swoich rozgrywek w Polsce. Stany zakładały sprzeciw, co stanowiło hamulec, z którym nie mógł sobie, mimo przeróżnych wybiegów i gróźb, poradzić. W konsekwencji zaważy to niekorzystnie na jego pozycji w Polsce.

August II (portret L. Silvestre'a)

Gdy August wysuwał swą kandydaturę na tron Polski po śmierci Jana III, miał na uwadze dwa cele. Pierwszy, szerszy – wzmocnienie Saksonii i Polski przez połączenie zasobów obu tych państw, aby wspólnie utworzyły znaczną potęgę w Europie środkowo-wschodniej mogącą stanowić silną podstawę dla dynastii Wettinów przy próbie wydarcia korony cesarskiej Habsburgom. Pierwszy cel okazał się chimeryczny i August musiał zeń szybko zrezygnować. Natomiast drugiemu, węższemu programowi pozostał wierny do grobowej deski. Chodziło mianowicie o trwałe związanie Polski z dynastią Wettinów przez wprowadzenie w Rzeczypospolitej rządów dynastycznych i absolutnych. Zabrał się do dzieła ostro i realizację swych zamierzeń w Polsce rozpoczął od zadania gwałtu wolnej elekcji. W wyniku bowiem agitacji dworu wersalskiego wybór miał prawie zapewniony kandydat francuski książę Conti i zapewne zostałby królem Polski, gdyby Polacy mogli się swobodnie wypowiedzieć. Jednakże energicznie zaczęły działać państwa ościenne, a car Piotr I wręcz zagroził wojną oświadczając, że wybór kandydata Francji, sojuszniczki Turcji, na tron polski uzna za akcję wrogą Rosji. August uzyskał więc poparcie jako kandydat antyfrancuski; nie zapomniał też i o argumentach brzęczących, sypnął pieniędzmi i z wojskiem saskim wkroczył do Polski. Na polu elekcyjnym na Woli 27 czerwca 1697 roku mniejszość zastraszona lub przekupiona okrzyknęła Augusta królem Polski. Wprawdzie książę Conti próbował lądować w Zatoce Gdańskiej, ale szybko zwinął żagle stwierdzając zupełny brak szans na zwycięstwo.

Szlachtę polską ujął August II przyjęciem 2 czerwca 1697 roku religii katolickiej, co doprowadziło do rodzinnych swarów, gdyż żona jego, Krystyna Eberhardyna, zagorzała luteranka, nie chciała zmienić wiary, dlatego też nigdy do Polski nie przyjechała, bo nie będąc katoliczką nie mogła być koronowana na królową Polski. Aby zapewnić tron swemu synowi, późniejszemu królowi Augustowi III, ojciec odebrał go matce, powierzył opiece jezuitów i doprowadził do przyjęcia przezeń katolicyzmu. Krystyna Eberhardyna, która nienawidziła męża wzbudzającego w niej wstręt swą rozpustą i cynizmem, sama o usposobieniu poważnym i zasadniczym, po konwersji syna doznała ciosu bardzo bolesnego, z mężem była w całkowitej separacji, prawie go nie widując. Luteranizm silnie zakorzeniony był w Saksonii, dlatego też sascy poddani Augusta czuli się zagrożeni przez swego władcę, katolickiego neofitę. Jednak obawy ich były płonne. August nie miał zamiaru nikogo na siłę nawracać, katolicyzmu odrestaurowywać. Katolicyzm służył mu jako fasada potrzebna do utrzymania rządów w Polsce. Sam faktycznie chyba w nic nie wierzył, choć gdy zaistniała potrzeba publiczna, potrafił akcentować nawet z okrucieństwem swe oddanie dla świeżo przyjętej wiary.

Elekcja Augusta II ma szczególną wymowę; wprawdzie przekupstwo istniało i na elekcjach poprzednich królów polskich, nigdy jednak nacisk obcych państw i jawna interwencja wojskowa kandydata na króla nie przybrała form równie brutalnych. Od tej pory natomiast była to już stała praktyka. Obce potencje będą odtąd decydować, kto ma być królem Polski. Jest to wyraźna zapowiedź utraty pełnej suwerenności państwa, a proces ten pogłębiało dalsze panowanie króla Sasa. Elekcję Augusta II jednoznacznie ocenił Władysław Konopczyński: ,,Bezkrólewie 1696–97 r. najdłuższe i najniemoralniejsze w dziejach naszych ujawniło zupełną dezorientację polityczną społeczeństwa wśród intryg cudzoziemskich, głęboki zanik ducha publicznego [...] i dało narodowi króla, który go jeszcze gorzej miał znieprawić".

Początki rządów Augusta Mocnego zapowiadały się jednak pomyślnie. Dogasała właśnie wieloletnia wojna koalicji zwanej Ligą Świętą z Turcją i król polski spodziewał się na zarysowującej się wielkiej klęsce Turcji i spodziewanym rozbiorze tego kraju dobrze zarobić. Snuł nierealne plany, że opanuje Konstantynopol, a w mniej pomyślnym przypadku chociaż posiądzie Mołdawię i za cenę jej połączenia z Polską wprowadzi w Rzeczypospolitej rządy dynastyczne. Rzeczywistość zadała cios tym Augustowym fantazjom. Turcja nie uległa likwidacji, skończyło się na ogólnym pokoju karłowickim w 1699 roku, w którym Polsce przypadł Kamieniec Podolski, co w opinii polskiej nie było zasługą Augusta II, ale nagrodą ciężko, krwawo i ofiarnie zapracowaną przez Jana III, który odniósł tu swój ostatni sukces, lecz już pogrobowy.

Skoro nie nasunęła się okazja obalenia zasad ustrojowych Polski w oparciu o uzyskanie popularności wśród Polaków przez przyłączenie Mołdawii, August II dla tych samych absolutystyczno-dynastycznych celów próbował wykorzystać wybuch ostrej wojny domowej, jaka rozpaliła się na Litwie. Powodem konfliktu była tyrania potężnego rodu Sapiehów, która tak dokuczyła szlachcie i pomniejszym magnatom, że doszło do walki. Król pod pretekstem mediacji wprowadził wojska saskie na Litwę i tak manewrował, żeby oficjalnie zachęcając do pojednania jeszcze bardziej rozsierdzić zwalczające się strony. Doszło do krwawej bitwy pod Olkienikami (2 XI 1700), gdzie rozwścieczona szlachta rozniosła na szablach jednego z Sapiehów, a inni pouciekali, głównie do Szwecji. Zabiegali teraz u króla Szwedów Karola XII o podjęcie wojny z Augustem II przeniewiercą, podstępnym dwulicowym kłamcą i tyranem.

Akcja Sapiehów u boku Karola XII miała o tyle duże znaczenie, że właśnie szykowała się wielka zawierucha wojenna zwana drugą wojną północną. Głównym przeciwnikiem w tej wojnie była Szwecja zwalczana przez koalicję rosyjsko-sasko-duńską. Celem zaś tej wojny było pozbawienie Szwecji jej posiadłości nadbałtyckich. Wojna ta (1700–1721) jest mniej znana w społeczeństwie polskim, niż na to zasługuje. Następstwa jej były bowiem ogromnie ważne dla całej Europy, a w tym i dla Rzeczypospolitej. Przyniosła ona przede wszystkim w następstwie trwałe ograniczenie suwerenności państwowej Polski, która z tego ciosu podźwignąć się już nie potrafiła i odtąd stała się faktycznie państwem wasalnym ograniczonym w swej samodzielności politycznej przez sąsiadów. Określmy, jaką rolę odegrał w tej wojnie August II. Celem, jaki sobie postawił przystępując do walki, było opanowanie Inflant szwedzkich, z której to zdobyczy chciał uczynić państwo dziedziczne Wettinów. W zamyśle jego miały Inflanty odegrać taką samą rolę jak uprzednio Mołdawia. Za cenę ich przyłączenia do Rzeczypospolitej spodziewał się uzyskać nastroje szlachty sprzyjające wprowadzeniu rządów absolutnych w Polsce. Zamierzał August II utworzyć zuniowane państwo polsko-saskie rządzone absolutnie. Spodziewał się, że z tych perypetii wojennych na wschodzie Europy wyjdzie jako król potężny na wzór Ludwika XIV, a przy tym panować będzie nad bardziej rozległym terytorium niż król francuski.

Dla uzgodnienia walki i przyszłego podziału zdobyczy spotkali się w Rawie Ruskiej w 1698 roku dwaj alianci: Piotr I i August II. Co za kapitalne zetknięcie tych dwóch władców o ciekawych indywidualnościach! Piotr I, faktyczny twórca nowej Rosji, car o kamiennym sercu, barbarzyńskich obyczajach, chłopskim sprycie, lisiej przebiegłości, wielkiej inteligencji, charakter pełen sprzeczności o odruchach pełnych poświęcenia i samozaparcia. I jego sprzymierzeniec, August II, równie inteligentny i przebiegły, bardziej cyniczny w polityce, chimeryczny fantasta, zuchwały i zdolny do ryzyka jak i Piotr, ale przy tym nie posiadający tak genialnego jak Rosjanin wyczucia rzeczywistości. Obaj byli siłaczami, pod względem fizycznym przedstawiali się jak dwa potężne niedźwiedzie. Obaj zaczynali grę jak najserdeczniejsi przyjaciele, a skończą jak zdecydowani wrogowie. Tymczasem szli ręka w rękę przeciw Szwedom. Wojna północna zaczęła się, żeby posłużyć się słynnym określeniem Szwejka, ,,przesławnym laniem". Karol XII pobił Duńczyków, Rosjan, Sasów, po czym wkroczył do Polski, mimo zabiegów polskich senatorów tłumaczących, że Rzeczpospolita jest państwem neutralnym, a wojnę prowadzi wyłącznie August II jako elektor saski. Bez walki zajął Warszawę, doprowadził do ogłoszenia detronizacji Sasa i na komedianckiej elekcji pod szwedzkimi muszkietami wybrać kazał antykróla w osobie wojewody poznańskiego Stanisława Leszczyńskiego (13 lipca 1704). Miała więc Polska dwóch królów, ale w oczach większości prawowitym władcą był jednak August II. Łupiestwa szwedzkie zrażały szlachtę do Leszczyńskiego, która w zawiązanej konfederacji sandomierskiej opowiedziała się po stronie Augusta II. Nadto Sas wzmocnił swą pozycję przymierzem narewskim zawartym z Piotrem I (30 sierpnia 1704), w którym car zapowiedział mu udzielenie dalszej pomocy, a po wojnie zapewniał oddanie Inflant. Było to jednak dzielenie skóry na niedźwiedziu, bo Karol XII ciągle był górą i postanowił przede wszystkim skoncentrować się na wyeliminowaniu głównego, jak sądził, sprawcy koalicji przeciwszwedzkiej, obmierzłego mu Augusta II. Po zwycięstwach w Polsce wtargnął więc do Saksonii zmuszając Sasa do haniebnej kapitulacji w Altransztadzie (24 września 1705), w myśl której elektor saski zrzekał się korony polskiej. Tym wszystkim w oczach Polaków i całej Europy wykazał brak charakteru i słabość, a wydając w ręce Karola przywódcę opozycyjnej szlachty inflanckiej, Reinholda Patkula, popełnił najpospolitszą podłość.

Mimo swych oświadczeń August Mocny nie zaprzestał intrygować, w Polsce podtrzymywał kontakty z magnatami, podkopywał Leszczyńskiego i zabiegał na dworach europejskich o powrót do Rzeczypospolitej. Czas swój spędzał uczestnicząc w wojnie sukcesyjnej hiszpańskiej przeciw Francuzom w Belgii (1707) i budował przeróżne polityczne domki z kart, to marząc o koronie belgijskiej, to znów neapolitańskiej, to wreszcie nawet jerozolimskiej. Wszystkie te dziecinne igraszki Augusta II

Pałac Brühla w Warszawie

przecięły decydująco wieści ze wschodniej Europy. Oto w bitwie pod Połtawą (8 lipca 1709) car Piotr I zadał druzgocącą i zupełną klęskę Karolowi XII. Bitwa ta stanowi prawdziwą epokę w dziejach Europy środkowo-wschodniej, oznacza definitywny koniec potęgi Szwecji i narodziny potęgi Rosji, która wpływem swym sięgnąć miała nie tylko na tereny nadbałtyckie odebrane Szwedom, ale również na obszar Rzeczypospolitej.

W wyniku tego doniosłego zwycięstwa Piotra I August wraca do Polski wezwany przez swoich stronników zgrupowanych w konfederacji sandomierskiej, odwołuje swą abdykację jako wymuszoną i obejmuje rządy nad Polską. Jednakże władza jego była bardzo krucha i niepewna. Wracał faktycznie z łaski Piotra w wyniku jego zwycięstwa połtawskiego. Car decydował się na utrzymanie go na tronie i w nowym przymierzu zawartym w Toruniu (20 października 1709) obiecał mu pomoc wojskową i ,,swe dobre usługi''. Ale jakże zupełnie zmieniła się sytuacja od czasów pierwszego spotkania obu monarchów w Rawie Ruskiej! Wtedy Piotr I i August II mówili jak równy z równym, byli aliantami w całym tego słowa znaczeniu. Obecnie August II był tylko ,,u boku'' Piotra I i o równości sprzymierzeńców nie mogło być mowy. August zależał od Piotrowej decyzji, car decydował, czy dostanie coś przy podziale szwedzkich posiadłości i czy w ogóle będzie dalej w Polsce rządził. A tu tymczasem intrygi Karola XII i Leszczyńskiego, którzy mieli swoich wpływowych popleczników w Polsce, gmatwały sytuację jeszcze bardziej. Wprawdzie na jakiś czas osłabła kuratela rosyjska, bo wojna z Turcją w latach 1710–1713 była dla Piotra niepomyślna, ale ożywiły się również w Polsce zabiegi zwolenników Leszczyńskiego. Zamiary zdetronizowania Augusta II zapalały wyobraźnię wielu pol-

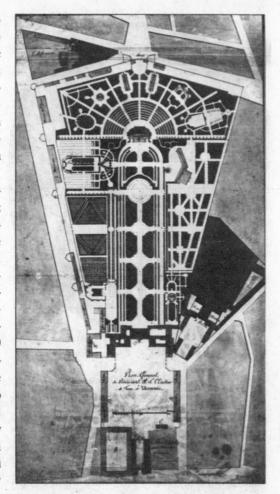

Plan pałacu i ogrodu saskiego w Warszawie

skich magnatów grożąc nową wojną domową.

August II po takich perypetiach i dzięki obcej pomocy wracając do Polski niewiele zmienił swój program polityczny. Nadal pragnął przekształcenia Rzeczypospolitej w dziedziczne dla Wettinów, absolutne państwo. Chciał całkowicie podporządkować sobie sejm, znieść *liberum veto*. Wykorzystując czas wojny rządził przez wiele lat (1701–1718) bez zwoływania sejmów (odbyły się wówczas tylko

August II według sztychu F. Schencka

Dużo jego pomysłów było ciekawych i słusznych, jednakże idea *absolutum dominium* o którą go stale podejrzewano, była w Polsce nie do zrealizowania. W czasach Augusta II kiełkują już różne zdrowe prądy reformatorskie. Jeden z nich, „republikański", pragną zreformowania sejmu oraz sejmików i powołania wokół nich władz centralnych i stanowczo odrzucał absolutyzm. W myśl swych zamierzeń król dążył natomiast do podporządkowania sobie sejmu i władz centralnych. Szlachta w większości odczuwała głęboką obawę przed wprowadzeniem tyranii królewskiej. Zdawała sobie co prawda sprawę, że jest źle, ale nie akceptowała w większości reform z obawy, że przyniosą one zagładę jej przywilejów.

Sądzę, że znacznie ponętniejsza była w swe koncepcji reforma republikańska, jako bardziej zgodna z polską myślą polityczną, a była również głębsza, bo przecież rząd absolutny, nieodzowny często w czasie wojny, prowadzi w razie przedłużania tego systemu na następne lata do doraźnych sukcesów, ale niósł również na dalszą metę poważne niebezpieczeństwa, jak wyjałowienie myśli politycznej, dotkliwe spustoszenie w psychice i mentalności rządzonych, przyzwyczajonych do biernej akceptacji poczynań rządu, który odzwyczajał od myślenia i krytycyzmu, a nagradzał bierne i bezmyślne posłuszeństwo. Otóż mniejszość szlachty z podskarbim Janem Jerzym Przebendowskim gotowa była poprzeć zamierzenia Sasa, większość jednak była tej koncepcji króla przeciwna. Absolutyzm nie cieszył się poparciem starych rodów magnackich, dlatego też August II tworzył nową magnaterię. Wspomnijmy przykładowo, że to on do rzędu wielkości w państwie doprowadził podupadły stary ród Czartoryskich, on też wprowadził na widownię polityczną bardzo utalentowanego szlachetkę Stanisława Poniatowskiego. Ale i tu spotkał go na

trzy sejmy nadzwyczajne). Takie postępowanie króla, który w rządach opierał się na radzie konfederackiej z eliminacją sejmu, wywołało zaniepokojenie szlachty i musiał on z tych prób zrezygnować. Próbował zaszczepić w Polsce niektóre wzory saskie. Nie udało mu się jednak utworzenie, jak w Saksonii, tajnego gabinetu złożonego z osób przez siebie mianowanych, jako nowego w Polsce organu władzy wykonawczej. Próbował wreszcie August bez powodzenia ograniczyć wszechwładzę hetmanów i walczył o zapewnienie sobie wpływu na obsadzenie godności duchownych. Ciągle brakowało mu pieniędzy. Chciał wzmocnić skarb królewski drogą racjonalnego zagospodarowania królewszczyzn. Wzrostu zamożności kraju dopatrywał się w rozwoju handlu i rzemiosła, stąd starał się o rozszerzenie przywilejów miast, uzdrowienie polityki celnej, inicjował rozbudowę górnictwa.

ogół zawód, bo ludzie przezeń do wysokich godności wyniesieni też nie byli skłonni do popierania króla bez zastrzeżeń. Lapidarnie i trafnie te różne trudności Sasa podsumował Gierowski, pisząc: ,,Dramatem Augusta II było, że nie tylko nie potrafił realizować swych niejednokrotnie ciekawych zamysłów, ale że wiele z nich przynosiło skutki odwrotne do zamierzonych". Najgroźniejszym następstwem dla Polski było to, że próby reform Augusta II właśnie wzmocniły nastroje konserwatywne i niechęć do wszelkich reform zakorzeniła się na długi czas w sercach i umysłach szerokich rzesz szlachty.

Zniszczenia w wojnie północnej były bardzo dotkliwe, zacofanie gospodarcze Polski w stosunku do Europy zachodniej, które już było widoczne w drugiej połowie XVII wieku, jeszcze się pogłębiło i spowodowało, że dążenie do postępu, które już od lat dwudziestych XVIII wieku można obserwować wśród szlachty, było jednak bardzo wolne. Zbyt dużo trzeba było zaległości nadrobić. August II starał się oddziaływać na te dziedziny gospodarki, które były dlań podstawowe z punktu widzenia jego zamierzeń absolutystycznych. Dwór Sasa, liczny i bogaty, imponował Polakom, a podobało się i to, że był on księciem Rzeszy. Nieokiełznana zmysłowość króla u jednych budziła zgorszenie, a u drugich podziw dla jego niezmierzonej siły i temperamentu.

August II był też mecenasem, zwłaszcza w dziedzinie architektury. Drezno zawdzięcza mu wiele pięknych budowli, szczególnie zaś pałac Zwinger. Pragnął też August Mocny, aby i jego miasto rezydencjalne w Polsce – Warszawa zostało rozbudowane. Trudności polityczne i nie zakończona wojna nie przeszkadzały mu, aby około 1713 roku zapoczątkować prace nad wielkim przedsięwzięciem w stolicy. Pragnął wznieść sobie w Warszawie

wspaniałą rezydencję, która stanowiłaby należytą oprawę dla jego majestatu. W ten sposób powstaje w stolicy Polski słynne założenie urbanistyczne zwane Osią Saską. Dzieło to zyskało wysoką ocenę specjalistów jako czołowe osiągnięcie urbanistyki polskiej okresu późnego baroku. Wspomnijmy też, że za Augusta II wytyczono od placu Trzech Krzyży w kierunku południowym Drogę Kalwaryjską, która wiodła do grobu Chrystusa usytuowanego w pobliżu pałacu Ujazdowskiego. Droga ta dała początek dzisiejszym Alejom Ujazdowskim. Przyczynił się też August II do budowy koszar dla Gwardii Pieszej Koronnej, które stanęły na terenach dzisiejszej Cytadeli. Wzniósł nadto król osiem budynków koszarowych przed pałacem Kazimierzowskim, dzisiejszym głównym gmachem Uniwersytetu Warszawskiego, który podarował swemu ulubionemu dworzaninowi Józefowi Sułkowskiemu. Napływali do Warszawy za Augusta II rzemieślnicy, wśród nich liczni Sasi pracujący na potrzeby dworu królewskiego. August II udzielił zgody pijarom na założenie w Warszawie pierwszego czasopisma ogólnokrajowego ,,Kuriera Polskiego". Warszawa zawdzięcza wiele Augustowi, który tworzył w niej swą rezydencję z dynamizmem i rozmachem zaplanowaną, lecz oczywiście wielu rzeczy, które rozpoczął, nie ukończył, bo brakowało mu na to pieniędzy.

Po restauracji swych rządów w Polsce bardzo prędko zorientował się August II, że spadł do roli króla zależnego od potężnego sąsiada, który zapewnił mu tron, a teraz trzymał żelazną ręką. Okazało się też, że wbrew uprzednim nadziejom nie otrzyma August II Inflant, bo car zakwestionował jego prawo do tego nabytku. August Mocny stara się przeciwstawić przygniatającej przewadze wczorajszego wyzwoliciela, a dzisiejszego gnębiciela. Gotów był nawet porozumieć się osobno ze Szwecją. Car szybko zorientował się w zamierzeniach Augusta II i zaczął tworzyć w Polsce stronnictwo swych poplecznik ów, które mogło królowi zagrozić rokoszem. August od czasu powrotu do Polski trzymał tu wojsko saskie, które gnębiło i wykorzystywało Polaków. Nadto zaś szlachta podejrzewała, że stanowi ono w planach Augusta sprawne narzędzie dla wprowadzenia absolutyzmu.

Obawy szlachty, że August II dąży do absolutystycznego zamachu stanu, wyładowały się w zawiązaniu konfederacji tarnogrodzkiej dla obrony przywilejów. Król próbował rozładowywać nastroje i zgłaszał gotowość przystąpienia do konfederacji. Jednakże przywódcy konfederacji odtrącili te propozycje króla i uciekli się pod opiekę cara. August II czynił dalsze manewry, aby się pojednać ze szlachtą bez obcej interwencji, gdy jednak konfederaci zagrozili mu detronizacją, zdecydował się prosić o rosyjską mediację. Tak doszło do pamiętnego Sejmu Niemego 1717 roku, gdzie wprawdzie skrępowano wszechwładzę hetmanów, zakazano tworzenia konfederacji, ale i króla zmuszono do ograniczenia liczby wojsk saskich w Polsce i uzależnienia decyzji monarszej od Rady Senatu. Liczbę wojska polskiego ustalono na 24 tys., co było liczbą znikomą wobec wielkości armii sąsiadów. Wiele reform skarbowych wówczas przeprowadzonych miało charakter korzystny. Rola posła rosyjskiego na sejmie była decydująca, znaczyło to, że faktycznie car stawał się gwarantem zawartego układu między królem i jego poddanymi. Reformy podjęte na tym sejmie nie zostały ukończone. Wiele zależało od tego, czy uda się je rozwinąć i wykończyć na sejmach następnych. Jeszcze w 1719 roku próbował August II odzyskać suwerenność i starał się skłonić Habsburgów i króla Anglii do wspólnej akcji przeciw

Piotrowi. Próba wyrwania się spod Piotrowego dyktatu nie udało się Augustowi Mocnemu. Położyła tę akcję króla głęboka doń nieufność szlachty. Sas przegrał sprawę reform kraju i odzyskania niepodległości Rzeczypospolitej. August zbyt cynicznie dotąd oszukiwał, aby mu wierzono teraz, gdy rzeczywiście grał rzetelnie, a opozycja szlachecka rozbudowywana pod auspicjami Prus i Rosji położyła kres podjętym wówczas przezornym i słusznym planom ratowania Rzeczypospolitej.

Rok 1720 ostatecznie przekreślił wszelkie próby Augusta II. Zorientował się on wówczas, że z Polakami się nie pojedna, reform nie przeprowadzi, a rosyjskiego uchwytu nie zdoła rozerwać. Postanawia więc działać inaczej, bez udziału Polaków i w sekrecie przed nimi ofiarowywał sąsiadom po kawale ziemi polskiej, aby w pozostałym w jego ręku kadłubie ziemi polskiej wprowadzić reformy. Obiecywał wiele Hohenzollernom brandenburskim, podjudzał do specjalnie ostrych wyroków na luterańskie władze Torunia w 1724 roku po zamieszkach na tle religijnym, aby wobec Europy obnażyć fanatyzm wyznaniowy Polaków i uczynić Europę skłonniejszą do ustępstw na rzecz rozbioru Rzeczypospolitej.

Fryderyk I, król pruski, zabiegał już w 1709 roku u Piotra I o Prusy Królewskie, Żmudź i Kurlandię, ale uzyskał twardą odpowiedź cara: *es sei nicht praktikabel*. Car Piotr nie pragnął zagłady Rzeczypospolitej, nie zgadzał się też na jej rozbiór, bo uważał za niekorzystne wzmacnianie jej ziemiami ościennych państw niemieckich. Car prowadził politykę zmierzającą do narzucenia swego protektoratu nad całą Polską, tej polityce pozostał wierny i przekazał ją swym następcom. Ostatnie lata rządów Augusta II są mało znane, niektóre problemy zbadał ostatnio Andrzej Rosner. August w latach 1732 i 1733 podjął ostatnią dramatyczną próbę przeprowadzenia reformy w państwie: inicjatorami jej byli Czartoryscy z nim współdziałający. Sejm 1732 roku opozycja zerwała już z trudem. Zaniepokojeni sąsiedzi zawiązali w tymże roku traktat Trzech Czarnych Orłów mający na celu utrzymanie zastoju i anarchii w Polsce. Ale król był dobrej myśli i wydaje się, że sejm 1733 roku miał duże szanse naprawy Rzeczypospolitej. Niestety po wielkim pijaństwie król zjechał śmiertelnie chory do Warszawy. I w strasznej męce, przeklinając tych, co go do Polski przywiedli, na Zamku Królewskim w nocy z 31 stycznia na 1 lutego życie zakończył.

Ostatnie słowa, jakie wyrzekł, brzmieć miały: ,,Całe moje życie było jednym nieprzerwanym grzechem. Boże, zlituj się nade mną".

Ten nieprzeciętnie zdolny człowiek, o przeogromnych ambicjach, często trafnych ocenach i poczynaniach był politykiem, który nie cofał się i nie rezygnował do końca. Historia Polski nie zna postaci równie pełnej siły, uporu, o tak sprzecznych, często chimerycznych dążeniach. Był to człowiek nietuzinkowy, stanowiący niepospolitą mieszaninę zalet męża stanu i wad cynicznego oszusta. Życie przegrał, polityki polskiej wygrać nie potrafił, umiał do końca żyć z rozmachem i fantazją, zdumiewając ognistą zmysłowością i temperamentem. Bajeczny, barwny, tragiczny król stanął na bezdrożach przedostatniego aktu polskiego dramatu i nie potrafił mimo wielu wysiłków zapobiec klęsce kraju znajdującego się na skraju przepaści.

Andrzej Zahorski

STANISŁAW LESZCZYŃSKI

Stanisław Leszczyński żył najdłużej ze wszystkich polskich królów, bo blisko 90 lat. A przypadło mu żyć w okresie dla dziejów Polski ważnym, faktycznie decydującym o jej dalszych tragicznych losach, o rozbiorach i likwidacji Rzeczypospolitej jako państwa. Urodził się za Jana III w roku 1677, a więc na parę lat przed odsieczą wiedeńską, czyli ostatnim w dawnej Rzeczypospolitej wielkim zwycięstwem oręża polskiego. Umarł w roku 1766, już za Stanisława Augusta, tym razem na parę lat przed katastrofą pierwszego rozbioru. Pochodził z wpływowego rodu magnatów wielkopolskich. Leszczyńscy od wielu już pokoleń dzierżyli godności senatorskie i ministerialne, byli skoligaceni z wieloma możnymi rodzinami w całym kraju. Gospodarni i oszczędni wykazywali zainteresowanie problemami kultury i życia artystycznego. Wiązali się z reformacją, ale po powrocie w połowie XVII wieku do katolicyzmu zachowali tolerancję w sprawach religijnych, przykładali też wagę do wykształcenia – cenili ludzi książek i pióra. Zarzucić im zaś można pychę rodową, prywatę znamienną dla wielu polskich magnatów, którzy bez wahań czy rozdarcia sumienia prowadzić potrafili własną politykę wbrew królowi i z niekorzyścią Rzeczypospolitej, lecz z myślą o splendorze własnego rodu. Początek lat męskich Stanisława Leszczyńskiego przypada na okres, gdy już sława i potęga Polski, jeszcze widoczne w jego dzieciństwie, gwałtownie się załamują. ,,Rzeczypospolita staje się karczmą zajezdną", uwidacznia bezsiłę i obnaża wobec całej Europy swe słabości ustrojowe. Zanika zrozumienie polskiej racji stanu wśród elity rządzącej, a równocześnie rodzi się i potężnieje dążenie do naprawy. Zatacza coraz szersze koła przekonanie obejmujące liczne kręgi magnatów i szlachty, że w ojczyźnie źle się dzieje, że trzeba kraj zreformować, unowocześnić, wzmocnić, bo inaczej grozi ruina i zagłada całości. Uświadomienie sobie własnego upadku jest ważnym etapem na drodze do podjęcia prób naprawy. Tylko jak iść ku lepszemu, tego zdezorientowana, karmiona od wieków fikcją rzekomej równości szlachta polska nie widzi. Obawa przed tyranią króla, rozdarcie inter majestatem et libertatem stanowi podstawowy dylemat, którego rozwiązać nie umie. Stąd tyle szamotania wewnętrznego, tyle poszukiwań, tyle szlachetnych odruchów, tyle zaprzepaszczonych myśli i idei, takie nieraz traktowanie jawnego wstecznictwa jako postępu, a odrzucanie myśli szlachetnych i twórczych w panicznym strachu, że wiodą na bezdroża. Stanisław Leszczyński był nieodrodnym synem swego wieku. Ocenić go można tylko na tle jego epoki; jego umysłowość, mentalność, psychikę da się zrozumieć wówczas, gdy będziemy pamiętać, że był to z urodzenia, wychowania magnat polski okresu budzącego się Oświecenia. Stąd tak wiele w jego postępowaniu, w jego działalności politycznej, w jego poglądach kontrowersji. Podobnie jak wielu magnatów tej epoki często błądził, często szukał po omacku, często nie wiedział, gdzie leży zło. Bystry i inteligentny, a jednak nierzadko zagubiony, stąpający po bezdrożach, stanowi wdzięczne pole dla ocen sprzecznych. Nic więc dziwnego, że tyle o nim wypowiedziano poglądów różnych, tyle wzbudził wątpliwości w dziełach historyków, przez jednych akceptowany z entuzjazmem, przez innych zaś ostro potępiany. Zbyt często wydając nań wyrok historycy izolowali go nadmiernie od społeczeństwa jego epoki, od ukształtowanej na przełomie XVII i XVIII wieku elity władzy, która rządziła Rzecząpospolitą. Dopiero to tło pozwala wyważyć ocenę sprawiedliwszą, rozłożyć należycie blaski i cienie.

Umysłowość Stanisława Leszczyńskiego budziła zainteresowanie koryfeuszy myśli politycznej we Francji w XVIII wieku. W słowach pełnych głębokiego uznania pisał o nim Monteskiusz, natomiast Wolter oczywiście nie byłby sobą, gdyby poza słowami sympatii nie dorzucił i drobnych uszczypliwości. Na przełomie XVIII i XIX wieku w Polsce i Francji pisze się o królu Stanisławie z wyrazami najwyższego szacunku i sympatii, podkreśla się jego wielką kulturę umysłową, jego walory jako męża stanu. Gdy po powstaniu styczniowym historyczna szkoła krakowska wypracowywała nową syntezę historii Polski, to oceniając Stanisława Leszczyńskiego, jeden z najbardziej znanych historyków tej szkoły Józef Szujski wprowadził go do polskiego panteonu narodowego pisząc, że był to ,,król rozumny, wolny od namiętności, znany z cnót [...], którego jakoby po raz ostatni w tej właśnie postaci, z tymi łagodnymi, anielskimi przymiotami dawało niebo, aby Polaków skupić około władzy i prawa''. A w kilkadziesiąt lat później, na przełomie XIX i XX wieku, jakże inny Leszczyński wyjrzał z prac Pierre Boyé, historyka francuskiego, który dziejom króla Stanisława poświęcił swe życie. Badania tego francuskiego erudyty pokazały bowiem Leszczyńskiego jako figurę nieciekawą, poniżej przeciętnego poziomu polityka i człowieka. Ta przeczerniona ocena wynikła z oburzenia Boyégo, że Francja w czasach Ludwika XV wiązała się ze sprawą polską, komplikując sobie przez to stosunki z Rosją. Boyé pisał swą podstawową książkę o Leszczyńskim przed pierwszą wojną światową, w dobie francuskich nadziei na przymierze z caratem i jak wielu ówczesnych Francuzów uważał, że popieranie sprawy polskiej było już w XVIII wieku błędem polityki jego kraju. Francuzi starali się bowiem wciągnąć w orbitę swych wpływów naród i państwo skazane na zagładę, gmatwając sobie niepotrzebnie stosunki z rosnącymi w potęgę państwami w Europie środkowej, wrogimi Polsce. Cały ten prezentystyczny punkt widzenia francuskiego dziejopisa musi być oczywiście zakwestionowany jako nieprzekonywający. Nie podzielili też historycy polscy okresu międzywojennego dwudziestolecia niechęci Boyégo do Stanisława Leszczyńskiego, aczkolwiek odeszli od entuzjastycznej oceny Józefa Szujskiego, dostrzegając w królu wiele wad i wskazując na błędy, lecz w ostatecznym rachunku podnosząc też poważne jego zalety jako reformatora państwa i męża stanu oddanego sprawie niepodległości Polski (Józef Feldman).

Z nauki w gimnazjum wyniosłem obraz Leszczyńskiego jako prawego, lecz nieszczęśliwego polityka i szlachetnego reformatora. Sądzę, że ten model Stanisława I, dobrego władcy, dość oderwany od epoki i kontekstu społecznego, funkcjonuje w odczuciu społecznym i dziś jest też dość powszechny w opinii tych, którzy profesjonalnie nie zajmują się historią. Do tych cech ogólnie mu przyznawanych należy chyba dorzucić jeszcze jedną, niewątpliwie w opinii społecznej funkcjonującą – Leszczyński to król-rodak, pielęgnujący polskie cnoty, przeciwstawiony kosmopolitycznym, niemoralnym i faktycznie wrogim Polsce – Sasom. Ten właśnie stereotyp króla ,,Piasta'' pasuje do wizji Matejkowskiej. Został on bowiem namalowany przez mistrza Matejkę jako król-swojak, postawny, bardzo polski szlachcic.

Stanisław Leszczyński (mezzotina J. Stenglena według portretu D. Kleina)

Wykształceniem nie różnił się Leszczyński specjalnie od innych magnatów tego okresu. Najważniejszym elementem tej edukacji byli guwernerzy domowi, którzy obok ogólnego zarysu ówczesnej wiedzy wyuczyli go języka francuskiego. Nie miał jednak Leszczyński uzdolnień do języków i mimo wielkiego osłuchania we francuskim czynił błędy ortograficzne i nie nauczył się nigdy pisać poprawnie w tym języku. Nieodzownym uzupełnieniem edukacji były wojaże zagraniczne. Objechał też Stanisław jako młodzieniec Europę, zawadził o wszystkie większe dwory europejskie, a według późniejszych panegirystów, którym nie dajemy wiary, wzbudzał wielki zachwyt różnych wybitnych ówczesnych osobistości.

Zarówno staranne wychowanie i obycie, jak i osobiste walory i predyspozycje psychiczne powodowały, że od wczesnej młodości do późnej starości był człowiekiem ujmującym, łatwo zyskującym sobie przyjaciół. Posiadał dużą kulturę i ogładę towarzyską oraz typową dla ludzi tej epoki powierzchowną, ale szeroką wiedzę o wszystkim. Jako przedstawiciel polskiej elity magnackiej mógł w końcu XVII wieku, gdy rozpoczynał swą karierę polityczną, spodziewać się, że osiągnie najwyższe ministerialne godności w Rzeczypospolitej, urzędy kanclerza, marszałka, a nawet hetmana. Te dostojeństwa to byłaby normalna kariera Leszczyńskiego, taką bowiem w tym czasie zapewniała Rzeczypospolita swoim synom najzamożniejszym, pochodzącym z rodów senatorskich. Jednakże zbieg okoliczności zdecydował, że Leszczyński wszedł jeszcze o szczebel wyżej i sięgnął po koronę królewską, jako, po Michale Korybucie i Janie Sobieskim, trzeci „Piast" wśród królów elekcyjnych. Zanim doszło do tych wydarzeń, utwierdził młody Leszczyński swoją zamożność, dorzucając do własnych dóbr dziedzicznych wielki posag swojej żony Katarzyny Opalińskiej. Zamożna panna wzmocniła Leszczyńskiego majątkowo i ułatwiła start polityczny, ale nigdy do siebie go nie przywiązała. Niezbyt pociągająca i bez polotu, ogromnie zasadnicza, żyła nie z nim, ale przy nim, dzieliła jego dolę i niedolę, ale gorzkniała szybko i nie była mu pomocna w politycznych perypetiach.

Początek działalności politycznej Leszczyńskiego stanowiło objęcie funkcji poselskiej na sejmie konwokacyjnym po śmierci Jana III i elekcyjnym w czerwcu 1697 roku, kiedy to wybrany został królem elektor saski August II Mocny. Młody jeszcze bardzo, dziewiętnastoletni zaledwie i bez doświadczenia politycznego Stanisław Leszczyński już wtedy wykazał zręczność w łagodzeniu zaognionych spraw przy godzeniu rozjątrzonych wielmożów. Bronił on taktownie honoru ojca oskarżanego, zresztą chyba nie bez racji, o konspiracyjne organizowanie związku wojskowego w czasie elekcji. Te wydarzenia na elekcji to tylko niewielki prolog jego kariery jako polityka, której pierwszy doniosły akt wpisać miały wydarzenia wojny północnej (1700–1721). Głównymi przeciwnikami w tej wojnie byli z jednej strony Karol XII, król szwedzki, a z drugiej car Piotr I i August Mocny, który jednak w wojnie tej uczestniczył nie jako król Polski, lecz tylko jako elektor saski. Nadzieja na łatwe ograbienie Szwecji okazała się zwodnicza, Karol XII zadał klęski Piotrowi i Augustowi, po czym, mimo oświadczeń polskich senatorów o neutralności Rzeczypospolitej, wkroczył do Polski i bez oporu zajął Warszawę głosząc, że jest przyjacielem Polaków i że ich wyzwalać pragnie od haniebnych rządów króla Sasa przeniewiercy, władcy bez honoru i charakteru. W Polsce zakotłowało się straszliwie. Wprawdzie większość szlachty widziała nadal prawowitego króla w Auguście, ale jego klęski, małoduszność, niezręczność wzmogły opozy-

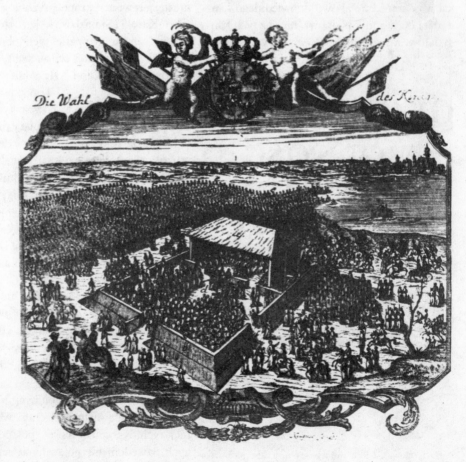

Elekcja Stanisława Leszczyńskiego

cję, która najsilniej ujawniła się w Wielkopolsce. Ojciec Stanisława – Rafał Leszczyński – był jednym z pierwszych magnatów oskarżanych o zdradę. Tłumaczył się, pisał manifesta, opierał naciskom, to kłamał, to nadstawiał szabli, a coraz mocniej lgnął do szwedzkiego protektora. Gdy w czasie tej ożywionej krzątaniny zmarł nagle, spadkobiercą jego polityki stał się syn Stanisław, wówczas dwudziestosześcioletni wojewoda poznański.

Tymczasem Karol XII nabił sobie głowę pomysłem, że zdetronizuje Augusta i uszczęśliwi Rzeczpospolitą królem ,,Piastem''. Szukał więc wśród Polaków odpowiedniego kandydata do korony. Najpoważniejsi z tych kandydatów, młodzi Sobiescy, wpadli w zasadzkę

GŁOS WOLNY
WOLNOŚĆ
UBESPIECZAIĄCY.

ROKU PANSKIEGO
M. DCC. XXXIII.

Karta tytułowa ,,Głosu wolnego wolność ubezpieczającego''

Augusta, który ich uwięził i w ten sposób wyeliminował z gry. Tymczasem w kwietniu 1704 roku spotkali się po raz pierwszy Stanisław Leszczyński i Karol XII w Lidzbarku. Szwedzki król bardzo sobie upodobał poznańskiego wojewodę i niebawem powziął decyzję, aby go zrobić królem polskim. Wchodziły tu w grę względy polityczne i psychologiczne. Politycznie Leszczyński był już wówczas zdecydowanie związany z orientacją szwedzką, spalił faktycznie możliwości porozumienia z Augustem. To dawało jakąś rękojmię, że będzie Karolowi posłuszny. Historycy podkreślają również stronę psychologiczną kontaktu Karola i Stanisława wskazując na zarysowującą się tu sympatię tych obu ludzi na zasadzie *les extrêmes se touchent*. Wyglądało to bowiem tak: Karol XII, żołnierz i prostak, odważny do szaleństwa, lakoniczny i zamknięty, wróg wszelkich uciech życiowych; i Stanisław, cywil całkowity, upatrujący piękno życia w wygodzie, luksusie, sybaryta w dobrej kuchni rozkochany, a przy tym człowiek o wielkiej ogładzie, związany z centrami kultury europejskiej, umiejący mówić łagodnie i rozlewnie. Jakaż to różnica kapitalna! Tu chmurny młodzieniec, król Szwedów, i tam polski magnat, potomek może nie tyle rycerskich tradycji Lechistanu, co przedstawiciel miękkiego europejskiego rokoka.

Elekcja Stanisława (2 lipca 1704), który na rozkaz szwedzki zgodził się być wybrany na króla polskiego, to farsa, parodia i potwarz dla narodu. Wojsko szwedzkie otoczyło pole koło wsi Wola pod Warszawą, gdzie odbywała się owa ,,wolna elekcja''. Wiło się tam po tym polu nieco senatorów kupionych przez Szwedów i gromada pijanej szlachty. Wielu wybitniejszych dygnitarzy nawet spośród sprzyjających Szwedom nie pojawiło się na elekcji ze wstydu wobec tego, co się tam wyprawiało.

I oto huknęły działa szwedzkie i ,,pan zasiadł na majestacie", miała Polska króla – ,,Piasta" Stanisława I. Był to król bez pieniędzy, z niewielkim wojskiem, całkowicie zdany na szwedzkiego protektora, uległy wobec niego i pokorny. Snuł on jakieś chimeryczne plany zmian terytorialnych, błagał, aby Szwedzi tak brutalnie Polski nie łupili, a 4 października 1705 roku w kościele Św. Jana został koronowany na życzenie Karola XII. Po czym podpisał traktat przyjaźni polsko-szwedzkiej. Nazwa nie oddaje jednak należycie treści tego dokumentu, był to bowiem traktat pełnej podległości Polski uznającej w Szwecji swą protektorkę. W myśl tych postanowień Szwedzi uzyskiwali w Polsce rozległe przywileje handlowe, wypowiedzenie zaś tego traktatu przez Polskę było niemożliwe, gdyż istnienie jego utrwalała odpowiednio sformułowana gwarancja, w myśl której Szwedzi mieli prawo wkraczać z wojskiem do Polski i pouczać Polaków, gdyby ci zapomnieli o konieczności dotrzymania narzuconych im postanowień. Rządy Stanisława zależne były od zwycięstw szwedzkiego miecza. Utwierdzone więc zostały w 1706 roku, kiedy to Karol XII wkroczył do Saksonii i zmusił Augusta do zrzeczenia się korony polskiej. Te wydarzenia wzmocniły Stanisława, próbował przeciągać do siebie stronników Augusta, mianował nowych dygnitarzy, usiłował zapobiegać gwałtom wojskowym. Wszystko zależało jednak od dalszych zwycięstw Szwedów, a tymczasem w 1709 roku Karol XII ruszył przeciw Rosji i doznał druzgocącej klęski pod Połtawą. Była to bitwa o znaczeniu epokowym, od tej pory kończy się bowiem wielkość Szwecji, a na jej miejsce wyrasta Rosja, która sięga po hegemonię w Europie środkowej.

Do Polski wraca August II, a Stanisław ucieka do Turcji, aby wraz z Karolem XII, który tu się schronił po klęsce, skłonić Turków do interwencji przeciw Rosji. Przygotowując tę wojnę Karol XII wysłał do Szwecji Stanisława jako swego regenta dla przygotowania kraju do nowej wojny. Stanisław został wodzem naczelnym armii szwedzkiej, która z Pomorza miała zaatakować Polskę. Na szczęście Stanisław nie musiał rzeczywiście dowodzić, wystarczyło, że firmował walkę, bo od komenderowania armią byli doświadczeni szwedzcy generałowie. Oczywiście w Szwecji Stanisław nie był lubiany, oskarżano go, że jest *spiritus movens* uciążliwej wojny straszliwie wyniszczającej kraj, bo opętał Karola XII, którego upór zmierza do utrzymania śmiesznego panowania Leszczyńskiego w Polsce, zdecydowanie już dla wpływów szwedzkich straconej. Sam Stanisław widząc realnie sytuację gotów był abdykować, co było przyjmowane z wielką aprobatą przez dygnitarzy szwedzkich. Aby rzecz całą uzgodnić z Karolem XII, przekradł się znów Stanisław do Turcji, a tu snuli obaj przeróżne plany, wśród nich również rozbioru Rzeczypospolitej na rzecz jej sąsiadów, aby z pozostałych ziem wykroić państwo dla Stanisława. Załamanie nadziei na pomoc Turków powoduje powrót Stanisława do Szwecji (1714). Karol XII osadza wygnanego i zawiedzionego polskiego rozbitka w swojej nadreńskiej posiadłości w Księstwie Dwóch Mostów, gdzie Stanisław zamieszkał z rodziną, a miał tu swój dwór i strzegący jego bezpieczeństwa oraz oddający mu monarsze honory garnizon szwedzki. Liczył się więc nadal w polityce ten polski monarcha bez ziemi. Okazało się bowiem, że August II, wracając do Polski dzięki zwycięstwu Piotra I, poczuł, iż opieka cara jest mu zbyt ciężka, i próbował odzyskać samodzielność. Ogromnym niesmakiem napełniały te manewry Mocnego króla jego rosyjskiego przyjaciela i z nieoczekiwanej rosyjskiej strony

Stanisław Leszczyński (sztych z pracowni Carsa według Vanloo)

wydało się, że powieje dla Stanisława korzystny wiatr. Nie doszło do tej ostateczności. W Polsce ostał się August II, a Stanisław pozostał na szwedzkim garnuszku w Księstwie Dwóch Mostów i prosił żałośnie o wsparcie najpierw Karola XII, a po jego śmierci (1718) następców tego króla, bo mu, jak obrazowo uzasadniał, bieda w oczy zagląda. Osobiście przeżył Stanisław tragedię, bo zmarła mu w osiemnastej wiośnie starsza córka Anna, inteligentna, ukochana, budząca najlepsze rodzinne nadzieje. Król August Mocny pragnąc raz na zawsze pozbyć się znienawidzonego rywala, sięgnął do metod, jakże żywo przypominających dwudziestowiecznych gangsterów, i nasadzał nań opłaconych opryszków, którzy mieli Stanisława zamordować lub porwać. Mimo że pierwsze zamachy się nie powiodły, potężnie nastraszony Stanisław zmie-

nił miejsce pobytu i osiadł w 1719 roku w alzackim Wissemburgu. Zawiedziony, nerwowo załamany żebrak pokryty purpurą w łachmanach, wydawał się być wyeliminowany z polityki na zawsze, aż tu nagle przerastający najśmielsze marzenia rozegrał się jego politycznej kariery akt drugi, głośny w całej Europie.

Zaczyna się ów nowy etap życia politycznego Stanisława od ślubu, który wygląda jak bajka o królewiczu i kopciuszku. Do zapomnianego, żyjącego niemal w biedzie Stanisława zajeżdżają dziewosłęby z Wersalu i proszą o rękę jego córki dwudziestojednoletniej Marii, w imieniu czternastoletniego Ludwika XV króla Francji. Na wieść o przybyciu tych gości Stanisław zemdlał z wrażenia i trudno mu się dziwić. Oto zapomniany bankrut polityczny wchodził w pokrewieństwo z dynastią panującą w najpotężniejszym państwie Europy. Francuscy dyplomaci liczyli, że Maria Leszczyńska, uboga i pozbawiona wpływów, niezdolna do żadnych większych intryg, będzie gliną w ich ręku, i pod tym względem się nie zawiedli. Liczyli nadto, że Maria na tronie Burbonów przyczyni się do zwiększenia wpływów francuskich w Polsce, ułatwi wprowadzenie na tron polski Leszczyńskiego lub jakiegoś księcia francuskiego. Tę polską politykę uprawiał potem po dojściu do pełnoletności z upodobaniem również sam Ludwik XV, traktując ją jako ,,sekret królewski" w tajemnicy przed własnym ministrem spraw zagranicznych. Spodziewano się też na dworze francuskim, że Maria da liczne potomstwo Burbonom. Rzeczywiście, były liczne dzieci z tego stadła. Co prawda niektórzy historycy (Feldman) zarzucają Marii, że jako dewotka w *ars amandi* była zbyt wstrzemięźliwa, co z kolei przyczyniło się do tak zdumiewającej rozpusty króla, że w osłupienie wprowadził ówczesną, bardzo przecież tolerancyjną pod tym względem Europę. Nie mam zdania w tej sprawie i nie wiem, czy Maria ponosi tu jakąś odpowiedzialność za męża i czy można jej ojcu wytykać, że zaszczepił córce zbyt wiele dewocji.

Rozwińmy najważniejszy, polityczny aspekt tego związku małżeńskiego, który znów bezpośrednio dotyczył dalszych losów Stanisława. W nocy z 31 stycznia na 1 lutego 1733 roku zmarł w Warszawie August Mocny. Kardynał Fleury, sternik polityki francuskiej, decyduje, aby Francja poparła kandydaturę Stanisława Leszczyńskiego na tron Polski. Rzucając rękawicę kardynał liczył się z gwałtownym sprzeciwem Rosji i Austrii, które w Leszczyńskim widziały przedstawiciela wpływów francuskich i sądziły, że Stanisław I na tronie to pełna emancypacja Polski, która z kraju o ograniczonej suwerenności wybije się na pełną niepodległość. Leszczyński, w przebraniu kupca, przejeżdża przez Niemcy i przybywa w sekrecie do Warszawy (8 września 1733), gdzie ukrywa się w ambasadzie francuskiej. Młody Leszczyński był pięknym, słusznej postawy mężczyzną, o szczupłej twarzy, orlim nosie, wyrazistych dużych oczach. Jednak czas dokonał już spustoszeń tej męskiej urody. Charakterystyczny pod tym względem jest jego opis z 1733 roku w listach gończych policji austriackiej: ,,Otyły, średniego wzrostu, twarz okrągła, duże brwi siwe, nos mierny orli, zęby zniszczone, sczerniałe od tytoniu, wiek od 50 do 60, lecz bliżej sześćdziesiątki".

Ambasador francuski Monti po raz pierwszy ukazał go tłumnie zebranej w kościele szlachcie, która zjechała na elekcję w dniu 10 września wprowadzając go bocznym wejściem przy ołtarzu kościoła Św. Krzyża. Król wygnaniec, w ubiorze polskiego szlachcica, wzruszył zebranych. Z piersi wy' rców buchnął okrzyk, który zwycięsko zabrzmiał na ulicach Warszawy: ,,Vivat król Stanisław!" Dnia 12 września przeszło 12 tys. szlachty okrzyknęło Stanisława królem, tegoż dnia w kościele Św. Jana odśpiewano uroczyste *Te Deum*. Cóż za losów odmiana! Stanisław Leszczyński w 1704 roku narzucony przez Szwedów, bezwolne narzędzie obcej potencji i Stanisław Leszczyński w 1733 roku – reprezentant ducha narodowego, najzdrowszego, najsłuszniejszego pędu narodu do utrzymania niezawisłości państwa, wyraz polskich najmężniejszych wysiłków wymierzonych w bezczelne rządy obcych w Rzeczypospolitej. Jakże dziwne były dzieje tego człowieka. Zdarza się w historii, ale rzadko, że mąż stanu o tak mrocznych początkach potrafi w wyniku dalszych wydarzeń w świadomości narodu uosobić jego najszlachetniejsze dążenia. Stawał się bowiem teraz Stanisław Leszcz-

Stanisław Leszczyński i jego kanclerz Chaumont de la Glazière (portret F.A. Vincenta)

czyński w opinii szlachty żywym ucieleśnieniem niebawem przez Stanisława Konarskiego sformułowanej idei streszczającej się w słowie *independentia*. Ale właśnie dlatego, że ten elekt był wyrazem najszlachetniejszych dążeń narodu, nie mógł rządzić. Do Polski wkroczyły wojska rosyjskie i 5 października 1733 zorganizowały na Pradze nową elekcję, gdzie ,,wybrano" królem Augusta III Sasa. Stanisław Leszczyński uszedł do Gdańska, a wobec kapitulacji miasta, po bohaterskiej zresztą obronie, w przebraniu chłopa schronił się na terytorium Prus. Zamieszkał w Królewcu wraz z najbliższymi swymi zwolennikami. Udzielił mu gościny król pruski, licząc, że ewentualnie w wyniku tych walk zaokrągli swoje posiadłości kosztem ziemi polskiej.

W całej Europie rozpętała się tak zwana ,,wojna sukcesyjna polska", ale tylko z nazwy była ona polska. Francuzi walczyli z Austriakami nie o polską koronę, którą gotowi byli przehandlować, ale o wzmocnienie swoich wpływów nad Renem, o uzyskanie Lotaryngii. Francja Ludwika XV nie była zdolna do tego, aby sięgnąć swymi wpływami ziem polskich, miękka Francja rokoka nie miała nic z dynamizmu rewolucji, a wśród polityków nikogo na miarę wielkości Małego Kaprala. Pacyfikacja Europy przyniosła abdykację Stanisława jako króla Polski. Osiadł jako władca księstw Lotaryngii i Baru, które po jego śmierci miały zostać włączone do Francji.

Ostatni rozdział burzliwych dziejów Stanisława Leszczyńskiego, jako księcia Baru i Lotaryngii, upłynął spokojnie, bez wstrząsów i burz. Ostatnie trzydzieści lat życia Stanisława od sześćdziesiątki po lat dziewięćdziesiąt upłynęło mu pogodnie. Rządził w kraju bogatym, dbał o jego dalszą rozbudowę, prowadził szeroką akcję charytatywną, zasłynął jako mecenas sztuki, głównie w dziedzinie architektury.

Na swym dworze w Luneville gromadził najwybitniejszych koryfeuszy życia umysłowego Europy, szczycił się mianem dobroczynnego filozofa. W otoczeniu jego znajdowało się dużo Polaków, z myślą o Polakach założył szkołę rycerską.

Stanisławowi wreszcie przypisywane jest autorstwo jednego z najciekawszych traktatów politycznych postulujących głęboką naprawę Rzeczypospolitej: ,,Głos wolny wolność ubezpieczający". Jest to dzieło wybitne i stanowi jedno z najważniejszych pozycji w polskiej osiemnastowiecznej literaturze politycznej. Wielkość tej pracy polega przede wszystkim na tym, że wytycza drogę, którą miały pójść reformy epoki Oświecenia. ,,Głos wolny" wskazuje śmiało na wagę problemów społecznych, które należy podjąć. Autor dzieła wyjaśnia dobitnie szlachcie nieodzowną konieczność zmian w położeniu chłopów, których wyzysk doprowadził do tak wielkiej nędzy i poniżenia, że groźne jego następstwa zaciążyły nad całym polskim rolnictwem. Postuluje więc wprowadzanie gospodarki czynszowej i obdarzanie chłopów wolnością osobistą. Stwierdza niezbitą prawdę przemawiając do szlachty: ,,Co czyni fortuny i substancje nasze, jeśli nie plebeji, prawdziwi nasi chlebodawcy?" Wskazuje ,,Głos wolny" na nieodzowną potrzebę podźwignięcia miast, poprawy handlu i rozwinięcia przemysłu w kraju. W swych poglądach politycznych autor ,,Głosu wolnego" jest szlacheckim republikaninem, przeciwnikiem absolutyzmu. Nie pragnie likwidacji dotychczasowych polskich instytucji państwowych, zmierza tylko do ulepszenia aparatu państwowego, do uczynienia go bardziej sprawnym. Chciałby więc uzdrowić sejm ograniczając (lecz nie znosząc!) *liberum veto*. Pragnie uporządkować (lecz nie likwidować!) wolną elekcję królów. Dąży do wzmocnienia i usprawnienia władzy centralnej przez utworzenie kolegialnych fachowych rad ministerialnych w takich dziedzinach administracji państwowej jak wojsko, sprawiedliwość, skarb i policja. Marzy mu się stutysięczna armia polska i wskazuje na różne sposoby zyskania na ten cel pieniędzy, pomij jednak milcząco najważniejszy – opodatkowanie szlachty.

Emanuel Rostworowski przeprowadził niezmiernie wnikliwą analizę tego dzieła i doszedł do wniosku, że Leszczyński prawdopodobnie nie jest jego autorem, lecz tylko edytorem-wydawcą w 1743 roku i latach następnych. Natomiast wysunął hipotezę, że pierwowzór dzieła w języku polskim został napisany około 1733 roku przez jednego z litewskich stronników Leszczyńskiego Mateusza Białłozora. Posadził więc współczesny historyk króla Stanisława na ławie oskarżonych i przeprowadził przekonywająco swój wywód w tym przewodzie, przypominającym proces poszlakowy, na niekorzyść Leszczyńskiego, wskazując, że ,,Głos wolny" napisał prawie nieznany szlachcic litewski. Zostałem prawie przekonany argumentami Rostworowskiego, jednakże, jak to zawsze bywa w procesie poszlakowym, istnieje pewien margines wątpliwości. Przyjmując, że Leszczyński istotnie nie był autorem ,,Głosu wolnego", pragnąłbym wziąć go w obronę przed zbyt surowym dlań wyrokiem. Aby bowiem rzecz szerzej ocenić, spójrzmy na zagadnienie z innej jeszcze strony. Leszczyński był wszak jednym z najwybitniejszych mężów stanu swoich czasów, szefem państwa. Dziś zaś wcale nas nie dziwi, że ludzie stojący u steru państw nie piszą sami tego wszystkiego, pod czym się podpisują i co wygłaszają, byłoby to bowiem fizyczną niemożliwością. Dają oni zatem dyrektywy, a różne zespoły fachowców pracę przygotowują. Mniemać można, że mąż stanu w lepszym wypadku

zapoznaje się z gotowym tekstem, zanim go ogłosi, w gorszym – poznaje go dopiero w momencie wygłaszania. Król Stanisław postąpił jak szef państwa dwudziestego wieku. Podpisał się pod dziełem stanowiącym program polityczny, który uznał za własny. Z różnych względów zrobił dobrze, ta książka bowiem stanowiąca jego program polityczny była lepiej odbierana, szerzej czytana i wywarła większy wpływ na ożywienie myśli politycznej dzięki temu, że w nim – królu-wygnańcu – widziano jej autora, niż gdyby powszechnie wiedziano, iż wyszła spod pióra człowieka nieznanego,

Stanisław Leszczyński według miedziorytu Colina

niewielkiego rodu, bez autorytetu. Jestem adwokatem króla Stanisława, gdyż dzięki tej mistyfikacji ,,Głos wolny" silniej oddziałał na jego pokolenie, a także pokolenie następne, które w nawiązaniu do tego dzieła podjęło wielką próbę naprawy Rzeczypospolitej.

Król Stanisław w ostatnim lotaryńskim okresie swego życia pisał dużo. Poglądy jego na różne aktualne sprawy polityczne, a także w odniesieniu do rozmaitych zagadnień filozoficznych są ciekawe i dla niego znamienne. Rzeczy drukowane Leszczyńskiego odbijały tę ciekawą mentalność sarmacką, jaką zachował mimo tak długiego pobytu poza krajem i związania z francuskim centrum kulturowym. Głęboko religijny, pragnął godzić filozofię koryfeuszy francuskiego Oświecenia z podstawowymi założeniami religii chrześcijańskiej. Poszukiwał król Stanisław jakiegoś systemu zbiorowego bezpieczeństwa europejskiego, które położyłoby kres wojnom stanowiącym plagę ludzkości. Leszczyński-pacyfista pragnął, eliminując wojny, uczynić życie człowieka szczęśliwym. Rozwiązania praktyczne, jakie proponował, były naiwne, ale samo podjęcie tej koncepcji świadczy o humanitarnych zainteresowaniach dobroczynnego filozofa z Luneville.

Płynęły spokojne lata w pięknej Lotaryngii. Sprawy polskie przestały być bolesną zadrą, ale do końca dni nie wypadły mu z pamięci.

Żył zaś tak długo, że jeszcze dowiedział się o objęciu tronu polskiego w roku 1764 przez Polaka – Stanisława Augusta Poniatowskiego. Nie opuściłby już pewnie Luneville, gdyby go nawet w Polsce królem okrzyknięto, ale czuł się dotknięty, że kandydatura jego nie została wysunięta. Leszczyński dyplomata, pisarz polityczny, flozof, mecenas miał też do późnej starości różne słabości, które podtrzymywały jego radość życia. Były to rozkosze łoża i stołu. Słynął król Stanisław jako smakosz i wielki koneser płci pięknej. Z licznymi kochankami, przy suto zastawionych stołach i wśród zabaw ogrodowych, figlował starzec w chwilach wolnych od filozoficznych dumań i religijnych rozmyślań, bo do końca dni swoich pozostał bardzo pobożny. Artysta, który sporządził jego portret w ostatnich lat dziesiątku jego życia, był dlań nielitościwy. Przedstawił go w obfitej peruce i w odzieniu arystokraty *ancien régim*, karykaturalnie grubego, z wielkim wydętym brzuchem i postacią obrosłą zwałami tłuszczu. Śmierć Stanisława spowodował tragiczny wypadek. 5 lutego 1766 roku, gdy samotnie stał w swym gabinecie, odzież jego zajęła się od iskier z kominka i zanim przybyli domownicy, został bardzo poparzony. W kilkanaście dni później, 26 lutego zmarł. Jego życie to niemal baśń lub powieść kryminalna osnuta na tle epoki, która zdecydowała o losach narodu.

Józef Andrzej Gierowski

AUGUST III

Niewielu królów elekcyjnych w Rzeczypospolitej było równie troskliwie przygotowywanych do pełnienia swych funkcji monarszych, jeszcze mniej było równie nieudolnych. Istnieje przepaść między tym, czego oczekiwano – i to nie tylko w Polsce, ale i w całej Europie – od Augusta III przed objęciem tronu, a tym, czego faktycznie dokonał. Zapowiadający się znakomicie młodzieniec, hołubiony na dworze wersalskim i wiedeńskim, owacyjnie witany w Wenecji, obsypywany błogosławieństwami przez papieża, okazał się władcą miernym, gnuśnym, jak go nazwał Władysław Konopczyński, słabo wyczuwającym potrzeby społeczności, nad którymi sprawował swe rządy.

Nie przeszkadzało mu to budzić sympatii wśród swych poddanych. Niech świadczy o tym choćby charakterystyka, jaką zamieścił Jędrzej Kitowicz w swych „Pamiętnikach": „Był August co do ciała wzrostu wielkiego, a przy tym kształtnego, nicht go z panów nie dosięgał wzrostem, tylko jeden Chodkiewicz, starosta żmudzki, lecz jak był wysoki, tak był chudy, gdy przeciwnie August był tuszy do wzrostu proporcjonalnej. Minę miał wspaniałą i zawsze wesołą, wzrok i chód powolny. Co zaś do przymiotów duszy, to opisać trudno: nie wchodził w żadne poufałe obcowania z panami, nie zatrudniał się żadnymi interesami publicznymi, w których to dwóch okazjach własność duszy najlepiej wyszpiegować można. Zdawał się we wszystkich sprawach publicznych i domowych na ministra". I dalej: „Nie miała Polska i nie będzie miała tak dobrego, tak wspaniałego i tak hojnego króla, jak miała Augusta III; a oraz tak nieszczęśliwego do Polaków, że mu nic dobrego dla kraju (choć dusznie tego pragnął) zrobić nie dozwolili, rwąc sejmy ciągle, a wszystkę winę nieładu i nierządu stąd pochodzącego na niewinnego króla składając".

Te zachwyty nad królem, co „godzien wspomnienia słodkiego", nie powinny budzić tylko wzruszenia ramionami. Po latach nie kończących się wojen, po pełnych niepewności i napięcia rządach Augusta Mocnego nastąpił pod panowaniem Augusta III okres długiego pokoju, który naruszyła dopiero gospodarka obcych wojsk podczas wojny siedmioletniej. W poczuciu szlacheckim miejsce Wettina despoty zajął Wettin dobrotliwy, który nie wtrącał się nadmiernie w sprawy swych poddanych, życzliwie patronował wzrostowi zamożności magnatów i szlachty, zapewniał im możliwość korzystania ze wszelkich uciech życia i rozgrzeszał od wszelkiej troski o bezpieczeństwo i przyszłość kraju. To właśnie August III zafundował braci szlacheckiej „saskie ostatki" i wszyscy wielbiciele małej stabilizacji mogą słusznie dopatrywać się w nim swego prekursora.

Historyków, którzy w zgoła odmienny sposób oceniają Augusta III („wielki pasożyt stanu", według Szymona Askenazego), niepokoją źródła przemiany dobrze zapowiadającego się młodzieńca w ociężałego, bezmyślnego monarchę, jego degradacja psychiczna. Szukać ich należy chyba aż w dzieciństwie Fryderyka, takie imię bowiem otrzymał po urodzeniu, 17 października 1696 roku w Dreźnie. Stosunki między jego rodzicami nawet na tle barokowych Niemiec były wyjątkowo napięte, przy czym motywy osobiste przeplatały się z religijnymi i politycznymi. Matka Augusta III, Krystyna Eberhardyna z domu Bayreuth, była pełna luterańskiego zelotyzmu, potępiała swego męża nie tylko za nie kończące się miłostki, ale i za przyjęcie ,,rzymskiego obłędu''; sama odrzuciła wszelką myśl o konwersji, rezygnując tym samym z koronacji na królową Polski. Nadzieje na zabezpieczenie Saksonii przed wpływami ,,papistów'' wiązała z osobą jedynego syna, którego wychowywała w żarliwym protestantyzmie. Myślała nawet o zamachu stanu, który odsunąłby od władzy w elektoracie odstępcę i zapewnił rządy jej synowi, jako wyznawcy religii olbrzymiej większości mieszkańców Saksonii.

Całkowicie odmienne plany w stosunku do swego syna snuł August Mocny. Widział w nim przede wszystkim swego następcę na tronie Rzeczypospolitej. Znaczną część swych rządów w Polsce wypełnił też zabiegami o realizację tego celu: czy to próbując zapewnić koronę synowi za swego życia, na wzór Zygmunta Starego, czy starając się zyskać z góry poparcie dla niego w czasie przyszłego bezkrólewia. Ale była to tylko część marzeń Wettina. W miarę jak zapowiadał się kryzys dynastyczny w Cesarstwie, jak wymierali męscy przedstawiciele rodu Habsburgów, ugruntowała się daleko śmielsza myśl: zdobycia tronu cesarskiego dla Wettinów. Niezbędnym krokiem w tym kierunku było małżeństwo z jedną z arcyksiężniczek, których właśnie nie brakowało. Mogło ono w przyszłości otworzyć drogę

Elekcja Augusta III i Stanisława Leszczyńskiego

do całości lub części spadku po Habsburgach i do korony cesarskiej.

Realizacja wszystkich tych planów była możliwa tylko pod warunkiem konwersji królewicza. August Mocny nie zawahał się przed jej przeprowadzeniem, nie oglądając się ani na opozycję w Saksonii, ani na oburzenie władców protestanckich, ani na stanowisko swego syna. W roku 1711 pod pretekstem przedstawienia królewicza Piotrowi I na zjeździe w Jarosławiu zabrał go spod opieki matczynej. Zaczął się okres wędrówek młodego Fryderyka po Europie: wożono go po Niemczech, Francji, Włoszech, krajach habsburskich. Powoli z jego otoczenia usuwano luterańskich opiekunów. Zastępowali ich katolicy, głównie jezuici, jak Salerno, który za swe zasługi w walce o duszę młodego Wettina miał z czasem zostać kardynałem. Szczególny wpływ na królewicza zdobył sobie wszakże Józef Kos, wojewoda inflancki, jeden z ciekawszych umysłów polskich tej doby (zachował się jego pamiętnik z odbytych wspólnie podróży). Zajęty sprawami religijnymi, nie zdołał jednak, jak się zdaje, wprowadzić wychowanka w potrzeby Rzeczypospolitej. Fryderyk znalazł się bowiem pod naciskiem biegłych teologów, którzy podważali wszystkie zasady wpajane mu przez matkę i starali się nakłonić go do konwersji.

Fryderyk początkowo opierał się stanowczo tym zabiegom. Przed opuszczeniem matki złożył jej solenne zobowiązanie, że nie odstąpi od luteranizmu. Starano się podtrzymać go w tym postanowieniu, a angielska królowa Anna, jako opiekunka protestantyzmu, stworzyła mu możliwości ucieczki, obiecując schronienie na swym dworze. Fryderyk, jakkolwiek brzydził się trybem życia swego ojca, nie zdołał mu się przeciwstawić. Uległ jego naleganiom i perswazjom jezuickiego otoczenia i 27 listopada

August III (miedzioryt I.I. Baléchou'a według H. Rigaud)

1712 roku potajemnie przeszedł w Bolonii na katolicyzm. Dramatyczne okoliczności konwersji królewicza nie mogły wszakże pozostać bez wpływu na jego charakter i postawę. Wiele wskazuje na to, że pociągnęły one za sobą nie tylko poczucie winy wobec matki i luterańskich współziomków, ale i podważyły wiarę młodego Wettina w swe możliwości. Gdy dodać do tego, że przez kilka lat swoboda kontaktów królewicza z otoczeniem była ograniczona i że jego nadzorcy usiłowali zamknąć dostęp do niego ludziom i ideom niepożądanym, trudno się dziwić, że w ten sposób powstały nawyki, znamienne dla późniejszego zachowania się Augusta III, jego podporządkowywanie się zaleceniom doradców, wśród których szczególną rolę odgrywali odtąd jezuiccy spowiednicy, oraz zamykanie się w wąskim kręgu rodziny lub najbliższych powierników. W tych warunkach rozwijało się we Fryderyku poczucie swej małej wartości, kompleks, który stał się źródłem zarówno jego obnoszonej na pokaz dumy jak i rzadkiej bierności. Jeżeli nawet August III stał się gorliwym katolikiem i uznał rację stanu, czy raczej rację dynastyczną, która kierowała jego ojcem, opłacił to głębokim defektem charakterologicznym. Złamanie postawy młodego człowieka przyniosło wprawdzie doraźne korzyści, ale z odleglejszej perspektywy dało wyniki negatywne.

Jakkolwiek w tych okolicznościach całkowicie utraciła wpływ na syna Krystyna Eberhardyna, nie wygasła, lecz raczej przybrała na sile wiążąca dawniej królewicza z matką potrzeba zależności. Rolę matki w życiu Augusta III zaczęła odgrywać inna kobieta – Maria Józefa, córka cesarza Józefa I, zaślubiona uroczyście po długich staraniach w 1719 roku. Po przelotnych, o ile wiadomo, miłostkach włoskich, Maria Józefa całkowicie opanowała młodego męża. Górowała nad nim charakterem i inteligencją; umiała sprytnie kierować jego poczynaniami i inspirować zarówno samego monarchę jak i jego doradców. Razem tworzyli parę wyjątkowo stateczną, jak na ówczesną Europę, i jeżeli nawet August nie dochowywał jej w takim stopniu wierności, jak głosiła fama, to wyjątkowo liczne potomstwo (11 dzieci) świadczy dobrze o trwałości związku. Inna rzecz, że jakkolwiek jedna z córek wyszła za króla Neapolu, druga za Delfina, a trzecia za elektora bawarskiego, nie było to potomstwo najbardziej udane. Najzdolniejszy z synów, Fryderyk Chrystian, był chorowity i zmarł równocześnie niemal z ojcem. Ksawery, jak żaden z Wettinów, potrafił zżyć się z polskim środowiskiem, przemyśliwał o zmuszeniu ojca do abdykacji, ale wielkiego miru wśród Polaków nie miał. Karol, żonaty z Franciszką Krasińską, potrafił pozyskać sobie carycę Elżbietę i osiąść na parę lat w Kurlandii, jednak nie był zdolny przeciwstawić się skutecznie jej następcom. W końcu żaden z nich nie otrzymał polskiej korony.

Ostatnie dziesięciolecie panowania Augusta Mocnego stanowiło okres przygotowywania następcy do przyszłych zadań. Brał systematycznie udział w posiedzeniach tajnego gabinetu, uczestniczył w ważnych rokowaniach międzynarodowych, wczytywał się we wskazówki, przygotowane dlań przez najwybitniejszych ministrów saskich z Jakubem H. Flemmingiem na czele, jak rządzić Polską i Saksonią. Jak stwierdził Askenazy, objawiał wtedy „pewną inicjatywę osobistą w sprawach publicznych".

Tymczasem August II nie ustawał w zabiegach o zapewnienie tronu polskiego synowi. Unia dynastyczna Polski z Saksonią, której blask mocno przyćmiły wydarzenia wojny północnej, nabierała znów rumieńców. W latach pokoju Saksonia przeżywała okres pomyślności, rozwijał się handel i przemysł, skarb był znów wypełniony, znacznie powiększona została liczebność armii i rozbudowana dyplomacja. Dla osłabionej Rzeczypospolitej, która z trudem goiła rany zadane przez długotrwałe działania wojenne, utrzymanie związku z Saksonią zdawało się zapowiadać lepsze warunki dla zabezpieczenia swej całości przed wzrastającymi apetytami sąsiadów, mimo złowróżbnych pod tym względem doświadczeń z Augustem II. Chociaż nie doszło nigdy do trwałego współdziałania szlachty z Wettinem, nabierały przecież na znaczeniu fakcje magnackie, gotowe do takiego współdziałania w imię wzmocnienia państwa, jak choćby tworzący się obóz Familii, który tak wiele zawdzięczał Augustowi. W polskiej świadomości historycznej symbolicznego znaczenia nabrała, opisana świetnym piórem Askenazego, nocna pijacka rozmowa Augusta II z pruskim ministrem Grumbkowem, w której rzecz szła o rozbiór Rzeczypospolitej. Jednostronnie naświetlony i nie wyjaśniony do końca ten epizod powinien wszakże ustąpić w cień wobec dramatycznych scen, jakie rozegrały się w Warszawie w dniach konania króla. Starannie przygotowany sejm styczniowy 1733 roku miał przynieść swego rodzaju zamach stanu i zainicjować postulowaną przez Familię reformę państwa. Choroba Augusta II przekreśliła te plany i daremnie Czartoryscy kołatali do drzwi łożnicy monarchy, który zmożony niemocą, nie chciał już słyszeć o żadnych sprawach publicznych. Nie zamysły rozbiorcze, ale właśnie ten niedoszły sejm i nie zrealizowane reformy stały się jakby ostatnim posłaniem ojca dla syna, klamrą spinającą ich panowania. Ileż to razy za Augusta III najrozsądniejsze plany wzmocnienia państwa miały rozpadać się wraz z sejmami, a monarcha nie umiał się zdobyć na żadne energiczniejsze działanie. Zresztą zarówno w Polsce jak i w Saksonii August III i jego doradcy nie zdołali wykroczyć poza wzory, ustalone za panowania Mocnego króla, i dopiero śmierć nieudolnego władcy umożliwiła zapoczątkowanie reform w obu państwach.

W bezkrólewiu roku 1733 możliwości elekcyjne Wettina przedstawiały się początkowo jak najgorzej. Już od dawna przeciwko dalszemu powiązaniu Rzeczypospolitej z Saksonią występowały Rosja, Prusy i Austria. Obawiano się, by przez kolejne elekcje w Polsce nie uzyskali Wettinowie sukcesji tronu, która mogła z nich uczynić równorzędnych rywali z Hohenzollernami i Habsburgami. Toteż trzy dwory myślały o całkowicie od nich zależnym kandydacie. Sytuacja uległa zmianie, gdy z pretensjami do tronu wystąpił otwarcie Stanisław Leszczyński. Antykról z 1704 roku, marionetka w ręku Karola XII, człowiek, który swą karierę polityczną rozpoczął, trzeba to wyraźnie powiedzieć, od zdrady, teraz, po latach emigracji, jako teść króla francuskiego stawał się symbolem ruchu narodowego, który jako cel postawił sobie uniezależnienie Rzeczypospolitej od obcych. Tkwił w tym paradoks historii, o tyle tragiczny, że z kolei Stanisław, okrzyknięty przez olbrzymią większość wyborców szlacheckich królem, miał spaść do roli narzędzia w ręku dyplomacji Wersalu, która wykorzystała jego prawa do korony polskiej dla wytargowania zdobyczy terytorialnych dla Francji.

Powodzenie kandydatury Stanisława otworzyło drogę do porozumienia między Wettinem a jego dotychczasowymi przeciwnikami. Za cenę poważnych ustępstw, jak uznanie sankcji pragmatycznej odsuwającej na rzecz córek Karola VI córki Józefa I od pretensji do dziedzictwa habsburskiego czy przekazanie stolca książęcego w Kurlandii faworytowi carycy Anny Bironowi, za zobowiązanie się do przestrzegania wolności polskich, elektor saski uzyskał poparcie Wiednia i Petersburga. Do Rzeczypospolitej wkroczyły wojska rosyjskie i pod ich osłoną niezbyt liczna grupa zwolenników Wettina, zapewne niewiele ponad 1000 ludzi, w miesiąc niemal po elekcji Stanisława okrzyknęła we wsi Kamień, na prawym brzegu Wisły, 5 października 1733 roku królem Augusta III. Była to niemal dosłownie powtórzona, tyle że tym razem na rzecz Wettina, sceneria z 1704 roku; nawet zawiązana dla poparcia Augusta III konfederacja przybrała nazwę warszawskiej. Tym razem jednak to antykról miał utrzymać się na tronie. Zwolennicy Stanisława nie zdołali oprzeć się

August III (miedzioryt J.E. Nilsona)

przewadze wojsk saskich i rosyjskich; August III został już 17 stycznia 1734 roku uroczyście koronowany wraz z małżonką w Krakowie. Wprawdzie Francuzi i ich sprzymierzeńcy wygrali wojnę na zachodzie, zadowolili się wszakże rychło kompromisem, który zachowywał dla Stanisława tytuł, a Augustowi przyznawał koronę polską. Rozwiązanie takie uznał również sejm pacyfikacyjny, zwołany w 1736 roku, jedyny, jaki doszedł za Augusta III.

W społeczeństwie, które świeżo przeżyło zryw walki o niezależność, pozycja wprowadzonego wbrew woli większości w oparciu o obce siły władcy musiała być słaba, nawet jeżeli w toku wojny opowiadali się po jego stronie coraz liczniejsi magnaci. Niepewny lojalności swych polskich poddanych, tym większym zaufaniem darzył August III saskich doradców. Spośród nich, obok spowiedników jak księża Guarini czy Liegeritz, największym wpływami cieszył się początkowo powiernik i faworyt z czasów młodości Aleksander Józef Sułkowski. Gdy wskutek intryg musiał on opuścić dwór, miejsce jego zajął zdolny dorobkiewicz, Henryk Brühl.

Nie cieszył się on dobrą sławą ani u współczesnych, ani u potomnych. Czy na pewno słusznie? Historycy nie wypowiedzieli w tej sprawie jeszcze ostatniego słowa. Karierę polityczną rozpoczynał w końcowych latach panowania Augusta II, wykorzystując walki między koteriami ministrów dla powolnego skupiania w swym ręku coraz większej władzy. Przyczynił się znacznie do objęcia tronu polskiego przez Augusta III: stał się wówczas osobistością pierwszoplanową i wkrótce pozbył się zręcznie wszelkich konkurentów. Odtąd brylował otoczony przez mierności, obdarzony zaufaniem króla, kierując polityką dworu tak w Saksonii jak i w Polsce aż do swej śmierci w 1763 roku – szczególnym trafem nastąpiła ona w parę tygodni po zgonie Augusta III. W tych warunkach wiele zależało od jego osobistych zdolności, energii, wyczucia sytuacji. Nie był politykiem szczęśliwym, chociaż trudno nie przyznać mu pewnej zręczności, zwłaszcza gdy się pamięta, że był pierwszym ministrem w państwie tylko drugorzędnym. Nie umiał jednak realizować dalekosiężnych planów, nie doceniał również dokonywających się zmian zarówno w obu połączonych unią personalną państwach, jak i u ich sąsiadów. Był tradycjonalistą, niechętnym nowościom, sprawnie działającym w ramach określonej rutyny, ale bezradnym, gdy musiał oderwać się od niej. Na niego spada też znaczna część odpowiedzialności za niepowodzenia polityki królewskiej. Zresztą po załamaniu się wielkich planów, po 1745 roku Brühl coraz więcej uwagi poświęcał korzyściom osobistym czy swego najbliższego otoczenia, nawet gdyby miała ucierpieć na tym racja stanu. Był to fatalny wzór dla magnatów polskich, hołdujących i bez tego prywacie. Ale nieprzypadkowo właśnie koteria, powstała wokół jego zięcia, marszałka nadwornego Jerzego Mniszcha, nie miała sobie równych, jeśli chodziło o zbieranie „okruszyn ze stołu pańskiego".

Postawa taka była szczególnie uderzająca w zestawieniu z nowymi tendencjami, jakie zaczynały wówczas nurtować społeczeństwo polskie. Właśnie na czasy panowania Augusta III przypadł rozwój wczesnego Oświecenia w Rzeczypospolitej, a więc kierunku, który zakładał racjonalną organizację państwa i społeczeństwa, rozwój gospodarczy, podniesienie ogólnego poziomu kulturalnego. Wtedy to Stanisław Konarski zainicjował reformę szkolnictwa, bracia Załuscy kładli podwaliny pod rozwój nowoczesnej nauki, a pisarze polityczni coraz śmielej upominali się o reformy społeczne i polityczne. Cały ten żywy ruch umysłowy odbywał się wszakże poza dworem królewskim. Wprawdzie to Andrzej Stanisław Załuski był kanclerzem wielkim koronnym przy Auguście III przez pierwsze, mądrzejsze, dziesięciolecie jego panowania. Później Jerzy Mniszech protegował pijarów, nie zmienia to jed-

Pałac Dückerta (zwany „Pod Wiatrami") w Warszawie

439

nak ogólnego obrazu bierności dworu pod tym względem.

August III okazywał, zwłaszcza we wspomnianym pierwszym dziesięcioleciu, pewne zrozumienie dla potrzeby reformy Rzeczypospolitej (głównie dla spraw fiskalno-wojskowych), nieco uwagi poświęcał sprawom gospodarczym: właśnie za jego panowania rozpowszechniły się w ekonomiach królewskich wzory oparte na doświadczeniach saskiej kameralistyki. Natomiast wychowanek Józefa Kosa okazywał minimalne zainteresowanie polską kulturą. Może zresztą nie starczyło mu na to czasu: jeżeli pominąć okres wojny o tron polski i wojny siedmioletniej nie przebywał na ziemiach polskich razem wziąwszy dłużej niż dwa lata, głównie podczas sejmów i rad senatu. Niechętnie opuszczał ulubione Drezno; nawet polowania w polskich borach nie pociągały tego zapalonego myśliwego i strzelca bardziej, niż wybijanie napędzanej mu w parkach zwierzyny czy celowanie do psów, ściąganych wykładanym ścierwem na podwórce pałacowe.

A przecież sztuka należała do nielicznych namiętności tego władcy. Był prawdziwym znawcą plastyki, szczególnie malarstwa włoskiego, i galeria drezdeńska zawdzięcza mu niejeden ze swych wspaniałych nabytków. Uwielbiał także muzykę, przede wszystkim operę włoską: byle usłyszeć głos ulubionej śpiewaczki, rezygnował z dyskusji z Fryderykiem II w najważniejszych sprawach państwowych. Niepomiernie się też gorszył, że Polacy nie wypełniali szczelnie zafundowanego im w Warszawie opernhausu. Sprowadzani przez niego malarze, architekci, muzycy uświetniali dwór w Dreźnie. Do Warszawy zaczął ich ściągać, gdy musiał osiąść w niej na ostatnie lata swego życia po zdobyciu Drezna przez Prusaków. Toteż jego wpływ na gusta Pola-

ków był niewątpliwie mniejszy niż wpływ jego ojca. Jedynie stół monarszy, bogaty i wymyślny – do obiadu podawano mu ponoć nie mniej niż dwadzieścia potraw – imponował szlachcie. Wielu starało się go naśladować, toteż w przysłowie poszło powiedzenie: ,,Jadłem dzisiaj jak król polski''. Naśladowano też przepych i luksus, którym lubił się otaczać.

Nie nowinki, ale tradycje sarmackie mogły więc w tym królu, który nawet po polsku nie mówił, choć się chętnie po polsku nosił, znaleźć swego patrona.

Polityka wewnętrzna Augusta III w Rzeczypospolitej była ściśle związana z potrzebami sytuacji międzynarodowej. Król był o tyle zainteresowany reformami, o ile ułatwiłyby one wykorzystanie Polski dla jego dynastycznych planów. Toteż przejawiał pewną inicjatywę pod tym względem tak długo, jak długo realizacja tych planów zdawała się leżeć w granicach jego możliwości, czyli gdzieś po lata 1746–1748. Później sprawy wewnętrzne Rzeczypospolitej poruszały go o tyle, o ile mogły zaważyć na przygotowywanej przez niego sukcesji tronu dla jednego z synów.

Kanonem w polityce międzynarodowej było dla Augusta III oparcie się o Rosję. Był jej sojusznikiem wiernym i wytrwałym; żaden z królów polskich nie może się z nim równać pod tym względem. Oparcie, jakie znajdował na dworze petersburskim, zapewniało mu stosunkowo spokojne panowanie w Polsce, a także ośmielało do wystąpień przeciwko Austrii czy Prusom, związanych z perspektywami spadku po Habsburgach. W przeciwieństwie do Rzeczypospolitej, która trzymała się bezbronnej neutralności wobec wielkich konfliktów europejskich, Saksonia została wciągnięta w wir walki o hegemonię w środkowej Europie. W miarę możności dwór drezdeński starał się wszakże i w tym wypadku współdziałać z Petersburgiem. Znajdowało to swe odbicie i w polityce polskiej Wettina.

Już w czasie wojny rosyjsko-tureckiej z lat 1736–1739, do której włączyła się i Austria, pojawiły się projekty wykorzystania w niej także sił polskich. Służyć temu miała m. in. przygotowana na zlecenie sejmu pacyfikacyjnego wielka reforma skarbowo-wojskowa, opracowana starannie przez komisję kierowaną przez prymasa Teodora Potockiego. Gdy jednak za reformą opowiedział się zarówno król, jak i dwory petersburski i wiedeński, udaremniła ją opozycja, zrywając sejm w 1738 roku. Pod hasłami obrony niezależności kraju i jego polityki sparaliżowali w ten sposób poczynania dworu ci wszyscy, którzy zostali pominięci przy obsadzie urzędów po wstąpieniu na tron Augusta III, przede wszystkim obóz Familii, który najbardziej zawiódł nadzieje Wettina podczas bezkrólewia. Ale wkrótce okazało się, że i mianowany hetmanem wielkim koronnym za dostatecznie wczesne odstąpienie sprawy Stanisława Józef Potocki nie zamierza dotrzymać wierności Augustowi i wdaje się w przygotowywanie konfederacji, której celem byłaby detronizacja Wettina przy pomocy tureckiej czy szwedzkiej. W rezultacie ani o reformie, ani o udziale Polski w wojnie nie mogło już być mowy.

Udział Polski w wojnie z Turcją nie leżał zresztą w jej interesie. Inaczej przedstawiała się sytuacja, gdy rozpoczęła się wojna o Śląsk. Po śmierci cesarza Karola VI w 1740 roku August III, mimo akceptacji sankcji pragmatycznej, jak kilku innych władców czekał tylko na dogodną sposobność, by wystąpić w imieniu swej małżonki z pretensjami do schedy. Okazję po temu dało zagarnięcie Śląska przez Fryderyka II. Dwór drezdeński, który już poprzednio toczył w Petersburgu rokowania co do możliwości przejęcia korony czeskiej, wahał się teraz, czy większe korzyści przyniesie udzielanie pomocy Marii Teresie, zaatakowanej także przez męża drugiej córki Józefa I, elektora bawarskiego, czy wystąpienie po stronie Fryderyka II. W końcu August III dał się wciągnąć w sojusz z Prusami. W efekcie nie uzyskał obiecanych Moraw i Górnego Śląska, armia saska poniosła dotkliwe straty, a Fryderyk II wytargował dla siebie w pokoju wrocławskim prawie cały Śląsk, nie oglądając się na swego sprzymierzeńca. Całkowita dezorientacja zapanowała w Rzeczypospolitej. Włączenie Śląska do Prus było jak najbardziej sprzeczne z jej interesem, zwiększało poważnie zagrożenie ze strony niebezpiecznego sąsiada, nie kryjącego się z pretensjami do ziem polskich. Podyktowane względami dynastycznymi stanowisko króla uniemożliwiało wszakże zajęcie zdecydowanego stanowiska wobec wojny śląskiej. Dezorientację pogłębiało związanie się obozu Potockich z dworem berlińskim. W rezultacie nie doszło do żadnej interwencji Rzeczypospolitej w chwili, gdy rozstrzygały się losy dzielnicy, stanowiącej ongiś część państwa polskiego.

Poniewczasie opamiętał się dwór drezdeński. Pozostawienie Śląska w ręku pruskim groziło rozpadem unii personalnej polsko-saskiej. August III wykonał więc nową woltę polityczną i związał się z Austrią, by w zamian za udzielenie jej pomocy przeciwko Fryderykowi II uzyskać obietnicę wykrojenia mu korytarza przez Śląsk, który zapewniałby swobodną komunikację Drezna z Warszawą. Był to rzadki moment, kiedy interesy Augusta III i Rzeczypospolitej stały się niemal zbieżne; za wzmocnieniem sił militarnych Polski i włączeniem jej do walki przeciwko Prusom opowiadały się przy tym sojuszniczki Wettina – Rosja i Austria. Wspólnie z Familią, która już wcześniej związała się z Augustem III, obóz dworski przygotował plany nowej reformy na sejm 1744 roku. Mimo wyjątkowo szerokiego poparcia, jakie zdobył dwór dla tych planów, i tym razem nie zdołano ocalić sejmu od zerwania. Intryga i pieniądze pruskie i francuskie przeważyły. Ale sprawa nie była jeszcze przegrana. Z początkiem roku 1745 August III jako elektor saski zawarł w Warszawie układ sojuszniczy z Anglią, Holandią i Austrią przeciwko Prusom. Do traktatu zapraszano również Polskę i Rosję, obiecując pierwszej Prusy Książęce w zamian za odstąpienie Rosji części Ukrainy czy Białorusi. W tajnym artykule sprzymierzeńcy zobowiązywali się pomóc Au-

gustowi III we wzmocnieniu władzy królew skiej w Rzeczypospolitej. Układ pozosta wszakże nie zrealizowany, gdy August III da się znów uwieść mrzonkom o koronie cesar skiej, wakującej po śmierci Wittelsbacha. Gd Wettin oddawał się bezpłodnym marzeniom Fryderyk II rozbijał wojska austriackie i saski w drugiej wojnie śląskiej. Zakończył j w Dreźnie, po pogromie wojsk saskich, poko jem powtarzającym warunki pokoju wrocław skiego. August III ponownie wyszedł z wojn z pustymi rękami.

Nie pomogło zbliżenie z Francją pod konie wojny sukcesyjnej austriackiej ani późniejsz

August III (miedzioryt L. Zucchiego według portretu L. Silvestre'a)

róby szukania znów oparcia w Anglii. Prysły ny o pierwszym miejscu Wettinów w Cesarswie. Nie powiodły się także próby reform, odejmowane przy pomocy Familii na sejnach 1746 i 1748 roku. Gdy wzrastało znaczeie koterii Mniszcha, jako głównego oparcia lla obozu dworskiego, w Familii ugruntowyvało się przekonanie, że nie we współdziałaniu Augustem III, ale w walce z nim, na drodze amachu stanu możliwa jest jakakolwiek reforna państwa. Doprowadziło to w końcu do erwania z królem i przejścia Czartoryskich do ezwzględnej opozycji.

Tymczasem koszta prowadzonych wojen raz polityka handlowa Fryderyka II podwayły prosperującą poprzednio gospodarkę Saksonii. Wzrastało jej zacofanie w stosunku arówno do Prus jak i do Austrii, gdzie potrzey militarne zmusiły dwór do podjęcia głębzych przeobrażeń wewnętrznych. Na prowałzenie takiej polityki nie było stać Drezna. W rezultacie w latach pięćdziesiątych istniała uż wielka rozbieżność między potencjałem nilitarnym Saksonii i jej sąsiadów. Początek vojny siedmioletniej, kiedy znienacka zaatakowana Saksonia padła ofiarą najazdu pruskiego, a armia jej kapitulowała w Pirnie, definiywnie zepchnęła elektorat między drugorzęde kraje Rzeszy. Zarazem katastrofa militarna Saksonii przekreślała nadzieje na utrzymanie ię unii personalnej polsko-saskiej.

Było znów ironią losu, że ostateczna decyzja v tej sprawie miała zapaść w Petersburgu. Jak łługo żyła Elżbieta, August III mógł liczyć na oparcie; zgodziła się ona nawet na osadzenie v Mitawie królewicza Karola, co stanowiło łobrą zapowiedź dla wettińskiej sukcesji tronu v Polsce. Objęcie władzy przez Piotra III przez Katarzynę II nie tylko zaważyło na vyniku wojny siedmioletniej, ale i na dalszych osach związku polsko-saskiego. Władcy ci nie czuli się niczym związani wobec Wettinów. Karol musiał opuścić Kurlandię, zaś tron Augusta III zachwiał się w posadach, gdy Katarzyna II godziła się udzielić poparcia poczynaniom Familii.

Niepowodzenia jedno za drugim sypały się na króla. Nie mógł się nawet radzić żony: pozostała w Dreźnie zdobytym przez Prusaków, by osłaniać kraj przed bezwzględnością Fryderyka II, i zmarła tam w 1757 roku. Czy przebywając osamotniony na zamku warszawskim, przebudowywanym przez Jakuba Fontanę według jego życzeń, zastanawiał się kiedyś nad bilansem swego panowania? Czy też wystarczały mu nadal prostackie zabawy z błaznami i strzyżenie figurek z papieru? Odcięty od otoczenia wprowadzonym przez siebie surowym, wzorowanym na Wiedniu ceremoniałem dworskim, był chyba równie daleki od zrozumienia własnych błędów. Tak jak nie zdobył się na przyznanie do swej słabości przed matką...

Może znajdą się kiedyś historycy, którzy będą umieli nanizać łańcuch dążeń, życzeń, osiągnięć nawet, rzucających na Augusta III jaśniejsze światło. Na razie starajmy się tylko wytłumaczyć, jak kształtowała się jego osobowość, która tak fatalnie zaciążyła na losach Rzeczypospolitej. Bo nie od dworu królewskiego padał blask na te ponure czasy, kiedy Polska stała się karczmą zajezdną dla obcych wojsk, gdy gospodarkę kraju rujnowały potoki monety fałszowanej przez Fryderyka w drezdeńskiej mennicy, burzyli się niepomiernie uciskani chłopi, rwały się sejmy i sejmiki, gdy państwo znalazło się na skraju anarchii.

Po zawarciu pokoju w Hubertsburgu August III natychmiast powrócił do Saksonii. Przeżył tam jeszcze kilka pogodnych miesięcy, oddając się ulubionym rozrywkom. Zmarł nagle 5 października 1763 roku w Dreźnie.

Jerzy Michalski

STANISŁAW AUGUST PONIATOWSKI

August II miał się wyrazić, że gdyby przed elekcją znał lepiej stosunki w Polsce, starałby się o buławę hetmańską, a nie o koronę. Wielkie ambicje, zrywy energii, niemałe środki czerpane z elektoratu saskiego, które Mocny angażował w walkę z polską anarchią o podniesienie autorytetu królewskiego, poszły na marne. Daremne te wysiłki pogłębiły jedynie dawny konflikt, ,,między majestatem a wolnością", umocniły ,,naród szlachecki" w nieufności do tronu i w przywiązaniu do ,,złotej wolności". Niepodobny do ojca syn – August III wyniesiony na tron zbrojną interwencją wbrew woli ogromnej większości szlachty i magnaterii, pozbawiony był wszelkich ambicji monarszych i za jego panowania, ku zadowoleniu pogodzonego z nim ,,narodu", rola króla sprowadzała się do rozdawnictwa starostw i urzędów między rywalizujące o nie koterie magnackie. Wstąpienie na tron Stanisława Augusta Poniatowskiego wydawać się mogło dalszym etapem dekadencji autorytetu królewskiego w Polsce. ,,Jest rzeczą nieodzowną, abyśmy wprowadzili na tron Polski Piasta dla nas dogodnego, użytecznego dla naszych rzeczywistych interesów, jednym słowem człowieka, który by wyłącznie nam zawdzięczał swoje wyniesienie. W osobie hrabiego Poniatowskiego, stolnika litewskiego, znajdujemy wszystkie warunki niezbędne dla dogodzenia nam i skutkiem tego postanowiliśmy wynieść go na tron Polski" – pisała Katarzyna

II w reskrypcie dla swych przedstawicieli dyplomatycznych w Polsce w okresie ostatniego bezkrólewia.

Poniatowski był ,,dogodny", gdyż nie miał, tak jak jego poprzednicy Wettini, oparcia w dziedzicznym państwie i w związkach polityczno-dynastycznych w Europie. Nie posiadał też oparcia w kraju jako magnat nie mający wielkiej rodowej fortuny. Oparcie to znajdował jedynie w familii Czartoryskich, jej bogactwie, jej wielkiej klienteli szlacheckiej i wyrobionym doświadczeniu w sprawach polskiej wewnętrznej polityki. Wszystko zdawało się świadczyć, że młody monarcha będzie musiał grać rolę podwójnej marionetki: petersburskiego dworu i swych wujów, Augusta i Michała Czartoryskich. Ale Stanisław August nie podjął żadnej z tych ról, a ponadto wszedł w głęboki konflikt z ,,narodem" szlacheckim, zrażonym jego nowatorstwem i podjudzanym przez magnaterię. Wrogość ogromnej większości magnatów wobec nowego monarchy wynikała z nienawiści do reform, z gniewu stronników saskich odsuniętych od rozdawnictwa łask królewskich i z szczególnych emocjonalnych oporów przed uznawaniem majestatu królewskiego w Polaku, dawniej im równym.

Jesteś królem, a byłeś przedtem
mości panem;
To grzech nieodpuszczony. Każdy,
który stanem
Przedtem się z tobą równał,
a teraz czcić musi,
Nim powie: najjaśniejszy, pierwej
się zakrztusi;

– ujmował to żartobliwie Ignacy Krasicki.

Po trzech latach panowania Stanisław August w 1767 roku znalazł się o krok od detronizacji, opuszczony niemal przez wszystkich.

Nastąpiły potem tragiczne lata konfederacji barskiej: otwartego buntu „narodu", więziennej niemal „opieki" Repnina i jego następców, a ponadto paraliżującej wszelką inicjatywę presji ze strony Czartoryskich, ślepych na niebezpieczeństwo rozbioru. Potem zaś przyszedł pierwszy rozbiór, okupacja kraju i stolicy przez obce armie, bezkarne nadużycia kliki Ponińskiego, dokuczliwa arogancja Sułkowskich i wreszcie formalne sprowadzenie władzy króla niemal do zera przez odebranie mu najważniejszej prerogatywy: rozdawnictwa starostw i urzędów na rzecz Rady Nieustającej. Dalszym etapem były lata królowania w cieniu wszechwładnego „prokonsula" Stackelberga w okrojonej i bezsilnej Rzeczypospolitej, wśród dokuczliwych szykan magnackiej opozycji. Potem triumf tej opozycji na początku Sejmu Czteroletniego, pozbawienie króla wpływu na podstawowe decyzje w polityce zagranicznej i na tworzenie nowej „formy rządu" wyemancypowanej od obcej „influencji" Rzeczypospolitej. I wreszcie ostatnie lata pseudokrólowania; odebranie władzy i szykany ze strony konfederacji targowickiej, a jednocześnie brzemię odium za kapitulację przed nią, dławiąca atmosfera tragifarsy sejmu grodzieńskiego i Igelströmowskich rządów w Warszawie, dramatyczne miesiące Insurekcji: poczucie nieuchronnej, ostatecznej katastrofy państwa, a jednocześnie strach przed radykałami gotowymi targnąć się na życie bezsilnego monarchy. W końcu zaś wygnanie grodzieńskie, pseudosplendory pozłacanego więzienia petersburskiego i zgon wśród obojętności i gorzej niż obojętności rodaków.

Wydawać się więc może, że żaden król nie tylko nie miał tak tragicznego panowania, ale też, że żaden nie panował w okolicznościach tak bardzo uniemożliwiających mu wpływanie na losy kraju, żaden nie był tak skazany na rolę narzędzia obcych sił, figuranta, a w najlepszym razie biernego obserwatora wypadków, i że wobec tego ostatni z pocztu królów polskich był największą wśród nich nicością.

A jednak sami wrogowie Stanisława Augusta, których za życia i po śmierci miał legion, swą zajadłą krytyką, przypisywaniem litanii win, obarczaniem odpowiedzialnością za wszystkie rzeczywiste czy urojone nieszczęścia, jakie spotykały Polskę za jego panowania, dawali dobitnie świadectwo, że ostatni król polski nie był ową nicością, a przeciwnie, że odegrał bardzo znaczną rolę i miał choćby ujemny, ale istotny wpływ na bieg wypadków. Liczni zaś współcześni i potomni krytycznie odnoszący się do osoby Poniatowskiego, tym bardziej zaś jego zwolennicy i apologeci, nie wahali się mówić o jego panowaniu jako epoce przełomowej przynajmniej w dziejach polskiej kultury, o „czasach stanisławowskich" jako analogicznych do „czasów zygmuntowskich". Później zaś powstały takie pojęcia, jak „literatura stanisławowska", „styl Stanisława Augusta".

Bo też dzieje królowania Stanisława Augusta można odczytać pozytywnie. Pierwsze lata to wyjście z marazmu czasów saskich, to „nowe świata polskiego tworzenie", używając własnych słów króla, odbudowa i reforma zdegenerowanych lub zamarłych instytucji państwowych, organizowanie nowoczesnego aparatu administracji i dyplomacji, zapoczątkowanie modernizacji i zwiększenia armii, pomnożenie dochodów skarbowych, inicjatywy ożywienia gospodarki, pierwsze, bardzo ostrożne kroki w dziedzinie reform społecznych, przemyślana, wytrwała i jak na polskie stosunki na bardzo poważną skalę prowadzona polityka inicjatyw i mecenatu w dziedzinie szeroko pojętej kultury. Ale przede wszystkim Stanisław August chciał być cywilizatorem swych

Stanisław August Poniatowski (portret E.M. Louise Vigée-Lebrun)

niejsze, zwłaszcza dziewiętnastowieczne generacje Polaków wstęp do rozbiorów; stąd płynęło potępienie ówczesnej orientacji politycznej Czartoryskich i roli Stanisława Augusta jako rzekomego pionka czy narzędzia w rękach przyszłych zaborców. Opinia taka, którą powtarzało wielu historyków, nie wydaje się słuszna. Zależność Polski od tzw. mocarstw północnych była zdeterminowana, niezależnie od takich czy innych postaw Polaków. Katarzyna II nie pragnęła rozbioru i jej polityka stanowiła przez długi czas najistotniejszy czynnik uniemożliwiający ów krok od dawna w różnych wersjach projektowany w gabinetach europejskich. Przymierze prusko-rosyjskie, choć otwierało drogę antypolskim, antyreformatorskim podszeptom pruskim nad Newą, paraliżowało jednak aneksyjne zamysły Fryderyka II i hamowało jego jawnie antypolskie poczynania. Stronnictwo sasko-republikańskie orientując się na tzw. państwa południowe, kierowało się nie instynktem niepodległościowym (dowiodło tego jego postępowanie w latach 1766–1767, gdy wzywało pomocy dworu berlińskiego i petersburskiego dla obalenia reform i prosiło Katarzynę II o gwarancję polskiego „złotowolnościowego" ustroju), ile swymi interesami w dziedzinie spraw wewnętrzno-politycznych, a stawiając na stronę słabszą, niezdolną do skutecznej akcji, dowiodło jedynie braku rozeznania w układzie sił europejskich. W arcytrudnym położeniu bezsilnej Rzeczypospolitej wynik ostatniego bezkrólewia był sukcesem. Nie poniosła ona żadnego uszczerbku terytorialnego i otworzyła się przed nią wąska i chwiejna, ale w aktualnych warunkach jedynie realna perspektywa wyjścia z anarchii i uzyskania pewnej, mówiąc ówczesnym językiem, „konsystencji" (wzmocnienia) dzięki zainteresowaniu dworu petersburskiego uzyskaniem w Polsce zależnego, słabego, ale mogą-

poddanych, chciał zmienić ich mentalność i obyczaje. Sam, dzięki starannej edukacji i zagranicznym podróżom, doskonały Europejczyk, brzydził się sarmatyzmem. Propagował więc własnym przykładem i inspirowaną przez siebie akcją propagandową nowe wzorce ocen moralnych, zachowań i obyczajów, wzorce postawy krytycznej wobec rzeczywistości, otwartej na nowe idee, oświeconej i obywatelsko zaangażowanej. Klęski polityczne przygaszały żarliwy entuzjazm, ale nie załamały optymistycznej wiary króla w swoją misję reformatora i cywilizatora, którą wypełniać będzie przez całe panowanie.

W sytuacji międzynarodowej Polski, jaka ukształtowała się w 1764 roku, widziały póź-

cego się przydać w konflikcie z Turcją sojusznika, zastępującego w pewnym stopniu utraconego alianta austriackiego.

Zdecydowana niechęć Czartoryskich do tej koncepcji, ich odmowa współdziałania w kwestii dysydenckiej dyktowana względami wewnętrznopolitycznymi – obawą przed niepopularnością i złudnym przekonaniem, że przechytrzą dwór petersburski, a z drugiej strony zapędzenie się Katarzyny II w forsowanie równouprawnienia dysydentów (z czego musiała się potem wycofać i czym unicestwiła własny sukces 1764 roku) spowodowały zniweczenie tej szansy. Sytuacja Rzeczypospolitej na początku 1768 roku po wyjściu z kryzysu konfederacji radomskiej była o wiele gorsza niż w końcu 1764 i w 1765 roku, ale lepsza od tej, jaka zdawała się jej zagrażać w lecie roku 1767, w okresie apogeum reakcji radomskiej. Elastyczna taktyka króla przyczyniła się do tego, że większość reform z lat 1764–1766 została uratowana i uzupełniona dalszymi, uchwalonymi przez delegację sejmową 1767/1768 r., ster zaś rządów nie dostał się w nieodpowiedzialne ręce przywódców konfederacji radomskiej.

Podobnie udało się Stanisławowi Augustowi odzyskać pozycję w bardzo trudnych latach, bezpośrednio po pierwszym rozbiorze, wymanewrować klikę Ponińskiego i Sułkowskich,

Porwanie Stanisława Augusta przez konfederatów (miedzioryt J.B. Nothagla starszego)

podporządkować sobie Radę Nieustającą. Kierowany przezeń sejm 1776 roku uchylił znaczną część nadużyć i nieprzemyślanych ustaw Sejmu rozbiorowego, stworzył z Rady Nieustającej pierwszy w dziejach Polski organ centralizujący władzę wykonawczą i otworzył drogę do znacznie dalej idących reform. Zagraniczni dyplomaci i mężowie stanu ze zdziwieniem i uznaniem obserwowali przebieg i wyniki owego sejmu, widząc w nim kres anarchii polskiej. Pierwszy minister saski Sacken określał go jako najaktywniejszy sejm polski od czasów Jana Kazimierza, francuski minister spraw zagranicznych Vergennes wi-

,,Kołacz królewski" – alegoria pierwszego rozbioru Polski (miedzioryt N. Lemire'a)

dział w nim początek drogi do odzyskania przez Polskę stanowiska mocarstwa europejskiego. Dalszy rozwój wypadków nie sprawdził tych przewidywań, obca kontrola postawiła weto dalszej naprawie Rzeczypospolitej. Ale w okresie politycznego marazmu między sejmem 1776 roku a Sejmem Czteroletnim przeżywało rozkwit stanisławowskie „królestwo na Parnasie", działała pod egidą „mądrego króla" Komisja Edukacji Narodowej, oświecenie ogarniało coraz szersze kręgi Polaków. Stanisław August niedawno mający przeciw sobie cały niemal naród skonfederowany, teraz potrafił zyskać zaufanie poważnej jego części i stworzył regalistyczne stronnictwo ze szlachty wyzwalającej się z magnackiej klienteli. Zjawisko to upamiętnił Mickiewicz w osobie Maćka nad Maćkami, co to „z konfederata stał się stronnikiem królewskim i trzymał z Tyzenhauzem podskarbim litewskim".

Później Sejm Czteroletni, gdy opadła początkowa fala republikańskich i neosarmackich nastrojów, był widownią renesansu wpływów pogodzonego ostatecznie z „narodem" króla, a zrodzona głównie z jego koncepcji Konstytucja 3 Maja stworzyła fundament, na którym budować można było nowoczesne państwo, a w dalszej przyszłości i nowoczesne społeczeństwo. Przed przeżywającym apogeum popularności w kraju i pochwał opinii europejskiej Stanisławem Augustem otwierały się nadzieje, że w dziedzicznej monarchii zainauguruje dynastię Poniatowskich. Gdy twarda rzeczywistość układu sił międzynarodowych położyła temu wszystkiemu kres, królowi przypadła niewdzięczna i nie rokująca sukcesu rola hamowania reakcji targowickiej i nadużyć jej prowodyrów i jeszcze bardziej beznadziejne zadanie ratowania bytu kadłubowego państwa po drugim rozbiorze. W roli tej odnosił nawet pewne istotne, choć mało efek-

Stanisław August (płaskorzeźba gipsowa)

towne, a okupione upokorzeniami i udręczeniami powodzenia. Pozostały na papierze ustrój grodzieński był daleki od pomysłów targowiczan i zawierał wiele racjonalnych elementów. Alians z Katarzyną II tworzyć miał, acz bardzo niepewną, osłonę integralności pozostałej reszty Rzeczypospolitej, choć za cenę formalnej już dependencji, ale w oczach Stanisława Augusta obliczającego szanse zbrojnej walki na 1 do 100 był to jedyny wybór. Tym razem jednak wysiłki taktyki królewskiej dążącej do zamienienia większego zła na mniejsze poszły na marne. Z trudem wypracowany w Grodnie kompromis nie został wcielony w życie, bo druga strona straciła przekonanie w jego celowość, a polski aktyw patriotyczny nie chciał w ogóle o nim słyszeć.

Na tym skończyła się właściwie polityczna rola Stanisława Augusta. Jeszcze jednak w czasie Insurekcji, formalnie od wszystkiego odsunięty, potrafił wywierać wpływ na niektórych jej działaczy, a gdy sprawdziły się jego przewidywania i nadszedł moment kapitulacji, przywódcy Insurekcji złożyli w jego ręce ostatnią, już zupełnie beznadziejną misję pertraktowania ze zwycięzcą. Gdy Katarzyna II postanowiła usunąć Stanisława Augusta z tronu i ze stolicy, Repnin, któremu powierzono dozór nad internowanym monarchą, radził wywieźć go poza granice dawnej Rzeczypospolitej, aby nie mógł podejmować jakiejkolwiek działalności. „Liczne przykłady nas utwierdziły – motywował ową radę – że ten władca stał zawsze w poprzek naszym interesom, żadne zorganizowane przeciw nam przedsięwzięcia nie obyły się bez króla i pod jego głównym przewodem".

Czym wytłumaczyć, że monarcha bez istotnej władzy i środków, przeznaczony do roli pionka, stał się jednym z najpierwszych, a może nawet najpierwszym aktorem na dziejowej scenie polskiej w okresie trzydziestolecia swego panowania? Jakie cechy i walory osobiste dały mu tę możliwość i jakimi sposobami zwielokrotniał nikłe środki, które miał do dyspozycji?

Stanisław August był człowiekiem wybitnej inteligencji. Potrafił, i to szybko, zrozumieć sytuację i dostrzegać różne, nieraz drobne jej składniki, a umiejętność tę rozwijał w miarę doświadczenia. Jego analizy własnego położenia w trudnych momentach panowania: w chwili pierwszego rozbioru, wobec Stackelberga, w charakterze kaniowskiego petenta Katarzyny II czy po kapitulacji w 1792 roku

Łazienki – teatr letni i Pałac na Wodzie

Sala balowa w Pałacu na Wodzie w Łazienkach

uderzają trzeźwością sądu. Na ogół dobrze umiał dostrzegać motywy działania partnerów, w tym również i wrogów. W pięknej mowie w obronie „królobójców" przed sądem sejmowym wyjaśniał i usprawiedliwiał pobudki działania żołnierzy konfederackich, którzy podnieśli broń przeciw niemu i targnęli się na jego życie. „Portrety" różnych osobistości kreślone przezeń w pamiętnikach (np. znakomita charakterystyka Stackelberga) czy w korespondencji znamionowała trafność i obiektywizm. Potrafił rozumieć różne stanowiska, wartość i znaczenie różnych postaw. Wachlarz jego zainteresowań był bardzo szeroki, doceniał znaczenie nawet bardzo drobnych czynników. Te dyspozycje i zdolności pozwalały królowi w każdej sytuacji dostrzegać choćby najwęższą drogę działania i stosować owe „drobne środki" (petits moyens, według ówczesnego terminu francuskiego), w których użyciu bywał mistrzem i które, w braku najczęściej innych, stanowiły jego główny arsenał. Tak więc, gdy jego poprzednicy Sasi, dysponujący bez porównania większymi środkami kaptowania stronników, zdani byli wewnątrz kraju na magnackie koterie, Stanisław August za pomocą uprzejmych listów, rozdawnictwa orderów, tabakierek, małych urzędów ziemskich i przez aktywizację senatorów i różnych dygnitarzy powiatowych stworzył silne własne stronnictwo. Nie mając ani w części tego prestiżu i tych zasobów, jakie posiadali Katarzyna II, Fryderyk II i inni władcy dbali o poklask oświeceniowej opinii europejskiej, zdołał pozyskać jej uznanie i sympatię. Dzięki ujmującemu sposobowi bycia, talentom oratora i rozmówcy, łatwości w dobieraniu argumentów, potrafił mieć duży

Stanisław August (portret M. Bacciarellego)

wpływ na ludzi. Swego zaciętego wroga, przywódcę konfederacji barskiej biskupa Adama Krasińskiego, który po latach wycofania się z życia publicznego przybył na Sejm Czteroletni w zamiarze kontynuowania polityki antykrólewskiej, rozbroił w pierwszej rozmowie. Dzięki cechom swego charakteru i usposobienia: łatwości zapominania uraz, wyrozumiałości (co łączyło się z określonymi dyspozycjami jego umysłowości) potrafił spożytkować bardzo różnorodnych ludzi, stawiając na pewne, najmniejsze choćby ich cechy pozytywne, choć zdawał sobie sprawę z wszystkich ich cech negatywnych. Tak więc u kanclerza Młodziejowskiego cenił i wykorzystywał jego inteligencję, zręczność i ogromną pracowitość,

u osławionego Adama Ponińskiego to, że nie szkodził nikomu, gdy to nie przynosiło mu jakiegoś zysku, u Augusta zaś Sułkowskiego, który lubił szkodzić i interesownie, i bezinteresownie, jego – choć często chybione – ambicje męża stanu i reformatora. Zręczność taka sprawiała nieraz wrażenie zwykłego sprytu – i mogłaby zań uchodzić, gdyby Stanisław August niezależnie od swoich czysto osobistych interesów, o których nie zapominał, ale które też i niejednokrotnie poświęcał, nie kierował się jasno wytkniętymi, długofalowymi celami politycznymi króla – „patrioty". Pragmatyk, dążący najrozmaitszymi środkami do celu i zawsze aktywny, rozumiał i doceniał sprawy zachowania godności i *decorum*, póki i jeśli było to możliwe. Bardzo długo opierał się wyrażeniu zgody na cesje pierwszego rozbioru, choć w głębi duszy przekonany był, że jest to krok nieuchronny i że dopiero po jego dokonaniu można będzie starać się o jakiś możliwie najznośniejszy *modus vivendi* z zaborcami. W czasie wojny w 1792 roku, choć nie wierzył w możliwość skutecznego zbrojnego oporu, ustanowił odznakę „Virtuti Militari", która już wówczas i w następnych epokach odegrała tak wielką rolę w budzeniu owej cnoty.

Współcześni i potomni, wśród nich wielu moralizatorsko nastawionych historyków, nie miało słów potępienia dla beztroski Stanisława Augusta w wydawaniu pieniędzy ponad dochody i zakończenia panowania kilkudziesięciomilionowymi długami. Nie brano jednak pod uwagę, że był to skutek aktywności króla na wszystkich polach jego działania, podczas gdy nikły budżet Rzeczypospolitej, brak długu państwowego był przejawem jej pasywizmu. Pieniądz w ręku króla stanowił najważniejszy środek materialny, za pomocą którego mógł działać. I choć ów w gruncie rzeczy skrupulatny człowiek wielokrotnie stosował różne sanujące jego finanse oszczędnościowe reformy i miał zwyczaj zapisywania każdej wydanej złotówki, to jednak myślał przede wszystkim kategoriami wydatków. Były wśród nich będące wynikiem nadmiernej chęci uszczęśliwiania całego świata, a zwłaszcza ludzi bliskich królewskiemu sercu, ale te, które

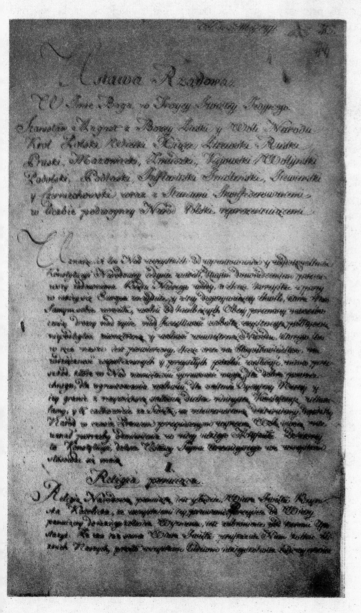

Fragment początkowy Konstytucji 3 maja

współcześnie najbardziej potępiano, pozostawić miały najtrwalszy materialny ślad w postaci Łazienek, zamku warszawskiego, królewskich zbiorów sztuki. Zdaniem zresztą niektórych badaczy, zbiory te powstawały przy użyciu stosunkowo niewielkich, jak na uzyskane wartości, środków.

Ale trzeba się też zastanowić, dlaczego ów ,,mądry król'', ,,król patriota'', ów ,,król kochany'' w dobie 3 Maja miał i za życia, i u potomnych, a również i w historiografii tak nieraz fatalną opinię. Opinię tę psuto mu systematycznie od wstąpienia na tron. Ale kalumnie, jakie rzucano nań wówczas, a zwłaszcza w dobie Radomia i Baru, były tak oderwane od rzeczywistości, że przeszły bez większego echa. Nikt nie mógł na serio długo wierzyć, że Stanisław August był sprawcą rzezi humańskiej czy też miał zamiar zniszczyć w Polsce wiarę katolicką. Ale później zaczęto szerzyć negatywne opinie znacznie zręczniej formułowane i znacznie bardziej podobne do prawdy. Kuźnią ich były przede wszystkim zazdrosne koła nowej, już oświeconej opozycji magnackiej, z Czartoryskimi na czele. Król dobry, ale słabego charakteru, rozumny, ale lękliwy i powodujący się rozkazami petersburskiej protektorki, dbały przede wszystkim o własne interesy – oto w skrócie opinia, którą wówczas lansowano i która przetrwała częściowo do dzisiaj. Najtrwalej zaciążyła zaś nad oceną ostatniego króla polskiego jego kapitulacja w 1792 roku. Zapomniano, że była to w gruncie rzeczy kapitulacja całego obozu konstytucyjnego, że królowi świadomie powierzono rolę dogadania się z Katarzyną II, ale ludzie, którzy to uczynili, wyparli się potem (jak przede wszystkim niedoszły targowiczanin Kołłątaj) wszystkiego i całe odium zrzucili na króla, a udział w sejmie grodzieńskim do reszty pogrążył go w opinii patriotycznej. U schyłku Rzeczypospolitej i w dobie porozbiorowej rozbudzony patriotyzm nie akceptował wytyczanych przez Stanisława Augusta dróg postępowania i nie zadowalał się światem jego wartości. Naród, głosił romantyk Joachim Lelewel, ,,niepodległości lub śmierci potrzebował i szukał''. Bohaterem narodowym został więc szukający śmierci na maciejowickim polu Kościuszko, a nie zmarły w petersburskim Marmurowym Pałacu Stanisław August.

Fot. Zbyszko Siemaszko

Spis ilustracji

W nawiasie podano skrót nazwy instytucji, z której zbiorów pochodzi dane zdjęcie: ADM – Archiwum Dokumentacji Mechanicznej, BN – Zakład Rękopisów Biblioteki Narodowej, IS PAN – Instytut Sztuki Polskiej Akademii Nauk, MA – Muzeum Archeologiczne w Warszawie, MN – Muzeum Narodowe w Warszawie, ODZ – Ośrodek Dokumentacji Zabytków.

Spis treści

Jan Matejko
Poczet królów i książąt polskich

Reprodukcje „Pocztu królów i książąt polskich" Jana Matejki
ze zbiorów Muzeum Narodowego we Wrocławiu
wykonała Krajowa Agencja Wydawnicza.

ieszko I

Dobrawa

olesław I Chrobry

Mieszko II

Rycheza

Kazimierz I Odnowiciel

Bolesław II Szczodry

Władysław I Herman

olesław III Krzywousty

Władysław II Wygnaniec

olesław IV Kędzierzawy

Mieszko III Stary

Kazimierz II Sprawiedliwy

Leszek Biały

Władysław Laskonogi

Henryk I Brodaty

Konrad I Mazowiecki

Bolesław V Wstydliwy

Leszek Czarny

Przemysł II

Wacław II

Władysław I Łokietek

Kazimierz III Wielki

Ludwik Węgierski

dwiga

Władysław II Jagiełło

Władysław III Warneńczyk

Kazimierz Jagiellończyk

Jan Olbracht

Aleksander

Zygmunt I Stary

Zygmunt II August

Henryk Walezy

Anna Jagiellonka

Stefan Batory

Zygmunt III

Władysław IV

Jan Kazimierz

Michał Korybut Wiśniowiecki

Jan III Sobieski

ugust II

Stanisław Leszczyński

ugust III

Stanisław August Poniatowski

DRZEWO GENEALOGICZNE PIASTÓW I ANDEGAWENÓW

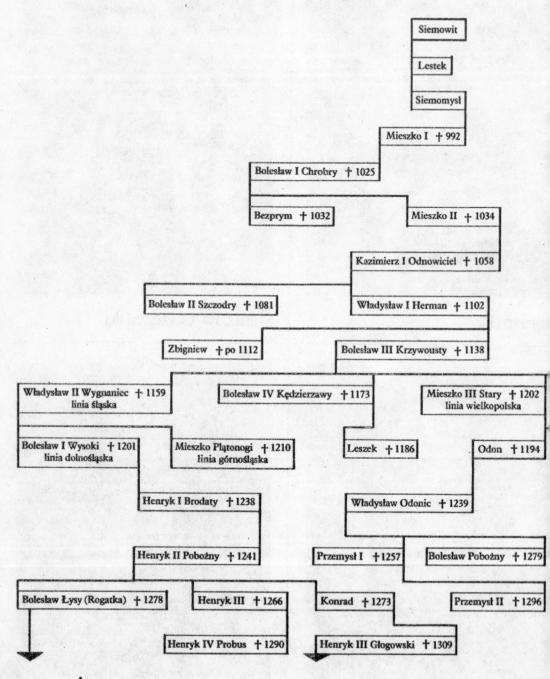

książęta legniccy i brzescy, linia wygasła 1675

książęta głogowscy, oleśniccy i żagańscy, linia wygasła 150

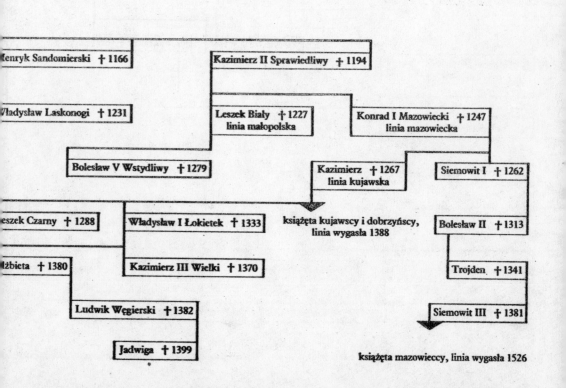

DRZEWO GENEALOGICZNE JAGIELLONÓW I WAZÓW

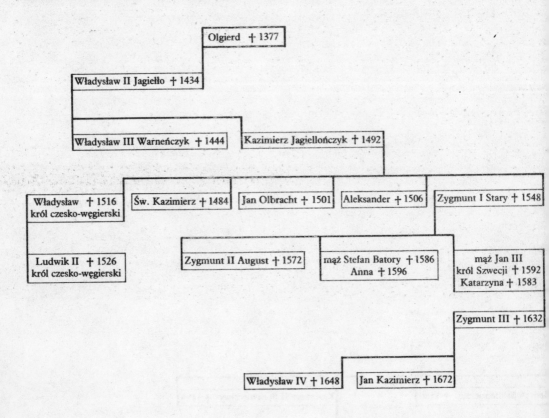

Olgierd † 1377

Władysław II Jagiełło † 1434

Władysław III Warneńczyk † 1444 — Kazimierz Jagiellończyk † 1492

Władysław † 1516 król czesko-węgierski — Św. Kazimierz † 1484 — Jan Olbracht † 1501 — Aleksander † 1506 — Zygmunt I Stary † 1548

Ludwik II † 1526 król czesko-węgierski — Zygmunt II August † 1572 — mąż Stefan Batory † 1586 Anna † 1596 — mąż Jan III król Szwecji † 1592 Katarzyna † 1583

Zygmunt III † 1632

Władysław IV † 1648 — Jan Kazimierz † 1672

„Czytelnik". Warszawa 1984. Wydanie III
Nakład 100 320 egz. Ark. wyd. 37,6; ark. druk. 30
Papier offsetowy chamois, kl. III, 90 g, 70×96
Druk z diapozytywów wykonano we wrześniu 1984 roku

Zakłady Graficzne „Dom Słowa Polskiego"
w Warszawie, ul. Miedziana 11

Zam. wyd. 767; druk. 4565/k/83. M-25
Printed in Poland